E A S T   R I V E R

Morningside
Heights
und Harlem

Central
Park

Upper
West
Side

Upper
East
Side

Upper
Midtown

Lower
Midtown

E A S T   R I V E R

**Morningside Heights
und Harlem**
Seiten 220–231

**Upper
Midtwon**
Seiten 166–181

0 Kilometer   1

0 Meilen   0,5

**Lower
Midtown**
Seiten 150–165

**Upper
West Side**
Seiten 210–219

**Gramercy und
Flatiron District**
Seiten 122–129

**Upper
East Side**
Seiten 182–203

Central Park
Seiten 204–209

East Village
Seiten 116–121

VIS à VIS

NEW YORK

EMPIRE STATE

VIS à VIS

NEW YORK

Hauptautorin: ELEANOR BERMAN

DORLING KINDERSLEY
www.dk.com

DK

EIN DORLING KINDERSLEY BUCH

www.dk.com

TEXTE
Eleanor Berman, Lester Brooks, Patricia Brooks, Susan Farewell

FOTOGRAFIEN
Max Alexander, Dave King, Michael Moran

ILLUSTRATIONEN
Richard Draper, Robbie Polley, Hamish Simpson

KARTOGRAFIE
Dorling Kindersley Cartography

REDAKTION UND GESTALTUNG
Dorling Kindersley Ltd.

•

© 1993 Dorling Kindersley Limited, London
Titel der englischen Originalausgabe:
Eyewitness Travel Guide *New York*
Zuerst erschienen 1993 in Großbritannien
bei Dorling Kindersley Ltd.
A Penguin Company

•

Hergestellt mit Unterstützung von
Websters International Publishers

•

Für die deutsche Ausgabe:
© 1994; 2000 Dorling Kindersley Verlag GmbH, München
Aktualisierte Neuauflage 2007

ÜBERSETZUNG Cornell Erhardt und Stefan Röhrig
REDAKTIONSLEITUNG Dr. Jörg Theilacker, Dorling Kindersley Verlag
REDAKTION Linde Wiesner, Pullach; Dr. Elfi Ledig, München;
Matthias Liesendahl, Berlin; Brigitte Maier, München
SCHLUSSREDAKTION Bernhard Lück, Augsburg;
Barbara Sobeck, Lindau
SATZ UND PRODUKTION Dorling Kindersley Verlag
LITHOGRAFIE Colourscan, Singapur
DRUCK South China Printing Co. Ltd., Hongkong, China

ISBN-13: 978-3-928044-36-3
ISBN-10: 3-928044-36-2

14 15 16 17 18   10 09 08 07 06

Dieser Reiseführer wird regelmäßig aktualisiert. Angaben wie
Telefonnummern, Öffnungszeiten, Adressen, Preise und Fahrpläne
können sich jedoch ändern. Der Verlag kann für fehlerhafte oder
veraltete Angaben nicht haftbar gemacht werden. Für Hinweise,
Verbesserungsvorschläge und Korrekturen ist der Verlag dankbar.
Bitte richten Sie Ihr Schreiben an:

Dorling Kindersley Verlag GmbH
Redaktion Reiseführer
Arnulfstraße 124
80636 München

◁ New Yorks spektakuläre Wolkenkratzer

INHALT

Baseball-Star
Babe Ruth
(1895–1948)

NEW YORK
STELLT SICH VOR

Skyline des südlichen Manhattan

Das New York City Ballet

Bagel aus einem New Yorker Deli

Die Vesuvio Bakery in SoHo

Uferpromenade in Brooklyn

Trump Tower, Upper Midtown

Solomon R. Guggenheim Museum, Upper East Side

BENUTZERHINWEISE

Dieser Reiseführer soll Ihren New-York-Besuch zu einem Erlebnis machen, das durch keinerlei praktische Probleme getrübt wird. Die Einleitung *New York stellt sich vor* erläutert die geografische Lage, beleuchtet die Entwicklung der Stadt von ihren Anfängen im 17. Jahrhundert bis zur Gegenwart und beschreibt die Höhepunkte des New Yorker Veranstaltungskalenders. *Die Stadtteile New Yorks* stellt die interes-santesten Sehenswürdigkeiten vor, die anhand von Karten, Fotos und anschaulichen Illustrationen erläutert werden. *Sieben Spaziergänge* führen Sie durch die attraktivsten Stadtteile von New York.

Zu Gast in New York enthält alle wesentlichen Informationen zu den Themen Einkaufen, Essen, Ausgehen und Übernachten. Die *Grundinformationen* am Ende des Buchs geben Ihnen praktische Tipps.

DIE STADTTEILE NEW YORKS

New York ist in diesem Führer in 15 attraktive Stadtteile gegliedert. Jedes der Kapitel beginnt mit einem Kurzporträt, das Charakter und Geschichte des entsprechenden Viertels anreißt und alle Sehenswürdigkeiten auflistet. Diese sind mit Nummern versehen, die mit denjenigen auf der Stadtteil- und Detailkarte sowie mit den Nummern der folgenden Einträge identisch sind.

1 Die Stadtteilkarte
Sie zeigt im Überblick den jeweils besprochenen Stadtteil. Die Sehenswürdigkeiten sind durchnummeriert; ferner sind Subway-Stationen, Hubschrauberlandeplätze und Anlegestellen verzeichnet.

Fotografien der Fassaden und prägnanter Details helfen bei der Lokalisierung.

Die Farbkodierung jeder Seite erleichtert das Auffinden von Stadtteilen.

2 Die Detailkarte
Hier ist der farblich hervorgehobene Kern der Stadtteilkarte aus der Vogelperspektive zu sehen. Die Sehenswürdigkeiten sind zur raschen Orientierung kurz erläutert.

Eine Orientierungskarte zeigt die Lage des Stadtteils, in dem man sich befindet. Der Ausschnitt der *Detailkarte* ist rot gehalten.

Der Trump Tower ❷ ist auch in dieser Karte verzeichnet.

Sehenswürdigkeiten auf einen Blick
Hier sind die Hauptattraktionen aufgelistet: historisch oder architektonisch bedeutende Straßen und Gebäude, Kirchen, Museen und Sammlungen, Monumente, Parks und Plätze.

Die Straßenzüge, die auf der *Detailkarte* dargestellt werden, sind rot eingefärbt.

Nummern in schwarzen Kreisen kennzeichnen Sehenswürdigkeiten. Der Trump Tower hat z.B. die ❷

Anfahrtstipps erläutern, wie man mit öffentlichen Verkehrsmitteln hinkommt.

Die Routenempfehlung schlägt eine Strecke vor, die durch die interessantesten Straßen eines Stadtteils führt.

Sterne markieren Sehenswürdigkeiten, die man keinesfalls versäumen sollte.

NEW YORK
STELLT SICH VOR

Jede Karte des »Überblicks« behandelt ein besonderes Thema: *Museen, Architektur, Das multikulturelle New York, Berühmte New Yorker*. Die größten Highlights sind auf einer Doppelseite dargestellt, weitere werden auf den darauffolgenden Seiten aufgeführt. Dort finden sich auch jeweils Seitenverweise zu *Die Stadtteile New Yorks*.

Jeder Stadtteil ist mit einer Farbkodierung versehen.

Das Thema wird ausführlich auf den der Karte folgenden Seiten behandelt.

3 Detaillierte Informationen über die Sehenswürdigkeiten *bieten die darauf folgenden Seiten. Die Reihenfolge entspricht der Nummerierung der Stadtteil- und Detailkarte. Praktische Informationen ergänzen die Beschreibungen.*

4 New Yorks Hauptsehenswürdigkeiten *Den Hauptsehenswürdigkeiten werden jeweils zwei oder mehr Seiten in den entsprechenden Stadtteilkapiteln gewidmet. Wichtige Gebäude sind im Aufriss dargestellt; Etagenpläne von Museen erleichtern das Auffinden von Kunstwerken.*

PRAKTISCHE INFORMATIONEN

Jeder Eintrag informiert detailliert über eine Sehenswürdigkeit. Die Symbole sind auf der hinteren Umschlagklappe erklärt.

Verweis auf eine Karte des Stadtplans

Adresse

Nummer der Attraktion

Trump Tower ❷

725 5th Ave. **Stadtplan** 12 F3.
(212) 832-2000. **M** 5th Ave/53rd St, 5th Ave/59th St. **Gartenebene,**
Läden ◯ Mo–Sa 10–18 Uhr, So 12–17 Uhr. **Gebäude** ◯ tägl. 8–22 Uhr.
Konzerte.

Öffnungszeiten

Telefonnummer

Serviceleistungen, Einrichtungen

Nächste Subway-Station

Die Infobox enthält die praktischen Informationen, die für einen Besuch hilfreich sind.

Ein Foto der Fassade jeder Hauptsehenswürdigkeit dient der Orientierung.

Sterne kennzeichnen die interessantesten architektonischen Details eines Gebäudes und die wichtigsten Kunstwerke oder Ausstellungsstücke im Gebäude selbst.

Die farbige Legende hilft, sich im Museum zurechtzufinden.

NEW YORK
STELLT SICH VOR

VIER TAGE IN NEW YORK

Die Anzahl an Sehenswürdigkeiten in New York ist gewaltig. Vier Tagestouren sollen Ihnen Big Apple und das Beste an Architektur, Geschäften, Museen und Freizeitangeboten näher bringen. Die hier vorgeschlagenen Zeitpläne lassen sich nach Belieben variieren und

Chrysler Building

ändern. Es bleibt immer Zeit für einen Abstecher. Alle erwähnten Sehenswürdigkeiten lassen sich zudem miteinander verbinden, Sie können also Ihre ganz eigene Route zusammenstellen. Die Preise gelten für zwei Erwachsene oder eine vierköpfige Familie einschließlich Mittagessen.

WAHRZEICHEN

- Ein Besuch der UNO
- Gebäude des Art déco und der Moderne
- Lichter des Times Square
- Empire State Building

ZWEI ERWACHSENE mind. 115 $

Vormittag

Starten Sie am East River mit einer Führung durch das **UN-Hauptquartier** *(siehe S. 160–163)*. Gehen Sie dann Richtung 42nd Street, mit einem Umweg durch das Wohnviertel **Tudor City** *(siehe S. 158)*. Lassen Sie sich nicht die Art-déco-Einrichtung des **Chrysler Building** *(siehe S. 155)* entgehen. Nächstes Ziel ist das Beaux-Arts-Wahrzeichen **Grand Central Terminal** *(siehe S. 156f;* kostenlose Führung Mi und Fr 12.30 Uhr). Bewundern Sie die Bahnhofshalle und bummeln Sie durch die Einkaufspassage mit ihrem bunten Lebensmittelmarkt und reichhaltigen Angebot von Sushi bis New York Cheesecake. In der **Grand Central Oyster Bar**

(siehe S. 306). kann man eine Muschelsuppe und köstliche Austern genießen.

Nachmittag

Zurück auf der 42nd Street, kommt man zur **New York Public Library** *(siehe S. 146;* kostenlose einstündige Tour Di–Sa 11 und 14 Uhr), einem weiteren Höhepunkt der Beaux-Arts-Architektur mit marmornen Hallen und Treppen sowie dem Hauptlesesaal und der Zeitschriftenabteilung. Im Bill Blass Public Catalog Room können Sie kostenlos Ihre E-Mails abrufen. Der **Bryant Park** *(siehe S. 145)* hinter der Bibliothek ist eine grüne Oase mitten in der Stadt. Wir erreichen New Yorks berühmteste Straßenkreuzung, **Times Square** *(siehe S. 147)* Ecke Broadway. Dahinter liegt der neue Abschnitt der 42nd Street mit restaurierten Theatern, riesigen Kinopalästen und Madame Tussauds Wax Museum. Mit dem Taxi geht's zum **Empire State Building** *(siehe S. 136f)*, wo der Tag mit der einmaligen Aussicht auf die Stadt endet.

Das bunte Funkeln der Reklamelichter am Times Square

Prometheus-Statue und Lower Plaza beim Rockefeller Center

KUNST UND SHOPPING

- Moderne Kunst am Morgen
- Mittag im Rockefeller Center
- Einkauf in der Fifth Avenue
- Zum Tee im Hotel Pierre

ZWEI ERWACHSENE mind. 135 $

Vormittag

Im spektakulären, kürzlich erweiterten **Museum of Modern Art** (MoMA) *(siehe S. 172–175)* können Sie leicht einen ganzen Vormittag verbringen vor Werken wie van Goghs *Sternennacht*, Monets *Seerosen* und Picassos *Les Demoiselles d'Avignon*. Auch die Design-Ausstellungen im dritten Stock sollten Sie möglichst nicht versäumen. Nach dem Museumsbesuch bietet sich ein Spaziergang durch das **Rockefeller Center** an *(siehe S. 144)*. Beim Mittagessen im Rock Center Café kann man im Winter die Schlittschuhläufer Pirouetten drehen sehen. Im Sommer verwan-

◁ Der New Yorker Hafen und die 42nd Street im Jahr 1946

delt sich die Eisbahn in einen hübschen grünen Garten, in dem die Rink Bar abends Gäste empfängt.

Nachmittag

Nach der Mittagspause geht es zur **St. Patrick's Cathedral** *(siehe S. 178f)*, der größten katholischen Kathedrale in den USA, die zudem eines der schönsten Gotteshäuser der Stadt ist. Folgen Sie nun der **Fifth Avenue** mit ihren vielen hochpreisigen Läden. Saks Fifth Avenue liegt direkt gegenüber St. Patrick's bei der 50th Street. Richtung Norden findet man Cartier (52nd St), Henri Bendel (55–56th St), Prada, Fendi und Trump Tower (56–57th St), Tiffany (57th St) und Bergdorf Goodman (57–58th St). Den Rundgang beenden Sie stilgerecht in der 61st Street bei einem typisch englischen Nachmittagstee im edlen Ambiente von **The Pierre** *(siehe S. 289)*.

HISTORISCHE SCHÄTZE

- Per Schiff nach Ellis Island und zur Statue of Liberty
- Mittag in Fraunces Tavern
- Tour durchs alte New York

ZWEI ERWACHSENE mind. 120 $

Vormittag

Nehmen Sie im Battery Park die Fähre zur **Statue of Liberty** *(siehe S. 74f)* und nach **Ellis Island** *(siehe S. 78f)*; eine Rundfahrt steuert beide Ziele an. Bei der Rückfahrt steigen Sie bei **Bowling Green**, dem ältesten Park der Stadt *(siehe S. 73)*, aus. Gehen Sie nun Richtung **Fraunces Tavern Block Historic District** *(siehe S. 76)*, New Yorks letztem Areal mit Geschäftshäusern des 18. Jahrhunderts. In der Tavern ist ein Museum der Revolutionszeit untergebracht. Das Restaurant bietet

Der Central Park – grüne Lunge mit riesigem Freizeitangebot

Freiheitsstatue

sich für ein Mittagessen in historischem Ambiente an.

Nachmittag

Einen Block weiter liegt das historische Viertel um die Stone Street. Das India House war einst Baumwollbörse und beherbergt heute **Bayard's Restaurant** *(siehe S. 56)*. Über die William Street gelangt man zur Wall Street und zur **Federal Hall** *(siehe S. 68)*. Von hier ist es nicht weit zur **New York Stock Exchange** *(siehe S. 70f)* und **Trinity Church** *(siehe S. 68)* von 1839. Am Broadway liegt **St. Paul's Chapel** *(siehe S. 91)*. Geradeaus geht es zur **City Hall** *(siehe S. 90)*. Die Tour endet im **South Street Seaport Historic District**, dem Herzen des alten Hafens *(siehe S. 82f)* mit Blick auf die **Brooklyn Bridge** *(siehe S. 86–89)*.

FAMILIENSPASS

- **Vormittags im Central Park**
- **Mittagessen im Boathouse**
- **Dinosaurier im American Museum of Natural History**

FAMILIE ZU VIERT mind. 175 $

Vormittag

Der **Central Park** *(siehe S. 205–209)* wurde als Erholungspark geplant. Zu den Attraktionen gehören das alte Karussell, die Modellboote auf dem Conservatory Pond, der Zoo und die Delacorte Clock. Es gibt Spielplätze für jedes Alter: Safari in der West 91st Street (zwei bis fünf Jahre); Abenteuer in der West 67th Street (sechs bis zwölf Jahre). Das Swedish Cottage Marionette Theater in der West 79th Street spielt klassische Märchen (Di–Fr 10.30 und 12 Uhr, Sa 13 Uhr). Mieten Sie Fahrräder oder rudern Sie auf dem See. Günstig zu Mittag isst man in der Snackbar des **Boathouse** *(siehe S. 309)*. Die Wollman-Eisbahn öffnet im Winter für Schlittschuhläufer.

Nachmittag

Je nach Alter und Interessen bietet sich das **Children's Museum** *(siehe S. 219)* oder das **American Museum of Natural History** *(siehe S. 216f)* mit seinen Dinosauriern an. Den Tag beendet man in der West 73rd Street bei einer Tasse Tee in Alice's Tea Cup.

Ellis Isand, einst die erste Anlaufstelle für Einwanderer in New York

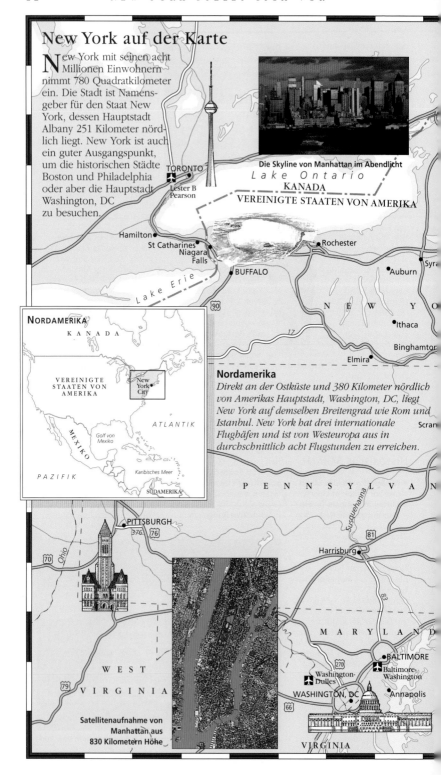

New York auf der Karte

New York mit seinen acht Millionen Einwohnern nimmt 780 Quadratkilometer ein. Die Stadt ist Namensgeber für den Staat New York, dessen Hauptstadt Albany 251 Kilometer nördlich liegt. New York ist auch ein guter Ausgangspunkt, um die historischen Städte Boston und Philadelphia oder aber die Hauptstadt Washington, DC zu besuchen.

Die Skyline von Manhattan im Abendlicht

Lake Ontario

KANADA

VEREINIGTE STAATEN VON AMERIKA

Hamilton

St Catharines
Niagara Falls

BUFFALO

Rochester

Auburn   Syr

TORONTO

Lester B Pearson

Lake Erie

90

N   E   W   Y   O

Ithaca

Binghamton

Elmira

NORDAMERIKA

K A N A D A

VEREINIGTE STAATEN VON AMERIKA

New York City

ATLANTIK

MEXIKO

Golf von Mexiko

Karibisches Meer

PAZIFIK

SÜDAMERIKA

Nordamerika

Direkt an der Ostküste und 380 Kilometer nördlich von Amerikas Hauptstadt, Washington, DC, liegt New York auf demselben Breitengrad wie Rom und Istanbul. New York hat drei internationale Flughäfen und ist von Westeuropa aus in durchschnittlich acht Flugstunden zu erreichen.

Scran

P   E   N   N   S   Y   L   V   A   N

Susquehanna

PITTSBURGH

376 76

Harrisburg

81

70

Ohio

M   A   R   Y   L   A   N   D

BALTIMORE

Baltimore Washington

Washington-Dulles

WASHINGTON, DC

66

270

Annapolis

WEST

79

VIRGINIA

Satellitenaufnahme von Manhattan aus 830 Kilometern Höhe

VIRGINIA

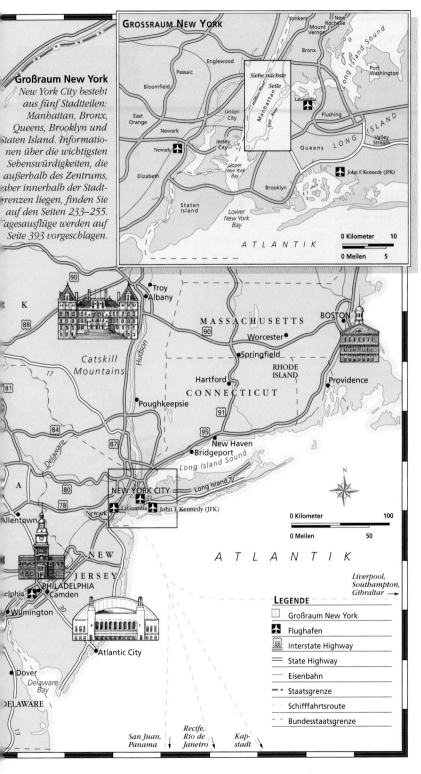

Großraum New York

New York City besteht aus fünf Stadtteilen: Manhattan, Bronx, Queens, Brooklyn und Staten Island. Informationen über die wichtigsten Sehenswürdigkeiten, die außerhalb des Zentrums, aber innerhalb der Stadtgrenzen liegen, finden Sie auf den Seiten 233–255. Tagesausflüge werden auf Seite 393 vorgeschlagen.

GROSSRAUM NEW YORK

Yonkers
New Rochelle
Mount Vernon
Englewood
Bronx
Port Washington
Passaic
Siehe nächste Seite
Long Island Sound
Bloomfield
LaGuardia
Flushing
East Orange
Union City
Manhattan
Newark
Jersey City
Queens
LONG ISLAND
Valley Stream
Newark
Upper New York Bay
John F Kennedy (JFK)
Elizabeth
Brooklyn
Staten Island
Lower New York Bay

0 Kilometer 10
0 Meilen 5

ATLANTIK

Troy
Albany
MASSACHUSETTS
BOSTON
Worcester
Springfield
Catskill Mountains
Hudson
RHODE ISLAND
Hartford
Providence
CONNECTICUT
Poughkeepsie
New Haven
Bridgeport
Long Island Sound
NEW YORK CITY
Long Island
LaGuardia
John F Kennedy (JFK)
Newark
Allentown
NEW JERSEY
ATLANTIK

N

Liverpool, Southampton, Gibraltar →

PHILADELPHIA
Camden
Wilmington
Atlantic City
Dover
Delaware Bay
DELAWARE

0 Kilometer 100
0 Meilen 50

LEGENDE

☐	Großraum New York
✈	Flughafen
🛡	Interstate Highway
═	State Highway
—	Eisenbahn
▬ ▬	Staatsgrenze
··········	Schifffahrtsroute
– – –	Bundesstaatsgrenze

San Juan, Panama ↓
Recife, Rio de Janeiro ↓
Kapstadt ↓

Manhattan

Manhattan ist in diesem Buch in 15 Bezirke unterteilt, denen jeweils ein Abschnitt gewidmet ist. Viele der ältesten und modernsten Gebäude stehen in Lower Manhattan. Hier können Sie die Staten Island Ferry besteigen, um die atemberaubende Skyline New Yorks und die Statue of Liberty zu betrachten. Midtown und der zugehörige Theater District umfassen die glitzernde Einkaufswelt der Fifth Avenue. Die Museumsmeile der Upper East Side ist ein Kultur-Eldorado, der angrenzende Central Park bietet Erholung.

Grand Central Terminal
Der Bahnhof im Beaux-Arts-Stil wurde 1913 eröffnet. In seiner riesigen, überkuppelten Wartehalle herrscht immer großes Gedränge.

Morgan Library & Museum
Eine der bedeutendsten Sammlungen alter Manuskripte, Drucke und Bücher ist in diesem palazzoartigen Gebäude untergebracht (siehe S. 164f).

Statue of Liberty
Die gewaltige Statue von 1886 – ein Geschenk Frankreichs an das amerikanische Volk – wurde weltweit zum Symbol für Freiheit (siehe S. 74f).

Cathedral of St. John the Divine
Die Kathedrale wird einmal die größte der Welt sein – noch ist sie nicht fertiggestellt. Sie beherbergt auch ein Theater und eine Musikbühne (siehe S. 226f).

0 Kilometer 2
0 Meilen 1

HARLEM

HENRY HUDSON PARKWAY
BROADWAY
AMSTERDAM AVENUE
AVENUE
135TH STREET

MORNINGSIDE
HEIGHTS
125TH STREET

Cathedral of
St John the Divine

116TH STREET
EIGHTH SEVENTH
FIFTH
X BLVD
MALCOLM X
AVENUE

96TH STREET

110TH STREET

PARK

FIFTH

UPPER
WEST SIDE

CENTRAL PARK WEST

CENTRAL
PARK

86TH STREET

BROADWAY
AVENUE

American Museum
of Natural History

AMSTERDAM
COLUMBUS
CENTRAL PARK WEST

Guggenheim
Museum

Metropolitan
Museum of Art

CENTRAL
PARK

UPPER
EAST SIDE

FIFTH AVENUE

AVENUE
86TH ST

57TH STREET

FIFTH
PARK
72ND STREET
AVENUE
AVENUE

THEATER
DISTRICT

Museum of
Modern Art

THIRD
SECOND
FIRST

Rockefeller St Patrick's
Center Cathedral

MIDTOWN

Grand
Central

42ND STREET

Pierpont
Morgan
Library

UN
Headquarters

AVENUE

LEGENDE

Hauptsehenswürdigkeit

Vereinte Nationen
*New York ist Hauptsitz der
Organisation zur Sicherung
des Weltfriedens und des Völ-
kerrechts* (siehe S. 160–163).

**Empire State
Building**
*Der höchste Wol-
kenkratzer New
Yorks ist zugleich
ein Wahrzeichen
der Stadt. Seit
seiner Eröffnung
im Jahr 1931
hatte er mehr als
110 Millionen
Besucher* (siehe
S. 136f).

Metropolitan Museum of Art
*Die Exponate reichen von prähistorischer Zeit
bis zur Gegenwart und füllen eines der weltweit
größten Kunstmuseen* (siehe S. 190–197).

Brooklyn Bridge
*Die 1883 vollendete Brü-
cke überspannt den East
River zwischen Manhattan
und Brooklyn. Sie war
einst die größte Hänge-
brücke und die erste aus
Stahl* (siehe S. 86–89).

**Solomon
R. Guggenheim
Museum**
*Das einzigartige
Gebäude ist ein
Meisterwerk des
Architekten Frank
Lloyd Wright und
beherbergt Kunst
des 19. und
20. Jahrhunderts*
(siehe S. 188f).

DIE GESCHICHTE
DER STADT

Die Entdeckung des New Yorker Naturhafens durch Giovanni da Verrazano vor ungefähr 500 Jahren weckte schnell das Interesse der europäischen Nationen an diesem Teil der Neuen Welt. 1621 gründeten Holländer dort die Kolonie Neu-Amsterdam, die sie 1664 an England verloren. Die Siedlung wurde in New York umbenannt – und dieser Name blieb auch erhalten, nachdem die Engländer 1783 als Ergebnis des Amerikanischen Unabhängigkeitskrieges die Kolonie aufgeben mussten.

Muschelumhang eines Indianerhäuptlings

DIE STADT WÄCHST

Im Lauf des 19. Jahrhunderts vergrößerte sich die Stadt stetig, ihr Hafen gewann zusehends an Bedeutung. Zahlreiche Betriebe wurden gegründet; Handel und Wohlstand blühten. Der Zusammenschluss von Manhattan und vier weiteren Gemeinden machte New York 1898 zur zweitgrößten Stadt der Welt. Von 1800 bis 1900 wuchs die Bevölkerung von 79 216 auf drei Millionen. New York wurde das Kultur- und Unterhaltungsmekka der USA und zugleich das Geschäftszentrum des Landes.

DER SCHMELZTIEGEL

Immigranten ließen die Stadt weiter wachsen; viele lebten wegen akuter Überbevölkerung in Slums. Doch das Gemisch der verschiedenen Kulturen bereicherte die Stadt und wurde ihr Markenzeichen – heute sprechen acht Millionen Einwohner 100 Sprachen. Die ständig steigende Einwohnerzahl ließ die Gebäude Manhattans in den Himmel wachsen. New York hat gute wie schlechte Zeiten erlebt, ist aber eine der vitalsten Städte der Welt geblieben.

Eine Urkunde (1664) von Peter Stuyvesant, dem letzten holländischen Gouverneur Neu-Amsterdams

◁ Das südliche Manhattan und ein Teil von Brooklyn (1767)

Die Anfänge von New York

Indianermaske aus Maishülsen

Als die holländische Westindische Kompanie 1625 ihre Pelzhändlerkolonie Neu-Amsterdam gründete, war das Gebiet von indianischen Ureinwohnern besiedeltes Waldland. Die neuen Siedler bauten ihre Häuser aufs Geratewohl, was man noch heute an der unregelmäßigen Straßenführung in Lower Manhattan erkennt. Der Broadway (holländisch: Breede Wegh) war einst ein Indianerpfad, Harlem behielt seinen holländischen Namen. Unter Peter Stuyvesant erhielt die Kolonie eine Verwaltung, erbrachte allerdings nicht den erhofften Gewinn, und so überließen die Holländer 1664 die Stadt den Engländern, die sie in New York umtauften.

Die ersten New Yorker
Algonquin-Indianer waren die ersten Bewohner des Gebiets von Manhattan.

Irokesischer Topf
Die Irokesen suchten häufig die Gegend des heutigen Manhattan auf.

Indianisches Dorf
In solchen Langhäusern lebten die Algonquin-Indianer.

WACHSTUM DER METROPOLE
☐ 1664   ☐ Heute

Siegel der Neu-Niederlande
Biberpelz und Wampum (indianisches Muschelgeld) waren Zahlungsmittel in der Kolonie Neu-Niederlande.

ERSTE ANSICHT MANHATTANS (1626)
Die Südspitze Manhattans glich einer holländischen Stadt (mit Windmühle). Das abgebildete Fort war damals noch nicht erbaut.

Holländische Schiffe

Indianisches Kanu

ZEITSKALA

1524 Giovanni da Verrazano erreicht den New Yorker Hafen

1626 Peter Minuit kauft den Indianern Manhattan ab

1653 Bau eines Schutzwalls gegen Indianer; die angrenzende Straße erhält den Namen Wall Street

1625 Erste ständige Handelsniederlassung der Holländer

1600

1620

1640

1609 Henry Hudson befährt den Hudson River auf der Suche nach der Nordwestpassage

1643–45 Gefechte mit den Indianern enden mit vorläufigem Friedensvertrag

1625 Die ersten Sklaven werden aus Afrika nach Amerika verschleppt

1647 Peter Stuyvesant wird Gouverneur der Kolonie

1654 Ankunft der ersten jüdischen Siedler

Delfter Keramik
Die neuen Siedler brachten die bekannten Keramiken mit Zinnglasur aus Holland mit.

Holzkonstruktion der *Tiger*

WEGWEISER: HOLLÄNDISCHES NEW YORK

Die Überreste des 1613 ausgebrannten holländischen Schiffs *Tiger* (1916 ausgegraben) sind die ältesten Zeugnisse jener Zeit und im Museum of the City of New York *(siehe S. 199)* zu sehen. Im gleichen Museum, in der Morris-Jumel Mansion *(siehe S. 235)* und im Van Cortlandt House Museum *(siehe S. 240)* werden niederländische Keramik, Fliesen und Möbel gezeigt.

Silhouette von Manhattan
Am Strand (jetzt Whitehall Street) stand einst das erste Ziegelhaus der Stadt.

Holländische Windmühle

Fort Amsterdam

Der Kauf von Manhattan
1626 kaufte Peter Minuit den indianischen Ureinwohnern die Insel für Schmuck im Wert von 24 Dollar ab.

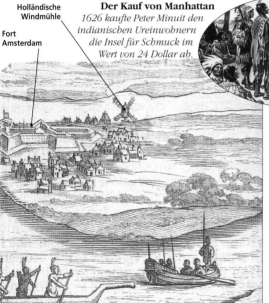

Peter Stuyvesant
Der letzte holländische Gouverneur erließ drakonische Gesetze. So mussten etwa alle Wirtshäuser um 21 Uhr schließen.

1660 Gründung des ersten Stadtkrankenhauses

1664 Briten vertreiben die Holländer kampflos; die Stadt heißt jetzt New York

1676 Errichtung eines Großdocks am East River

1698 Weihung der Trinity Church

1660	1680	1700

Übergabe Neu-Amsterdams an Großbritannien

1680er Jahre New York erhält das Exklusivrecht, Getreide zu verkaufen und zu verladen

1683 Erste Stadturkunde von New York

1689 Kaufmann Jacob Leisler führt die Steuerrebellion an und herrscht zwei Jahre über die Stadt

1693 92 Kanonen werden zum Schutz der Stadt installiert; der Bereich wird als Battery bekannt

1691 Leisler wird wegen Verrats zum Tode verurteilt

New York zur Kolonialzeit

Gentleman
aus der
Kolonialzeit

Unter britischer Herrschaft nahm New York einen raschen Aufschwung; die Bevölkerung wuchs rapide. Getreideverarbeitung und Schiffsbau waren die Haupterwerbszweige. In dieser Phase der Kolonialzeit bildete sich eine gesellschaftliche Elite heraus, für deren Häuser edle Möbel und Silberwaren gefertigt wurden. In seiner über 100-jährigen Herrschaft zeigte England jedoch mehr Interesse am Profit als am Wohlergehen seiner Kolonie. Drückende Steuern erzeugten Hass und die Bereitschaft zur Rebellion, auch wenn – gerade in New York – die Loyalität zur Krone unterschiedlich war. Kurz vor der Revolution war New York mit 20 000 Einwohnern die zweitgrößte Stadt der 13 Kolonien.

Kolonialgeld

WACHSTUM DER METROPOLE

◻ 1760   ☐ Heute

Schlafzimmer

Speise-
zimmer

Straßenszene der Kolonialzeit
Damals konnten Schweine und Hunde auf New Yorks Straßen frei herumlaufen.

Kas
Kiefernholzschrank im holländischen Stil (um 1720) aus dem New Yorker Hudson River Valley.

Schifffahrt
Der Handel mit Westindien und England ließ New York reich werden. In manchen Jahren legten über 200 Schiffe an.

ZEITSKALA

1702 Lord Cornbury wird zum Gouverneur berufen; er trägt oft Frauenkleider

1711 Am Ende der Wall Street entsteht ein Sklavenmarkt

1720 Die erste Werft nimmt ihren Betrieb auf

1700	1710	1720	1730

1710 Irokesenhäuptling Hendrick besucht England

1732 Eröffnung des ersten städtischen Theaters

1725 *New York Gazette*, die erste New Yorker Zeitung, erscheint

Captain Kidd
Der schottische Seeräuber William Kidd war ein geachteter Bürger. Er half beim Bau der Trinity Church (siehe S. 68).

VAN CORTLANDT HOUSE
Frederick van Cortlandt erbaute 1748 das georgianische Haus auf einer Weizenplantage im Gebiet der Bronx. Heute ist es ein Museum (siehe S. 240) und zeigt die damalige Lebensweise einer reichen holländischenglischen Familie.

WEGWEISER: KOLONIALZEIT
Häuser der Kolonialzeit können in der historischen Richmond Town auf Staten Island *(siehe S. 254)* besichtigt werden. Das Museum of the City of New York *(siehe S. 199)* zeigt edle Silberarbeiten und Möbel.

Laden in Richmond Town

Westsalon

Küche der Kolonialzeit
Statt Fleisch gab es oft weißen Käse (»white meat«). Holländische Waffeln waren beliebt. Frische Früchte waren eine Seltenheit, man behalf sich jedoch mit eingemachtem Obst.

Babyflasche aus Zinn   **Käseform**   **Waffeleisen**

Steinmetzarbeiten
Über jedem Fenster der Vorderfront befindet sich ein steinernes Konterfei.

Stielgabel für eingemachtes Obst

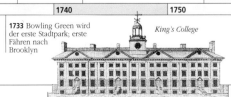

1734 John Peter Zengers Verleumdungsprozess wirft die Pressefreiheit zurück

1741 Ein Sklavenaufstand führt zur Hysterie. 31 Sklaven werden hingerichtet, 150 eingekerkert

1754 Beginn des Kriegs gegen Franzosen und Indianer; Gründung des King's College (heute Columbia University)

Britischer Soldat

1759 Bau des ersten Gefängnisses

1740   **1750**   **1760**

1733 Bowling Green wird der erste Stadtpark; erste Fähren nach Brooklyn

King's College

1762 Erste bezahlte Polizeitruppe

1763 Kriegsende; die Briten kontrollieren Nordamerika

New York zur Revolutionszeit

George Washington, General der Aufständischen

New York litt unter dem Kampf für Unabhängigkeit: durch die ausgehobenen Schützengräben, die Beschießung durch die britischen Truppen und wiederholte Feuersbrünste. Dennoch spielten die mehrheitlich königstreuen Bürger weiterhin Cricket, besuchten Pferderennen und Bälle. Nach der Einnahme durch die Briten 1776 strömten Königstreue aus anderen Staaten in die Stadt. Amerikanische Truppen kehrten erst nach dem Friedensvertrag von 1783 nach Manhattan zurück.

WACHSTUM DER METROPOLE

☐ 1776   ☐ Heute

Kampfanzug
Die amerikanischen Truppen trugen blaue, die Briten rote Uniformen.

Britischer Soldat

Provianttasche
Während des Unabhängigkeitskrieges trugen die amerikanischen Soldaten solche Provianttaschen.

DER KÖNIG STÜRZT
New Yorker stürzten die Statue Georges III in Bowling Green um und schmolzen sie für Munition ein.

Die Schlacht von Harlem Heights
Washington gewann die Schlacht am 16. September 1776, musste die Stadt jedoch den Briten überlassen.

Amerikanischer Soldat

Aufständischer

Tod eines Patrioten
1776 wurde Nathan Hale, der hinter den britischen Linien agierte, gefasst und ohne Prozess als Spion gehängt.

ZEITSKALA

1765 Der britische *Stamp Act* führt zum Protest der New Yorker; Gründung der *Sons of Liberty*

1767 Der *Townshend Act* bringt der Stadt neue Lasten; nach Protesten wird er zurückgezogen

1770 *Sons of Liberty* kämpfen mit Briten in der *Battle of Golden Hill*

1774 Aufständische kippen Tee in den Hafen aus Protest gegen die Steuern

1760

1770

1780

St. Paul's Chapel

1766 Vollendung der St. Paul's Chapel; der *Stamp Act* wird zurückgezogen; Statue Georges III im Bowling Green errichtet

General William Howe, Oberkommandant der britischen Truppen

1776 Kriegsbeginn; im Hafen von New York sammeln sich 500 Schiffe unter General Howe

Feueralarm

Feuersbrünste waren immer eine Gefahr, doch sie häuften sich während des Krieges und zerstörten beinahe die Stadt. Am 21. September 1776 vernichtete ein Brand die Trinity Church und 1000 Häuser.

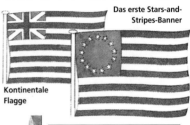

Lederner Löscheimer

Flaggen der Revolution

Washington hatte die kontinentale Flagge, mit einem Streifen für jede der 13 Kolonien und dem Union Jack in der Ecke. Das Sternenbanner wurde 1777 offizielle Flagge.

Das erste Stars-and-Stripes-Banner

Kontinentale Flagge

Statue von George III

Einzug General Washingtons

Nach dem Rückzug der Briten kehrte Washington am 25. November 1783 nach New York zurück und wurde als Held umjubelt.

Jubelnde Patrioten

WEGWEISER: REVOLUTIONSZEIT

1776 diente die Morris-Jumel Mansion im oberen Manhattan *(siehe S. 235)* George Washington als Hauptquartier. Er schlief auch im Van Cortlandt House *(siehe S. 21, 240).* Später verabschiedete er seine Offiziere in Fraunces Tavern *(siehe S. 76).*

Morris-Jumel Mansion

1783 Pariser Vertrag unterzeichnet; USA erhalten Unabhängigkeit; die Briten räumen New York

1789 George Washington wird in der Federal Hall als erster Präsident vereidigt

1790 Hauptstadt der USA nach Philadelphia verlegt

1794 Eröffnung des Bellevue Hospital am East River

1801 Alexander Hamilton gründet die *New York Post*

1790

1800

1785 New York wird US-Hauptstadt

1784 Die Bank of New York wird eingetragen

1792 Bau des Tontine Coffee House – erster Sitz der Börse

1791 Eröffnung des New York Hospital

Washingtons Amtseinführung

1804 Vizepräsident Aaron Burr erschießt seinen politischen Rivalen Alexander Hamilton im Duell

New York im 19. Jahrhundert

Gouverneur De Witt Clinton

Als größte Stadt der USA und wegen des Seehafens wurde New York immer wohlhabender. Die Hafennähe ließ auch die Güterproduktion wachsen; Unternehmer wie John Jacob Astor scheffelten Millionen. Die Reichen zogen in die Außenbezirke; der öffentliche Nahverkehr wurde ausgebaut. Doch mit dem Boom kamen auch die Probleme: Feuersbrünste, Seuchen, Finanzkrisen. Immer mehr Immigranten trafen ein, die Slums wuchsen. 1846 war jeder siebte New Yorker verarmt.

WACHSTUM DER METROPOLE

▨ 1840   ☐ Heute

Musiknoten
Der New Yorker Stephen Foster schrieb viele beliebte Balladen wie Jeanie With The Light Brown Hair.

Das Croton Distributing Reservoir wurde 1842 für die Frischwasserversorgung errichtet. Zuvor waren die New Yorker auf abgefülltes Wasser angewiesen.

Omnibus
Der von Pferden gezogene Omnibus (seit 1832) war bis zum Ersten Weltkrieg öffentliches Verkehrsmittel in New York.

Fitness
Sportstätten wie Dr. Richs Institut für Leibeserziehung entstanden in den 1830er und 1840er Jahren.

ZEITSKALA

1805 Erste kostenlose öffentliche Schulen in New York

1811 Der Randel-Plan teilt Manhattan ab der 14th Street in ein Schachbrettmuster ein

1812–14 Krieg von 1812; Briten blockieren New Yorker Hafen

Die Constitution, *das berühmteste Schiff im Krieg von 1812*

1835 Schlimmste Feuersbrunst der Stadtgeschichte

1810	1820	1830

1807 Robert Fulton betreibt auf dem Hudson River das erste Dampfschiff

1822 Gelbfieberepidemie; Massenflucht nach Greenwich Village

1823 New York wird (vor Boston und Philadelphia) die größte Stadt des Landes

1827 In New York wird die Sklaverei abgeschafft

1837 Der New Yorker Samuel Morse erfindet Telegrafie-Alphabet

Brownstone

In der ersten Jahrhunderthälfte entstanden viele Reihenhäuser aus braunem Sandstein. Die Treppe führt zum Salon; im Erdgeschoss wohnte das Hauspersonal.

Der Crystal Palace, eine Eisen-Glas-Halle, entstand für die Weltausstellung von 1853.

NEW YORKS HAFEN

Im frühen 19. Jahrhundert wuchs die Bedeutung New Yorks als Hafenstadt. 1807 lief Robert Fultons erstes Dampfschiff, die *Clermont*, vom Stapel. Mit Dampfschiffen war man bis Albany, Hauptstadt des Staates und Tor nach Westen, nur noch 72 Stunden unterwegs. Der Handel mit dem Westen mittels Dampfschiff und Lastkahn und derjenige mit der übrigen Welt mittels Klippern bescherte vielen New Yorkern Wohlstand.

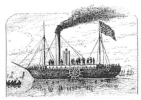

Das Dampfschiff *Clermont*

NEW YORK IM JAHR 1855

An der Stelle von Crystal Palace und Croton Distributing Reservoir, südlich der 42nd Street, befinden sich heute das Hauptgebäude der Public Library und der Bryant Park.

Der Crystal Palace in Flammen
Am 5. Oktober 1858 brannte die New Yorker Ausstellungshalle nieder – wie schon ihre Londoner Vorläuferin.

Festliche Eröffnung des Grand Canal

Schiffskonvois im New Yorker Hafen feierten 1825 die Eröffnung des Erie-Kanals. Er verband die Großen Seen mit Albany am Hudson River und somit den New Yorker Hafen mit dem Mittleren Westen. New York profitierte hiervon wirtschaftlich.

1849 Rebellion am Astor Place; Goldrausch; Segelschiffe fahren nach Kalifornien

1851 Erste Ausgabe der *New York Times*

1853 Erste Weltausstellung in New York

1861 Beginn des Bürgerkriegs

1857 Wirtschaftsdepression

1863 *Draft Riots* dauern vier Tage und kosten viele Tote

1865 Abraham Lincoln in der City Hall aufgebahrt

1840   **1850**   **1860**

Baseballspieler der Frühzeit

1845 Erster Baseballklub, die New York Knickerbockers, eingetragen

Klipper-Schiffskarte

FOR SAN FRANCISCO

FREE TRADE

1858 Vaux und Olmsted entwerfen den Central Park; Gründung von Macy's

Menschen im Central Park

1842 Bau des Croton Reservoir

Die Epoche der Extravaganzen

Industriemagnat Andrew Carnegie

New Yorks Wirtschaftsbosse wurden immer reicher; für die Stadt begann eine goldene Zeit, in der prächtige Bauten entstanden. Millionen flossen in die Künste; das Metropolitan Museum, die Public Library und die Carnegie Hall wurden erbaut. Neben Luxushotels wie dem Plaza und dem Waldorf-Astoria entstanden elegante Kaufhäuser für die Reichen. Schillernde Figuren wie William »Boss« Tweed – der ungekrönte König der Korruption – und Zirkusdirektor Phineas T. Barnum hatten ihre große Zeit.

WACHSTUM DER METROPOLE

  ■ *1890*   □ *Heute*

Parkblick
Das Dakota (1880) war das erste große Luxus-Apartmenthaus an der Upper West Side (siehe S. 218).

Palastleben
Herrenhäuser säumten die Fifth Avenue. Zur Zeit seiner Erbauung (1882) lag W. K. Vanderbilts Palast im italienischen Stil am nördlichen Ende der Fifth Avenue (Nr. 660).

Stadt der Mode
Lord & Taylor richteten am Broadway ein Modehaus ein; die Sixth Avenue zwischen 14th und 23rd Street war als Fashion Row bekannt.

HOCHBAHN
Um 1875 verkehrten in der 2nd, 3rd, 6th und 9th Avenue Züge auf Trassen. Sie waren schnell, aber auch laut und nicht eben umweltfreundlich.

ZEITSKALA

1867 Prospect Park in Brooklyn vollendet

1868 Erste Hochbahn in der Greenwich Street

1870 J. D. Rockefeller gründet Standard Oil

1871 Eröffnung des ersten Grand Central Depot in der 42nd Street; »Boss« Tweed verhaftet

1877 A. G. Bell präsentiert in New York das Telefon

1865

1870

1875

1869 Erstes Apartmenthaus in der 18th Street; Finanzkrise (›Schwarzer Freitag‹) an der Wall Street

Treiben in der New Yorker Börse

1872 Eröffnung von Bloomingdale's

1873 Banken-Crash: Panik an der Börse

1879 St. Patrick's Cathedral vollendet; erste städtische Telefonzelle in der Nassau Street

Mark Twains Geburtstagsfeier
Mark Twain, dessen Roman Das vergoldete Zeitalter
*(1873) den dekadenten Lebensstil der New Yorker
beschreibt, feierte bei Delmonico's seinen Geburtstag.*

WEGWEISER: EPOCHE DER EXTRAVAGANZEN

Das Goldene Zimmer in den Henry Villard Houses *(siehe S. 176)* ist ein beredter Zeuge der Epoche. Das frühere Musikzimmer dient heute als Teesalon. Auch das Museum of the City of New York *(siehe S. 199)* zeigt zwei Räume aus jener Zeit.

Der Tweed Ring
*William »Boss« Tweed
führte die herrschende
Tammany-Hall-Frak-
tion an. Er entwendete
Millionensum-
men aus dem
Stadt-
säckel.*

**Nasts Karikatur
von »Boss« Tweed**

Hochbahn

Tram

Tammany Tiger
*»Boss« Tweeds Spa-
zierstock (im Mu-
seum of the City of
New York). Der
Goldgriff stellt
einen Tammany-
Tiger dar.*

Ländliche Fifth Avenue
*Das Gemälde von Ralph
Blakelock zeigt eine
Barackensiedlung an der
86th Street – heute eine
der teuersten Adressen.*

1880 Erstmals Obst und Fleisch
in Konservendosen; Eröffnung
des Metropolitan Museum of Art;
elektrische Straßenbeleuchtung

1883 Metropolitan
Opera am Broad-
way eröffnet;
Brooklyn Bridge
fertiggestellt

1886 Ent-
hüllung der
Statue of
Liberty

1891 Eröffnung
der Carnegie
Hall

1880

1885

1890

1888 22 Menschen kommen
bei einem Schneesturm ums
Leben (56 cm Schnee)

1890 Erste Kinemato-
grafen in New York

*Feuerwerk über der
Brooklyn Bridge, 1883*

1892 Baubeginn der Cathedral of St. John
the Divine; Eröffnung von Ellis Island

New York um 1900

Pferdekutsche

Um 1900 war New York das Industriezentrum Amerikas. 70 Prozent aller Firmen hatten hier ihren Sitz, zwei Drittel aller Importe erreichten die USA über den New Yorker Hafen. Die Reichen wurden reicher, die Armen ärmer, und in den Slums gab es Seuchen. Die Immigranten behielten allerdings ihren Lebensstil bei. 1900 wurde die Internationale Frauengewerkschaft der Textilarbeiterinnen gegründet, um für Frauen und Kinder zu kämpfen, die für geringen Lohn gefährlich arbeiteten. Doch erst nach dem Brand in der Hemdenfabrik Triangle (1911) kam es zu Reformen.

WACHSTUM DER METROPOLE
☐ *1914*   ☐ *Heute*

Kein Platz zum Leben
Viele Mietshäuser waren überfüllt; oft fehlten Fenster, Luftschächte und notwendige sanitäre Anlagen.

Porträt der Armut
Die Lower East Side war der am dichtesten besiedelte Ort der Welt (Bevölkerungsdichte fast fünfmal so hoch wie im übrigen New York).

WEGWEISER ZUR ZEIT UM 1900
Das Lower East Side Tenement Museum *(siehe S. 97)* zeigt das Leben in den Mietshäusern.

Schneiderschere

Sitzbadewanne

Im »Sweat Shop«
In den Ausbeutungsbetrieben im Textilviertel waren lange Schichten bei schlechter Bezahlung die Regel; das Bild zeigt den Betrieb von Moe Levy im Jahr 1912.

Tram auf dem Broadway

ZEITSKALA

1895 Das Olympia Theater ist das erste am Broadway

1898 Fünf Stadtgemeinden vereinigen sich zur zweitgrößten Stadt der Welt

1901 Kaufhaus Macy's am Broadway eröffnet

1895

1900

1896 In einer Bäckerei in der Clinton Street gibt es die ersten Bagels

1897 Eröffnung des Waldorf-Astoria, des größten Hotels der Welt

1900 Mit einem Silberspaten eröffnet Bürgermeister Robert Van Wyck die Bauarbeiten zur ersten U-Bahn-Linie der Stadt

1903 Eröffnung des Lyceum Theater – des ältesten noch heute bestehenden Broadway-Theaters

FLATIRON BUILDING

Am Madison Square (Schnittpunkt von Broadway, Fifth Avenue und 23rd Street) entstand 1902 einer der ersten Wolkenkratzer (21-stöckig, Grundriss dreieckig). Er bekam den Spitznamen Flatiron Building (»Bügeleisen-Haus«; siehe S. 127).

Stahlkonstruktion

Kunstvolle Kalksteinfassade

Am spitzen Winkel ist das Gebäude nur 185 Zentimeter breit

Festmahl im Sattel

Dekadente Partys war man in New York gewöhnt, doch das Essen zu Pferde, das C.K.G. Billing in Sherry's Restaurant gab, war 1903 Stadtgespräch.

Plaza Promenade

Der Abschnitt der Fifth Avenue vor dem Plaza Hotel galt als eleganteste Promenade der Stadt.

Toupiertes Haarteil

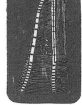

Elegante Mode

Der Bekleidungsstil um 1900 war steif, mit Reifröcken und Turnüren. Erst später wurde er weniger förmlich und praktischer.

Lange Turnüre

Reifrock

1906 Der Architekt Stanford White wird im Madison Square Garden, den er 1890 selbst entwarf, erschossen

1909 Wilbur Wright fliegt erstmals über New York

1910 Pennsylvania Station eingeweiht

1913 Woolworth Building ist das höchste Gebäude der Welt; Eröffnung des Bahnhofs Grand Central und des Apollo Theater in Harlem

1905

1910

1905 Die Staten-Island-Fähre nimmt den Betrieb auf

1907 Erste Taxis mit Taxameter; erste Ziegfeld Follies

1911 Beim Großfeuer in der Hemdenfabrik Triangle sterben 146 Arbeiter; die New York Public Library wird eröffnet

Woolworth Building

Zwischen den Weltkriegen

Eintrittskarte für den Cotton Club

Die 1920er Jahre waren für manche New Yorker ein Synomym für Lebenslust. Leitfigur war Bürgermeister Jimmy Walker, der Revuegirls nachstieg und in Speakeasies verkehrte. Mit dem Börsenkrach von 1929 endete diese Zeit. 1932 trat Walker wegen Korruption zurück, und ein Viertel aller New Yorker war arbeitslos. Mit Bürgermeister Fiorello LaGuardia (1933) begann ein neuer Aufschwung.

WACHSTUM DER METROPOLE

☐ 1933   ☐ Heute

Exotische Kostüme
Revuegirls waren eine Attraktion im Cotton Club.

DER COTTON CLUB
Der Nightclub in Harlem bot den besten Jazz in New York; Bandleader war Duke Ellington, später Cab Calloway. Die Leute strömten aus der ganzen Stadt in den Club.

Speakeasies und Prohibition
Alkohol war verboten, wurde aber in illegalen Kaschemmen (Speakeasies) augeschenkt.

Home-Run-König
1927 erzielte der Baseball-Star Babe Ruth 60 home runs für die Yankees. Deren Stadion (siehe S. 241) galt nun als »das von Ruth erbaute Haus«.

Abgesägtes Gewehr, im Geigenkasten versteckt

Gangster
Dutch Schultz war Boss eines illegalen Alkoholschmuggelrings.

ZEITSKALA

Magnet Harlem

Schwarze Musiker wie Cab Calloway hatten Auftrittsverbot in vielen Downtown-Klubs – ihr Reich war der Cotton Club.

Broadway-Melodien

Am Broadway blühte das Musical; die 1920er Jahre erlebten einen Premierenrekord.

GROSSE DEPRESSION

Die *Roaring Twenties* endeten mit dem Börsenkrach vom 29. Oktober 1929. New York traf es hart: Im Central Park wurden Wohnzelte errichtet; Tausende waren arbeitslos. Künstler wurden allerdings im Programm der Works Projects Administration (WPA) aufgefangen: In der ganzen Stadt entstanden Wandbilder und Kunst im öffentlichen Raum.

1931: Warten auf Zuwendungen

Lindberghs Flugzeug Spirit of St. Louis

Frühstückskarte

Lindberghs Flug

Lindberghs Atlantikflug (1927) wurde von den New Yorkern auf vielfache Weise gefeiert, etwa mit einem Frühstück ihm zu Ehren.

Rockefeller Center

1. Mai 1939: Der Millionär John D. Rockefeller legt letzte Hand an bei der feierlichen Eröffnung des Rockefeller Center.

Massenereignis

45 Millionen Menschen besuchten 1939 die New Yorker Weltausstellung.

1933 Aufhebung der Prohibition; Fiorello LaGuardia beginnt die erste von drei Amtsperioden als Bürgermeister

1940 Eröffnung des Queens–Midtown-Tunnels

1942 Verdunklung des Times Square im Zweiten Weltkrieg; Idlewild International Airport (jetzt John F. Kennedy Airport) eröffnet

1935

1940

1945

1936 Robert Moses übernimmt die Parkverwaltung; neue Parks entstehen

1939 Rockefeller Center vollendet

1941 Die USA treten in den Zweiten Weltkrieg ein

1944 Der Schwarze Adam Clayton Powell wird Kongressmitglied

New York seit 1945

Nach dem Zweiten Weltkrieg hat New York seine besten und schlimmsten Zeiten erlebt. Die Finanzhauptstadt der Welt ging in den 1970er Jahren fast bankrott. In den 1980er Jahren wurden an der Wall Street Spitzenwerte notiert, danach folgte der schlimmste Börsenkrach seit 1929. Seit Anfang der 1990er Jahre sinkt die Kriminalitätsrate kontinuierlich. Wahrzeichen wie die Grand Central Station und der Times Square wurden restauriert. So behauptet sich der »Big Apple« immer wieder als Dreh- und Angelpunkt des kulturellen und finanziellen Lebens der USA.

1967 Das Hippie-Musical *Hair* wird uraufgeführt und später vom Biltmore Theater übernommen

1971 Retrospektive des Popkünstlers Andy Warhol im Whitney Museum

1966 Streiks bei Zeitungen und Verkehrsbetrieben

1963 Abbruch der Pennsylvania Station

1975 Ein Bundesdarlehen rettet New York vor dem Bankrott

1953 Merce Cunningham gründet die Dance Company

1945 Ende des Zweiten Weltkriegs

1959 Eröffnung des Guggenheim Museum

1946 UN-Hauptquartier in New York eingerichtet

1954 Schließung von Ellis Island

1945	1950	1955	1960	1965	1970	1975
BÜRGERMEISTER:	IMPELLITERI	WAGNER		LINDSAY		BEAME
1945	1950	1955	1960	1965	1970	1975

1947 Jackie Robinson, erster schwarzer Baseballspieler in der Oberliga, unterzeichnet bei den Brooklyn Dodgers

1964 New Yorker Weltausstellung; Rassenkonflikte in Harlem und Bedford-Stuyvesant; die Verrazano Narrows Bridge verbindet Brooklyn mit Staten Island; Auftritt der Beatles im Shea Stadium

Souvenirtuch

1973 World Trade Center fertiggestellt

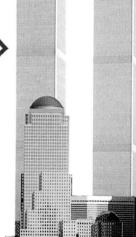

1968 20 000 Hippies demonstrieren im Central Park; Sit-ins von Studenten an der Columbia University

Andy Warhol mit den Schauspielerinnen Candy Darling und Ultra Violet

1983 Wirtschaftsboom: Grundstückspreise schnellen in die Höhe; Immobilienkönig Donald Trump, Symbolfigur der »Yuppies« der 1980er Jahre, errichtet den Trump Tower

1981 New York wird durch Bundesanleihen wieder zahlungsfähig

1988 Ein Viertel aller New Yorker lebt unter der Armutsgrenze

1990 David Dinkins wird der erste schwarze Bürgermeister New Yorks; Ellis Island wird zum Einwanderungsmuseum

2001 Anschlag auf das World Trade Center; Bürgermeister Giuliani ist den New Yorkern eine große Stütze. US-Präsident George W. Bush erklärt dem Terrorismus den Krieg

1987 Börsenkrach

1994 Rudolph Giuliani wird Bürgermeister

1980	1985	1990	1995	2000	2005

KOCH		DINKINS	GIULIANI		BLOOMBERG

1980	1985	1990	1995	2000	2005

1986 Bürgermeister Ed Kochs Administration wird von Korruptionsskandalen erschüttert; 100-jähriges Jubiläum der Freiheitsstatue (Statue of Liberty)

2000 New York hat über acht Millionen Einwohner

2003 Blackout: Der Stromausfall am 14. August betrifft etwa 50 Millionen Menschen in New York, im Nordosten, Mittleren Westen und in Teilen Kanadas. Die Versorgung ist bis zu 24 Stunden lahmgelegt

1995 Die frisch renovierten Chelsea Piers werden als riesiger Sport- und Vergnügungskomplex wieder eröffnet *(siehe S. 138)*

2002 In der aufgemöbelten 42nd Street, die Broadway und Times Square kreuzt, gehen die Lichter an. Zusammen mit Chelsea bildet sie nun ein angesagtes Viertel – schicker als SoHo

NEW YORK IM ÜBERBLICK

Der Führer durch die Stadtteile beschreibt rund 300 Sehenswürdigkeiten – von der turbulenten Börse *(siehe S. 70f)* bis zu den beschaulichen Strawberry Fields im Central Park *(siehe S. 208)*, von den Synagogen bis zu den Wolkenkratzern. Auf den folgenden Seiten werden die Highlights der Stadt kurz vorgestellt: Museen und Architektur, Menschen und Kulturen, die diese einmalige Metropole geprägt haben. Bei jeder Sehenswürdigkeit finden Sie einen Querverweis zu der entsprechenden ausführlichen Beschreibung. Diese Seite versammelt zunächst die zehn bedeutendsten Attraktionen.

NEW YORKS WICHTIGSTE SEHENSWÜRDIGKEITEN

Ellis Island
Siehe S. 78f

Empire State Building
Siehe S. 136f

South Street Seaport
Siehe S. 84

Rockefeller Center
Siehe S. 144

Museum of Modern Art
Siehe S. 172–175

Central Park
Siehe S. 204–209

Metropolitan Museum of Art
Siehe S. 190–197

Statue of Liberty
Siehe S. 74f

Brooklyn Bridge
Siehe S. 86–89

Chinatown
Siehe S. 96f

◁ Der nie abreißende Verkehrsstrom auf der Park Avenue

Highlights: Museen

N ew Yorks Museen reichen vom opulenten Metropolitan Museum bis zur kleinen Privatsammlung des Finanziers J. Pierpont Morgan. Viele Museen präsentieren New Yorks kulturelles Erbe und vermitteln den Besuchern ein Bild der Menschen und Ereignisse, die New York zu dem machten, was es heute ist. Die Karte zeigt einige Highlights, die ab Seite 38 ausführlicher vorgestellt werden.

Museum of Modern Art
*Picassos Ziege (1950) ge-
hört zu den Werken, die
im nun restaurierten
und erweiterten Mu-
seum of Modern
Art zu sehen
sind.*

**Intrepid Sea-Air-
Space Museum**
*Das Marinemuse-
um auf einem
Flugzeug-
träger im
Hudson River prä-
sentiert auch die Ge-
schichte der Luftfahrt und
der Unterwasserforschung.*

**Morgan Library
& Museum**
*Eine der weltweit
besten Sammlungen von
Handschriften, Drucken
und Büchern – darun-
ter diese französische
Bibel von 1230.*

**Merchant's
House Museum**
*Das perfekt er-
haltene Haus
(1832) gehör-
te einem
reichen
Kauf-
mann.*

Ellis Island
*Das Museum verdeut-
licht die Schicksale
von Millionen von
Immigranten.*

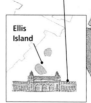

Upper
West Side

Theater
District

Chelsea
und
Garment
District

Lower
Midtown

Gramercy
und Flatiron
District

Greenwich
Village

SoHo und
TriBeCa

East
Village

Lower East
Side

Ellis
Island

Lower
Manhattan

Seaport
und
Civic
Center

H U D S O N   R I V E R

E A S T   R I V E R

0 Kilometer		2
0 Meilen		1

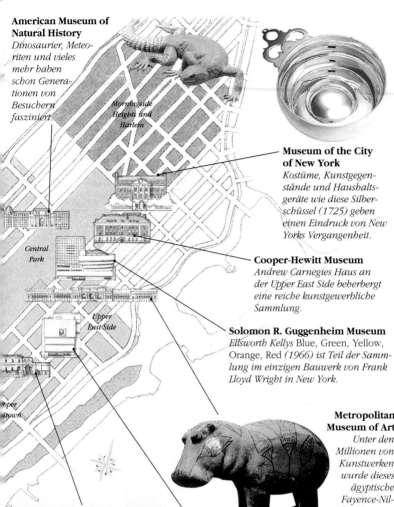

American Museum of Natural History
Dinosaurier, Meteoriten und vieles mehr haben schon Generationen von Besuchern fasziniert.

Morningside Heights und Harlem

Central Park

Upper East Side

pper town

Museum of the City of New York
Kostüme, Kunstgegenstände und Haushaltsgeräte wie diese Silberschüssel (1725) geben einen Eindruck von New Yorks Vergangenheit.

Cooper-Hewitt Museum
Andrew Carnegies Haus an der Upper East Side beherbergt eine reiche kunstgewerbliche Sammlung.

Solomon R. Guggenheim Museum
Ellsworth Kellys Blue, Green, Yellow, Orange, Red (1966) ist Teil der Sammlung im einzigen Bauwerk von Frank Lloyd Wright in New York.

Metropolitan Museum of Art
Unter den Millionen von Kunstwerken wurde dieses ägyptische Fayence-Nilpferd (12. Dynastie) zum Maskottchen des Hauses.

Frick Collection
Die Sammlung des Eisenbahnmagnaten Henry Clay Frick (19. Jh.) wird in seinem einstigen Haus gezeigt, darunter Die Verzückung des hl. Franziskus von Giovanni Bellini (um 1480).

Whitney Museum of American Art
Unter den vielen New-York-Ansichten dieser ungewöhnlichen Sammlung ist Brooklyn Bridge. Variation on an Old Theme *von Joseph Stella (1939) besonders sehenswert.*

Überblick: Museen

**Tabakdose aus
Richmond Town**

Man könnte in den New Yorker Museen einen ganzen Monat zubringen – und es würde nicht reichen. Über 60 Museen gibt es allein in Manhattan, und noch einmal halb so viel in den anderen Stadtteilen. New York kann sich diesbezüglich mit jeder anderen Weltstadt messen: Zu sehen sind Werke alter Meister, Dampfmaschinen, Dinosaurier, Puppen, tibetische Gobelins bis hin zu afrikanischen Masken. Einige Museen sind montags oder an einem anderen Tag geschlossen; viele haben an einem oder zwei Abenden längere Öffnungszeiten. Nicht alle Museen verlangen Eintritt, doch eine Spende ist immer willkommen.

MALEREI UND PLASTIK

New York ist bekannt für seine Kunstmuseen. Das **Metropolitan Museum of Art** besitzt eine umfangreiche Sammlung amerikanischer Kunst, daneben weltberühmte Meisterwerke. Die Nebenstelle **Cloisters** (in Upper Manhattan) zeigt Kunst und Architektur des Mittelalters, die **Frick Collection** eine herrliche Auswahl alter Meister. Impressionistische und moderne Werke sind im renovierten und erweiteren **Museum of Modern Art (MoMA)** zu sehen.

Auch das **Whitney Museum of American Art** und das **Solomon R. Guggenheim Museum** sind auf die Moderne spezialisiert – die Whitney-Biennale ist die bedeutendste Gemeinschaftsausstellung zeitgenössischer Künstler. Das **New Museum of Contemporary Art** hat sich der experimentellen Kunst verschrieben, während das **American Folk Art Museum** Werke von Hobbymalern zeigt. Das **National**

Academy Museum präsentiert eine Sammlung von Kunstwerken aus dem 19. und 20. Jahrhundert (dabei handelt es sich um Schenkungen der Mitglieder). Das **Studio Museum** in Harlem stellt die Werke schwarzer Künstler aus.

HANDWERK UND DESIGN

Wer sich für Textilien, Porzellan und Glas, Spitze, Stickereien, Tapeten und Drucke interessiert, sollte das **Cooper-Hewitt Museum** besuchen, die kunsthandwerkliche Abteilung der Washingtoner Smithsonian Institution. Die Design-Abteilung des **MoMA** ist ebenso bekannt wie ihre Gemäldesammlung; sie zeigt die Entwicklung des Designs etwa bei Uhren und Bettsofas. Das **Museum of Arts and Design** präsentiert Kunsthandwerk unserer Zeit, von Möbeln bis zu Glaswaren; das **American Folk Art Museum** stellt Volkstümliches vor, etwa Decken und Rohrstöcke. Silberwaren gibt's im **Museum of the City of New York** zu sehen; das **National Museum of the American Indian** zeigt Kunst der Ureinwohner.

DRUCK UND FOTOGRAFIE

Das kleine, aber feine **International Center of Photography** ist das einzige Museum in New York, das sich ausschließlich der Fotografie widmet. Fotosammlungen gibt es aber auch im **Metropolitan Museum of Art**; viele Beispiele der frühen Fotografie sind im **Museum of the City of New York** und in **Ellis Island** zu sehen.

Drucke und Zeichnungen großer Buchillustratoren wie Kate Greenaway und John Tenniel werden in der **Morgan Library & Museum** ausgestellt. Das **Cooper-Hewitt Museum** zeigt Beispiele kunsthandwerklicher Drucke.

MÖBEL UND KOSTÜME

Die alljährliche Ausstellung des Modemuseums im **Metropolitan Museum of Art** lohnt den Besuch, ebenso der amerikanische Flügel mit 24 original möblierten Zimmern, die die Lebensweise in verschiedenen Epochen von 1640 bis ins 20. Jahrhundert festhalten. Speziell auf New York bezogen sind ähnliche Meublements (ab der holländischen Zeit, 17. Jh.) im **Museum of the City of New York**. Einige Häuser sind ebenfalls als Museen eingerichtet und zeigen den Möbelstil im alten New York. Das **Merchant's House Museum**, ein gut erhaltenes Wohnhaus von 1832, wurde 98 Jahre lang von einer Familie bewohnt. **Gracie Mansion** war die Residenz des Bürgermeisters Archibald Gracie, der sie 1798 einem Reeder abkaufte (zeitweise geöffnet). Besuchen kann man auch das **Geburtshaus von Theodore Roosevelt**, in dem der 26. Präsident der USA aufwuchs, sowie das **Mount Vernon Hotel Museum**, eine Ferienanlage aus dem 19. Jahrhundert.

The Peaceable Kingdom (um 1840) von **Edward Hicks, Brooklyn Museum**

**Maispuppe,
American Museum
of Natural History**

GESCHICHTE

Pistole, New York City Police Museum

Amerikanische Geschichte wird in der **Federal Hall** lebendig, auf deren Balkon George Washington im April 1789 den Amtseid leistete. Die Zeit des kolonialen New York zeigt das **Fraunces Tavern Museum**. Auf **Ellis Island** und im **Lower East Side Tenement Museum** wird die Mühsal der Immigranten deutlich. Das neue **Museum of Jewish Heritage** in Battery City erinnert an den Holocaust. Heldenmut und Tragödien werden im **New York City Fire Museum** und im **New York City Police Museum** deutlich. Das **South Street Seaport Museum** vermittelt Einblicke in die frühe Schifffahrtsgeschichte.

TECHNOLOGIE UND NATURGESCHICHTE

Bongas, American Museum of Natural History

Das **American Museum of Natural History** hat riesige Sammlungen zu Flora, Fauna und zu Kulturen aus der ganzen Welt. Sein angegliedertes Hayden Planetarium im Rose Center bietet sensationelle Eindrücke vom Weltraum. Das *Intrepid* **Sea-Air-Space Museum** dokumentiert Technik, insbesondere Militärtechnik, an Deck eines Flugzeugträgers. Wenn Sie eine Lucille-Ball-Sitcom oder aber die erste Landung auf dem Mond im Fernsehen versäumt haben, können Sie das mit vielen anderen klassischen Medien-Highlights im **Museum of Television and Radio** nachholen.

KUNST ANDERER VÖLKER

Verschiedene Spezialsammlungen befassen sich mit der Kunst anderer Völker. Die **Asia Society** und die **Japan Society** zeigen ostasiatische Kunst. Das **Jewish Museum** besitzt umfangreiche Sammlungen von Judaika und zeigt Wechselausstellungen zu diesem Thema. Puertoricanische Kunst ist Thema des **El Museo del Barrio**, das auch präkolumbische Kunst präsentiert. Eindrucksvoll informiert das **Schomburg Center for Research in Black Culture** über afroamerikanische Kunst und Geschichte. Ausgezeichnet sind die multikulturellen Ausstellungen im **Metropolitan Museum of Art** – vom alten Ägypten bis zum zeitgenössischen Afrika.

Ägyptische Mumie, Brooklyn Museum

BIBLIOTHEKEN

New Yorks bedeutende Bibliotheken, etwa **Morgan Library & Museum**, besitzen exquisite Kunstsammlungen und bieten die Möglichkeit, seltene Bücher genauer zu betrachten. Die **New York Public Library** stellt u. a. Manuskripte bedeutender literarischer Werke aus.

AUSSERHALB MANHATTANS

Einen Besuch lohnt das **Brooklyn Museum** mit Exponaten aus aller Welt und über einer Million Gemälden.

Das **Museum of the Moving Image** in Queens dokumentiert die Geschichte des Films. Ein wahres Schatzkästlein ist das **Jacques Marchais Museum of Tibetan Art** auf Staten Island. Das dortige **Historic Richmond Town** zeigt ein rekonstruiertes Dorf aus der Zeit kurz nach 1600.

Highlights: Architektur

Auch wo New Yorks Architektur weltweiten Trends folgte, wahrte sie immer eine besondere Note, was geografisch und auch wirtschaftlich bedingt war. Eine Inselstadt muss zwangsläufig in die Höhe bauen. Diese Tendenz zeigte sich schon früh in schmalen, hohen Stadthäusern, später in Apartmenthäusern und Wolkenkratzern. Als Baumaterial dienten oft Gusseisen *(cast-iron)* und brauner Sandstein *(brownstone)*; sie waren verfügbar und gut geeignet. Praktische Zwänge führten zu eigenständigen, eindrucksvollen Antworten. Einen genaueren Überblick über die New Yorker Architektur finden Sie auf Seite 42f.

Gusseisen-Architektur
Gusseisen aus Massenproduktion diente zum Fassadenbau. Beispiele finden sich in SoHo, so das abgebildete Haus Greene Street 28–30.

Apartmenthäuser
Das Majestic Building ist einer von fünf Art-déco-Blocks am Central Park West.

Postmoderne
Die eigenwilligen, eleganten Formen des 1985 erbauten World Financial Center (siehe S. 69) markieren eine Abkehr von den glatten Stahl- und Glaskästen der 1950er und 1960er Jahre.

Brownstone
Der heimische braune Sandstein war das bevorzugte Baumaterial der Mittelschichthäuser im 19. Jahrhundert. Ein typisches Beispiel ist das India House in der Wall Street im Stil eines florentinischen Palazzo.

Theater District

Chelsea und Garment District

Greenwich Village

Gramercy und Flatiron District

SoHo und TriBeCa

East Village

Lower East Side

Lower Manhattan

HUDSON RIVER

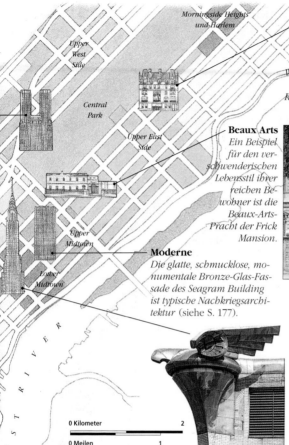

Villen aus dem 19. Jahrhundert
Das Jewish Museum (siehe S. 186), einst Wohnsitz von Felix M. Warburg, ist ein Beispiel für den französischen Renaissance-Stil, der für diese Villen typisch ist.

Beaux Arts
Ein Beispiel für den verschwenderischen Lebensstil ihrer reichen Bewohner ist die Beaux-Arts-Pracht der Frick Mansion.

Moderne
Die glatte, schmucklose, monumentale Bronze-Glas-Fassade des Seagram Building ist typische Nachkriegsarchitektur (siehe S. 177).

Wolkenkratzer
Die Glanzlichter der New Yorker Architektur vereinigen bauliches Können mit fantasievollem Dekor, etwa bei diesem Wasserspeier am Chrysler Building.

0 Kilometer 2
0 Meilen 1

Federal Style
Der Stil vieler öffentlicher Gebäude des 19. Jahrhunderts. Bei der City Hall ist er mit dem Stil der französischen Renaissance kombiniert.

Mietshäuser
Diese Häuser, vornehmlich in der Lower East Side, wurden für eine ökonomische Form des Wohnens konstruiert und sollten für viele den Aufbruch in ein neues Leben markieren. Oft waren sie hoffnungslos überfüllt und hatten unzureichende oder gar keine Ventilation.

Überblick: Architektur

Portal im Federal Style

N ew York bezog 200 Jahre lang seine architektonischen Anregungen aus Europa. Heute sind in Manhattan keine Bauten der holländischen Zeit mehr erhalten; die meisten fielen der Feuersbrunst von 1776 zum Opfer oder wurden im 18. Jahrhundert abgerissen. Im 18. und 19. Jahrhundert folgte New York noch ganz der europäischen Architektur. Erst mit dem Beginn der Gusseisen-Architektur ab Mitte des 19. Jahrhunderts, mit dem Art-déco-Stil und den immer höher emporstrebenden Wolkenkratzern fand die Stadt ihren eigenen Stil.

FEDERAL STYLE

D ie amerikanische Variante des klassizistischen Adam-Style prägte die ersten Jahrzehnte der jungen Nation: rechteckige, ein- bis zweistöckige Gebäude mit niedrigem Dach, Balustraden und Zierelementen. Die **City Hall** (1811, John McComb Jr. und Joseph François Mangin) ist eine Verschmelzung von Federal Style und französischer Renaissance. Auch die restaurierten Lagerhäuser der **Schermerhorn Row** (ca. 1812) im Hafenviertel sind typisch.

BROWNSTONES

D er im nahen Tal des Connecticut River und am Hackensack River (New Jersey) reichlich vorhandene, billige braune Sandstein war

Typisches Sandsteinhaus mit Treppe zum Haupteingang

im 19. Jahrhundert bevorzugtes Baumaterial. Man findet in allen Wohnbezirken der Stadt kleinere Häuser oder Wohnanlagen aus Sandstein – be-

sonders schöne Beispiele gibt es in **Chelsea**. Aufgrund der beengten Verhältnisse waren diese Gebäude sehr schmal und zugleich sehr lang. Ein typisches Brownstone hat eine Treppe zum Haupteingang, den so genannten *stoop*. Eine weitere Treppe führt zum Souterrain hinab, wo früher das Dienstpersonal untergebracht war.

MIETSHÄUSER

D ie Wohnblocks wurden ab 1840 bis zum Ersten Weltkrieg für die Massen von Einwanderern errichtet. Die fünfstöckigen Blocks (30 m lang, 8 m breit) waren teilweise fensterlos, dadurch finster und nur ungenügend durch winzige Luftschächte belüftet. Die kleinen Apartments hießen *railroad flats*, weil sie an Bahnwaggons erinnerten. Später legte man Luftschächte zwischen den Gebäuden an, die jedoch die Ausbreitung von Feuer begünstigten. Im **Lower East Side Tenement Museum** sieht man Modelle der alten Mietswohnungen.

GUSSEISEN-ARCHITEKTUR

G usseisen, eine amerikanische architektonische Innovation im 19. Jahrhundert, war billiger als Stein oder Ziegel und erlaubte die Vorfertigung von Fassaden und Ornamenten in der Gießerei. Heute besitzt New York die meisten ganz oder teilweise aus Gusseisen bestehenden Fassaden der Welt. Schöne Cast-Iron-Buildings (um 1870) sind im **SoHo Cast-Iron Historic District** zu finden.

Originale Gusseisenfassade, 72–76 Greene Street, SoHo

BEAUX ARTS

V on dieser französischen Schule der Architektur waren öffentliche Gebäude und luxuriöse Privatresidenzen in New Yorks goldenem Zeitalter (1880–1920) unübersehbar geprägt. Aus dieser Zeit stammen auch viele prominente New Yorker Architekten, darunter etwa Richard Morris Hunt (**Carnegie Hall** 1891; **Metropolitan Museum** 1895), der erste amerikanische Architekt, der 1845 in Paris studierte, Cass Gilbert (**Custom House** 1907; **New**

CAMOUFLAGE

Einige besonders reizvolle Formen in der New Yorker Silhouette sind nichts weiter als Verkleidungen der so wichtigen – oft hässlichen – Wassertanks auf dem Dach der Gebäude. Mit verzierten Kuppeln und Türmchen zauberten findige Architekten wahre Schlösschen an den Himmel. Als leicht zu erkennende Beispiele gelten die Aufbauten von zwei benachbarten Hotels der Fifth Avenue: die des Sherry Netherland Ecke 60th Street und die des Pierre Ecke 61st Street.

Gewöhnlicher Wasserturm

Das Dakota in der Upper West Side, gleich am Central Park gelegen, wurde 1884 erbaut

Gebäude hatten schlossähnlichen Charakter und wurden um Innenhöfe herum gebaut, die von der Straße aus nicht einsehbar sind. Zum Wahrzeichen dieser Ära sind die vier **Twin Towers** geworden, die 1929 bis 1931, auf dem Höhepunkt der Art-déco-Architektur, am Central Park West entstanden: Eldorado, Century, San Remo und Majestic.

doch im Wettbewerb des *International Style* von 1932 war New York mit Raymond Hoods **Group Health Insurance Building** (früher McGraw-Hill Building) vertreten.

Das **World Trade Center** *(siehe S. 72)*, das am 11. September 2001 durch einen Terrorangriff zerstört wurde *(siehe S. 54)*, war mit 411 Metern das höchste Gebäude der Stadt und galt als typischer Vertreter der »Glaskasten«-Moderne. Als repräsentatives Beispiel für die postmoderne Architektur gilt das **Citygroup Center** (1977).

York Life Insurance Building 1928; **US Courthouse** 1936), das Team Warren & Wetmore (**Grand Central Terminal** 1913; **Helmsley Building** 1929), Carrère & Hastings (**New York Public Library** 1911; **Frick Mansion** 1914) sowie das berühmteste Architektenteam der Stadt, McKim, Mead & White (**Villard Houses** 1884; **United States General Post Office** 1913; **Municipal Building** 1914).

APARTMENTHÄUSER

Mit der raschen Bevölkerungszunahme wurde der Wohnraum knapp. Für die meisten New Yorker wurde ein Eigenheim in Manhattan zu teuer, sodass auch die Reicheren dem Trend zu Mehrfamilienhäusern folgten. 1884 begann mit Henry Hardenberghs Dakota *(siehe S. 218)*, einer der ersten Luxuswohnanlagen, der Bauboom der Jahrhundertwende an der Upper West Side. Viele

WOLKENKRATZER

In Chicago wurde der Wolkenkratzer erfunden, doch in New York wurde er perfektioniert. 1902 erbaute D. Burnham das **Flatiron Building** (91 m); Skeptiker sagten seinen Einsturz voraus. 1913 erreichte das **Woolworth Building** 241 Meter. Die oberen Gebäudeabschnitte wurden nun zurückversetzt, damit das Sonnenlicht die Straße erreichte – für den Art déco vorteilhaft. Höchstes Gebäude der Welt wurde 1930 das **Chrysler Building** und 1931 das **Empire State Building**. Beide sind Art-déco-Klassiker,

Art-déco-Muster an der Spitze des Chrysler Building

245 Fifth Avenue (Apartmenthaus)

60 Gramercy Park North (Brownstone)

Hotel Pierre (Beaux Arts)

Sherry Netherland Hotel (Beaux Arts)

Multikulturelles New York

An jeder Ecke von New York, selbst im hektischen Zentrum, wo die Hochhäuser stehen, stoßen Sie auf die vielfältigen ethnischen Traditionen der Stadt. Eine Busfahrt führt den Besucher von Madras nach Moskau, von Hongkong nach Haiti. Die Hauptwelle der Immigranten traf zwischen 1880 und 1910 ein (etwa 17 Millionen Menschen). Aber auch in den 1980er Jahren wanderten etwa eine Million Menschen ein, vor allem aus der Karibik und aus Asien. Sie alle haben ihren Platz in den Gemeinden ihrer Landsleute gefunden. Das ganze Jahr über wird in New York irgendein ethnisches Fest gefeiert. Mehr über Volksfeste und Umzüge finden Sie auf den Seiten 50–53.

Hell's Kitchen
Das Viertel hieß mal »Clinton«, was die neuen Einwohner charakterisierte. Hier ließen sich zunächst irische Einwanderer nieder.

Little Ukraine
Am 17. Mai werden am T. Shevchenko Place Gottesdienste abgehalten, um die Bekehrung der Ukrainer zum Christentum zu feiern.

Little Korea
Nahe dem Herald Square ist eine kleine koreanische Gemeinde ansässig.

Theat Distri

Chelsea und Garment District

Gramercy und Flatiron District

Greenwich Village

Little Italy
Im September versammelt sich die italienische Gemeinde zehn Tage lang im Gebiet der Mulberry Street, um auf den Straßen die Festa di San Gennaro zu feiern.

SoHo und TriBeCa

East Village

Chinatown
Jedes Jahr Ende Januar herrscht in der Mott Street ein fröhliches Treiben, wenn die Chinesen Neujahr feiern.

Seaport und Civic Center

Lower Manhattan

Lower East Side

Lower East Side
Die Synagogen um die Rivington Street spiegeln das religiöse Leben des alten jüdischen Viertels wider.

0 Kilometer   2
0 Meilen   1

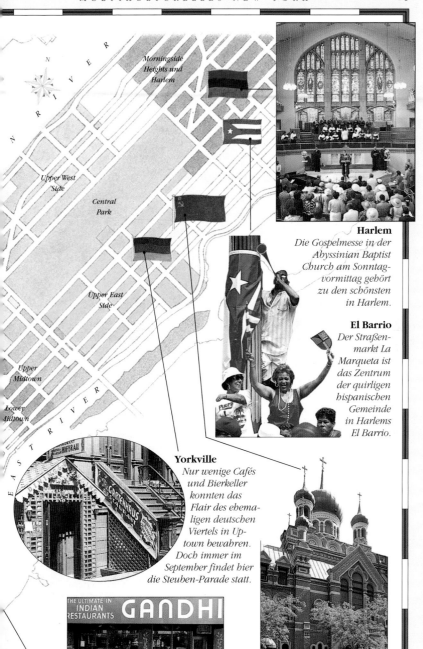

Harlem
Die Gospelmesse in der Abyssinian Baptist Church am Sonntagvormittag gehört zu den schönsten in Harlem.

El Barrio
Der Straßenmarkt La Marqueta ist das Zentrum der quirligen hispanischen Gemeinde in Harlems El Barrio.

Yorkville
Nur wenige Cafés und Bierkeller konnten das Flair des ehemaligen deutschen Viertels in Uptown bewahren. Doch immer im September findet hier die Steuben-Parade statt.

Little India
Die Restaurants in der East 6th Street vermitteln indische Atmosphäre.

Upper East Side
Die prächtige St. Nicholas Russian Orthodox Cathedral in der East 97th Street gehört der verstreuten weißrussischen Gemeinde. Die Sonntagsmesse wird in russischer Sprache zelebriert.

Überblick: Multikulturelles New York

Mosaikfenster im Cotton Club

Auch die gebürtigen New Yorker haben letztlich Vorfahren aus anderen Ländern. Im 17. Jahrhundert siedelten hier Holländer und Engländer; sie errichteten Handelsniederlassungen in der Neuen Welt. Bald wurde Amerika zum Symbol der Hoffnung für die Entrechteten ganz Europas; mittellos und mit geringen Sprachkenntnissen überquerten sie den Atlantik. Der Kartoffelmangel um 1840 trieb die ersten irischen Einwanderer nach Amerika; es folgten Deutsche und andere Europäer, die durch die industrielle Revolution entwurzelt wurden. Die Ankömmlinge haben sich über ganz New York verteilt; inzwischen sind hier etwa 100 Sprachen heimisch.

Türkische Einwanderer auf dem Idlewild Airport, 1963

JUDEN

Seit 1654 besteht die New Yorker jüdische Gemeinde. Die erste Synagoge, Shearith Israel, bauten Flüchtlinge aus Brasilien; sie dient noch heute ihrer Bestimmung. Die ersten Siedler waren sephardische Juden spanischer Herkunft wie die prominente Familie Baruch. Es folgten deutsche Juden, die sich erfolgreich im Einzelhandel betätigten, etwa die Gebrüder Straus (Macy's). Verfolgungen in Russland führten zu einer Masseneinwanderung, die kurz vor 1900 einsetzte. Beim Ausbruch des Ersten Weltkriegs lebten etwa 600 000 Juden in der Lower East Side. Heute ist das Viertel mehr hispanisch und asiatisch als jüdisch geprägt, doch manches erinnert noch an seine einstige Bedeutung.

DEUTSCHE

Die ersten Deutschen ließen sich im 18. Jahrhundert in New York nieder. Seit den Tagen John Peter Zengers *(siehe S. 21)* setzt sich die deutsche Gemeinde in New York für die Meinungsfreiheit ein. Ihr entstammen auch Industriemagnaten wie John Jacob Astor, der erste Millionär der Stadt.

ITALIENER

Italiener kamen erstmals ab den 1830er Jahren, vor allem aus Norditalien nach dem Scheitern der dortigen Revolution. 1870–80 trieb die Armut in Süditalien viele weitere Italiener über den Atlantik. Sie wurden eine starke politische Kraft; ein Exponent war Fiorello LaGuardia, einer der herausragendsten Bürgermeister von New York.

CHINESEN

Relativ spät kamen Chinesen nach New York. 1880 lebten ganze 700 in der Mott Street. Um 1940 waren sie die

Buddhistischer Tempel in Chinatown *(siehe S. 96f)*

am schnellsten wachsende, sozial mobilste ethnische Gruppe, die die Grenzen von Chinatown bald überwand und in Brooklyn und Queens neue Chinesenviertel entstehen ließ. Das früher abgeschlossene Chinatown wird heute stark von Besuchern frequentiert, die die Straßen, Märkte, Restaurants und Läden erkunden.

HISPANISCHE AMERIKANER

Heiligenfiguren im Museo del Barrio *(siehe S. 231)*

Schon 1838 lebten Puertoricaner in New York, aber erst nach dem Zweiten Weltkrieg kamen sie auf der Suche nach Arbeit in großer Zahl. Die meisten wohnen in El Barrio, dem früheren Spanish Harlem. Flüchtlinge der Mittelschicht aus Fidel Castros Kuba leben jetzt oft außerhalb von New York, üben aber großen Einfluss aus. Die dominikanische und die kolumbianische Gemeinde haben ihr Zentrum in Washington Heights.

IREN

Iren trafen erstmals 1840–50 in New York ein und hatten ein schweres Los. Vom Verhungern bedroht, arbeiteten sie hart, um den Slums in Five Points und Hell's Kitchen zu entkommen; dabei halfen sie beim Aufbau der modernen Stadt. Viele traten in die Polizei oder die Feuerwehr ein und arbeiteten sich zu wichtigen Stellungen hoch. Andere waren als Geschäftsleute erfolgreich. Die irischen Bars sind Sammelpunkte für die verstreut lebende irische Gemeinde New Yorks.

AFROAMERIKANER

Harlem, wohl die bekannteste schwarze Großstadtgemeinde der westlichen Welt, lockt den Besucher vor allem mit Gospels und dem einzigartigen *Soul Food*. Viele Afroamerikaner stammen von Sklaven ab, die auf den Südstaaten-Plantagen arbeiten mussten. Mit ihrer Befreiung in den 1860er Jahren begann die Wanderung in die großen Städte des Nordens, die in den 1920er Jahren ihren Höhepunkt erreichte: Damals wuchs die schwarze Bevölkerung von 83 000 auf 200 000 an. Harlem wurde Zentrum einer Renaissance der schwarzen Kultur *(siehe S. 30f)*.

DER SCHMELZTIEGEL

Andere ethnische Gruppen lassen sich nicht so ohne Weiteres eingrenzen, sind aber leicht zu finden. Zentrum der Ukrainer ist St. George's Ukrainian Catholic Church im East Village (East 7th Street). Little India erkennt man an den Restaurants in der East 6th Street. Viele Obst- und Gemüseläden in Manhattan gehören Koreanern, die meist in Flushing wohnen. New Yorks religiöse Vielfalt zeigt sich im Islamic Center am Riverside Drive, in der Russian Orthodox

Bei der Parade zum griechischen Unabhängigkeitstag

Cathedral in der East 97th Street *(siehe S. 199)* und im Islamic Cultural Center in der 96th Street mit der ersten großen Moschee New Yorks.

ÄUSSERE BEZIRKE

Der internationalste Bezirk ist Brooklyn. Hier wächst die karibische Bevölkerung wegen der Einwanderer aus

Jamaika und Haiti besonders schnell. Die westindische Gemeinde konzentriert sich um den Eastern Parkway zwischen Grand Army Plaza und Utica Avenue, wo im September eine Parade zum West India Day stattfindet. Jüdische Emigranten aus Russland haben Brighton Beach in ein »Little Odessa by the Sea« verwandelt. Skandinavier und Libanesen haben sich in Bay Ridge, Finnen in Sunset Park niedergelassen. Borough Park und Williamsburg sind das Revier der orthodoxen Juden, Midwood hat einen eher israelischen Akzent. Italiener leben in Bensonhurst, Greenpoint ist polnisch geprägt, und in der Atlantic Avenue ist die größte arabische Gemeinde der USA beheimatet.

Die Iren sind mit als Erste über den Harlem River in die Bronx vorgestoßen. Japanische Geschäftsleute fühlen sich im exklusiven Riverdale am wohlsten. Astoria, Queens, ist eines der markantesten ethnischen Viertel: Hier lebt die größte griechische Gemeinde außerhalb Griechenlands. In Jackson Heights gibt es ein großes lateinamerikanisches Viertel, in dem u. a. 300 000 Kolumbianer wohnen. Hier und im benachbarten Flushing trifft man auch viele Inder. Flushing ist jedoch vor allem das Zentrum der Orientalen: Die Züge dorthin heißen im Volksmund »Orient-Express«.

Die New Yorker Polizei: Sammelbecken für Iren

PROMINENTE EINWANDERER *(siehe auch S. 48f)*

Die Jahreszahl gibt jeweils den Zeitpunkt der Ankunft in New York an.

1893 Irving Berlin (Russland), Musiker

1894 Al Jolson (Litauen), Sänger

1896 Samuel Goldwyn (Polen), Filmmogul

1902 Joe Hill (Schweden), Gewerkschaftsaktivist

1903 Frank Capra (Italien), Regisseur

1904 Hyman Rickover (Russland), Entwickler des Atom-U-Boots

1906 »Lucky« Luciano (Italien), Gangster (abgeschoben 1946)

1908 Bob Hope (Großbritannien), Komiker

1909 Lee Strasberg (Österreich), Theaterintendant

1912 Claudette Colbert (Frankreich), Schauspielerin

1913 Rudolph Valentino (Italien), Schauspieler

1921 Bela Lugosi (Ungarn), *Dracula*-Darsteller

1923 Isaac Asimov (Russland), Wissenschaftler und Schriftsteller

1932 George Balanchine (Russland), Choreograf

1933 Albert Einstein (Deutschland), Wissenschaftler

1938 Familie von Trapp (Österreich), Sänger

1890	1895	1900	1905	1910	1915	1920	1925	1930	1935	1940

Berühmte New Yorker

New York brachte einige der größten Talente des 20. Jahrhunderts hervor. Hier begann die Pop Art, Manhattan ist Weltzentrum der modernen Kunst. Die jungen wilden Autoren der 1950er und 1960er Jahre – bekannt als Beat Generation – fanden Inspiration in den Jazzklubs. Auch Finanz- und Wirtschaftsbosse haben sich in der Finanzhauptstadt der Welt niedergelassen.

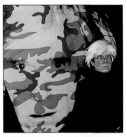

Pop-Art-Künstler Andy Warhol

AUTOREN

Der Schriftsteller James Baldwin

In New York entstand große amerikanische Literatur. 1791 erschien *Eine wahre Geschichte* von Susanna Rowson, eine New Yorker Story über Verführung, die 50 Jahre lang ein Bestseller war.

Amerikas erster professioneller Autor, Charles Brockden Brown (1771–1824), kam 1791 nach New York. Edgar Allen Poe (1809–1849), der Pionier der modernen Detektivgeschichte, erweiterte das Thriller-Genre. Henry James (1843–1916) schrieb *The Bostonians* (1886) und ist als Meister des psychologischen Romans bekannt. Die mit ihm befreundete Edith Wharton (1861–1937) verfasste berühmte satirische Romane über die amerikanische Gesellschaft.

1809 schrieb Washington Irving (1783–1859) die Satire *Eine Geschichte New Yorks* und verhalf so der amerikanischen Literatur endgültig zu Weltgeltung; sie brachte ihm 2000 Dollar. »Gotham« steht in diesem Werk für New York und »Knickerbockers« für die Bewohner der Stadt. Irving und James Fenimore Cooper (1789–1851), der die Western-Romane etablierte, gründeten

die Knickerbocker Group der amerikanischen Schriftsteller. Greenwich Village zog schon immer Autoren an, so auch Herman Melville (1819–1891), dessen Meisterwerk *Moby Dick* (1851) zunächst keinen Erfolg hatte. Jack Kerouac (1922–1969), Allen Ginsberg und William Burroughs besuchten die Columbia University und trafen sich in Greenwich Village. Dylan Thomas (1914–1953) setzte im Chelsea Hotel seinem Leben ein Ende *(siehe S. 139)*. Nathanael West (1902–1940) arbeitete im Gramercy Park Hotel, Dashiell Hammett schrieb dort *Der Malteser Falke*. Der in Harlem geborene James Baldwin (1924–1987) schrieb nach seiner Rückkehr aus Europa *Eine andere Welt* (1963).

KÜNSTLER

Amerikas erste wichtige Künstlerbewegung war die New Yorker Schule abstrakter Expressionisten, begründet von Hans Hofmann (1880–1966), Franz Kline und Willem de Kooning, der in Amerika zunächst Anstreicher war. Weitere Vertreter dieses Stils waren Adolph Gottlieb, Mark Rothko (1903–1970) und Jackson Pollock (1912–1956). Pollock, Kline und de Kooning hatten ihre Ateliers in der Lower East Side.

In den 1960er Jahren entstand Pop Art in New York mit Roy Lichten-

stein und Andy Warhol (1926–1987), der am Union Square Nr. 37 Kultfilme drehte. Keith Haring (1958–1990) war ein Graffiti-Künstler, dessen Werk jetzt als Pop Art große Beachtung findet.

Durch homoerotische Fotos wurde Robert Mapplethorpe (1946–1989) bekannt; heute hat ihm Jeff Koons als Enfant terrible der Künstlergemeinde den Rang abgelaufen. Die illusionistischen Wandmalereien von Richard Haas beleben viele Mauern der Stadt.

SCHAUSPIELER

Der britische Schauspieler Charles Macready verursachte 1849 einen Tumult, als er die Amerikaner vulgär nannte. Eine wütende Menge stürmte das Astor Place Opera House, wo er den Macbeth spielte; im Kugelhagel der Polizei starben 22 Demonstranten.

Wegen einer anzüglichen Szene in ihrer Broadway-Show musste Mae West (1893–1980) 1927 zehn Tage im Arbeitshaus verbringen und 500 Dollar Strafe zahlen. Marc Blitzsteins radikale Proletarier-Oper *The Cradle Will Rock* in der Inszenierung von Orson Welles und John Houseman

Vaudeville-Star Mae West

wurde von der Bühne verbannt; die Schauspieler besorgten sich Karten und sangen aus dem Zuschauerraum.

Das Musical war New Yorks Beitrag zum Theater. Florenz Ziegfelds (1869–1932) *Follies* wurde von 1907 bis 1931 ununterbrochen gespielt. Mit *Oklahoma* begann am Broadway 1943 die Musical-Ära von Richard Rodgers (1902–1979) und Oscar Hammerstein Jr. (1895–1960).

In der MacDougal Street Nr. 33 spielten die Provincetown Players als erstes Off-Broadway-Theater Eugene O'Neills (1888–1953) *Beyond the Horizon*. Ihm folgte als amerikanischer Theater-Erneuerer Edward Albee mit dem berühmten Stück *Wer hat Angst vor Virgina Woolf?* (1962).

MUSIKER UND TÄNZER

In der langen Reihe großer Dirigenten der New York Philharmonic findet sich Leonard Bernstein (1918–1990) zusammen mit Bruno Walter (1876–1962), Arturo Toscanini (1867–1957) und Leopold Stokowski (1882–1977). Maria Callas (1923–1977) wurde in New York geboren, ging später aber nach Europa.

In der Carnegie Hall *(siehe S. 148f)* traten Enrico Caruso (1873–1921), Bob Dylan und die Beatles auf. Das größte Publikum in New Yorks Geschichte strömte 1991 zu Paul Simons kostenlosem Konzert in den Central Park: eine Million Menschen.

In der 52nd Street sind die legendären Swing-Clubs der 1930er und 1940er Jahre mittlerweile verschwunden.

Josephine Baker

Gedenktafeln auf dem *Jazz Walk* am CBS Building ehren z. B. den großen Charlie Parker (1920–1955) und Josephine Baker (1906–1975).

1940–65 wurde New York durch George Balanchines (1904–1983) New York City Ballet sowie das American Ballet Theater zur Tanzmetropole. 1958 begründete Alvin Ailey (1931–1989) das American Dance Theater; Bob Fosse (1927–1987) erfand das Musical neu.

INDUSTRIELLE UND UNTERNEHMER

Industriemagnat C. Vanderbilt

Vom Tellerwäscher zum Millionär – das ist ein amerikanischer Traum. Der »Stahlbaron mit dem goldenen Herzen«, Andrew Carnegie (1835–1919), fing mit nichts an und hatte bis zu seinem Tod 350 Millionen Dollar an Bibliotheken und Universitäten in ganz Amerika gespendet. Es gab noch andere reiche Wohltäter. Cornelius Vanderbilt (1794–1877) u. a. wollten ihre raue Anfangszeit durch die Förderung der Künste vergessen

machen. In der Geschäftswelt konnten New Yorks »Raubritter« ungestraft agieren. So schlugen die Finanziers Jay Gould (1836–1892) und James Fisk (1834–1872) im Kampf um die Erie-Eisenbahn durch Börsenmanipulationen. Im September 1869 verursachten sie den ersten »Schwarzen Freitag« , als sie versuchten, den Goldmarkt zu monopolisieren. Gould starb als glücklicher Milliardär, Fisk wurde im Duell um eine Frau getötet.

Moderne Kapitalisten sind Donald Trump *(siehe S. 33)*, Besitzer des Trump Tower, und Leona Helmsley, zu deren – trotz Haftstrafe wegen Steuerhinterziehung – nach wie vor intaktem Besitzstand auch das Helmsley Building *(siehe S. 158)* gehört.

ARCHITEKTEN

Cass Gilbert (1858–1934) gehört mit seinen neugotischen Wolkenkratzern (wie dem Woolworth Building von 1913, *siehe S. 91*) zu den Männern, die New York im wahrsten Sinne geformt haben. Eine Karikatur von ihm ist in der Eingangshalle zu sehen. Stanford White (1853–1906) war für seine Gebäude im Beaux-Arts-Stil wie den Players Club *(siehe S. 128)* und wegen seines skandalösen Privatlebens berühmt. Frank Lloyd Wright (1867–1959) verachtete das städtische Bauen, drückte aber mit dem Guggenheim Museum *(siehe S. 188f)* der Stadt doch noch seinen Stempel auf. Ludwig Mies van der Rohe (1886–1969), gebürtiger Deutscher und Erbauer des Seagram Building, meinte, dass man nicht »jeden Montagmorgen eine neue Architektur erfinden könne«. Doch genau das konnte New York schon immer am besten.

Musical-Produzent Florenz Ziegfeld

DAS JAHR IN NEW YORK

Die Park Avenue zeigt sich im Frühling in voller Blütenpracht. Am St. Patrick's Day, wenn der erste der vielen jährlichen Umzüge stattfindet, erscheint die Fifth Avenue in grüne Farbe getaucht. Der Sommer in New York ist feuchtheiß, doch es lohnt sich, die klimatisierten Räume zu verlassen und die kostenlosen Open-Air-Aufführungen und -Konzerte in den Parks und auf den Plätzen zu genießen. Der erste Montag im Sep-

tember ist Labor Day; angenehme Temperaturen und die rotgoldenen Farben des Herbstes prägen jetzt die Stadt. An Weihnachten erstrahlen Läden und Straßen im Glitzerschmuck.

Die Daten der nachfolgend genannten Ereignisse können variieren. Nähere Informationen liefern Stadtmagazine *(siehe S. 369)*. Einen vierteljährlichen Veranstaltungskalender gibt das New York Convention and Visitors Bureau *(siehe S. 368)* heraus.

FRÜHLING

In New York hat jede Jahreszeit ihre ganz eigenen Verlockungen. Im Frühling lassen Tulpen, Kirschblüten und Frühlingsmode den Winter vergessen. Jetzt ist die Zeit für Schaufensterbummel und Galeriebesuche. Alles strömt zu der beliebten St. Patrick's Day Parade, Tausende kleiden sich für den Osterumzug auf der Fifth Avenue festlich.

Ausgefallener Kopfputz bei New Yorks Easter Parade

MÄRZ

St. Patrick's Day Parade *(17. März)*, Fifth Ave, 44th bis 86th Street. Grüne Kleider und Accessoires, Bier, Blumen – und Dudelsäcke.
Greek Independence Day Parade *(25. März)*, Fifth Ave, 49th bis 59th Street. Griechische Tänze und Speisen.
New York City Opera Spring Season *(März – Apr)*, Lincoln Center *(S. 350)*.
Ringling Bros and Barnum & Bailey Circus *(März, Apr)*, Madison Square Garden *(S. 135)*.

OSTERN

Easter Flower Show *(Woche vor Ostern)*, Macy's Department Store *(S. 134f)*.
Easter Parade *(Ostersonntag)*, Fifth Ave, 44th bis 59th Street. Parade mit Kostümen und ausgefallenen Kopfbedeckungen um die St. Patrick's Cathedral.

APRIL

Cherry Blossom Festival *(Ende Apr–Anfang Mai)*, Brooklyn Botanic Garden. Blühende japanische Kirschbäume und schöne Ziergärten.
Annual Earth Day Festival Activities *(variabel)*.
Baseball *(Apr, Mai)*. Die *Major league* beginnt mit den *Yankees* und den *Mets (S. 360)*.
New York City Ballet Spring Season *(Apr bis Juni)*, New York State Theater und Metropolitan Opera House im Lincoln Center *(S. 214)*.

MAI

Martin Luther King Jr. Parade *(dritter So im Mai)*, Fifth Ave, 44th bis 86th Street. Parade in Erinnerung an den 1968 in Memphis ermordeten schwarzen Bürgerrechtler Martin Luther King.

Umzug in Nationaltracht am griechischen Unabhängigkeitstag

Ninth Avenue Street Festival *(Mitte Mai)*, W 37th bis W 57th Street. Ein Fest mit verschiedenen Nationalrichten, Musik und Tanz.
Washington Square Outdoor Art Exhibit *(Ende Mai bis Anfang Juni)*.
Memorial Day *(letztes Wochenende)*, Parade Fifth Ave, Feiern South Street Seaport.

Gelbe Tulpen und Taxis auf der Park Avenue

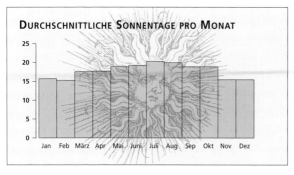

DURCHSCHNITTLICHE SONNENTAGE PRO MONAT

Jan Feb März Apr Mai Juni Juli Aug Sep Okt Nov Dez

Sonnenschein
New York erfreut sich im Sommer (Juni bis August) langer, heller Tage; den meisten Sonnenschein bringt der Juli. Die Winter-tage sind wesentlich kürzer, aber viele sind hell und klar. Der Herbst ist etwas sonniger als der Frühling.

SOMMER

Nach Möglichkeit meiden New Yorker jetzt die hei-ße Stadt; sie machen Picknicks und Bootsfahrten oder fahren zum Strand. Feuerwerke gibt es am 4. Juli; stürmisch geht es zu, wenn die Baseball-Teams antreten. Im Sommer gibt es Straßenfeste und im Central Park kostenlose Opern- und Shakespeare-Aufführungen.

Tanzender Polizist bei der Puerto Rican Day Parade

JUNI

Puerto Rican Day Parade *(2. So im Juni)*, Fifth Ave, 44th bis 86th Street. Festwa-gen und Musikkapellen.
Museum Mile Festival *(zwei-ter Di)*, Fifth Ave, 82nd bis 105th Street. Freier Eintritt in den Museen.
Central Park Summer Stage *(Juni–Aug)*, Central Park. Fast täglich und bei jedem Wetter stehen Musik und Tanz auf dem Programm.
Metropolitan Opera Parks Concerts. Kostenlose Abend-konzerte in allen Parks der Stadt *(S. 350f)*.
Goldman Memorial Band Concerts *(Juni–Aug)*, Lincoln Center *(S. 214)*. Traditionelle Musikgruppen.

Shakespeare in the Park *(Juni–Sep)*. Berühmte Schau-spieler treten im Delacorte Theater, Central Park, auf *(S. 347)*.
Lesbian and Gay Pride Day Parade *(Juni)*, vom Columbus Circle über die Fifth Ave zum Washington Sq *(S. 115)*.
JVC Jazz Festival *(Ende Juni–Anfang Juli)*. Jazzmusik in der ganzen Stadt *(S. 352)*.

JULI

Macy's Fireworks Display *(4. Juli)*, East River. Feiern zum Unabhängigkeitstag mit beeindruckendem Feuerwerk.
American Crafts Festival *(Mitte Juni)*, Lincoln Center *(S. 214)*. Kunsthandwerk.
Mostly Mozart Festival, *(Ende Juli–Ende Aug)*, Avery Fisher Hall, Lincoln Center *(S. 350f)*.
NY Philharmonic Parks Con-certs *(Ende Juli–Anfang Aug)*. Kostenlose Konzerte in allen Parks der Stadt *(S. 351)*.

Sommerliches Straßenfest in Greenwich Village

Lincoln Center Festival *(Juli)*. Internationale Tanz-, Opern- und Performance-Darbietun-gen.

AUGUST

Harlem Week *(Mitte Aug)*. Film, Kunst, Musik, Tanz, Mode, Sport und Führungen.
Out-of-Doors Festival *(Aug)*, Lincoln Center. Kostenlose Tanz- und Theateraufführun-gen *(S. 346)*.
US Open Tennis Champion-ships *(Ende Aug–Anfang Sep)*, Flushing Meadows *(S. 360)*.

Die Tennis-Meisterschaften US Open sind ein Publikumsmagnet

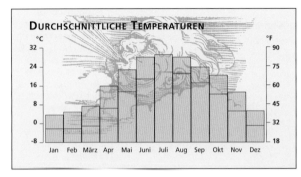

DURCHSCHNITTLICHE TEMPERATUREN

°C | 32 | 24 | 16 | 8 | 0 | -8
°F | 90 | 75 | 60 | 45 | 32 | 18

Jan Feb März Apr Mai Juni Juli Aug Sep Okt Nov Dez

Temperaturen
Die Grafik zeigt die durchschnittlichen Höchst- und Tiefstwerte pro Monat in New York. Bei einem maximalen Durchschnittswert von 29 °C kann es sehr heiß werden. Die Wintermonate scheinen dagegen bitterkalt, auch wenn das Thermometer meist über 0 °C bleibt.

HERBST

Mit dem Labor Day geht der Sommer zu Ende. Die *Giants* und *Jets* eröffnen die Football-Saison, am Broadway beginnt die neue Theatersaison, und die Festa di San Gennaro in Little Italy bildet den Höhepunkt farbenfroher Stadtteil-Straßenfeste. Macy's Thanksgiving Day Parade markiert den Beginn der festlichen Jahreszeit.

SEPTEMBER

Richmond County Fair
(Wochenende des Labor Day), in Historic Richmond Town *(S. 254).* Im authentischen Stil eines englischen Volksfestes.
West Indian Carnival
(Wochenende des Labor Day), Brooklyn. Umzug mit Festwagen, Musik, Tanz und Speisen.
Brazilian Festival *(Anfang Sep),* E 36th Street, zwischen Times Sq und Madison Ave.

Exotisches karibisches Karnevalskostüm in Brooklyn

Musik, Essen und Kunst aus Brasilien.
New York is Book Country *(Mitte Sep),* Fifth Ave, 48th bis 59th Street. Bücherfestival.
Festa di San Gennaro *(dritte Woche),* Little Italy *(S. 96).* Zehn Tage lang Feste und Umzüge.
New York Film Festival *(Mitte Sep – Anfang Okt),* Lincoln Center *(S. 214).* Amerikanische Filme und internationale Filmkunst.
Von Steuben Day Parade *(dritte Woche),* Upper Fifth Ave. Deutsch-amerikanische Feierlichkeiten.
American Football *(Saisonbeginn),* Giants Stadium. Auftakt der Spiele der *Giants* und der *Jets (S. 360).*

OKTOBER

Columbus Day Parade *(2. Mo),* Fifth Ave, 44th bis 86th Street. Umzüge und Musik zu Ehren von Kolumbus' Entdeckung von Amerika.
Pulaski Day Parade *(So um den 5. Okt),* Fifth Ave, 26th bis 52nd Street. Fest zu Ehren des polnisch-amerikanischen Helden Casimir Pulaski.
Halloween Parade *(31. Okt),* Greenwich Village. Tolles Fest, fantastische Kostüme.
Big Apple Circus *(Okt–Jan),* Damrosch Park, Lincoln Center. Jedes Jahr werden besondere Themen präsentiert *(S. 365).*
Basketball *(Saisonbeginn),* Madison Square Garden. Lokalmatadoren sind die *Knicks.*
New York City Marathon *(Anfang Nov).* Von Staten Island durch alle Stadtteile.

Riesiger Superman-Ballon über Macy's Thanksgiving Day Parade

NOVEMBER

Macy's Thanksgiving Day Parade *(vierter Do),* vom Central Park West/W 79th Street zum Broadway/W 34th Street. Spektakel für Kinder mit Festwagen, Ballons und Santa Claus.
Rockefeller Center Ice Skating Rink *(Okt–März),* Eis laufen unter dem berühmten Weihnachtsbaum.
Christmas Spectacular *(Nov, Dez),* Radio City Music Hall. Varieté-Show mit den *Rockettes.*

Mitwirkende bei der Halloween Parade in Greenwich Village

DURCHSCHNITTLICHER MONATLICHER NIEDERSCHLAG

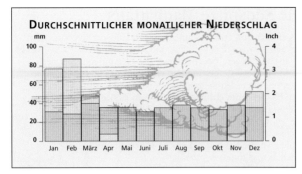

Regen

Schnee

Niederschläge
März und August bringen die meisten Niederschläge. Im Frühjahr muss man immer auf Regen gefasst sein. Im Winter kann plötzlicher heftiger Schneefall ein Verkehrschaos auslösen.

WINTER

D as weihnachtliche New York ist zauberhaft – sogar die Steinlöwen der Public Library sind geschmückt, und die Läden werden zu wahren Kunstwerken. Neujahrsfeste gibt es vom Times Square bis nach Chinatown; der Central Park verwandelt sich in einen Wintersportplatz.

Die Statue von Alice (Alice im Wunderland) im Central Park

DEZEMBER

Tree-Lighting Ceremony *(Anfang Dez)*, Rockefeller Center *(S. 144)*. Die Kerzen des Christbaums vor dem RCA Building werden entzündet.
Messiah Sing-In *(Mitte Dez)*, Lincoln Center *(S. 214)*. Das Publikum probt und singt unter verschiedenen Dirigenten.
Hanukkah Menorah *(Mitte–Ende Dez)*, Grand Army Plaza, Brooklyn. Während des achttägigen Lichterfests wird allabendlich die riesige Menorah (Leuchter) entzündet.
New Year's Eve *(Silvester)*, Feuerwerk im Central Park *(S. 206f)*; fröhliches Treiben am Times Square *(S. 147)*; Fünf-Meilen-Lauf (8 km) im Central Park; Dichterlesung in der St Mark's Church.

JANUAR

National Boat Show *(Anfang Jan)*, Jacob K. Javits Convention Center *(S. 138)*.
Chinese New Year *(Jan/Feb)*, Chinatown *(S. 96f)*. Drachen, Feuerwerk und Essen.
Winter Antiques Show *(Jan)*, Seventh Regiment Armory *(S. 187)*. New Yorks exklusivste Antiquitätenmesse.

Chinesisches Neujahr in Chinatown

FEBRUAR

Black History Month. Veranstaltungen zur afroamerikanischen Kultur in der Stadt.
Empire State Building Run-Up *(Anfang Feb)*. Wettlauf zum 86. Stockwerk *(S. 136)*.
Lincoln and Washington Birthday Sales *(12.–22. Feb)*. Schlussverkauf in allen großen Department Stores.
Westminster Kennel Club Dog Show *(Anfang Feb)*, Madison Square Garden *(S. 135)*. Große Hundeschau.

FEIERTAGE

New Year's Day (1. Jan)
Martin Luther King Jr. Day (3. Mo im Jan)
President's Day (Mitte Feb)
Memorial Day (Ende Mai)
Independence Day (4. Juli)
Labor Day (1. Mo im Sep)
Columbus Day (2. Mo im Okt)
Election Day (1. Di im Nov)
Veterans Day (11. Nov)
Thanksgiving Day (4. Do im Nov)
Christmas Day (25. Dez)

Der gigantische Christbaum und die Dekoration am Rockefeller Center

Die Südspitze Manhattans

D er Blick auf Lower Manhattan vom Hudson River aus führt einige besonders auffällige moderne Bauten der New Yorker Skyline vor Augen, beispielsweise das Gebäudequartett des World Financial Center mit den charakteristischen Dachaufsätzen. Auch das ältere Manhattan ist zu erkennen: Castle Clinton mit dem Battery Park, dahinter das Custom House Building. Von 1973 bis September 2001 stand hier zudem das World Trade Center, einst das höchste Gebäude der Stadt. Die beiden prägnanten Türme wurden bei einem Terroranschlag vollkommen zerstört.

Zur Orientierung

☐ *Südspitze*

Der Anschlag auf das World Trade Center

Am 11. September 2001 wurden zwei Flugzeuge mit Ziel Los Angeles entführt und auf das World Trade Center gelenkt. Beim Einschlag der Flugzeuge starben bereits Hunderte von Menschen, doch der Einsturz der Türme forderte noch einmal mehrere Tausend Opfer. Am selben Morgen wurden noch zwei weitere Flugzeuge entführt, von denen eines auf das Pentagon stürzte, das zweite ging bei Pittsburgh zu Boden. Diese Anschläge forderten mehr Opfer als der Amerikanische Unabhängigkeitskrieg *(siehe S. 22f);* ihre politische Dimension wurde mit der des Angriffs auf Pearl Harbor verglichen.

World Financial Center
Das Herzstück ist der Wintergarten. Hier kann man einkaufen, essen, sich unterhalten lassen oder den Blick auf den Hudson River genießen (siehe S. 69).

World Trade Center
Die Zwillingstürme des WTC dominierten einst die Skyline (siehe S. 72).

Detail aus dem *Upper Room*

The Upper Room
Die begehbare Skulptur von Ned Smyth ist eines von vielen Kunstwerken in der Battery Park City (siehe S. 72).

Frühere Ansicht
Nicht mehr vergleichbar mit heute: die Skyline Manhattans im Jahr 1898.

Downtown Athletic Club

In dem schönen Art-déco-Gebäude steht diese Heisman-Football-Trophäe.

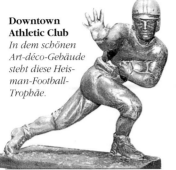

US Custom House

In dem prächtigen Beaux-Arts-Gebäude (1907) befindet sich heute das Museum of the American Indian (siehe S. 73).

East Coast War Memorial

Der Bronzeadler von Albino Manca im Battery Park ehrt die Toten des Zweiten Weltkriegs.

Broadway Nr. 26

Die Turmspitze des früheren Standard Oil Building ähnelt einer Öllampe. Im Inneren sind immer noch die Firmensymbole zu sehen.

Bank of New York

17 State Street

26 Broadway

1 Liberty Plaza

Liberty View

Castle Clinton

US Custom House

American Merchant Mariners' Memorial (1991)

Die Skulptur von Marisol steht auf Pier A, dem letzten alten Manhattan-Pier. Eine Turmuhr schlägt die Stunde auf Schiffsglocken.

Schrein von Mother Seton

Hier lebte die erste amerikanische Heilige (siehe S. 76).

Lower Manhattan am East River

Auf den ersten Blick bietet dieser Abschnitt am East River, der an der Südspitze Manhattans beginnt, eine Anhäufung von Bürogebäuden des 20. Jahrhunderts. Aber vom Wasser aus geben Straßen und Durchlässe noch den Blick auf das alte New York und den Finanzdistrikt frei. In der Skyline ragen hinter gesichtslosen modernen Hochhäusern noch die verzierten Spitzen der älteren Wolkenkratzer hervor.

ZUR ORIENTIERUNG
Lower Manhattan

India House
Das Gebäude (1 Hanover Square) gehört mit zu den schönsten Brownstones.

Vietnam Veterans' Plaza
Die Gedenkstätte aus grünem Glas beherrscht den Coenties Slip, eine alte Werft, die um 1900 zum Park umgewandel wurde (siehe S.76).

Hanover Square
Die Statue eines der holländischen Bürgermeister, Abraham De Peysters (geb. 1657), steht neben dessen Geburtshaus.

1 New York Plaza

55 Water Street

Barclay's Bank Building

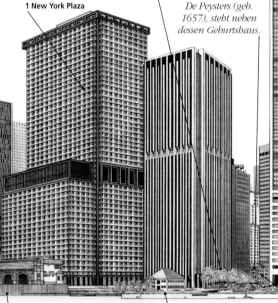
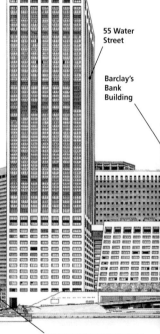

Downtown Heliport
Hubschrauberlandeplatz für Rettungs- und Stadtrundflüge.

Battery Maritime Building
Historischer Fährhafen nach Governors Island (siehe S.77).

Delmonico's
Im 19. Jahrhundert ein elegantes Speiselokal.

New York Stock Exchange
Hinter hohen Gebäuden versteckt liegt die Börse. Sie ist nach wie vor das Zentrum des hektischen Finanzdistrikts (siehe S. 70f).

40 Wall Street
In den 1940er Jahren wurde der Turm der früheren Bank of Manhattan von einem Kleinflugzeug gerammt.

70 Pine Street
Nachbildungen des eleganten neogotischen Turms sind an den Eingängen in der Pine Street und der Cedar Street zu sehen.

Bank of New York
Der Innenraum (1928) gehört zur 1784 von Alexander Hamilton gegründeten Bank (siehe S. 23).

Morgan Bank
Bis zum Dach durchgehende Säulen prägen den bemerkenswerten modernen Bau.

1 Financial Square

New York Stock Exchange

Chase Manhattan Bank Tower

120 Wall Street

100 Old Slip
Das First Precinct Police Department im Palazzostil, heute im Schatten von Financial Square Nr. 1, wurde 1911 als modernstes Polizeigebäude New Yorks errichtet.

Citibank Building

Stein-medaillon, 100 Old Slip

Queen Elizabeth Monument
Zum Gedenken an den 1972 gesunkenen Ozeanriesen.

South Street Seaport

Am Ende des Finanzdistrikts ändert sich – vom East River oder von Brooklyn aus gesehen – jäh das Erscheinungsbild der Skyline. An die Stelle der Firmenhochhäuser treten die Piers, Straßen und Lagerhäuser des alten Seehafens, der jetzt als South Street Seaport restauriert ist *(siehe S. 82f)*. In geringer Entfernung dahinter sieht man einige monumentale Gebäude des Civic Center. Den Abschluss der Silhouette bildet die Brooklyn Bridge. Von hier bis Midtown bestimmen vor allem Wohnblocks das Bild am Ufer.

ZUR ORIENTIERUNG
South-Street-Bezirk

Steinmetzarbeit, Wool-worth Building

Pier 17
Der Vergnügungspier mit vielen interessanten Läden und Restaurants ist ein Anziehungspunkt des Seaport.

Woolworth Building
Die kunstvoll gestaltete Turmspitze ziert den Firmensitz von F. W. Woolworth – noch immer die schönste »Kommerzkathedrale«, die je gebaut wurde (siehe S. 91).

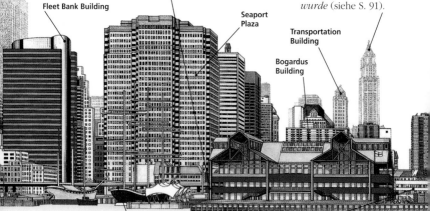

Fleet Bank Building

Seaport Plaza

Transportation Building

Bogardus Building

Maritime Crafts Center
Am Pier 15 werden die traditionellen Fertigkeiten der Seeleute demonstriert: Holzschnitzerei und Modellbau.

Titanic Memorial
Der Leuchtturm an der Fulton Street erinnert an den Untergang der Titanic, *des größten Dampfers der Welt.*

Police Plaza
Die Skulptur Five in One *(1971–74) von Bernard Rosenthal stellt die fünf Stadtbezirke New Yorks dar.*

United States Courthouse
Wahrzeichen des Civic Center ist die goldene Pyramide von Cass Gilbert an der Spitze des Courthouse (siehe S. 85).

Municipal Building
In dem gewaltigen Bau befindet sich u.a. die Marriage Chapel, wo zivile Trauungen stattfinden. Die kupferne Skulptur des Civic Fame *auf dem Gebäude stammt von Adolph Weinman* (siehe S. 85).

Surrogate's Court und Hall of Records
Hier ist Archivmaterial zu besichtigen, das bis 1664 zurückreicht (siehe S. 85).

Verizon Telephone Company

Police Plaza

Pace University

Southbridge Towers

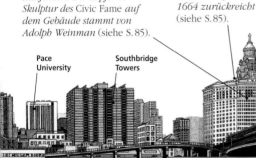

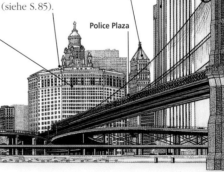

Con Edison Mural
1975 schuf Richard Haas auf der Seitenwand einer ehemaligen Transformatorenstation ein Abbild der Brooklyn Bridge.

Brooklyn Bridge
Eines der beliebtesten Wahrzeichen New Yorks – und das meistfotografierte (siehe S. 86–89).

ZUR ORIENTIERUNG
■ Midtown

Midtown Manhattan

D ie Skyline von Midtown Manhattan prägen einige der imposantesten Türme und Turmspitzen, vom Empire State Building mit seiner Art-déco-Pracht bis hin zur modernen Keilform des Citigroup-Komplexes. Je weiter man der Küstenlinie nach Norden folgt, desto vornehmer wird der Stadtteil. Das UN-Areal nimmt einen langen Streckenabschnitt ein, dann reihen sich ab Beekman Place zahlreiche exklusive Stadtresidenzen aneinander, die den Reichen und Berühmten inmitten dieser lebhaften Gegend der Stadt Abgeschlossenheit bieten.

Chrysler Building
Ob im Sonnenlicht oder nächtlich beleuchtet – diese Edelstahlspitze ist für viele der New Yorker Wolkenkratzer schlechthin (siehe S. 155).

Empire State Building
Mit 381 Metern Höhe war es jahrelang das höchste Gebäude der Welt (siehe S. 136f).

Grand Central Terminal
Das Wahrzeichen, nun im Schatten seiner Nachbarn, hat viele historische Details wie diese schöne Uhr (siehe S. 156f).

MetLife Building

The Highpoint

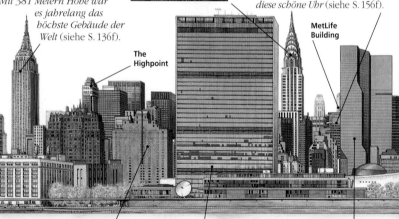

Tudor City
Sie ist ein Wohnkomplex mit über 3000 Wohnungen aus den 1920er Jahren in Tudor-Imitation (siehe S.158).

UN-Hauptquartier
Eines der Kunstwerke ist die Skulptur von Barbara Hepworth, ein Geschenk Großbritanniens (siehe S. 160–163).

1 & 2 UN Plaza
Die Glastürme beherbergen Büros und das UN Plaza Millennium Hotel (siehe S. 158).

General Electric Building
Das Art-déco-Gebäude von 1931 ist ein Ziegelbau mit einer hohen gezackten »Krone«, die an Radiowellen erinnert (siehe S. 176).

Waldorf-Astoria
Kupferne Zwillingstürme zieren das edle Hotel. Luxuriös ist auch das Innere (siehe S. 177).

Citigroup Center
In einer Ecke des Citigroup Center befindet sich St. Peter's Church (siehe S. 177).

Rockefeller Center
Die Eislaufbahn und die Wandelgänge des Bürokomplexes sind gut geeignet, um Leute zu beobachten (siehe S. 144).

General Electric Building

The Nail von Arnoldo Pomodoro, St. Peter's Church, Citigroup Center

Trump World Tower

100 UN Plaza

866 UN Plaza

Japan Society
Heimstatt japanischer Kultur, vom avantgardistischen Theater bis zu alter Kunst (S. 158f).

Beekman Tower
Das Art-déco-Gebäude, jetzt ein Luxushotel, wurde 1928 für Mitglieder der weiblichen Studentenverbindungen errichtet.

St. Mary's Garden
Der Garten der Holy Family Church ist eine Oase der Ruhe.

Besonders schön bei Einbruch der Dunkelheit: Blick über Manhattan ▷

DIE STADTTEILE
NEW YORKS

LOWER MANHATTAN

Alt und Neu verschmelzen an der Spitze Manhattans zu einer Einheit. Im Schatten der Wolkenkratzer stehen Kirchen aus der Kolonialzeit und frühe amerikanische Baudenkmäler. Hier befand sich das erste Kapitol des Landes. Der Handel floriert seit 1626, als der Holländer Peter Minuit von den Algonquin-Indianern für

Minuit-Denkmal im Bowling-Green-Park

Waren im Wert von nur 24 Dollar die Insel »Man-a-hatt-ta« erwarb *(siehe S.19)*. Zurzeit finden hier – wegen der Zerstörung des World Trade Center *(siehe S. 54)* – Restaurierungs- und Wiederaufbauarbeiten statt. Erkundigen Sie sich deshalb nach den Öffnungszeiten, wenn Sie Sehenswürdigkeiten in Lower Manhattan besuchen möchten.

Die Trinity Church am Ende der Wall Street

Sehenswürdigkeiten auf einen Blick

Historische Gebäude und Orte
Battery Maritime Building 16
Cunard Building 9
Downtown Athletic Club 8
Federal Hall 2
Federal Reserve Bank 1
Fraunces Tavern Museum 13
New York Stock Exchange S. 70f 3
World Trade Center Site 6

Museen und Sammlungen
Castle Clinton National Monument 20
Ellis Island S. 78f 18
Museum of Jewish Heritage 21
US Custom House 11

Monument
Statue of Liberty S. 74f 17

Parks und Plätze
Battery Park 19
Bowling Green 10
Vietnam Veterans' Plaza 14

Schiffsrundfahrt
Staten Island Ferry 15

Kirchen
Shrine of Saint Elizabeth Ann Seton 12
Trinity Church 4

Moderne Architektur
Battery Park City 7
World Financial Center 5

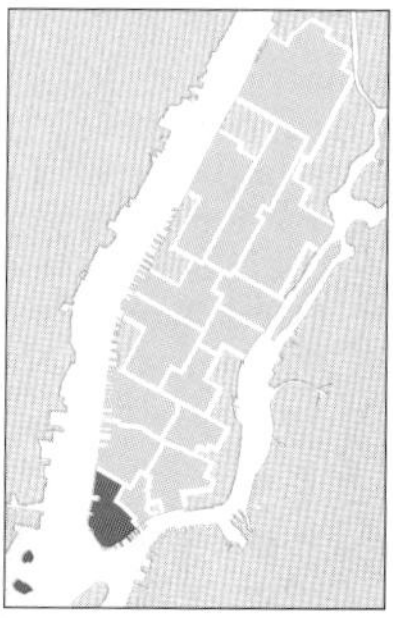

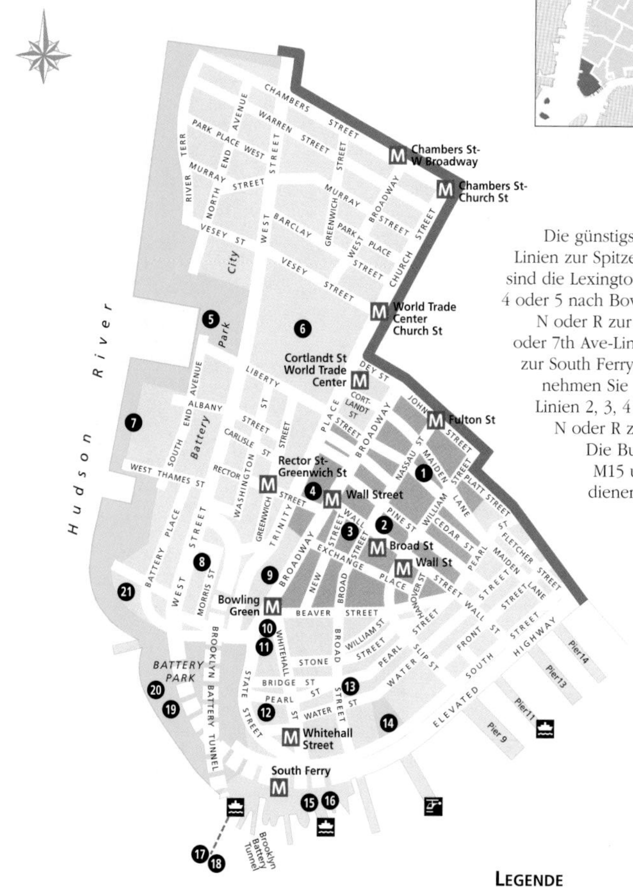

Anfahrt

Die günstigsten Subway-Linien zur Spitze Manhattans sind die Lexington Ave-Linien 4 oder 5 nach Bowling Green; N oder R zur Whitehall St oder 7th Ave-Linien 1 oder 9 zur South Ferry. Zur Wall St nehmen Sie die Subway-Linien 2, 3, 4 oder 5 bzw. N oder R zur Rector St. Die Busse M1, M6, M15 und M22 bedienen diesen Teil der Stadt.

Legende

Detailkarte
[M] Subway-Station
⛴ Fähranlegestelle
🚁 Heliport

0 Meter 500
0 Yards 500

Siehe auch

- ***Stadtplan*** Karten 1–2
- ***Übernachten*** S. 280
- ***Restaurants*** S. 296

Im Detail: Wall Street

Keine andere Straßenkreuzung ist in der Geschichte der Stadt so wichtig gewesen wie die Schnittstelle von Wall Street und Broad Street. Drei imposante Gebäude stehen hier: Das Federal Hall National Monument markiert die Stelle, wo George Washington 1789 als Präsident vereidigt wurde. Die Trinity Church ist eine der ältesten anglikanischen Kirchen des Landes. Die 1817 gegründete New Yorker Börse ist bis heute ein Finanzzentrum, dessen Kursschwankungen weltweite Erschütterungen auslösen können. Die umliegenden Gebäude bilden das Herzstück des New Yorker Finanzdistrikts.

Die Marine Midland Bank ragt 54 Stockwerke empor. Der dunkle Glasturm nimmt nur ungefähr 40 Prozent des Grundstücks ein. Die anderen 60 Prozent bilden einen Platz, auf dem die große rote Skulptur *Cube* von Isamu Noguchi steht.

Trinity Building, ein neugotischer Wolkenkratzer aus dem frühen 20. Jahrhundert, wurde der nahe gelegenen Trinity Church stilistisch angepasst.

Das Equitable Building (1915) nahm den übrigen Anliegern das Tageslicht und veranlasste damit ein Gesetz, nach dem Wolkenkratzer von der Straße zurückversetzt gebaut werden mussten.

★ Trinity Church
Das 1846 im neugotischen Stil erbaute Gotteshaus ist bereits die dritte Kirche an dieser Stelle. Ihr Turm, einst die höchste Erhebung der Stadt, erscheint angesichts umliegender Wolkenkratzer winzig. Viele berühmte New Yorker wurden auf dem angrenzenden Friedhof bestattet. ❹

Subway-Station Wall Street (Linien 4, 5)

Die Irving Trust Company hat eine Außenwand, deren Struktur an Textilgewebe erinnert. In der Halle befindet sich ein Art-déco-Mosaik in flammend rotgoldenen Tönen.

26 Broadway wurde als Sitz des Standard Oil Trust erbaut. Die Gebäudespitze hat die Form einer Öllampe.

★ New York Stock Exchange
Der Mittelpunkt der globalen Finanzmärkte befindet sich in einem 16-stöckigen Gebäude von 1903. Das Besucherzentrum hält Informationen über die Geschichte und die Arbeitsweise der Börse bereit. ❸

Der neugotische Liberty Tower ist mit weißem Terrakotta verkleidet. Heute befinden sich hier Apartments.

Die Chamber of Commerce sitzt in einem schönen Beaux-Arts-Gebäude von 1901.

NICHT VERSÄUMEN

★ Federal Hall National Monument

★ Federal Reserve Bank

★ New York Stock Exchange

★ Trinity Church

ZUR ORIENTIERUNG
Siehe Übersichtskarte Seite 14f

LEGENDE

– – – Routenempfehlung

0 Meter	100
0 Yards	100

Chase Manhattan Bank and Plaza ist vor allem wegen Jean Dubuffets Skulptur *Four Trees* berühmt.

★ Federal Reserve Bank
Die US-Notenbank, im Stil eines Renaissance-Palasts, bringt US-Dollar in Umlauf. ❶

Louise Nevelson Plaza
In diesem Park befindet sich die Nevelson-Skulptur *Shadows and Flags.*

Die Wall Street ist nach der Mauer benannt, die früher die Algonquin-Indianer von Manhattan fern hielt. Die enge Straße bildet jetzt das Herz des Finanzzentrums der Stadt.

Die Wall Street in den 1920er Jahren

★ Federal Hall National Monument
Das klassizistische Gebäude, einst das US Custom House, beherbergt eine Ausstellung über die US-Verfassung. ❷

Federal Reserve Bank ❶

33 Liberty St. **Stadtplan** 1 C2. 🅒 *(212) 720-6130.* Ⓜ *Fulton St–Broadway Nassau.* ◯ *Mo–Fr 8.30–17 Uhr.* ● *Feiertage.* Ⓓ ⬦ 🅕 *frei (Voranmeldung).* **www**.newyorkfed.org

Portal der Federal Reserve Bank

D ie Bank ist die regierungsamtliche Bank für Banken. Sie ist eine von zwölf Bundesnotenbanken und darf US-Dollar in Umlauf bringen. Die hier ausgegebenen Banknoten erkennt man am Buchstaben B im aufgeprägten Federal-Reserve-Stempel.

Fünf Etagen unter der Erde liegt eines der größten Lager für internationale Goldreserven. Jede Nation verfügt über eigene Panzerräume, die durch 90 Tonnen schwere Türen geschützt werden. Früher wurden bei Zahlungen zwischen Ländern die entsprechenden Goldmengen tatsäch-

lich physisch bewegt. Die Ausstellung »The History of Money« ist 10 bis 16 Uhr geöffnet. Das von York & Sawyer im Stil der italienischen Renaissance erbaute Gebäude (1924) nimmt einen ganzen Block ein und ist mit Schmiedeeisen-Gittern verziert.

Federal Hall ❷

26 Wall St. **Stadtplan** 1 C3. 🅒 *(212) 825-6888.* Ⓜ *Wall St.* ◯ *Mo–Fr 9–17 Uhr; Juli, Aug: Sa, So.* ● *Feiertage.* Ⓞ ⬦ 🅕 🅗 **www**.nps.gov/feha

E ine Bronzestatue George Washingtons auf den Stufen der Federal Hall markiert die Stelle, an der der erste US-Präsident 1789 seinen Amtseid ablegte. Tausende drängten sich damals in der Wall und Broad Street und stimmten begeistert ein, als der Kanzler des Staates New York ausrief: »Lang lebe George Washington, der Präsident der Vereinigten Staaten.«

Das jetzige Gebäude, 1834 bis 1842 als US Custom House errichtet, ist einer der schönsten klassizistischen Bauten der Stadt. Die Ausstellungsräume umfassen den Bill of Rights Room und ein interaktives Computersystem, das über die US-Verfassung Auskunft gibt.

New York Stock Exchange ❸

Siehe S. 70f.

Kirchhof der Trinity Church

Trinity Church ❹

Broadway Ecke Wall St. **Stadtplan** 1 C3. 🅒 *(212) 602-0800.* Ⓜ *Wall St, Rector St.* ◯ *tägl. 7–18 Uhr (Kirche), 7–16 Uhr (Friedhof).* 🅗 *Mo–Fr 12.05 Uhr, So 9, 11.15 Uhr.* 🅞 *nicht während Gottesdiensten.* 🅕 *tägl. 14 Uhr, So nach dem 11.15-Uhr-Gottesdienst.* **Konzerte** *Mo, Do 13 Uhr.* ▣ 🅗 **www**.trinitywallstreet.org

D ie Episkopalkirche am Ende der Wall Street ist das dritte Gotteshaus der hiesigen anglikanischen Gemeinde (1697 gegründet) an dieser Stelle. Die 1846 von Richard Upjohn errichtete Kirche war eine der größten ihrer Zeit und markiert den Anfang der Neugotik in Amerika. Die Bronzetüren von Richard Morris Hunt sind von Ghibertis *Paradiestür* in Florenz inspiriert. Bei der Restaurierung wurde unter Rußschichten rötlicher Sandstein entdeckt. Der 86 Meter hohe, viereckige Turm, bis etwa 1860 das höchste Gebäude in New York, nötigt ungeachtet seiner hoch aufragenden Nachbarn noch immer Respekt ab.

Viele prominente New Yorker waren Gemeindemitglieder. Auf dem Kirchhof liegen viele von ihnen begraben, so der Staatsmann Alexander Hamilton, Robert Fulton, der Erfinder des Dampfschiffs, und der Zeitungsverleger William Bradford.

Die von Marmorsäulen getragene Rotunde in der Federal Hall

World Financial Center ❺

West St. **Stadtplan** 1 A2. 🄲 *(212)
945-2600.* Ⓜ *A, C bzw. J, M, Z
sowie 2, 3, 4, 5 zur Fulton St. E zur
WTC Station. R, W zur Cortlandt St.
1, 9 zur Rector St.* 🄾 ♿ 🍴 🛒 📷
www.worldfinancialcenter.com

Hauptebene des Wintergartens

Der von Cesar Pelli & Associates entworfene Komplex ist für die »Revitalisierung« von Lower Manhattan höchst bedeutend. Nach seiner Beschädigung bei der Zerstörung des World Trade Center galt seiner Restaurierung höchste Priorität.

Vier Bürotürme, Sitze einiger der weltweit wichtigsten Finanzhäuser, ragen steil himmelwärts. Das Herz des Zentrums ist ein riesiger gläserner Wintergarten, der von 45 Restaurants und Läden gesäumt wird und sich zu einer belebten Piazza und zu einem Yachthafen am Hudson River hin öffnet. Die ausladende Marmortreppe, die in den Wintergarten führt, dient den Zuschauern kostenloser kultureller Veranstaltungen – von klassischer und moderner

Das Atrium ist ein 36 Meter hohes,
lichtdurchflutetes Glas-Stahl-Gewölbe.

**Die »Stundenglas«-
Treppe** dient bei
Konzerten im
Wintergarten auch
als Sitzgelegenheit.

Eine Promenade grenzt an den Hudson.   **Cafés und Läden** säumen das Atrium.

Musik bis hin zu Tanz und Theater – oft als Sitzgelegenheit. 16 Palmen der Gattung *Washingtonia robusta* erheben sich in dieser zeitgenössischen Version eines historischen »Palmengartens« über 15 Meter hoch.

Das Gebäude wurde bei seiner Einweihung im Jahr 1988 als Rockefeller Center des 21. Jahrhunderts gefeiert.

Das World Financial Center, vom Hudson River aus gesehen

New York Stock Exchange ❸

S chon 1790 wurden in und nahe der Wall Street
Wertpapiere gehandelt. 1792 kamen 24 Mak-
ler, die in der Wall Street Nr. 68 miteinander
Geschäfte trieben, schriftlich überein, solche Papiere nur mehr untereinander zu
handeln, und legten damit den Grundstein
für die New York Stock Exchange (NYSE).
Deren Mitgliederzahl ist strikt begrenzt.
1817 kostete ein »Sitz« 25 Dollar, heute
werden über zwei Millionen Dollar und
ein strenger Eignungstest verlangt. Die
New York Stock Exchange hat Höhen-
flüge und Zusammenbrüche erlebt
ebenso wie den Fortschritt vom
Lochstreifen zum Mikrochip und die
Wandlung vom lokalen Wertpapier-
markt zu einem Finanzzentrum von
globaler Bedeutung.

Lochstreifenmaschine
*Die um 1870 eingeführten
Apparate druckten auf die
Minute aktuelle Lochstrei-
fen für die einzelnen No-
tierungen.*

**Ein computergestützter
Ticker** aktualisiert fortlaufend
die Kurse.

TRADING POSTS

Die 17 Standplätze bestehen aus je 22 Sek-
tionen von Maklern und technischem Personal, die mit Aktien von bis zu zehn Ge-
sellschaften handeln. Commission-Broker
arbeiten für Broker-Firmen. Sie kaufen
und verkaufen Wertpapiere für Privatkunden. Ein Spezialist handelt immer nur eine
Aktie und übermittelt Angebote an andere
Broker. Unabhängige Broker wickeln die
Geschäfte der Broker-Firmen ab. Angestellte bearbeiten die Aufträge, die über
einen Super-DOT-Computer eingehen,
und geben die Umsätze in das Datensys-
tem ein. Der Supervisor sorgt für korrek-
ten Betrieb an seinem Standplatz. Lauf-
boten helfen in dem Trubel und bringen
zusätzliche Aufträge von den Ständen zu

Trading Post in der New Yorker Börse

Brokern und Spezialisten. Standplatzmoni-
tore geben die aktuellen Börsenkurse wieder, zusätzliche Flachbildschirme zeigen
den Spezialisten die Preise und Umsätze.

48-Stunden-Tag

Während des Börsenkrachs von 1929 arbeiteten die Mitarbeiter nonstop 48 Stunden lang. Trotz der Panik draußen waren sie guter Laune.

INFOBOX

20 Broad St. **Stadtplan** 1 C3.
📞 *(212) 656-3000.* Ⓜ *2, 3, 4, 5 zur Wall St, R, W zur Rector St.* 🚌 *M1, M6, M15.* ⬤ *Besuchergalerie aus Sicherheitsgründen geschlossen.* 🎫 *nur zu Bildungszwecken. Stark eingeschränkt.* ♿ www.nyse.com

Besuchergalerie

Börsenplatz

Börsenparkett

In der hektischen Börsenhalle werden täglich etwa zwei Milliarden Aktien für mehr als 2000 Unternehmen gehandelt. Die Technik des Designated-Order-Turnaround(SuperDOT)-Computer ist in einem golden schimmernden netzartigen Röhrensystem versteckt.

Börsenkrach von 1929

Am Dienstag, dem 29. Oktober 1929, wechselten beim Börsenkrach über 16 Millionen Aktien den Besitzer. Massen von Anlegern drängten sich in der Wall Street, aber entgegen einer Legende sprangen die Broker nicht aus dem Fenster.

Mitgliedereingang in der Wall Street

ZEITSKALA

1792 Am 17. Mai Unterzeichnung der Button-Wood-Vereinbarung

1844 Erfindung des Telegrafen ermöglicht US-weiten Handel

1867 Einführung der Lochstreifenmaschinen

1903 Heutiges Börsengebäude eröffnet

1976 DOT-System ersetzt Lochstreifen

1987 »Schwarzer Montag« am 19. Oktober. Dow Jones fällt um 508 Punkte

1750	1800	1850	1900	1950	2000

1817 New York Stock & Exchange Board gegründet

1863 Börse in New York Stock Exchange umbenannt

1869 »Schwarzer Freitag«; Gold-Crash am 24. September

1865 Neues Börsengebäude an der Ecke Wall Street/Broad Street

1929 Börsenkrach am 29. Oktober

1981 Standplätze elektronisch aufgerüstet

2001 Nach acht Jahren Höhenflug fallen nach dem 11. September die Kurse

Menschenauflauf beim Börsenkrach 1929

World Trade Center Site ❻

Stadtplan 1 B2. Ⓜ *Chambers St, Rector St.* ◯ *Erinnerungswand in der Church Street.*
www.rcnewnyc.org
www.projectrebirth.org

Unzählige Fotos und Filme haben die Zwillingstürme des World Trade Center unsterblich gemacht. 27 Jahre lang beherrschten sie die Skyline von Lower Manhattan – bis zum Terroranschlag am 11. September 2001 (*siehe S. 54*). Das enorme Gewicht der Türme wurde von einem »Drahtkäfig« getragen, der aufgrund der großen Hitze schmolz, nachdem zwei Passagierflugzeuge von Terroristen in die Gebäude gelenkt worden waren.

Die Türme waren Teil eines großen Komplexes aus sechs Bürogebäuden und einem Hotel. Alles war durch eine unterirdische, von Läden und Restaurants gesäumte Anlage miteinander verbunden. Eine Brücke verband diesen Komplex mit dem World Financial Center (*siehe S. 69*), das bei dem Anschlag nicht zerstört wurde.

Im World Trade Center waren rund 450 Firmen mit ca. 50 000 Mitarbeitern ansässig. Zahllose Besucher genossen einst die spektakuläre Aussicht von der Panoramaplattform oder der Dachpromenade des World Trade Center Zwei. Der Aufzug benötigte lediglich 58 Sekunden bis in den 107. Stock. Im Center Eins befand sich im 107. Stock das Restaurant Windows on the World. In Erinnerung bleibt sicherlich der 7. August 1974, als Philippe Petit in einem sensationellen Hochseilakt fast eine Stunde lang zwischen den beiden Türmen balancierte.

Nach und nach wachsen neue Gebäude auf »Ground Zero«. Ein neuer Wolkenkratzer nach kontroversen Entwürfen von Daniel Libeskind soll bis 2011 fertiggestellt sein. Im Komplex sollen mehrere Gedenkstätten entstehen.

Auf dem Seil unterwegs

Philippe Petit vor dem Drahtseilakt zwischen den beiden Türmen (1974)

Battery Park City ❼

Stadtplan 1 A3. Ⓜ *1, 9 zur Rector St.* 🅿♿🍴🏠 **www.**batteryparkcity.org
Skyscraper Museum *39 Battery Pl.* ☎ *(212) 968-1961.* ◯ *Mi–So 12–18 Uhr.* 🖥 **www.**skyscraper.org

Promenade der Battery Park City

Gouverneur Mario Cuomo fand die passenden Worte für das Projekt, als er 1983 von den Investoren verlangte: »Geben Sie dem Ganzen einen sozialen Touch – eine Seele.«

Das jüngste Großprojekt der Stadt auf 37 Hektar am Hudson River ist ehrgeizig. Die Büros, Restaurants und Wohnungen sind hochwertig.

Battery Park City ist für 25 000 Anwohner entworfen. Der auffälligste Bau ist das World Financial Center (*siehe S. 69*); die Gesamtkosten betragen vier Milliarden Dollar. Eine der neuen Sehenswürdigkeiten ist das Skyscraper Museum (*siehe S. 268*) neben dem Ritz-Carlton. Ein Spaziergang auf der Promenade bietet freie Sicht auf die Statue of Liberty.

Downtown Athletic Club ❽

19 West St. **Stadtplan** 1 B4. ☎ *(212) 425-7000.* Ⓜ *4, 5 bis Bowling Green.*

Der Art-déco-Bau ist eines der beeindruckendsten Gebäude *downtown*. Die Front zieren maurisch anmutende Arkaden und salzglasierte Kacheln in einem Farbspektrum von Orange bis Braun. In dem Gebäude war früher der namensgebende Downtown Athletic Club untergebracht, der jedes Jahr die Heisman Trophy (benannt nach John Heisman, dem ersten Direktor des Klubs) an den besten College-Footballspieler verleiht.

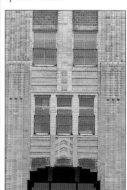

Der Downtown Athletic Club

Verzierte Decke in der Großen Halle des Cunard Building

Cunard Building ❾

25 Broadway. **Stadtplan** 1 C3. ⬛
(212) 363-9152. Ⓜ Bowling Green.
⭘ Mo–Fr 8–18 Uhr (Do bis 19 Uhr).

Hinter der Renaissance-Fassade, hinter Bronzetüren und schmiedeeisernen Toren verbirgt sich das Innere des heutigen US-Postamts mit seinem großartig verzierten Gewölbe in der Großen Halle (1921 erbaut).

Das erste Transatlantik-Cunard-Schiff erreichte New York 1867. 1915, als Opfer und Überlebende der torpedierten *Lusitania* hierher gebracht wurden, hatte das Unternehmen schon seine eigene Werft.

In den 1920er Jahren fusionierte Cunard mit der White Star Line zur größten Passagierschiffslinie der Welt. Hier wurden Tickets für die legendären großen Luxusliner wie die *Queen Mary* und die erste *Queen Elizabeth* verkauft.

Die Halle weist prachtvolle Wandmalereien und Fresken und eine reich ornamentierte Decke auf.

Bowling Green ❿

Stadtplan 1 C4. Ⓜ Bowling Green.

Das dreieckige Gelände nördlich des Battery Park ist die älteste Grünanlage der Stadt. Anfangs wurde hier mit Vieh gehandelt, später Bowling gespielt. Bis zum Unabhängigkeitskrieg stand hier auch eine Statue König Georges III, die dann zu Munition umgeschmolzen wurde (*siehe S. 22f*). Die Frau des Gouverneurs von Connecticut schmolz angeblich Metall für 42 000 Kugeln ein.

Der 1771 errichtete Zaun steht noch heute, allerdings ohne die Königskronen, die ihn einst zierten. Sie erlitten dasselbe Schicksal wie die Statue. Früher säumten elegante Häuser das Gelände. Zudem beginnt hier der Broadway, der durch Manhattan verläuft und den Stadtteil unter seiner offiziellen Bezeichnung »Highway Nine« mit Albany, der nördlich gelegenen Hauptstadt des Staates New York, verbindet.

Säulenkapitell am
US Custom House

US Custom House ⓫

1 Bowling Green. **Stadtplan** 1 C4.
Ⓜ Bowling Green. **National Museum of the American Indian**
⬛ (212) 514-3700. ⭘ Fr–Mi
10–17, Do 10–20 Uhr. ⬤ 25. Dez.
◙ ♿ www.nmai.si.edu

Der von Cass Gilbert 1907 erbaute Granitpalast ist eines der schönsten Beaux-Arts-Bauwerke und ein Symbol der großen Seehafentradition New Yorks. An seiner Ausschmückung wirkten die besten Bildhauer und Maler ihrer Zeit mit. 44 mit Friesen gekrönte ionische Säulen bilden einen Blickfang. Heroische Skulpturen von Daniel Chester French stellen vier Kontinente in Gestalt von Frauen dar: Asien (kontemplativ), Amerika (optimistisch), Europa (von den Symbolen vergangenen Ruhms umgeben) und Afrika (schlummernd). Die Marmorrotunde im Inneren versah Reginald Marsh mit Wandgemälden von in den Hafen einlaufenden Schiffen. Gegenüber dem Eingang sieht man ein Porträt der Filmdiva Greta Garbo, wie sie an Bord eines Schiffs eine Pressekonferenz gibt. 1973 zog die US-Zollbehörde aus dem Custom House aus; lediglich ein kleines Konkursgericht blieb für einige Jahre hier ansässig.

1994 erhielt das Haus eine neue Funktion mit dem Einzug des George Gustav Heye Center vom Smithsonian **National Museum of the American Indian**. Zu der vortrefflichen Sammlung gehören rund eine Million Exponate und Tausende von Fotografien – mit der ganzen Bandbreite der indianischen Kulturen Nord-, Mittel- und Südamerikas. Die Ausstellung, die von Repräsentanten der indigenen Völker zusammengestellt wurde, zeigt auch zeitgenössische Arbeiten.

Springbrunnen im Bowling Green

Statue of Liberty ⑰

Die Statue of Liberty war ein Geschenk der Franzosen an das amerikanische Volk. Sie ist ein Entwurf des Bildhauers Frédéric-Auguste Bartholdi und gilt als Symbol der Freiheit. Das Gedicht von Emma Lazarus am Sockel der »Lady Liberty« enthält die Zeilen: »Gebt mir eure Müden, eure Armen, eure geknechteten Massen, die frei zu atmen begehren.« Am 28. Oktober 1886 enthüllte Präsident Grover Cleveland die Statue, die 1986 zu ihrem 100. Geburtstag restauriert wurde. Vor den Anschlägen vom 11. September 2001 konnte man bis zur Krone hochsteigen; mittlerweile ist die Basis der Statue wieder zugänglich.

★ **Goldfackel**
1986 wurde die Originalfackel durch eine neue ersetzt. Die Flamme der Replik ist vergoldet.

Die Krone ist derzeit nicht zugänglich.

Das Gerüst konstruierte Gustave Eiffel, der spätere Erbauer des Eiffelturms. Die Kupferhülle hängt an Eisenträgern, die an einer Eisensäule befestigt sind.

Eine Stützsäule verankert die 225 Tonnen schwere Statue.

354 Stufen führen vom Eingang zur Krone hinauf.

Aussichtsplattform und Museum

DIE STATUE
Die 93 Meter hohe Statue of Liberty beherrscht die Einfahrt zum New Yorker Hafen.

Der Sockel ist zwischen den Wänden eines Armee-Forts eingelassen. Er war einst der größte in einem Stück gegossene Betonblock.

Von den Zehen bis zur Fackel
Die Statue of Liberty besteht aus 300 aus Kupfer gegossenen, genieteten Platten.

★ **Statue of Liberty Museum**
Neben anderen Souvenirs findet man hier Poster der Statue of Liberty.

Die Originalfackel steht heute in der großen Eingangshalle.

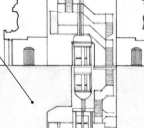

★ **Fähren nach Liberty Island**
Fähren verbinden Manhattan mit Liberty Island, von wo aus man eine eindrucksvolle Ansicht der Stadt hat.

INFOBOX

Liberty Island. **Stadtplan** 1 A5.
(212) 363-3200. 1, 9 bis South Ferry, 4, 5 bis Bowling Green. M6, M15 bis South Ferry, dann Fähre Circle Line–Statue of Liberty ab Battery alle 30–45 Min. (Sommer 8.30–15.30 Uhr; Winter unregelmäßig). (212) 269-5755. Juli, Aug: tägl. 9–18 Uhr; Sep–Juni: tägl. 9.30–17 Uhr. 25. Dez. Fährpreis inkl. Eintritt Ellis und Liberty Island. für Besuch der Statue Anmeldung erforderlich: 1-886-STATUE4. nur Lift zur Aussichtsplattform. www.nps.gov/stli

Porträt der Freiheit
Bartholdis Mutter stand für die Statue Modell. Die sieben Strahlen ihrer Krone stehen für die sieben Meere und die sieben Kontinente.

Der Guss der Hand
Vor dem Guss wurde die Hand zuerst aus Gips und Holz geformt.

Modellfiguren
Mittels immer wieder vergrößerter Modelle konnte Bartholdi die größte je konstruierte Metallstatue bauen.

FRÉDÉRIC-AUGUSTE BARTHOLDI

Der französische Bildhauer wollte der Freiheit ein Denkmal setzen. 21 Jahre lang arbeitete er an dieser Idee. 1871 reiste er nach Amerika, bat Präsident Ulysses S. Grant und andere Persönlichkeiten um finanzielle Unterstützung und ersuchte um die Erlaubnis, die Statue of Liberty im New Yorker Hafen aufzustellen. Er sagte: »Ich möchte die Republik und die Freiheit jenseits des Meeres preisen und hoffe, sie dereinst auch hier wieder zu finden.«

NICHT VERSÄUMEN

★ Fähren nach Liberty Island

★ Goldfackel

★ Statue of Liberty Museum

Feierlichkeiten
Am 3. Juli 1986 wurde die für 100 Millionen Dollar restaurierte Statue enthüllt. Das zwei Millionen Dollar teure Feuerwerk war das pompöseste, das Amerika je gesehen hatte.

St. Elizabeth Ann Seton Shrine ⑫

7 State St. **Stadtplan** 1 C4. [(212) 269-6865. Ⓜ Whitehall, South Ferry. ◯ Mo–Fr 6.30–17 Uhr. ✝ Mo–Fr 7.30, 12.15, 13.05 Uhr. 📷

Elizabeth Ann Seton

Elizabeth Ann Seton (1774–1821), die erste von der katholischen Kirche heiliggesprochene gebürtige Amerikanerin, lebte hier von 1801 bis 1803. Sie gründete den ersten Nonnenorden der Vereinigten Staaten, die American Sisters of Charity.

Nach dem Bürgerkrieg verwandelte die Mission of Our Lady of the Rosary das Gebäude in ein Heim für wohnungslose irische Immigrantenfrauen um, von denen 170 000 auf dem Weg in ein neues Leben in Amerika hier Station machten. Die Kirche wurde 1883 gebaut.

Fraunces Tavern Museum ⑬

54 Pearl St. **Stadtplan** 1 C4. [(212) 425-1778. Ⓜ Wall St, Broad St, Bowling Green. ◯ Di–Fr 12–17 Uhr, Sa 10–17 Uhr. ⬤ Feiertage, Tag nach Thanksgiving. ⊘ [nur Gruppen. **Vorträge, Filme**. 🍴 📷 www.frauncestavernmuseum.org

NYC Police Museum 100 Old Slip, Ecke South Street **Stadtplan** 1 D3. [(212) 480 3100. ◯ Di–Sa 10–17, So 11– 17 Uhr. Spende erbeten. [nur Gruppen. www.nycpolicemuseum.org

New Yorks einziger erhaltener Straßenblock aus dem 18. Jahrhundert besteht aus Handelshäusern. Hier befindet sich eine exakte Replik der 1719 errichteten Fraunces Tavern, in der George Washington 1783 von seinen Offizieren Abschied nahm. Die Taverne war bereits in den frühen Tagen der Revolution beschädigt worden: Im August 1775 zerstörte das britische Schiff *Asia* mit einem Kanonenschuss das Dach. 1904 kauften die *Sons of the Revolution* das Gebäude. Die 1907 beendete Restaurierung war eine der ersten Maßnahmen, das historische Erbe der amerikanischen Nation zu erhalten.

Das Restaurant im Erdgeschoss mit seinen offenen Kaminen besitzt viel Atmosphäre. Das Museum im ersten Stock zeigt Wechselausstellungen zur Geschichte und Kultur des frühen Amerika. Im **New York City Police Museum** im Old Slip kann man NYPD-Exponate und interaktive Ausstellungen sehen; es gibt auch Seminare.

Vietnam Veterans' Plaza ⑭

Zwischen Water St u. South St. **Stadtplan** 2 D4. Ⓜ Whitehall, South Ferry.

Die mehrstufige, renovierte, teils von Läden gesäumte Ziegel-Plaza wirkt sehr steril. In einer zentralen riesigen grünen Glasmauer befinden sich Ausschnitte aus Botschaften und Briefen, die im Krieg gefallene Soldatinnen und Soldaten an ihre Familien schickten.

Die Fähre nach Staten Island – ein kostenloses Transportmittel

Staten Island Ferry ⑮

Whitehall St. **Stadtplan** 2 D5. [311 BOAT. Ⓜ South Ferry. ◯ 24 Std. Kostenlos. 📷 ♿ www.siferry.com

Seit 1810 ist die von Cornelius Vanderbilt, dem späteren Eisenbahnmagnaten, gegründete Fährverbindung nach Staten Island in Betrieb. Sie pendelt zwischen Insel und Stadt und bietet Besu-

Das Fraunces Tavern Museum mit Restaurant (18. Jh.)

chern einen unvergesslichen Blick auf den Hafen, die Statue of Liberty, Ellis Island und die Skyline von Lower Manhattan. Der schon immer niedrige Fahrpreis wurde inzwischen ganz erlassen.

Battery Maritime Building ⓰

11 South St. **Stadtplan** 2 D4. Ⓜ
South Ferry. ● *für Besucher.*

Zwischen 1909 und 1938 legten hier die Fähren nach Brooklyn ab. Früher einmal befand sich an dieser Stelle ein als Schreijers Hoek bezeichneter Kai, von dem aus die holländischen Schiffe Richtung Heimat segelten. Zu den Hochzeiten des Fährverkehrs bedienten 17 Linien regelmäßig diese Piers. Heute legt hier jedoch nur noch die Küstenwache nach Governors Island ab.

Das Gebäude von 1907 wird von hohen verzierten Säulen gestützt. Eine 91 Meter breite Front bogenförmiger Öffnungen ist mit schmiedeeisernem Gitterwerk, Friesen und den für die Beaux-Arts-Periode so typischen Rosetten dekoriert. Die grün bemalte Stahlfront des Gebäudes soll eine Kupferfassade vortäuschen.

Schmiedeeisernes Geländer am Battery Maritime Building

Statue of Liberty ⓱

Siehe S. 74f.

Ellis Island ⓲

Siehe S. 78f.

Castle Clinton National Monument im Battery Park

Battery Park ⓳

Stadtplan 1 B4. Ⓜ *South Ferry, Bowling Green.*

Der nach den Geschützen, die früher den Hafen verteidigten, benannte Park bildet eine grüne Insel zwischen Wasser und Gebäuden und bietet einen Blick aufs Meer. Infolge von Verlandung reicht die Anlage heute über ihre einstige Begrenzung hinaus.

Der Park wird von Statuen und Monumenten gesäumt, et-

Beaux-Arts-Eingang zur Subway am Battery Park

wa dem Netherlands Memorial Monument, sowie Denkmälern für die ersten jüdischen Immigranten in New York und die Küstenwache. Auch Giovanni da Verrazano, der erste Europäer, der diese Küste erblickte, und die Dichterin Emma Lazarus werden hier geehrt.

Castle Clinton National Monument ⓴

Battery Park. **Stadtplan** 1 B4. (212) 344-7220. Ⓜ *Bowling Green, South Ferry.* ○ *tägl. 8.30–17 Uhr.* ● *25. Dez.* Konzerte. www.nps.gov/cacl

Castle Clinton wurde 1811 als Artilleriestellung gebaut. Ursprünglich stand es

rund 90 Meter vor der Küste und war durch einen Damm mit dem Battery Park verbunden. Durch Verlandung wurde es Bestandteil des Festlands.

1824 wurde das Fort zum Theater, in dem Phineas T. Barnum 1850 die »schwedische Nachtigall« Jenny Lind dem Publikum vorstellte. 1855 wurde es vor Ellis Island Einwanderungszentrum der Stadt für über acht Millionen Neuankömmlinge. 1896 wurde das Gebäude zu einem Aquarium umgebaut, das man später (1941) nach Coney Island verlegte *(siehe S. 249).*

Heute ist es ein Besucherzentrum des National Park Service mit Panoramadarstellungen zur Geschichte New Yorks. Die Fähren zur Statue of Liberty und nach Ellis Island legen hier ab *(siehe S. 369).*

Museum of Jewish Heritage ㉑

36 Battery Place. **Stadtplan** 1 B4. (646) 437-4200. Ⓜ *Bowling Green, South Ferry.* M1, 6, 9, 15, 20. ○ *So–Di und Do, 10–17.45 Uhr, Mi 10–20 Uhr, Fr und Vortag jüdischer Feiertage 10–17 Uhr.* ● *Sa, jüdische Feiertage, Thanksgiving.* *Vorträge.* www.mjhnyc.org

Die zentrale Ausstellung des Museums umfasst mehr als 2000 Fotografien, 800 Artefakte und 24 Dokumentarfilme über das Judentum vor, während und nach dem Holocaust. Mit dem jüngsten Anbau hinzugekommen ist ein Raum für Filme, Vorträge und Aufführungen. Zum Museum gehören ein Garten, Seminarräume, ein Archiv und eine Bibliothek, ein Zentrum für Familiengeschichte, ein Café und eine Aula.

Ellis Island ⑱

Fast jeder zweite Amerikaner kann seine Wurzeln bis Ellis Island zurückverfolgen, das zwischen 1892 und 1954 als Einwanderer-»Schleuse« in die USA diente. Rund zwölf Millionen Menschen schritten durch seine Tore und verteilten sich in der größten Immigrationswelle der Weltgeschichte über das ganze Land. Heute befindet sich hier das Ellis Island Immigration Museum. Fotos, Tonaufnahmen einstiger Immigranten und andere Exponate erzählen die Geschichte der Einwanderung. Im elektronischen Archiv kann man Ahnenforschung betreiben. Die American Immigrant Wall of Honor ist die größte mit Namen beschriftete Mauer der Welt. Kein anderer Ort vermittelt so deutlich einen Eindruck vom »Schmelztiegel«-Charakter des Landes.

Hauptgebäude

Das Eisenbahnbüro verkaufte Tickets zum endgültigen Bestimmungsort.

Bahnticket
Ein Sonderpreis für Immigranten zog viele nach Kalifornien.

★ Schlafsaal
Männliche und weibliche Einwanderer schliefen in getrennten Quartieren.

RESTAURIERUNG

1990 ließ die Statue of Liberty-Ellis Island Foundation die verfallenen Gebäude für 156 Millionen Dollar restaurieren, die Kupferkuppeln ersetzen und das Interieur mit Originalstücken renovieren.

Das Fährbüro verkaufte Tickets nach New Jersey.

★ Gepäckraum
Die Habseligkeiten der Immigranten wurden hier bei der Ankunft untersucht.

★ Große Halle
Die Einwandererfamilien mussten im Registrationsraum auf ihre »Abfertigung« warten. Die alten Metallbarrieren wurden 1911 durch Holzbänke ersetzt.

Der Metall-Glas-
Baldachin ist
eine Kopie
des Originals.

Ankunft
*Zwischendeck-
passagiere
verfolgen das
Anlegemanöver
vor Ellis Island.*

Haupteingang

INFOBOX

Stadtplan 1 A5. ☎ *(212) 363-
3200.* Ⓜ *4, 5 bis Bowling Green;
1, 9 bis South Ferry; R, W bis bis
Whitehall, dann Circle Line/Statue
of Liberty Ferry ab Battery Park.*
Abfahrt *Sommer alle 30 Min.
8:30–15.30 Uhr (Winter unregelmäßig).* ☎ *(212) 269-5755.*
🔲 *tägl. 8.30–17.15 Uhr.*
⬛ *25. Dez.* 🎟 *Fährpreis inkl.
Eintritt zu Ellis und Liberty Island.*
♿ 📷 🚫 🎥 🍴 🚻
www.nps.gov/elis
www.circlelinedowntown.com

Einwandererfamilie
*Italienische Familie bei
der Ankunft (1905).*

NICHT VERSÄUMEN

★ Gepäckraum

★ Große Halle

★ Schlafsaal

**Unter-
suchungsräume**
*Einwanderer mit
Infektionskrank-
heiten konnten
nach Hause zu-
rückgeschickt
werden.*

Seaport und Civic Center

Manhattans lebhaftes Civic Center ist Sitz zahlreicher Stadt-, Staats- und Bundesgerichte sowie des Polizeipräsidiums. In den 1880er Jahren befand sich hier auch das Zeitungsviertel. Die Gegend ist eine eindrucksvolle architektonische Enklave mit Wahrzeichen aus allen Perioden der Stadtgeschichte, etwa dem Woolworth Building aus dem 20., der City Hall aus dem 19. und der St. Paul's Chapel, dem ältesten noch genutzten Bauwerk der Stadt, aus dem 18. Jahrhundert. In der Nähe befindet sich auch der South Street Seaport. Der im 19. Jahrhundert wegen der vielen dort ankernden Segelschiffe als »Straße der Segel« bezeichnete Hafen verkam nach dem Ende der Segelschifffahrt. Inzwischen wurde die Gegend saniert und verfügt nun über ein Museum, Läden und Restaurants. Im Norden liegt die Brooklyn Bridge, einst die längste Hängebrücke der Welt.

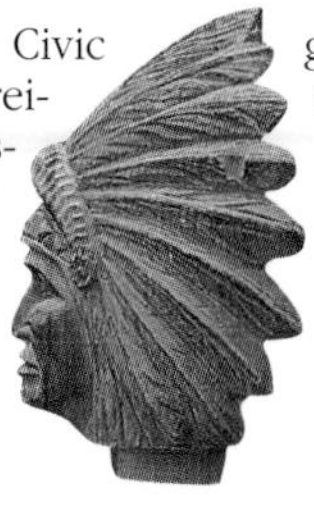

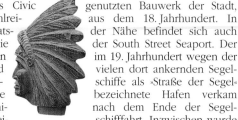

Galionsfigur, South Street Seaport

Sehenswürdigkeiten auf einen Blick

Historische Straßen und Gebäude

AT&T Building 14
Brooklyn Bridge S. 86–89 3
City Hall 10
Criminal Courts Building 4
Municipal Building 7
New York County Courthouse 5
Old New York County Courthouse 9
Schermerhorn Row 2
South Street Seaport 1
Surrogate's Court, Hall of Records 8
United States Courthouse 6
Woolworth Building 12

Kirche

St. Paul's Chapel 13

Park

City Hall Park und Park Row 11

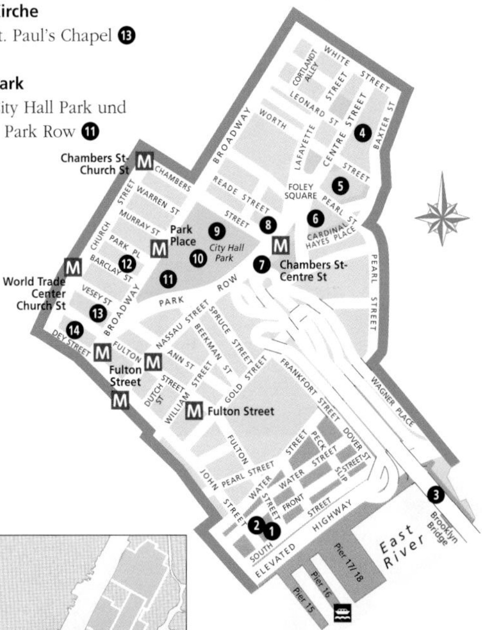

Anfahrt

Viele Subways bedienen diesen Teil der Stadt: die 7th-Ave/Broadway-Linien 2 und 3 zum Park Place oder zur Fulton Street, die Lexington-Ave-Linien 4, 5 und 6 zur Brooklyn Bridge, die 8th-Ave-Linien A, C und E zur Chambers Street und die Linien N, R und W zur City Hall. Oder Sie nehmen die Buslinien M1, M6, M9, M10, M15, M101/102 bzw. M22.

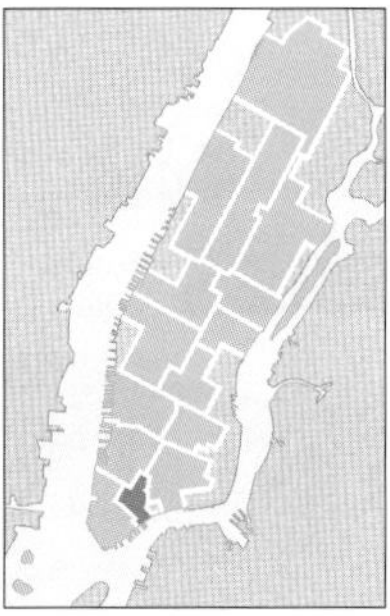

0 Meter 500
0 Yards 500

Legende

- Detailkarte
- [M] Subway-Station
- Schiffsanlegestelle

Siehe auch

• ***Stadtplan*** Karten 1–2, 4
• ***Restaurants*** S. 296

◁ South Street Seaport

Im Detail: South Street Seaport

Die teils kommerziell, teils historisch motivierte Wiedererschließung des South Street Seaport, des lange vernachlässigten Herzstücks des New Yorker Hafens aus dem 19. Jahrhundert, hat das Areal wieder in einen lebendigen Stadtteil verwandelt. Überall gibt es Läden und Cafés, und auch große Schiffe legen hier wieder an. Die vom South Street Seaport Museum organisierten Führungen und Schiffstouren vermitteln einen Eindruck von New Yorks maritimer Vergangenheit.

★ **South Street Seaport**
Die früher von Seeleuten und Segelschiffen belebte Hafenanlage ist jetzt ein quirliger Geschäfts- und Museumskomplex. ❶

Cannon's Walk ist ein Häuserblock aus dem 19. und 20. Jahrhundert mit Straßencafés, Läden und einem belebten Marktplatz.

Das Titanic Memorial ist ein 1913 zu Ehren der Opfer des *Titanic*-Unglücks errichteter Leuchtturm. Er steht in der Fulton Street.

Zur Subway-Station Fulton Street (4 Blocks)

Schermerhorn Row
Die 1813 für die Ausstellung World Port New York gebauten Häuser beherbergen das South Street Seaport Museum, Läden und Restaurants. ❷

Im Boat Building Shop können Sie zuschauen, wie geschickte Handwerker Holzboote bauen und restaurieren.

Im Maritime Crafts Center kann man Holzschnitzer und Maler bei der Arbeit an Schiffsmodellen und Galionsfiguren beobachten.

Buddelschiff

Das Pilothouse stammt ursprünglich von einem 1923 gebauten Schlepper. Heute befindet sich hier The Seaport's Admission and Information Center.

NICHT VERSÄUMEN

★ Brooklyn Bridge

★ South Street Seaport

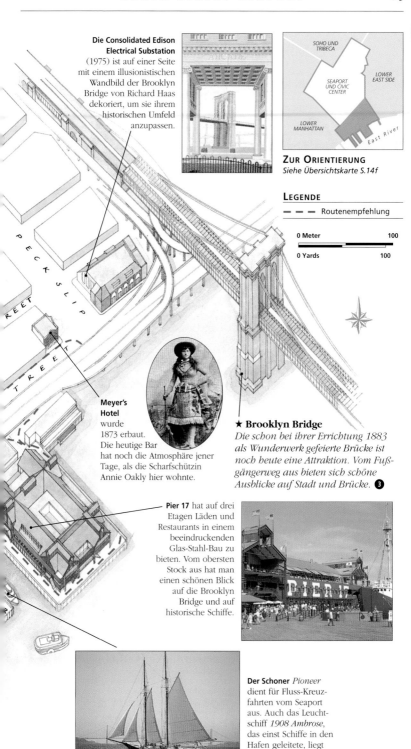

Die Consolidated Edison Electrical Substation
(1975) ist auf einer Seite mit einem illusionistischen Wandbild der Brooklyn Bridge von Richard Haas dekoriert, um sie ihrem historischen Umfeld anzupassen.

SOHO UND TRIBECA

SEAPORT UND CIVIC CENTER

LOWER EAST SIDE

LOWER MANHATTAN

East River

ZUR ORIENTIERUNG
Siehe Übersichtskarte S.14f

LEGENDE

– – – Routenempfehlung

| 0 Meter | 100 |
| 0 Yards | 100 |

Meyer's Hotel
wurde 1873 erbaut. Die heutige Bar hat noch die Atmosphäre jener Tage, als die Scharfschützin Annie Oakly hier wohnte.

★ Brooklyn Bridge
Die schon bei ihrer Errichtung 1883 als Wunderwerk gefeierte Brücke ist noch heute eine Attraktion. Vom Fußgängerweg aus bieten sich schöne Ausblicke auf Stadt und Brücke. ❸

Pier 17 hat auf drei Etagen Läden und Restaurants in einem beeindruckenden Glas-Stahl-Bau zu bieten. Vom obersten Stock aus hat man einen schönen Blick auf die Brooklyn Bridge und auf historische Schiffe.

Der Schoner *Pioneer* dient für Fluss-Kreuzfahrten vom Seaport aus. Auch das Leuchtschiff *1908 Ambrose*, das einst Schiffe in den Hafen geleitete, liegt hier vertäut.

Die *Ambrose* an einem der South Street Seaport Piers am East River

South Street Seaport ❶

Fulton St. **Stadtplan** 2 E2. ☎ *(212) SEAPORT.* Ⓜ *Fulton St.* ◷ *Nov–März Mo–Fr 10–19, So 11–18 Uhr; Apr– Okt Mo–Sa 10–21 Uhr, So 11–20 Uhr.* ▣ ♿ ▯ **Konzerte.** ▯ ▯ **South Street Seaport Museum** 12 Fulton St. ▯ *(212) 748-8600.* ◷ *Apr–Okt: tägl. 10–18 Uhr; Nov–März: Fr–Mo 10–17 Uhr.* ● *1. Jan, Thanksgiving, 25. Dez.* ▨ ▣ ♿ ▯ **Vorträge, Ausstellungen, Filme.** ▯ ▯ **www.**southstseaport.org

D as einstige Herz des New Yorker Hafens ist heute wieder ein lebendiges Viertel. Man findet hier schicke Läden und Restaurants harmonisch neben Werkstätten von Bootsbauern und -restauratoren, historischen Gebäuden und Museen; von den Kopfsteinpflasterstraßen aus bieten sich spektakuläre Ausblicke auf die Brooklyn Bridge und den East River.

Hier liegen alte Schiffe wie der Schlepper *W O Decker* oder der Viermaster *Peking*. Der Schoner *Pioneer* lädt zu kurzen Törns ein – eine schöne Art, den Fluss zu sehen.

Das **South Street Seaport Museum** nimmt die zwölf Blocks ein, die einst dem führenden Hafen des Landes Platz boten. Es besitzt die größte private Flotte historischer Schiffe der USA, zudem über 20 000 Artefakte, Kunstwerke und nautische Dokumente des 19. und frühen 20. Jahrhunderts. Ein Bummel über das Gelände lässt Besucher in die Vergangenheit eintauchen. Veranstaltungen unterstützen das Flair.

Der Fulton Fish Market, der seit 1821 eine Seaport-Attraktion war, ist 2006 in die Bronx umgezogen.

Schermerhorn Row ❷

Fulton St und South St. **Stadtplan** 2 D3. Ⓜ *Fulton St.*

S ie ist das architektonische Schmuckstück des Hafens. Die 1811 von dem Reeder Peter Schermerhorn erbauten Gebäude waren ursprünglich Lagerhäuser und Kontore. Seit der Errichtung der Anlegestelle für die Brooklyn-Fähre 1814 und der Eröffnung des Fulton Market 1822 war der Block eine begehrte Immobilie. Im Zuge der Sanierung der South-Street-Seaport-Gegend sind auch die Row-Gebäude restauriert worden. Es gibt jetzt 24 Museen bzw. Galerien sowie diverse Läden und Restaurants.

Brooklyn Bridge ❸

Siehe S. 86 – 89.

Criminal Courts Building ❹

100 Centre St. **Stadtplan** 4 F5. Ⓜ *Canal St.* ◷ *Mo–Fr 9–17 Uhr.* ● *Feiertage.* ♿

D as Gebäude wurde 1939 im Stil des Art déco errichtet. Seine Türme erinnern an einen babylonischen Tempel. Der zwei Stockwerke hohe Eingang befindet sich in einem Hof, hinter zwei quadratischen Granitsäulen. In dem Gebäude ist das Untersuchungsgefängnis für Männer untergebracht; früher befand es sich in einem wegen seiner ägyptisierenden Architektur als »The Tombs« (Das Grabmal) bezeichneten, inzwischen abgerissenen Gebäude auf der gegenüberliegenden Straßenseite. Eine »Seufzerbrücke« verbindet die Gerichtssäle mit der Haftanstalt jenseits der Centre Street.

Hier tagen an Werktagen zwischen 17 und 1 Uhr nachts auch die so genannten »night courts« (nächtlichen Gerichtsverhandlungen).

Eingang zum Criminal Courts Building

New York County Courthouse ❺

60 Centre St. **Stadtplan** 2 D1. Ⓜ *Brooklyn Bridge/City Hall.* ◷ *Mo–Fr 9–17 Uhr.* ● *Feiertage.* ♿

D as anstelle des Tweed Courthouse *(siehe S. 90)* errichtete Bezirksgericht wurde 1926 fertiggestellt.

Restaurierte Gebäude, Schermerhorn Row

Das Portal mit seinen korinthischen Säulen am Ende der großen Freitreppe ist das Hauptmerkmal des Gebäudes. Ein Gegengewicht zum sachlichen Äußeren bildet die Rotunden-Säulenhalle im Inneren mit Tiffany-Leuchtern und Marmor; die Wandbilder von Attilio Pusterla zeigen Szenen aus dem Gerichtsleben. Von der Halle gehen sechs Seitenflügel ab, in denen je ein Gericht untergebracht ist.

Das Gerichtsdrama *Die zwölf Geschworenen* mit Henry Fonda wurde hier gedreht.

Das New York County Courthouse

United States Courthouse **6**

40 Centre St. **Stadtplan** 2 D1. Ⓜ *Brooklyn Bridge/City Hall.* ☐ *Mo–Fr 9–17 Uhr.* ● *Feiertage.* ♿

D as Gerichtsgebäude ist das letzte Projekt des Architekten Cass Gilbert, von dem das Woolworth Building stammt. Der 1933, ein Jahr vor seinem Tod, begonnene Bau wurde von seinem Sohn

Das United States Courthouse

zu Ende geführt. Der 30 Etagen hohe Turm wächst aus einer klassizistischen Tempelbasis und wird von einer Pyramide gekrönt. Sehenswert sind die Bronzetüren. Über Hochpassagen ist das Gebäude mit einem Anbau der Police Plaza verbunden.

Municipal Building **7**

1 Centre St. **Stadtplan** 1 C1. Ⓜ *Brooklyn Bridge/City Hall.* ◙ ♿

D er 1914 gebaute Sitz der Stadtverwaltung erhebt sich über der Chambers Street. Es handelt sich um den ersten Wolkenkratzer von McKim, Mead & White. In dem Gebäude sind Behörden und eine Hochzeitskapelle untergebracht. Äußerlich harmoniert das Haus mit der City Hall, ohne durch zu viele Details von dem älteren Bauwerk abzulenken. Am auffälligsten ist der Oberbau, ein von Adolph Wienmans Statue *Civic Fame* gekröntes Turm-Ensemble.

Eine stillgelegte Eisenbahnlinie unter dem Gebäude und die Plaza, die das Bauwerk mit dem Eingang zur IRT-Subway verbindet, sind Zugeständnisse an den modernen Massenverkehr. Das Municipal Building war Vorbild für das Hauptgebäude der Moskauer Universität.

Surrogate's Court, Hall of Records **8**

31 Chambers St. **Stadtplan** 1 C1. Ⓜ *City Hall.* ☐ *wg. Renovierung nur Eingangshalle.* ● *Feiertage.* ◙ ♿ 🗖

D ie Hall of Records (Stadtarchiv) – ein Juwel des Beaux-Arts-Stils – wurde 1899 begonnen und 1911 fertiggestellt. Der Granit der kunstvollen Säulenfassade mit ihrem hohen Mansardendach stammt aus Maine. Die Figuren von Henry K. Bush-Brown im Dachbereich stellen die Lebensstadien des Menschen dar. Die Statuen von Philip Martiny über der Kolonnade

Das Municipal Building

repräsentieren bekannte New Yorker wie Peter Stuyvesant. Von Martiny stammen auch die Darstellungen New Yorks aus seiner Anfangs- und der Revolutionszeit am Eingang zur Chambers Street.

Die Marmortreppen und die bemalte Decke der zentralen Halle sind von der Pariser Oper inspiriert. William de Leftwich Dodges Deckenmosaik zeigt die Tierkreiszeichen.

Die im Stadtarchiv verwahrten Dokumente reichen bis 1664 zurück. Die Ausstellung *Windows on the Archives* zeigt historische Dokumente, Zeichnungen, Briefe und Fotos, die einen Eindruck des New Yorker Lebens von 1626 bis heute vermitteln. Das Gebäude ist ab 2007 wieder zugänglich.

Surrogate's Court

Brooklyn Bridge ❸

Die 1883 vollendete Brooklyn Bridge war die größte Hängebrücke – und die erste aus Stahl. Dem Ingenieur John A. Roebling kam die Idee dazu, als er auf dem Weg nach Brooklyn mit der Fähre im gefrierenden East River stecken blieb. Der Bau beschäftigte 600 Arbeiter 16 Jahre lang und kostete 20 Menschenleben; auch Roebling gehörte zu den Opfern. Die meisten starben nach Arbeiten unter Wasser an der Taucherkrankheit. Nach ihrer Fertigstellung verband die Brücke die damals noch selbstständigen Städte Brooklyn und Manhattan.

Zur Eröffnung der Brücke geprägte Medaille

BROOKLYN BRIDGE
Neue Techniken fanden beim Bau Verwendung – von der Tragseilherstellung bis zur Versenkung der tragenden Teile.

Verankerung
Die Enden der vier Stahlseile sind an Ankertrossen befestigt, die von Ankerplatten gehalten werden. Diese sind in riesige, drei Stockwerke hohe Granitgewölbe versenkt, deren Inneres früher als Lager diente. Heute finden hier im Sommer Ausstellungen statt.

Granitgewölbe

Zum Masten führendes Seil

Anker-trosse

Senkkästen
Die Türme wuchsen über Senkkästen – jeder so groß wie vier Tennisplätze – empor. So konnte der Aushub im Trockenen vorgenommen werden. Mit fortschreitender Arbeit sanken die Türme immer tiefer ins Flussbett ein.

Schaft

Ankerplatten
Jede der vier gusseisernen Ankerplatten hält ein Seil. Das Mauerwerk wurde erst nach ihrer Positionierung um sie herumgebaut.

Ankerplatten

Ankerplatte

Gewölbe

Die Spannweite zwischen den beiden mittleren Masten beträgt 486 Meter

Gewölbe

Die Fahrbahn von Verankerung zu Verankerung ist 1091 Meter lang

Erste Überquerung
*Der Mechanikermeister
E. F. Farrington war der Erste,
der den Fluss 1876 mit einem
dampfgetriebenen Zugseil
überquerte. Seine Reise dauerte 22 Minuten.*

INFOBOX

Stadtplan 2 D2. **M** J, M, Z bis
Chambers St, 4 5, 6 bis Brooklyn
Bridge-City Hall (Manhattan-Seite);
A, C bis High St (Brooklyn-Seite).
M9, M15, M22, M103.

Stahlseile
*Jedes der Seile besteht aus 5657 Kilometern Draht,
der zum Schutz vor Wind, Regen und Schnee mit
Zink galvanisiert wurde.*

Brooklyn Tower (1875)
*Zwei je 83 Meter
hohe gotische
Doppelbogen –
einer in Brooklyn, der andere
in Manhattan –
sollten wie
Stadttore zu
beiden Seiten
der Brücke
aufragen.*

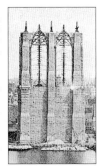

Im Senkkasten
*Einwanderer zertrümmern
Felsgestein im Flussbett.*

JOHN A. ROEBLING
Der gebürtige Deutsche konstruierte die Brücke. Kurz vor
Baubeginn, 1869, wurde sein
Fuß von einer einlaufenden
Fähre an einer Anlegestelle
zerquetscht. Drei Wochen
später starb er. Sein Sohn
Washington Roebling vollendete die Brücke. 1872 ereilte ihn im Senkkasten die
Taucherkrankheit, fortan war
er teilweise gelähmt. Unter
seiner Aufsicht übernahm
seine Frau die Bauleitung.

HERSTELLUNG DER SEILE

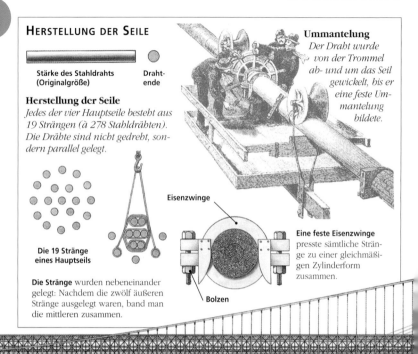

Stärke des Stahldrahts (Originalgröße) **Drahtende**

Herstellung der Seile

Jedes der vier Hauptseile besteht aus 19 Strängen (à 278 Stahldrähten). Die Drähte sind nicht gedreht, sondern parallel gelegt.

Die 19 Stränge eines Hauptseils

Die Stränge wurden nebeneinander gelegt: Nachdem die zwölf äußeren Stränge ausgelegt waren, band man die mittleren zusammen.

Ummantelung

Der Draht wurde von der Trommel ab- und um das Seil gewickelt, bis er eine feste Ummantelung bildete.

Eisenzwinge

Bolzen

Eine feste Eisenzwinge presste sämtliche Stränge zu einer gleichmäßigen Zylinderform zusammen.

Feuerwerk über der Brooklyn Bridge
Der 4. Juli wird alljährlich mit einem großen Feuerwerk gefeiert.

Reger Verkehr

Auf dieser Ansicht der Brücke von 1883 (von Manhattan aus gesehen) sind außen die Fahrbahnen für Pferdefuhrwerke, weiter innen die beiden Trassen der Tram und in der Mitte der erhöhte Fußgängerweg zu erkennen.

Panik vom 30. Mai 1883
Nachdem eine Frau auf der Brücke gestolpert war, brach eine Panik aus. Von den rund 20 000 Menschen auf der Brücke wurden zwölf erdrückt.

Kurz vor der Fertigstellung
*An diagonalen Seilen befestig-
te vertikale Seile halten die
Trägerbalken.*

Halterungen
*Aufgesattelte Platten
verankern die Seile an
der Spitze der
Türme.*

Seil

Diagonale
Halteseile

Vertikale
Halteseile

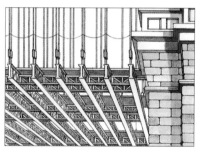

Bodenträger
Die Stahl-Bodenträger wiegen je vier Tonnen.

Odlums Sprung
*Nach einer Wette
sprang Robert Odlum
1885 als Erster von
der Brücke. Er starb
später an inneren
Blutungen.*

Erhöhter Gehweg
*Der Dichter Walt Whitman
fand, der Blick vom Geh-
weg, 5,50 Meter über der
Fahrbahn, sei «die beste
und wirkungsvollste Medi-
zin, die meine Seele bisher
genossen hat».*

Old New York County Courthouse ❾

52 Chambers St. **Stadtplan** 1 C1.
Ⓜ *Chambers St/City Hall.*
🚶 *Teil der City-Hall-Tour.*

Das Gebäude wurde durch einen Skandal bekannt. Es wird auch als »Tweed Courthouse« bezeichnet, und zwar nach dem Politiker, der für den Bau das Zwanzigfache des ursprünglichen Budgets ausgab und davon neun Millionen Dollar selbst einsteckte. »Boss« Tweed erwarb auch einen Marmorsteinbruch und verdiente mit dem Verkauf an die Stadt riesige Summen. Die öffentliche Empörung führte schließlich 1871 zu seinem Sturz. Er starb in einem New Yorker Gefängnis *(siehe S. 27).* Nach einer 85 Millionen Dollar teuren Renovierung ist in dem bemerkenswerten Gebäude aus dem 19. Jahrhundert jetzt das Kultusministerium untergebracht.

P. T. Barnums lichterloh brennendes Museum am City Hall Park

Die imposante Fassade der City Hall (frühes 19. Jh.)

City Hall ❿

City Hall Park. **Stadtplan** 1 C1. 📞
(212) 788-6865. Ⓜ *Brooklyn Bridge/ City Hall Park Pl.* 🔓 *nur nach Voranmeldung.* 📷 ♿ 🚶 *(212) 788-2170.*

Die City Hall, seit 1812 Sitz der New Yorker Stadtregierung, ist sicherlich eines der schönsten Beispiele amerikanischer Architektur des frühen 19. Jahrhunderts. Das prächtige Federal-Style-Bauwerk (mit Einflüssen der französischen Renaissance) bauten John McComb Jr., der erste in Amerika geborene prominente Architekt, und der französische Einwanderer Joseph Mangin.

Der rückwärtige Teil des Gebäudes blieb ohne Marmorverkleidung, da mit einer Ausdehnung der Stadt nach Norden nicht gerechnet wurde. Die Renovierung (1954) hat diesem Mangel abgeholfen; zugleich wurde das Innere aufpoliert.

Das äußere Erscheinungsbild des Gebäudes wird Mangin zugeschrieben, das Innere mit seiner von zehn Säulen getragenen Kuppelrotunde hingegen McComb. Eine geschwungene Doppeltreppe führt zu den Tagungsräumen des City Council und zum Governor's Room mit seiner Porträtsammlung bedeutender New Yorker Persönlichkeiten im ersten Stock. Durch die Eingangshalle schreiten seit fast 200 Jahren Berühmtheiten. Abraham Lincoln wurde hier 1865 aufgebahrt.

An der Treppe steht die Statue des 1776 im amerikanischen Unabhängigkeitskrieg von den Briten als Spion gehängten US-Soldaten Nathan Hale. Seine letzten Worte – »Ich bedaure, dass ich meinem Land nur dies eine Leben anzubieten habe« – haben ihm in Geschichtsbüchern und den Herzen der Amerikaner einen festen Platz gesichert.

City Hall Park und Park Row ⓫

Stadtplan 1 C2. Ⓜ *Brooklyn Bridge/ City Hall Park Pl.*

An dieser Stelle befand sich vor 250 Jahren der New Yorker Dorfanger samt Vieh und Schandpfahl. Der vorrevolutionäre Protest gegen die englische Vorherrschaft brach sich hier Bahn. Heute erinnert ein Denkmal an die auf dem Rasen des Rathauses aufgestellten »Freiheitsmasten«. Hier wurde auch am 9. Juli 1776 vor George Washington und seinen Soldaten die Unabhängigkeitserklärung verlesen.

Ab 1842 erwies sich Phineas T. Barnums American Museum im südlichen Parkbereich als Publikumsmagnet; 1865 brannte es jedoch nieder. Im Park Row Building war damals das Park Theater ansässig. Von 1798 bis 1848 traten hier die besten Schauspieler der Zeit auf. Die östlich des Parks verlaufende Park Row nannte man einst »Newspaper Row«. Die Redaktionsräume von *Sun*, *World*, *Tribune* und anderen Zeitungen

Benjamin-Franklin-Statue auf dem Printing House Square

lagen hier. Auf dem Printing House Square steht eine Statue Benjamin Franklins mit seiner *Pennsylvania Gazette*. 1999 wurde der City Hall Park renoviert; die offene Anlage ist ideal zum Ausruhen.

Woolworth Building ⑫

233 Broadway. **Stadtplan** 1 C2.
Ⓜ *City Hall Park Pl.* ⬤ *für Besucher.*

Relief-Karikatur des Architekten Gilbert in der Woolworth-Lobby

D er Verkäufer Frank W. Woolworth eröffnete 1879 einen neuartigen Laden: Die Kunden konnten die für je fünf Cent angebotenen Waren anschauen und anfassen. Die Ladenkette, die sich daraus entwickelte, brachte ihm ein Vermögen ein und veränderte das Gesicht des Einzelhandels von Grund auf.

Das gotische, 1913 vollendete Hauptquartier war bis in die 1930er Jahre New Yorks höchstes Gebäude. Es war das Vorbild der großen Wolkenkratzer und ist in puncto Eleganz unübertroffen.

Das mit Fledermäusen und anderen Tierornamenten verzierte Bauwerk von Cass Gilbert wird von einem Pyramidendach, Strebepfeilern, Zinnen und vier Türmen gekrönt. Das Marmorinterieur ist mit Filigranarbeiten, Reliefs und dekorativen Malereien geschmückt; die Mosaikdecke besteht aus Glaskacheln. Die Eingangshalle ist einer der Kunstschätze der Stadt. Witzige Flachreliefs zeigen den Gründer beim Geldzählen, den Immobilienmakler beim Geschäftsabschluss und den Architekten Gilbert mit einem Modell. Das 13,5 Millionen Dollar teure Gebäude wurde bar bezahlt. 1997 gab Woolworth das Geschäft auf; das Gebäude gehört heute der Witkoff Group.

St. Paul's Chapel ⑬

209–211 Broadway. **Stadtplan** 1 C2.
☎ *(212) 233-4164.* Ⓜ *Fulton St.*
🕐 *Mo–Sa 10–18, So 9–16 Uhr.* ⬤ *Feiertage.* ✝ *Mi 12.45, So 8, 10 Uhr.* 📷 🎫 *nach Vereinbarung.* **Konzerte.** www.saintpaulschapel.org

W ie durch ein Wunder blieb die Kirche unbeschädigt, als 2001 die Twin

Georgianisches Interieur der St. Paul's Chapel

Towers kollabierten. St. Paul's ist Manhattans einzige Kirche aus der Zeit vor dem Unabhängigkeitskrieg – ein georgianisches Juwel. Kandelaber erleuchten das Innere, in dem Gedenkgottesdienste an den 11. September stattfanden. Die Bank, auf der einst George Washington als neu vereidigter Präsident betete, existiert noch. Auf dem Friedhof erinnert ein Denkmal an den Schauspieler George F. Cooke, der im Park Theater auftrat.

AT&T Building ⑭

195 Broadway. **Stadtplan** 1 C2.
Ⓜ *Broadway/Nassau Fulton St.*
🕐 *Geschäftszeiten.*

S äulen charakterisieren das von Wells Bosworth entworfene, 1915–22 errichtete Bauwerk. Allein die Fassade besitzt angeblich mehr Säulen als irgendein anderes Gebäude der Welt. Doch auch das Innere präsentiert sich als Marmorsäulen-Orgie. Das ganze Bauwerk sieht aus wie ein riesiger quadratischer Schichtkuchen.

Eine Meeresgöttin über dem Eingang des AT&T (American Telephone and Telegraph) Building

LOWER EAST SIDE

Nirgendwo wird die ethnische Vielfalt dieser Stadt so deutlich wie in Lower Manhattan, wo sich einst die Einwanderer niederließen. Hier lagen die Viertel der Italiener, Chinesen und Juden, die inmitten des fremden, neuen Landes ihre Sprache, Religion und Bräuche bewahrten. Neue Immigranten aus aller Welt bevölkern heute das niedrig gebaute Wohnviertel, doch das Flair vergangener Tage ist noch spürbar. Hier gibt es verlockende Restaurants, günstige Einkaufsmöglichkeiten und eine unvergleichliche Atmosphäre. Der Komponist Irving Berlin ist hier aufgewachsen. Rückblickend sagte er einmal: »Jeder sollte in seinem Leben eine Lower East Side haben.«

Blechdose (19. Jh.), Lower East Side Tenement Museum

SEHENSWÜRDIGKEITEN AUF EINEN BLICK

Historische Straßen und Gebäude
Chinatown ❹
Delancey Street ❿
East Houston Street ⓫
Engine Company No. 31 ⓮
Home Savings of America ❶
Little Italy ❸
Orchard Street ❽
Police Headquarters Building ❷
Puck Building ⓬

Park
Columbus Park ❺

Museen und Sammlungen
FusionArts Museum ⓳
Lower East Side Tenement Museum ❼
New Museum of Contemporary Art ⓰

Läden und Märkte
Economy Candy ⓱
Essex Street Market ⓴
The Pickle Guys ⓯

Kirchen und Synagogen
Angel Orensanz Center ⓲
Bialystoker Synagogue ❾
Eldridge Street Synagogue ❻
Old St. Patrick's Cathedral ⓭

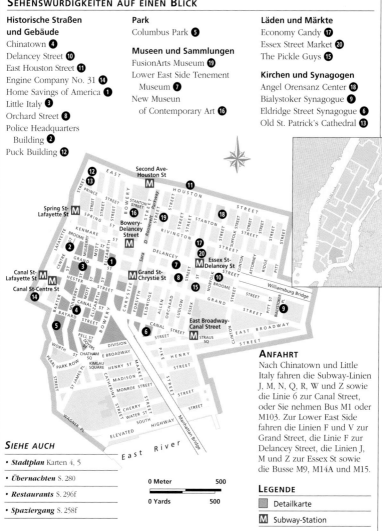

ANFAHRT
Nach Chinatown und Little Italy fahren die Subway-Linien J, M, N, Q, R, W und Z sowie die Linie 6 zur Canal Street, oder Sie nehmen Bus M1 oder M103. Zur Lower East Side fahren die Linien F und V zur Grand Street, die Linie F zur Delancey Street, die Linien J, M und Z zur Essex St sowie die Busse M9, M14A und M15.

LEGENDE
Detailkarte
Ⓜ Subway-Station

SIEHE AUCH

0 Meter 500
0 Yards 500

◁ Drachenpuppe in Chinatown während des Chinesischen Neujahrsfestes

Im Detail: Little Italy und Chinatown

New Yorks größtes und buntestes ethnisch geprägtes Viertel ist Chinatown. Der Distrikt dehnt sich so schnell aus, dass er das nahe gelegene Little Italy und die jüdische Lower East Side zu verdrängen droht. In den Straßen reihen sich dicht an dicht Gemüseläden, Geschenkboutiquen und Restaurants; selbst in den einfachsten Lokalen gibt es gutes Essen. Die Überreste Little Italys finden sich in der Mullberry und in der Grand Street.

★ Little Italy
Einst wurde es von Tausenden von italienischen Einwanderern bevölkert. ❸

★ Chinatown
In dem für seine Restaurants und das hektische Straßenleben bekannten Viertel ist die ständig wachsende chinesische Gemeinde beheimatet. Besonders hoch her geht es hier im Januar bzw. Februar zur Zeit des Chinesischen Neujahrsfestes. ❹

Auf dem Markt in der Canal Street kann man günstig neue und gebrauchte Kleider und frische Lebensmittel erstehen.

Ⓜ **Subway-Station Canal Street** (Linien R, W, N, Q, 6)

Der Eastern States Buddhist Tempel (64b Mott Street) beherbergt über 100 goldene Buddhas.

Die Wall of Democracy in der Bayard Street ist mit Zeitungsberichten über die Situation in China bedeckt.

Columbus Park ❺
Der Park liegt auf dem Gelände des einst elendsten New Yorker Slums.

Die Confucius Plaza wird von Liu Shihs Statue des chinesischen Philosophen beherrscht.

Am Chatham Square steht ein Denkmal für die chinesisch-amerikanischen Gefallenen.

Police Headquarters Building
Die Kuppel des im Barockstil gehaltenen Verwaltungsgebäudes überragt das City-Hall-Viertel. 1973 wurden die Innenräume zu Wohnungen umgebaut. ❷

ZUR ORIENTIERUNG
Siehe Übersichtskarte S. 14f

LEGENDE

– – – Routenempfehlung

| 0 Meter | 100 |
| 0 Yards | 100 |

Home Savings of America
Stanford White entwarf das Gebäude 1894 für die alte Bowery Savings Bank. ❶

Umbertos Clam House,
das Restaurant, in dem der Mafia-Boss Joey Gallo 1972 erschossen wurde, stand hier in der Mulberry Street.

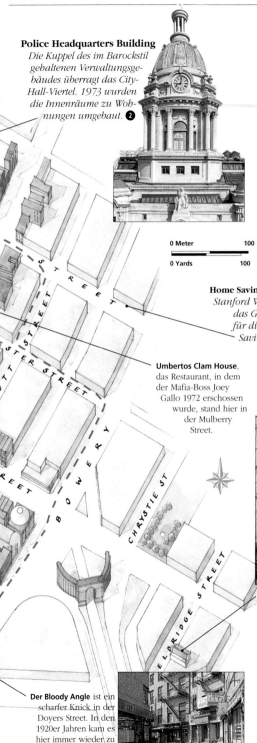

★ **Eldridge Street Synagogue**
Das erste große Gotteshaus, das europäische Juden in Amerika erbauten, ist frisch renoviert. ❻

Der Bloody Angle ist ein scharfer Knick in der Doyers Street. In den 1920er Jahren kam es hier immer wieder zu Bandenkämpfen.

NICHT VERSÄUMEN

★ Chinatown

★ Eldridge Street Synagogue

★ Little Italy

Home Savings of America ❶

130 Bowery. **Stadtplan** 4 F4.
Ⓜ *Grand St, Bowery.*

Das innen wie außen imposante klassizistische Gebäude wurde 1894 von dem Architekten Stanford White für die Bowery Savings Bank entworfen. Die reich verzierte Außenfront sollte das Gebäude der konkurrierenden Butcher's and Drover's Bank in den Schatten stellen. Das Innere ist mit Marmorsäulen und einer üppigen Decke verziert.

Lange wirkte das Gebäude angesichts der Obdachlosen und der Absteigen der Bowery leicht deplatziert. Heute ist hier der Nachtklub Capitale beheimatet.

Detail der Home Savings of America

Police Headquarters Building ❷

240 Centre St. **Stadtplan** 4 F4. Ⓜ
Canal St. ⬤ für die Öffentlichkeit.

Das 1909 errichtete Gebäude diente der damals neu gegründeten Berufspolizei als Unterkunft. Korinthische Säulen säumen das Portal und die beiden Pavillons. Die Kuppel ragt hoch in den Himmel. Aus Platzmangel musste sich der Grundriss allerdings einem keilförmigen Grundstück mitten in Little Italy einfügen.

Fast 70 Jahre lang traf sich hier die »Creme« der Stadt. In der Prohibitionszeit war die Grand Street von hier bis zur Bowery als »Bootleggers' Row« (»Alkoholschmugglergasse«) bekannt. Solange die Polizei nicht gerade eine Razzia unternahm, kam man überall leicht an Alkohol. Die Spirituosenhändler ließen sich Tipps aus dem Präsidium eine Stange Geld kosten.

1973 bezog die Polizei ein neues Hauptquartier; seit 1985 ist das Gebäude ein Apartmenthaus.

Little Italy ❸

Straßen um die Mulberry St.
Stadtplan 4 F4. Ⓜ Canal St.
www.littleitalynyc.com

Die Süditaliener, die Ende des 19. Jahrhunderts nach New York kamen, lebten zunächst in heruntergekommenen, kleinen Wohnungen. Die Häuser waren so eng aneinandergebaut, dass nie ein Sonnenstrahl zu den unteren Fenstern oder in die Hinterhöfe drang. Über 40 000 Menschen lebten in 17 kleinen, ungepflegten Straßenblocks, sodass ständig Krankheiten wie Tuberkulose grassierten.

Ungeachtet der erbärmlichen Lebensumstände in der Lower East Side entwickelte sich um die Mulberry Street ein buntes, lebendiges Viertel. Dieses Flair hat sich bis heute erhalten, obwohl nur noch 5000 Italiener hier leben und Chinatown immer mehr ins traditionelle Little Italy hineinwächst.

Während der Festa di San Gennaro um den 19. September *(siehe S. 52)* geht es in Little Italy hoch her. Für einige Tage wird die Mulberry Street in Via San Gennaro umbenannt. Am Namenstag des Heiligen werden sein Schrein und seine Reliquien durch die Straßen getragen. Auf den Straßen wird musiziert und getanzt. Italienische Köstlichkeiten sind an Straßenständen erhältlich.

In den Restaurants in Little Italy findet man einfache, preiswerte italienische Küche.

NoLIta (North of Little Italy) ist voller Boutiquen, in denen sogar Models nach den schicksten Labels suchen.

Italienisches Café in Little Italy

Chinatown ❹

Straßen um die Mott St. **Stadtplan**
4 F5. Ⓜ Canal St. **Eastern States
Buddhist Temple** 64b Mott St.
⬤ tägl. 9–18 Uhr.
www.explorechinatown.com

Anfang des 20. Jahrhunderts lebten in Chinatown fast ausschließlich über Kalifornien eingewanderte Männer. Ihren Verdienst schickten sie an ihre Angehörigen in China, die durch die US-Gesetze an der Einwanderung gehindert wurden. In ihrer Freizeit spielten die Männer Mahjong. Die chinesische Gemeinde lebte isoliert von der übrigen Stadt; finanziell und politisch wurde sie von Geheimorganisationen, den Tongs, kontrolliert.

Einige der Tongs waren Familienverbände, die Geld verliehen. Andere, etwa die On Leong und die Hip Sing, die einander bekriegten, waren kriminelle Bruderschaften. Die Doyers Street hieß damals »Bloody Angle« (»Blutiges

Steinreliefs zieren das Police Headquarters Building

Chinesischer Lebensmittelhändler in der Canal Street

Eck«). Man lockte die Mitglieder anderer Banden in das Gässchen und lauerte ihnen dort auf. Ein Waffenstillstand sorgte 1933 für Frieden. 1940 lebten in Chinatown viele mittelständische Familien. Einwanderer und Geschäftsleute aus Hongkong sorgten in der Nachkriegszeit für wirtschaftlichen Aufschwung. Heute leben hier mehr als 80 000 chinesischstämmige Amerikaner.

Viele Leute besuchen das Viertel lediglich, um chinesisch essen zu gehen. Es gibt allerdings noch andere Attraktionen, z. B. Galerien, Antiquitäten- und Kuriositätenläden sowie chinesische Feste. Eine andere Seite von Chinatown können Sie im Dämmerlicht des Eastern States Buddhist Temple (64b Mott Street) erleben. Im Kerzenlicht funkeln hier über 100 Buddhafiguren.

Columbus Park ❺

Stadtplan 4 F5. **M** Canal St.

Die Ruhe im heutigen Columbus Park unterscheidet sich radikal von den Verhältnissen, die um 1800 hier herrschten. Das als Mulberry Bend bekannte Viertel war früher ein Rotlichtbezirk und gehörte zum berüchtigten Five-Points-Slum. Unter Namen wie »Dead Rabbits« oder »Plug Uglies« firmierende Banden terrorisierten die Straßen. Ein Mord pro Tag galt als normal. 1892 wurde das Viertel abgerissen – zum Teil dank der Schriften des Reformers Jacob Riis. Heute ist der Park die einzige unbebaute Fläche in Chinatown.

Eldridge Street Synagogue ❻

12 Eldridge St. **Stadtplan** 5 A5. **C** (212) 219-0888. **M** East Broadway. **O** Di–Do, So 11–16 Uhr. **F** Fr Sonnenuntergang, Sa ab 10 Uhr. **M O** 11, 12, 13, 14, 15 Uhr. **C** www.eldridgestreet.org

Als das Gotteshaus 1887 von orthodoxen Aschkenasim aus Osteuropa erbaut wurde, war es der prächtigste Tempel der ganzen Gegend. Für viele jüdische Einwanderer war die Lower East Side allerdings nur Durchgangsstation.

Fenster, Eldridge Street Synagogue

In den 1930er Jahren wurde die mit Buntglasfenstern, Messingleuchtern, Holzvertäfelung und schönen Schnitzarbeiten ausgestattete riesige Synagoge geschlossen. Drei Jahrzehnte später sammelte eine Gruppe von Bürgern Geld für die Instandsetzung, die nun durchgeführt wird. Die Synagoge ist heute zugleich ein überaus lebendiges Kulturzentrum mit Konzerten und vielen anderen Veranstaltungen.

Auch nach Jahren des Verfalls ist die Fassade mit ihren romanischen, gotischen und maurischen Elementen beeindruckend. Im handgeschnitzter Bogen und die verzierte Holzempore im Inneren sind der Stolz der Gemeinde.

Lower East Side Tenement Museum ❼

90 Orchard St. **Stadtplan** 5 A4. **C** (212) 431-0233. **M** Delancey, Grand St. **O** nur Führungen (vorab buchen), Di–Fr 13–16.30 Uhr, Sa, So 11–16.30 Uhr. **●** 1. Jan, Thanksgiving, 25. Dez. **M O** **Vorträge, Filme, Videovorführungen.** **O** tägl. 11–17.30 Uhr. www.tenement.org

Karren für Straßenverkauf (um 1890), Tenement Museum

Innen wurde das Gebäude so hergerichtet, wie Wohnungen um 1870, 1916, 1918 und 1935 aussahen. Bis 1879 gab es hier keinerlei Mieterschutz. Zimmer mit Fenster, Waschbecken oder Etagentoiletten waren rar, ebenso Luftschächte zwischen den Gebäuden. Die Räume vermitteln einen Eindruck von den damaligen erbärmlichen Wohnbedingungen zahlloser Menschen. Das Programm des Museums zeigt als neueste Ausstellung »The Sweatshop Apartment« und bietet hervorragende Spaziergänge durch das Viertel an.

Orchard Street **8**

Stadtplan 5 A3 . M Delancey,
Grand St. Siehe **Shopping** S. 320.
www.lowereastsideny.com

Die New Yorker Textilindustrie begründeten jüdische Immigranten in der Orchard Street, die ihren Namen den Obstgärten verdankt, die hier in der Kolonialzeit auf James De Lanceys Landgut gediehen. Früher wimmelte es hier von Straßenverkaufskarren. Die angebotenen Produkte wurden meist in den Mietshäusern des Viertels hergestellt.

Heute sind die Verkaufswagen verschwunden, auch die Läden sind nicht mehr alle in jüdischer Hand, doch die alte Atmosphäre ist geblieben; die Läden schließen noch immer am Sabbat. Sonntag ist Markttag; Kauflustige bevölkern dann das Pflaster zwischen Canal und Houston Street.

Gemüsestand auf dem Markt in der Canal Street

Tierkreiszeichen in der Bialystoker Synagogue

Bialystoker Synagogue **9**

7–11 Willett St. **Stadtplan** 5 C4. (
(212) 475-0165. M Essex St. ★ häufige Gottesdienste. ✔ nur nach Voranmeldung. ◙ **www**.bialystoker.org

Das 1826 im Federal Style errichtete Gebäude war ursprünglich eine methodistische Kirche. 1905 erwarben jüdische Einwanderer aus dem polnischen Bialystok das Bauwerk und verwandelten es in eine Synagoge. Sie ist nicht nach Osten, sondern in christlicher Tradition nach Westen ausgerichtet. Eindruck macht das Innere des Baus mit seinen Buntglasfenstern und den Wandmalereien, die die Tierkreiszeichen und das Heilige Land darstellen.

Delancey Street **10**

Stadtplan 5 C4. M Essex St. Siehe **Shopping** S. 320. **Bowery Ballroom** 6 Delancey St. ((212) 533-2111. Show-Termine siehe Website. ◙ kein Blitz. ♿ **www**.boweryballroom.com

Früher ein prächtiger Boulevard, ist die Delancey Street heute kaum mehr als eine Art Zufahrtsweg zur Williamsburg Bridge. Benannt wurde sie nach James De Lancey, der in der Kolonialzeit hier eine Farm besaß. Während der Revolution hielt De Lancey zu George III. Nach dem Krieg floh er nach England; sein Besitz wurde konfisziert.

Die meisten Läden in der einst beliebten Einkaufsstraße sind heruntergekommen. Sie können jedoch bei der Buranelli Hat Company (101 Delancey Street) noch immer einen echten englischen Bowler Hat (oder natürlich einen echten Stetson) kaufen.

6 Delancey Street ist die Adresse des **Bowery Ballroom**. Der dreistöckige Theaterbau wurde wenige Wochen vor dem Börsenkrach von 1929 (siehe S. 31) fertiggestellt. Während der Großen Depression und des Zweiten Weltkriegs zerfiel das Haus allmählich. Später mieteten sich Einzelhändler ein, ein Juwelenhändler bezog die Räume, schließlich war es ein Schuhgeschäft. In den späten 1990er Jahren wurde es als Veranstaltungsort für Live-Musik wiedereröffnet. Von der Originalausstattung ist vieles erhalten, so die Messinggeländer und das herrliche Gewölbe der Bar im Zwischengeschoss.

Live-Musik im stilvollen Ambiente des Bowery Ballroom

East Houston Street ⓫

East Houston St. **Stadtplan** 4 F3, 5 A3. Ⓜ Second Avenue.

Die Straße zwischen Forsyth Street und Ludlow Street bildet die Trennlinie zwischen Lower East Side und East Village. Hier sieht man

Bagels in einer jüdischen Bäckerei, East Houston Street

deutlich die Mischung aus Alt und Neu in dieser Gegend. Zwischen Forsyth Street und Eldridge Street steht ein neues kleines Hotel neben der Bäckerei Yonah Schimmel Knish Bakery, die seit 90 Jahren besteht und noch die originalen Vitrinen hat. Weiter die Straße hinunter liegt das Sunshine Theater, das in den 1840er Jahren als holländische Kirche gebaut wurde und später als Boxring und jiddisches Vaudeville-Theater diente. Heute werden hier Kunstfilme präsentiert.

Das jüdische Flair der Lower East Side ist vielerorts verschwunden, doch es gibt noch zwei Zeugen in der East Houston Street. Russ and Daughters ist ein kulinarisches Wahrzeichen – in dritter Generation in der Hand einer Familie, die um 1900 mit einem Handkarren ihr Geschäft begann. Der Laden, der für traditionell geräucherten Fisch und die große Kaviar-Auswahl bekannt ist, besteht seit 1914. An der Ecke Ludlow Street findet sich der bekannteste jüdische Zeitzeuge: Katz's Delicatessen, wo es seit über 100 Jahren Pastrami- und Cornedbeef-Sandwiches sowie pikante Hotdogs gibt.

Puck Building ⓬

295–309 Lafayette St. **Stadtplan** 4 F3. Ⓜ Lafayette. ◯ während Geschäftszeiten. 【 (212) 274-8900.

Die architektonische Kuriosität wurde 1885 von Albert und Herman Wagner erbaut. Es handelt sich um eine Variante des deutschen Rundbogenstils (Mitte 19. Jh.), der durch Rundbogenfenster und kunstvoll verarbeitete Backsteine charakterisiert ist.

Zwischen 1887 und 1916 war hier die satirische Zeitschrift *Puck* ansässig. Um 1900 war das Haus das größte Druck- und Verlagsgebäude der Welt.

Heute finden hier die elegantesten New Yorker Partys statt, außerdem dient das Haus als Kulisse für Modeaufnahmen. An den legendären *Puck* erinnert heute nur die Blattgoldstatue an der Ecke Mulberry/Houston Street; es gibt noch eine kleinere Version über dem Eingang in der Lafayette Street.

Die Puck-Statue an der Nordostecke des Gebäudes

Fassade der Old St. Patrick's Cathedral

Old St. Patrick's Cathedral ⓭

263 Mulberry St. **Stadtplan** 4 F3. 【 (212) 226-8075. Ⓜ Prince St. ◯ Do–Di 8–12.30, 15.30–18 Uhr. ✝ Mo–Fr 9, 12 Uhr, Sa 17.30 Uhr, So 9.15,12.30 Uhr; auf Spanisch: So 11.30 Uhr. **www**.oldsaintpatricks.com

Mit dem Bau der ersten St. Patrick's Cathedral wurde 1809 begonnen. Damit war sie eine der ältesten Kirchen der Stadt. Kurz nach 1860 brannte sie nieder, wurde aber wieder aufgebaut. Dann verlegte die Erzdiözese die Kathedrale nach Uptown (siehe S. 178f). St. Patrick's wurde eine normale Gemeindekirche, die sich trotz ständig wechselnder ethnischer Bevölkerungsanteile im Viertel behaupten konnte.

In den Gewölben unter dem Gebäude befinden sich die sterblichen Überreste einer der berühmtesten New Yorker Restauratorenfamilien, der Delmonicos. Auch Pierre Toussaint war hier bestattet. 1990 wurden seine Gebeine vom alten Friedhof neben der Kirche in eine Krypta in der Uptown St. Patrick's Cathedral umgebettet. Der 1766 als Sklave in Haiti geborene Toussaint hatte es später in New York als freier Mann zum wohlhabenden Perückenmacher gebracht. Er kümmerte sich aufopferungsvoll um die Armen, pflegte Cholerakranke und errichtete von seinem Vermögen ein Waisenhaus. Im Vatikan wird seine Heiligsprechung erwogen.

Engine Company No. 31 ⑭

87 Lafayette St. **Stadtplan** *4 F5.*
C *(212) 966-4510.* **M** *Canal St.*
für Besucher.

Feuerwachen hatten im
19. Jahrhundert einen so
wichtigen Status, dass dies
auch seinen architektonischen
Ausdruck fand. Die Baufirma
Le Brun war in diesem Metier
führend. Die 1895 gebaute
Wache ist einer der am besten
gelungenen Bauten. Mit
steilen Dächern, Gauben
und Türmchen erinnert das
Gebäude an ein Loire-
Schlösschen.

   Das heute hier unterge-
brachte Downtown Commu-
nity Television Center veranstaltet Kurse und Workshops
für seine Mitglieder. Für die
Öffentlichkeit ist das Gebäude
nicht mehr zugänglich.

Fassade der ehemaligen Feuerwache Engine Company No. 31

The Pickle Guys ⑮

49 Essex St. **Stadtplan** *5 B4.*
C *(212) 656-9739.* **M** *Grand St.*
O *Fr 9–16, So–Do 9–18 Uhr.*
www.nycpickleguys.com

Der Duft von Eingelegtem
beherrscht diesen kleinen
Abschnitt der Essex Street. Im
frühen 20. Jahrhundert gab es
in der Gegend unzählige jüdische Läden, die Eingelegtes
verkauften. Getreu nach alten
osteuropäischen Rezepten
wird das Eingelegte in Fäs-
sern mit Salzlauge, Knoblauch
und Gewürzen gelagert; so
hält es sich monatelang. Eingelegtes gibt es in den Varianten sauer, dreiviertelsauer,

**Fässer mit Eingelegtem vor
The Pickle Guys**

halbsauer, jung und scharf.
Die strikt koschere Zuberei-
tung erfolgt ohne chemische
Zusätze oder Konservierungs-
mittel.

   In dem Geschäft gibt es eingelegte Tomaten, Sellerie, Oliven, Pilze und Peperoni sowie
getrocknete Tomaten, Sauerkraut und Heringe. Es wird
wie ein äußerst freundlicher
Familienbetrieb geführt.

New Museum of Contemporary Art ⑯

253 Bowery St. **Stadtplan** *4 E3.*
C *(212) 219-1222.* **M** *Spring St,
Bowery.* **O** *Di–Sa 12–18 Uhr (Do bis
20 Uhr).* **www**.newmuseum.org

Marcia Tucker gab 1977
ihre Stelle als Kuratorin
des Whitney Museum auf, um
dieses Museum zu gründen.
Sie wollte die Art von Arbeiten ausstellen, die sie in
den traditionelleren
Museen vermisste, und
eröffnete eine der auf-
regendsten Ausstellun-
gen New Yorks. Hier
findet man u. a. eine in-
novative Media Lounge
für digitale Kunst, Video-
Installationen und
Arbeiten mit Klängen.

   Es gibt keine feste
Sammlung, stattdessen
werden pro Jahr drei
oder vier Shows veran-
staltet. Unter den Künstlern
der ersten Shows waren Jeff
Koons und John Cage.

Im Herbst 2007 soll das Museum von 556 West 22nd St
(bei der 11th Avenue) in die
angegebene Adresse in der
Bowery umziehen. Das neue
Gebäude der japanischen
Architekten Sejima und Nishi-
zawa ist der erste Bau seit
über einem Jahrhundert, der
im unteren Teil von Manhattan für ein Kunstmuseum
errichtet wird. Er umfasst
5574 Quadratmeter Ausstellungsfläche, ein Kino, ein
Café und eine Dachterrasse
mit großartiger Aussicht.

**Süßigkeiten dicht an dicht in
Economy Candy**

Economy Candy ⑰

108 Rivington S. **Stadtplan** *5 B3.*
C *1 800 352 4544.* **M** *Second Ave–
Houston St.* **O** *Sa 10–17 Uhr, So–Fr
9–18 Uhr.* **www**.economycandy.com

Seit 1937 ist dieser Bonbon-
laden in Familienbesitz ein
Wahrzeichen der Lower East
Side. Hunderte von süßen
Leckereien, Nüssen und ge-
trockneten Früchten sind im
Angebot. Bis unter die Decke
sind die Regale vollgepackt

mit altmodischen Behältern. Economy Candy zählt zu den wenigen Geschäften der Lower East Side, die seit mehr als 50 Jahren unverändert in Name und Angebot die Veränderungen im Viertel überdauert haben.

Dies ist nicht zuletzt Jerry Cohens Geschick zu verdanken, der das »Naschparadies« zu einem landesweit operierenden Unternehmen umbaute. Das Geschäft führt Süßigkeiten aus aller Welt, außerdem glasierte Früchte sowie mit Zucker überzogene Schokolade in 21 Farben.

Innenraum des Angel Orensanz Center, früher eine Synagoge

Angel Orensanz Center ⓲

172 Norfolk St. **Stadtplan** 5 B3.
📞 (212) 529-7194. Ⓜ Essex St,
Delancey St. 🕐 nach Vereinbarung.
♿ www.orensanz.org

Dieses kirschrote neugotische Gebäude von 1849 war einst die älteste Synagoge in New York. Mit dem 15 Meter hohen Gewölbe und 1500 Plätzen war es zudem das größte jüdische Gotteshaus der Vereinigten Staaten. Der Berliner Architekt Alexander Saelzer gestaltete es in der Tradition der deutschen Reformbewegung, Ähnlichkeiten mit dem Kölner Dom und der Friedrichwerderschen Kirche in Berlin-Mitte sind nicht zu übersehen.

Nach dem Zweiten Weltkrieg und dem Rückgang des jüdischen Bevölkerungsanteils in der Lower East Side wurde die Synagoge wie viele andere geschlossen. 1986 erwarb der spanische Bildhauer Angel Orensanz das Gebäude und baute es zum Atelier um. Heute dient es als Kulturzentrum mit Kunst-, Literatur- und Musikveranstaltungen.

FusionArts Museum ⓳

57 Stanton St. **Stadtplan** 5 A3.
📞 (212) 995-5290. Ⓜ Second Ave-Houston St. 🕐 So–Mi 12–18 Uhr,
Do 12–20 Uhr, Fr 12–15 Uhr. 📷 ♿
🎥 www.artnet.com

Der Eingang des Museums ist kaum zu übersehen: Bizarre Metallskulpturen geben einen Vorgeschmack auf die Sammlung. Diese hat sich auf »fusion art« spezialisiert, auf Kunst, die verschiedene Ausdrucksformen wie Bildhauerei, Malerei, Fotografie und Videoarbeiten zu einem neuen Genre verbindet.

Die Lage des Museums abseits der Flaniermeilen bringt es in Kontakt mit einer alternativen Kunstszene, die von den großen Galerien häufig übersehen wird. Auch weniger bekannte Künstler bekommen hier die Möglichkeit, in angemessenen Räumen ihre Arbeiten zu zeigen.

Viele Künstler der Stadt, die in der Lower East Side zum Teil schon zwei Jahrzehnte »fusion art« produzieren, waren in dem Museum im Rahmen von Gruppenausstellungen zu sehen.

Metallskulpturen am Eingang des FusionArts Museum

Essex Street Market ⓴

120 Essex St. **Stadtplan** 5 B3.
📞 (212) 312-3603/388-0449.
Ⓜ Essex St, Delancey St.
🕐 Mo–Sa 8–18 Uhr. 📷 🍴 🚻
www.essexstreetmarket.com

Der Markt wurde 1938 unter Bürgermeister LaGuardia geschaffen, um die Händler mit ihren Schubkarren aus den schmalen Straßen zu holen, wo sie vor allem Polizei- und Feuerwehrwagen behinderten.

Zwei Dutzend Stände mit Fleisch- und Käseprodukten, mit Gemüse und Gewürzen füllen die kürzlich renovierte Markthalle. Die Fleischerei Jeffrey's hat hier seit 1939 einen Stand. Das Essex Restaurant serviert südamerikanische und jüdische Gerichte. Die Galerie Cuchifritos zeigt Arbeiten von Künstlern aus der Nachbarschaft.

Frische Fleischwaren an einem Stand des Essex Street Market

SoHo und TriBeCa

Die Verbindung von Kunst und Architektur hat das Gesicht der alten Industriebezirke verändert. SoHo (South of Houston) wäre in den 1960er Jahren fast zerstört worden, hätten nicht Denkmalschützer auf den Seltenheitswert seiner Gusseisenarchitektur verwiesen. Nach der Sanierung zogen Künstler in die Lofts.

Ladenfront einer Bäckerei in SoHo

Galerien, Läden, Designer-Boutiquen und Cafés folgten. Ein Brunch und ein Galerienbummel in SoHo sind beliebte Wochenendaktivitäten. Mit steigenden Mieten zogen Künstler nach TriBeCa (Triangle Below Canal) um. Im neuen In-Viertel gibt es Galerien, Restaurants und im Mai das TriBeCa Filmfestival.

SEHENSWÜRDIGKEITEN AUF EINEN BLICK

Historische Straßen und Gebäude
Greene Street ❸
Harrison Street ❽
Haughwout Building ❶
St. Nicholas Hotel ❷
Singer Building ❹
White Street ❾

Museen und Sammlungen
Children's Museum of the Arts ❺
New York City Fire Museum ❼
New York Earth Room ❻

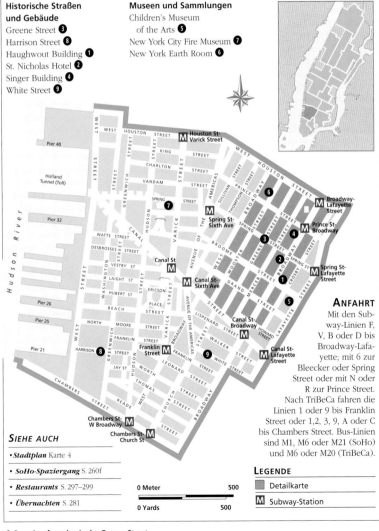

ANFAHRT

Mit den Subway-Linien F, V, B oder D bis Broadway-Lafayette; mit 6 zur Bleecker oder Spring Street oder mit N oder R zur Prince Street. Nach TriBeCa fahren die Linien 1 oder 9 bis Franklin Street oder 1,2, 3, 9, A oder C bis Chambers Street. Bus-Linien sind M1, M6 oder M21 (SoHo) und M6 oder M20 (TriBeCa).

SIEHE AUCH

• *Stadtplan* Karte 4

• *SoHo-Spaziergang* S. 260f

• *Restaurants* S. 297–299

• *Übernachten* S. 281

LEGENDE

▨ Detailkarte

Ⓜ Subway-Station

◁ **Gusseisenfassaden in der Greene Street**

Im Detail: Cast-Iron Historic District in SoHo

Die weltweit dichteste Konzentration von Gusseisen-Architektur *(siehe S. 42f)* findet sich zwischen West Houston Street und Canal Street. Zentrum ist die Greene Street mit 50 über fünf Blocks verteilten Gebäuden aus den Jahren 1869 bis 1895. Die verschnörkelten Fassaden präsentieren sich meist im neoklassizistischen Stil mit korinthischen Säulen und Giebeldreiecken. Sie wurden in einer Gießerei in Serie produziert, waren deshalb relativ preiswert und zudem leicht aufzubauen. Mittlerweile sind sie selten gewordene Prunkstücke der Industriekunst, die gut zum Charakter des Viertels passen.

Am West Broadway in SoHo gibt es neben großartiger Architektur bedeutende Kunstgalerien und -läden, Boutiquen und zahlreiche kleine Restaurants.

72–76 Greene Street, der »King of Greene Street«, ist ein großartiger Bau mit korinthischen Säulen, entworfen von Isaac F. Duckworth, einem der Meister des Gusseisendesigns.

The Broken Kilometer (393 West Broadway) ist eine verblüffende Installation von Walter De Maria *(siehe S.107)*, die mit der Perspektive spielt. Die 500 Messingstäbe würden aneinander gereiht eine Strecke von einem Kilometer bilden.

Performing Garage, ein winziges Experimentiertheater, führt Werke der Avantgarde auf.

★ Greene Street
Eines der schönsten Gebäude der Greene Street ist die 1872 von Duckworth errichtete »Queen« (Nr. 28–30) mit ihrem ausladenden Mansardendach. ❸

Zur Subway-Station Canal Street-Broadway (2 Blocks)

10–14 Greene Street stammt von 1869. Durch die Glasscheiben in der Eisenverkleidung der Veranda kann Tageslicht ins Basement fallen.

15–17 Greene Street in schlichtem korinthischem Stil wurde erst 1895 erbaut.

★ **Singer Building**
*Der Terrakottabau wurde
1904 für die berühmte Näh-
maschinenfirma errichtet.* ❹

Richard Haas, Schöpfer
zahlreicher Wandgemäl-
de, verwandelte eine
kahle Mauer in eine
täuschend echte Guss-
eisenfassade.

GREENWICH
VILLAGE

Hudson River

EAST
VILLAGE

SOHO UND
TRIBECA

LOWER
EAST SIDE

LOWER
MANHATTAN

SEAPORT
UND CIVIC
CENTER

ZUR ORIENTIERUNG
Siehe Übersichtskarte S. 14f

LEGENDE

– – – Routenempfehlung

**Subway-Station
Prince (Linien N, R)**

Bei Dean & DeLuca, einem
der besten Gour-
metläden New
Yorks, gibt es
u.a. Kaffee-
bohnen aus
aller Welt
*(siehe
S. 336).*

10 Spring Street mit der
schlichten, geometrischen
Fassade und den großen
Fenstern ist ein Vorläufer
der Wolkenkratzer.

**Subway-Station
Spring Street**

St. Nicholas Hotel
*Während des Bürgerkriegs
diente das ehemalige Luxushotel als Hauptquartier der
Unionsarmee.* ❷

PRINCE STREET

BROADWAY

CROSBY STREET

SPRING STREET

0 Meter   100
0 Yards   100

Haughwout Building
*Das 1857 erbaute Haus besaß
den ersten Otis-Sicherheits-
aufzug.* ❶

NICHT VERSÄUMEN

★ Greene Street

★ Singer Building

Haughwout Building ❶

488–492 Broadway. **Stadtplan** 4 E4.
Ⓜ *Canal St, Spring St.*

Fassade des Haughwout Building

D as Gusseisengebäude
wurde 1857 für die Glas-
und Porzellanfirma E. V. Haughwout gebaut, einst Lieferant
des Weißen Hauses. Unter
dem Ruß verbirgt sich ein
großartiges Design: Das Muster der von Bogen und Säulen
umfassten Fensterreihen wiederholt sich in den serien-
mäßig hergestellten Abschnit-
ten. In diesem Gebäude wurde
erstmals ein dampfgetriebener
Sicherheitsfahrstuhl verwendet,
eine Innovation, die Wolkenkratzer erst möglich machte.

St. Nicholas Hotel ❷

521–523 Broadway. **Stadtplan** 4 E4.
Ⓜ *Prince St, Spring St.*

D er englische Parlamentari-
er W. E. Baxter berichtete
1854 nach einem Besuch in
New York über das eben
eröffnete St. Nicholas Hotel:
»Die Teppiche sind aus Samt-
flor, die Stuhlpolster und Vorhänge aus Seide oder Damast,
und sogar die Moskitonetze

**Zur Blütezeit des St. Nicholas
Hotel, Mitte des 19. Jahrhunderts**

sind wie für Könige gemacht.«
Kein Wunder also, dass das
Hotel über eine Million Dollar
kostete. Bereits im ersten Jahr
verzeichnete es einen Gewinn
von 50 000 Dollar. Im Bürgerkrieg wurde es zum Haupt-
quartier der Unionsarmee
umfunktioniert. Danach
zogen die besseren Hotels um
ins Vergnügungsviertel nach
Uptown. Um 1875 schloss das
St Nicholas. Im Erdgeschoss
ist nur noch wenig von seinem früheren Glanz zu
sehen, doch die Überreste der
Marmorfassade sind immer
noch beeindruckend.

Greene Street ❸

Stadtplan 4 E4. Ⓜ *Canal St.*

Haas-Wandmalerei, Greene Street

E s ist das Herz von SoHos
Gusseisenbezirk. Über
fünf Wohnblocks erstrecken
sich 50 Gusseisengebäude
(errichtet 1869–95). Der Block
zwischen Broome Street und
Spring Street weist 13 kom-
plette Gusseisenfassaden
auf, die Hausnummern
8–34 bilden die längste
Reihe von
Gusseisenge-
bäuden über-
haupt. Gebäu-
dekomplex
Nr. 72–76 wird
zwar »King of
Greene Street«
genannt, aber
die »Queen«,
die Nr. 28–30,
gilt als das schönste
Haus. Auch wenn
einige Gebäude be-
sondere Erwähnung
verdienten, wirkt die
Straße mit ihren Säulen-
fassaden vor allem auf-

grund ihres Gesamteindrucks.
An der Ecke Greene/Prince
Street hat der Maler Richard
Haas eine Wand mit dem
Trompe-l'œil einer Gusseisen-
front verziert. Witzig ist eine
kleine graue Katze, die auf-
recht in einem »offenen«
Fenster« sitzt.

Singer Building ❹

561–563 Broadway. **Stadtplan** 4 E3.
Ⓜ *Prince St.*

D as »kleine« Singer Building, das Ernest Flagg
1904 baute, ist das zweite
dieses Namens und nach Meinung vieler Kritiker der 40-
stöckigen Version am unteren
Broadway, die 1967 abgerissen wurde, überlegen. Der
anmutig verzierte Bau hat
schmiedeeiserne Balkone und
elegant gestaltete Bogen,
deren dunkelgrüne Farbe ins
Auge fällt. Die elfstöckige
Fassade aus Terrakotta, Glas
und Stahl war zur Zeit ihrer
Entstehung sehr fortschrittlich
und weist bereits auf die
Metall- und Glasfassaden der
1940er und 1950er Jahre hin.
Das Gebäude diente als Büro-
und Lagerhaus der Näh-
maschinenfabrik Singer. Der
Name steht noch in Eisen
gegossen über dem Eingang
an der Prince Street.

**Frühe elektrische Singer-
Nähmaschine**

Children's Museum of the Arts ❺

182 Lafayette St. **Stadtplan** 4 F3.
📞 *(212) 941-9198.* Ⓜ *Prince St.*
🚌 *M1, M6.* ⏱ *Mi, Fr–So 12–17,
Do 12–18 Uhr.* **Filmnacht** *1. Mi im
Monat 16.30–18 Uhr.* 📷 ♿
www.cmany.org

Das innovative Museum
wurde 1988 gegründet.
Hier kann sich das künstleri-
sche Potential von Kin-
dern zwischen einem
und zwölf Jahren voll
entfalten. Es gibt viele
Aktivitäten zum Mit-
machen, Kurse und
Vorstellungen. Kinder
können mit Farbe,
Leim, Papier und anderen
chaosverdächtigen Materialien
ihre eigenen Kunstwerke
schaffen, zur Inspiration gibt
es Arbeiten von Künstlern aus

**Bunte Ausstellungsräume im
Children's Museum of the Arts**

New York und Kindern aus
aller Welt zu sehen. In der
Kostümabteilung dürfen sich
Kids verkleiden, und einmal
im Monat wird eine »Film-
nacht« veranstaltet – komplett
mit Popcorn und Saft.

New York Earth Room ❻

141 Wooster St. **Stadtplan** 4 E3.
📞 *(212) 473-8072.* Ⓜ *B, C, D, E, F,
N, Q, R, 6.* ⏱ *Mi–Sa 12–15, 15.30–
18 Uhr.* ♿ **www.**earthroom.org

Dies ist der einzige von
drei Earth Rooms des
Konzeptkünstlers Walter De
Maria, der noch existiert. 1977
wurde er von der Dia Art
Foundation gesponsert. Die
Erdskulptur im Inneren
besteht aus 197 Kubikmeter
Erdreich, das auf 335 Qua-

dratmetern 56 Zentimeter
hoch aufgeschüttet ist. *The
Broken Kilometer*, eine weitere Installation von De Maria,
ist 393 W Broadway zu sehen
(siehe S. 104). Sie besteht aus
500 polierten Messingstangen,
die in fünf parallelen Reihen
angeordnet sind.

**La France – von
Pferden gezogene
Pumpe (1901), City Fire Museum**

New York City Fire Museum ❼

278 Spring St. **Stadtplan** 4 D4.
📞 *(212) 691-1303.* Ⓜ *Spring St.*
⏱ *Di–Sa 10–17, So 10–16 Uhr.*
● *Feiertage.* 📷 📷 ♿ ▯
www.nycfiremuseum.org

Untergebracht in einer
Beaux-Arts-Feuerwache
aus dem Jahr 1904, beher-
bergt das Museum Feuer-
wehrausrüstungen, Modelle,
Hydranten und Glocken vom
18. Jahrhundert bis 1917. Im
Obergeschoss werden prächtige Löschfahrzeuge aus dem
Jahr 1890 gezeigt. Vor allem
Kinder sind von der interakti-
ven Simulation eines Brands
fasziniert.

Harrison Street ❽

Stadtplan 4 D5. Ⓜ *Chambers St.*

Die acht einzigartigen,
von hohen Wohnblocks
umgebenen restaurierten
Stadthäuser im Federal Style
wirken mit ihren schrägen
Dächern und Giebelfenstern
fast so, als seien sie Teil eines
Bühnenbilds. Gebaut wurden
sie im späten 18. und im
frühen 19. Jahrhundert.
Zwei der Häuser wurden
von John McComb Jr, dem
ersten in New York gebürtigen Architekten von Rang,
entworfen und von der

Washington Street zu Restau-
rierungszwecken hierher
versetzt. Die einst als Lagerhäuser dienenden Gebäude
waren bis 1969 vom Abriss
bedroht. Die Landmarks Preservation Commission verhinderte dies und half auch, die
nötigen finanziellen Mittel für
die Restaurierung zu beschaffen. Heute befinden sich die
Gebäude in Privatbesitz.
Auf der anderen Seite des
Hochhauskomplexes
liegt der Washington
Market Park. In die-
ser Gegend befand
sich früher der zen-
trale Großmakt der
Stadt, bevor er in
den frühen 1970er
Jahren aus dem
historischen Distrikt in die
Bronx abwanderte.

White Street ❾

Stadtplan 4 E5. Ⓜ *Franklin St.*

Auch TriBeCa kann eine
Palette von Gusseisen-
Architektur vorweisen. Das
Gebäude Nr. 2 in der Franklin
Street im Federal Style ist
eines der seltenen Häuser mit
Walmdach, im Gegensatz zum
Mansardendach von Haus
Nr. 17. Die Häuser Nr. 8–10
wurden 1869 von Henry
Fernbach entworfen und
haben eindrucksvolle Säulen
und Bogen. Niedrigere Ober-
geschosse, ein Stilmittel der
Neorenaissance, lassen die
Bauwerke höher erscheinen.
Einen grellen Kontrast dazu
bildet Haus Nr. 38, in dem
sich die Galerie Let There
Be Neon des Neonkünstlers
Rudi Stern befindet.

**Die Galerie Let There Be Neon von
Rudi Stern in der White Street**

GREENWICH VILLAGE

Die New Yorker nennen diesen Stadtteil einfach »the Village«. In der Tat lag hier ein Dorf, in das sich die Städter 1822 vor einer Gelbfieberepidemie flüchteten. Der unregelmäßige Straßenverlauf – von einstigen Hofgrenzen und Flüssen geprägt – machte es zur Enklave, in der Bohemiens, Künstler und Schwule eine Heimat fanden. Mittlerweile ist das Village jedoch teuer und ein Mainstream-Viertel. Am Washington Square tummeln sich Studenten der New York University. Die Nonkonformisten präferieren nun das billigere East Village; im West Village und im Meatpacking District haben dagegen exklusive Boutiquen und Restaurants eröffnet.

Flagge des Blue Note, West 3rd Street

SEHENSWÜRDIGKEITEN AUF EINEN BLICK

Historische Straßen und Gebäude
75½ Bedford Street ❷
Grove Court ❹
Isaacs-Hendricks House ❸
Jefferson Market Courthouse ❼
Meatpacking District ❺
New York University ⓮

Patchin Place ❽
Salmagundi Club ❿
St. Luke's Place ❶
Washington Mews ⓭

Museum
Forbes Magazine Building ❾

Kirchen
Church of the Ascension ⓬
First Presbyterian Church ⓫
Judson Memorial Church ⓯

Plätze
Sheridan Square ❻
Washington Square ⓰

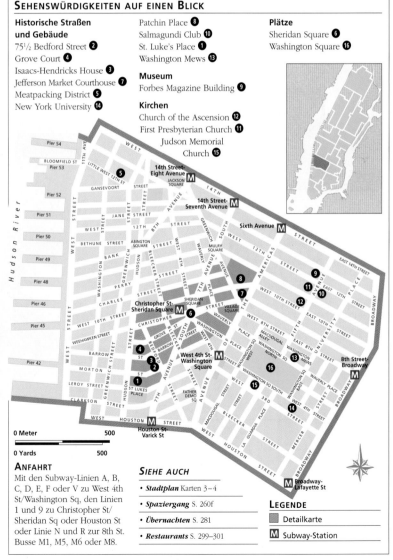

ANFAHRT
Mit den Subway-Linien A, B, C, D, E, F oder V zu West 4th St/Washington Sq, den Linien 1 und 9 zu Christopher St/Sheridan Sq oder Houston St oder Linie N und R zur 8th St. Busse M1, M5, M6 oder M8.

SIEHE AUCH
• *Stadtplan* Karten 3–4
• *Spaziergang* S. 260f
• *Übernachten* S. 281
• *Restaurants* S. 299–301

LEGENDE
▨ Detailkarte
Ⓜ Subway-Station

◁ **Im grünen Greenwich Village kann man auch im Straßencafé sitzen**

Im Detail: Greenwich Village

Ein Spaziergang durch das historische Greenwich Village steckt voller Überraschungen: reizende Reihenhäuser, verborgene Gassen, belaubte Innenhöfe. Die häufig skurrile Architektur passt zum bohemehaften Flair. Viele Berühmtheiten, z. B. Eugene O'Neill oder Dustin Hoffman, haben sich in den Häusern der engen, altmodischen Straßen ein Heim geschaffen. Am Abend erwacht das Village zu pulsierendem Leben. Nachtcafés, experimentelle Theater und Musikklubs, darunter einige der besten Jazzklubs, locken bis spät in die Nacht Gäste an.

Das Lucille Lortel Theater (121 Christopher Street) eröffnete 1955 mit der Aufführung der *Dreigroschenoper.*

Die Christopher Street, Treffpunkt der New Yorker Schwulengemeinde, säumen viele Läden und Bars.

Twin Peaks (102 Bedford Street) wurde 1830 errichtet. 1926 baute es der Architekt Clifford Daily zu einem Domizil für Künstler, Schriftsteller und Schauspieler um, die der skurrile Bau inspirieren sollte.

Grove Court
Sechs Häuser (1853/54) stehen am Ende eines schattigen Hofs. ❸

Das Restaurant Chumley's in 86 Bedford Street *(siehe S. 317),* einst ein Speakeasy, ist immer noch sehr diskret. Es gibt kein Restaurantschild.

**Nr. 75½
Bedford Street**
Das Haus von 1873 ist das schmalste der Stadt. ❷

★ **St. Luke's Place**
Die Häuser im italienisierenden Stil wurden um 1850 errichtet. ❶

Zur Subway-Station Houston Street (2 Blocks)

Das Cherry Lane Theatre wurde 1924 gegründet. Die ehemalige Brauerei war eines der ersten Off-Broadway-Theater.

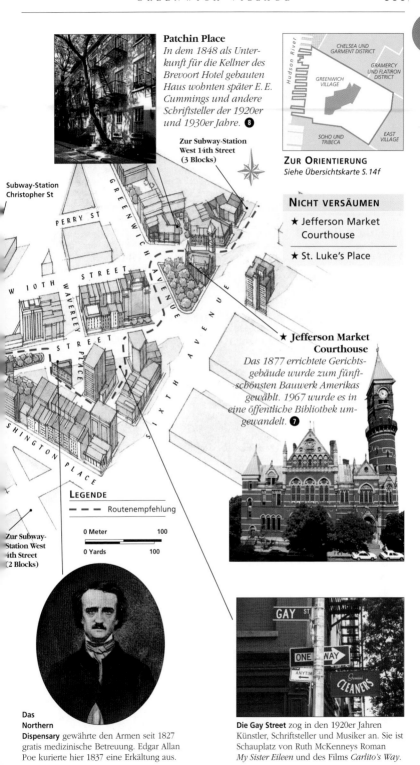

Patchin Place

In dem 1848 als Unterkunft für die Kellner des Brevoort Hotel gebauten Haus wohnten später E. E. Cummings und andere Schriftsteller der 1920er und 1930er Jahre. ❽

Zur Subway-Station West 14th Street (3 Blocks)

ZUR ORIENTIERUNG
Siehe Übersichtskarte S. 14f

CHELSEA UND GARMENT DISTRICT

GRAMERCY UND FLATIRON DISTRICT

GREENWICH VILLAGE

SOHO UND TRIBECA

EAST VILLAGE

Hudson River

Subway-Station Christopher St

PERRY ST

GREENWICH AVENUE

W 10TH STREET

WAVERLEY PLACE

STREET

SIXTH AVENUE

SHINGTON PLACE

NICHT VERSÄUMEN

★ Jefferson Market Courthouse

★ St. Luke's Place

★ Jefferson Market Courthouse

Das 1877 errichtete Gerichtsgebäude wurde zum fünftschönsten Bauwerk Amerikas gewählt. 1967 wurde es in eine öffentliche Bibliothek umgewandelt. ❼

LEGENDE

– – – Routenempfehlung

| 0 Meter | 100 |
| 0 Yards | 100 |

Zur Subway-Station West 4th Street (2 Blocks)

Das Northern Dispensary gewährte den Armen seit 1827 gratis medizinische Betreuung. Edgar Allan Poe kurierte hier 1837 eine Erkältung aus.

GAY ST
ONE WAY
ANYTIME
Gemini CLEANERS

Die Gay Street zog in den 1920er Jahren Künstler, Schriftsteller und Musiker an. Sie ist Schauplatz von Ruth McKenneys Roman *My Sister Eileen* und des Films *Carlito's Way*.

Reihenhäuser am St. Luke's Place, einem »literarischen« Platz

St. Luke's Place ❶

Stadtplan 3 C3. **M** Houston St.

Fünfzehn hübsche Reihenhäuser aus den 1850er Jahren flankieren die Nordseite der Straße. Der Park gegenüber wurde nach einem früheren Anwohner, dem Dandy und Bürgermeister Jimmy Walker, benannt, der die Stadt ab 1926 regierte und 1932 wegen eines Finanzskandals zurücktrat. Vor dem Haus Nr. 6 stehen die Laternen, die in New York den Wohnsitz des Bürgermeisters anzeigen. In jüngster Zeit ist vor allem das Gebäude Nr. 10 als Zuhause der Familie Huxtable durch die Fernsehserie *The Cosby Show* zu Berühmtheit gelangt. In diesem Block (Nr. 4) wurde auch der Film *Warte, bis es dunkel wird* gedreht, in dem Audrey Hepburn ein blindes Mädchen spielt. Theodore Dreiser, einer der Dichter, die hier, wie auch Marianne Moore, lebten, schrieb im Haus Nr. 16 *Eine amerikanische Tragödie*. Einen Block weiter nördlich war vor 300 Jahren an der Ecke von Hudson Street und Morton Street das Ufer des Hudson River.

Laterne vor Haus Nr. 6

75½ Bedford Street ❷

Stadtplan 3 C2. **M** Houston St. ● für die Öffentlichkeit.
www.cherrylanetheatre.com

New Yorks schmalstes Haus (2,90 Meter) wurde 1893 in eine Durchfahrt gebaut. Hier lebten die Dichterin Edna St. Vincent Millay, der Schauspieler John Barrymore und später auch Cary Grant. Das dreistöckige Gebäude ist als Sehenswürdigkeit ausgewiesen.

Um die Ecke (38 Commerce Street) gründete Miss Millay 1924 das avantgardistische Cherry Lane Theater, das noch immer Uraufführungen zeigt. Größter Hit war das Musical *Godspell* in den 1960er Jahren.

Grove Court ❸

Stadtplan 3 C2. **M** Christopher St/ Sheridan Sq.

Ein cleverer Krämer namens Samuel Cocks ließ die sechs Häuser errichten. Die Straßenbiegung, der sie sich anpassen, markierte einst im Village die Grenze von Kolonialbesitztümern.

Cocks hatte darauf spekuliert, dass es seinem Geschäft in der Grove Street Nr. 18 nur dienlich sein könnte, wenn die leere Passage zwischen den Gebäuden Nr. 10 und 12 besiedelt würde. Doch solche heutzutage exklusiven Gässchen galten im Jahr 1854 nicht als respektierlich, und dank seiner unbedarften Anwohner wurde es bald die »Mixed Ale Alley« (Biergasse) genannt.

Isaacs-Hendricks House

Isaacs-Hendricks House ❹

77 Bedford St. **Stadtplan** 3 C2. **M** Houston St. ● to the public.

Das 1799 gebaute Haus ist das älteste im Village. An den Seiten und hinten sieht man die alten Schindelwände. Ziegelteil und oberer Stock kamen später hinzu. Der erste Besitzer, John Isaacs, erwarb das Land 1794 für 295 Dollar. Später wohnte hier Harmon Hendricks, Kupferhändler und Partner des Revolutionärs Paul Revere. Sein Kunde war Robert Fulton, der das Kupfer für die Kessel in seinen Dampfschiffen verwendete.

Meatpacking District ❺

Stadtplan 3 B1 **M** 14th St (Linien A, C, E); 8th Av L; Christopher St/ Sheridan Sq.

Wo einst Fleischer in blutverschmierten Schürzen Rinderhälften zerteilten, trifft man heute (vor allem nachts) auf eine völlig andere Szenerie. Der Meatpacking District zwängt sich in das Areal südlich der 14th Street und westlich der 9th Avenue. Schicke Menschen auf der Suche nach

Stadthäuser aus der Mitte des 19. Jahrhunderts am Grove Court

Vergnügen bevölkern die zahlreichen Klubs, Lounges und Hotels. Endgültig angesagt ist das Viertel, seitdem sich Soho House, der New-Yorker Ableger des Londoner Privatklubs, hier ansiedelte, gefolgt vom eleganten Hotel Gansevoort mit seinem Dachpool. Mode-Designer wie Stella McCartney und Alexander McQueen haben hier Zweigstellen, die Restaurants sind exklusiv und hochpreisig.

Seine große Anziehungskraft verdankt der Meatpacking District vor allem dieser einzigartigen Atmosphäre, die schicke Großstadtmenschen magisch anzuziehen scheint. Auch wenn das Viertel sich nachhaltig verändert hat, so durchweht es noch immer ein Hauch jener Zeit, als hier schwer geschuftet wurde.

Sheridan Square ❻

Stadtplan 3 C2. Ⓜ *Christopher St-Sheridan Sq.*

D er Platz, in den sieben Straßen münden, ist das Zentrum des Village. Er wurde nach dem Bürgerkriegsgeneral Philip Sheridan benannt. Sein Standbild steht im nahen Christopher Park.

1863 fanden hier die »Draft Riots« statt. Über ein Jahrhundert später ereignete sich ein weiterer berühmter Zwischenfall. Das Stonewall Inn in der Christopher Street war eine Schwulenbar (Homosexuelle durften sich damals nicht in Bars treffen), die ihre Existenz bestechlichen Polizisten verdankte. Am 28. Juni 1969 hatten die Inhaber genug von diesem Zustand. Die nachfolgende Auseinandersetzung endete damit, dass die Polizisten stundenlang in der Bar eingeschlossen und von den Barbesuchern draußen verspottet wurden. Für die Schwulenbewegung war dieses Ereignis ein Durchbruch. Die heutige Bar ist nicht mehr die originale. Doch das Village ist weiterhin eine Schwulenhochburg.

»Old Jeff«, der spitze Turm des Jefferson Market Courthouse

Jefferson Market Courthouse ❼

425 Ave of the Americas. **Stadtplan** 4 D1. Ⓒ *(212) 243-4334.* Ⓜ *West 4th St-Washington Sq.* Ⓞ *Mo, Mi 12–20, Di 10–18, Do 12–18, Fr 13–18, Sa 10–17 Uhr.* ⬤ *Feiertage.* ♿ *www.nypl.org*

D as beliebte Wahrzeichen des Village wurde dank einer engagierten Kampagne, die bei einer Weihnachtsparty in den späten 1950er Jahren begann, vor dem Abriss bewahrt und in eine Filiale der New York Public Library umgewandelt. 1833 entstand hier eine nach Präsident Jefferson benannte Markthalle; die Glocke ihres Feuerwachturms alarmierte die freiwillige Feuerwehr. Mit der Gründung der städtischen Feuerwehr 1865 wurde die Glocke überflüssig. Anstelle des Turms entstand das Jefferson Market Courthouse für den Dritten Justizbezirk. Mit seinen Türmchen im gotisch-venezianischen Stil wurde es bei seiner Eröffnung 1877 als eines der zehn schönsten Gebäude des Landes bezeichnet. Die alte Feuerglocke wurde in den spitzen Hauptturm versetzt. Von diesem Gericht wurde übrigens 1906 Harry Thaw

Standbild General Sheridans im Christopher Park

für den Mord an Stanford White verurteilt *(siehe S. 126).*

1945 zog der Markt um; auch Prozesse fanden nicht mehr statt, die vierseitige Uhr stand still – das Gebäude war in Gefahr. Die Kampagne zur Erhaltung von »Old Jeff« in den 1950er Jahren führte zur Restaurierung der Uhr und des Gesamtkomplexes. Der Architekt Giorgio Cavaglieri bewahrte viele originale Details, so die Mosaikfenster und eine Wendeltreppe, die heute zu einem verliesartigen Informationsraum führt.

Fassade und ein Götterbaum am Patchin Place

Patchin Place ❽

West 10th St. **Stadtplan** 4 D1. Ⓜ *West 4th St- Washington Sq.*

E ine der vielen netten Überraschungen im Village ist dieser kleine Wohnblock mit prächtigen Götterbäumen in den Vorgärten, die «die schlechte Luft absorbieren» sollen. Die Häuser wurden Mitte des 19. Jahrhunderts für die baskischen Kellner des Brevoort-Hotel (Fifth Avenue) gebaut.

Später wurden die Gebäude eine begehrte Adresse für viele berühmte Schriftsteller; so wohnte der Dichter E. E. Cummings von 1923 bis zu seinem Tod 1962 im Haus Nr. 4. Auch John Masefield, Eugene O'Neill und John Reed lebten hier. Reed erlebte die russische Revolution als Augenzeuge und schrieb darüber sein von Warren Beatty unter dem Titel *Reds* verfilmtes Buch *Zehn Tage, die die Welt erschütterten.*

Schlachtschiff aus der Forbes Magazine Collection

Forbes Magazine Building ❾

60 5th Ave. **Stadtplan** 4 E1. ☎ *(212) 206-5548.* Ⓜ *14th St/Union Sq.* **Galerien** ◯ *Di, Mi, Fr, Sa 10–16 Uhr (variierend). Ordentliche Kleidung.* ◉ *Feiertage.* ▦ *Do für Gruppen.* ⊘ ♿

Architekturkritiker nannten den Kalksteinkubus von Carrère & Hastings von 1925 pompös. Zunächst war dies der Sitz der Macmillan Publishing Company, später zog Malcolm Forbes mit der Finanzzeitschrift *Forbes* ein.

Die hiesigen Forbes Magazine Galleries zeigen Forbes' diverse Vorlieben: über 500 alte Spielzeugboote, 12 000 Zinnsoldaten, Monopoly-Spiele, Pokale, eine signierte Ausgabe von Abraham Lincolns *Gettysburg Address* und andere Präsidentensouvenirs. Ferner finden hier Ausstellungen über französische und amerikanische Kriegsmalerei statt.

Salmagundi Club ❿

47 5th Ave. **Stadtplan** 4 E1. ☎ *(212) 255-7740.* Ⓜ *14th St/Union Sq.* ◯ *tägl. 13–17 Uhr.* ⊘ **www**.salmagundi.org

Amerikas älteste Künstlervereinigung zog 1917 in die letzte noch erhaltene Villa der unteren Fifth Avenue. Irad Hawley ließ sie 1853 errichten; heute beherbergt sie die American Artists' Professional League, die American Watercolor Society und die Greenwich Village Society for Historic Preservation. Washington Irvings Satirezeitschrift *The Salmagundi Papers* gab dem 1871 gegründeten Klub seinen Namen. Das Interieur (19. Jh.) kann man bei Kunstausstellungen bewundern.

Fassade des Salmagundi Club

First Presbyterian Church ⓫

5th Ave an der 12th St. **Stadtplan** 4 D1. ☎ *(212) 675-6150* Ⓜ *14th St/Union Sq.* ◯ *Mo, Mi, Fr 11.45–12.30, So 11–12.30 Uhr.* ✝ *Mi 18 Uhr (Kapelle).* **www**.fpcnyc.org

Der neugotischen Kirche diente Saint Saviour in Bath, England, als Vorbild. Das Hauptmerkmal des 1846 von Joseph C. Wells entworfenen Baus ist der Turm aus braunem Sandstein. Die verzierten Holztafeln am Altar listen alle Pastoren seit 1716 auf. Das südliche Querschiff wurde 1893 angefügt, der Eisenzaun 1844 errichtet und 1981 restauriert.

Church of the Ascension ⓬

5th Ave bei der 10th St. **Stadtplan** 4 E1. ☎ *(212) 254-8620.* Ⓜ *14th St/Union Sq.* ◯ *tägl. 12–14, 17–19 Uhr.* ✝ *Mo–Fr 18 Uhr, So 9, 11 Uhr.* ◉ *(während Gottesdiensten nicht fotografieren).* **www**.ascensionnyc.org

Church of the Ascension

Die englische neugotische Kirche (1840/41) stammt von Richard Upjohn, dem Architekten der Trinity Church. Stanford White erneuerte 1888 das Innere; das Altarrelief schuf Augustus Saint-Gaudens. Von John La Farge stammen das Gemälde *Christi Himmelfahrt* über dem Altar und einige der farbigen Glasfenster. Nachts erstrahlen die Farben des erleuchteten Glockenturms. 1844 heiratete Präsident John Tyler hier Julia Gardiner, die in der nahen Colonnade Row lebte *(siehe S. 120)*.

Washington Mews ⓭

Zwischen Washington Sq N und E 8th St. **Stadtplan** 4 E2. Ⓜ *West 4th St.*

Die Ställe in dem versteckt liegenden Block wurden 1900 in Kutschenstellplätze umgewandelt; 1939 wurde der Südflügel hinzugefügt. Gertrude Vanderbilt Whitney, Gründerin des Whitney Museums, lebte hier. In Haus Nr. 16 liegt das in französischem Stil gehaltene French House der NYU, das Filme, Vorträge und Kurse auf Französisch anbietet.

New York University ⓮

Washington Sq. **Stadtplan** 4 E2.
🄲 *(212) 998-1212, (212) 998-4636.* Ⓜ *West 4th St.* ◯ *Mo–Fr 8.30–20 Uhr.* **www**.nyu.edu

Die 1831 als Alternative zur Episkopaluniversität Columbia gegründete NYU ist heute die größte Privatuniversität Amerikas und erstreckt sich um den Washington Square. Der Bau führte 1833 zum Aufruhr der Steinmetzgilde, die gegen die Beschäftigung von Gefangenen zum Schneiden von Steinblöcken protestierte. Die National Guard musste die Ordnung wiederherstellen. Das ursprüngliche Gebäude existiert nicht mehr, nur ein Stück des Originalturms befindet sich auf einem in den Boden eingelassenen Sockel am Washington Square South. Samuel Morses Telegraf, John W. Drapers erstes fotografisches Porträt und Samuel Colts Revolver wurden hier erfunden.

Picassos *Büste von Sylvette*, zwischen Bleecker und West Houston Street

Im Brown Building am Washington Place nahe der Greene Street produzierte die Triangle Shirtwaist Company; hier starben 146 Fabrikarbeiter bei einem Feuer (1911), was zu neuen Feuerschutz- und Arbeitsschutzgesetzen führte.

Eine elf Meter hohe Vergrößerung von Picassos *Büste von Sylvette* befindet sich im University Village.

Judson Memorial Church ⓯

55 Washington Sq S. **Stadtplan** 4 D2.
🄲 *(212) 477-0351.* Ⓜ *West 4th St.* ◯ *Mo–Fr 10–13, 14–18 Uhr.* 🕇 *So 11 Uhr.* **www**.judson.org

Die 1892 von McKim, Mead & White erbaute Kirche ist ein eindrucksvoller romanischer Bau mit Mosaikfenstern von John LaFarge. Sie wurde von Stanford White entworfen und ist nach dem ersten amerikanischen Missionar im Ausland, Adoniram Judson, benannt, der 1811 in Birma diente. Eine Ausgabe seiner birmanischen Bibelübersetzung wurde bei Grundsteinlegung deponiert.

Das Besondere der Kirche ist jedoch nicht ihre Architektur, sondern ihr Engagement, das von ihr ausgeht. Die Kirche spielt in lokalen und globalen Angelegenheiten, von Aids bis zum Rüstungswettlauf, eine aktive Rolle. Hier werden auch Ausstellungen der Avantgarde und Off-Off-Broadway-Stücke gezeigt.

Bogen an der Nordseite des Washington Square

Washington Square ⓰

Karte 4 D2. Ⓜ *West 4th St.*

Dort, wo einst der Bach Minetta durch Sumpfland floss, liegt heute einer der belebtesten Plätze der Stadt. Bis zum späten 18. Jahrhundert war das Gelände Friedhof; bei den Ausschachtungen für den Park fand man die Reste von 10 000 Skeletten. Eine Zeit lang diente er als Duellstätte, bis 1819 war er Schauplatz von Hinrichtungen. Die »Galgen-ulme« in der nordwestlichen Ecke existiert noch. 1826 wurde der Sumpf trockengelegt und der Bach unter die Oberfläche geleitet, wo er noch immer fließt; ein kleines Schild an einem Brunnen (am Eingang der Fifth Avenue Nr. 2) zeigt seinen Verlauf an. Der Marmorbogen von Stanford White wurde 1895 vollendet und ersetzte eine hölzerne Version, die zum Gedenken an das 100-jährige Jubiläum von George Washingtons Amtseinführung die untere Fifth Avenue überspannt hatte. Im rechten Teil des Bogens verbirgt sich eine Treppe. 1916 brach eine von Marcel Duchamp und John Sloan angeführte Künstlergruppe dort ein und rief von oben die »freie und unabhängige Republik Washington Square, den Staat Neu-Boheme« aus.

Auf der anderen Straßenseite liegt »The Row«. In der zur NYU gehörenden Häuserreihe wohnten einst New Yorks prominenteste Familien wie die Delanos, aber auch Edith Wharton, Henry James, John dos Passos und Edward Hopper. Haus Nr. 8 war einmal die offizielle Adresse des Bürgermeisters.

Heute treffen sich im Park Studenten, Familien, Freigeister. Trotz einiger Drogendealer ist es hier tagsüber sicher.

Fenster an der Ecke West 4th Street und Washington Square

East Village

Peter Stuyvesant besaß einst Land im East Village, und im 19. Jahrhundert lebten die Astors und die Vanderbilts hier. Um 1900 zog die High Society weg; es ließen sich Immigranten nieder. Juden, Iren, Deutsche, Polen, Ukrainer und Puertoricaner hinterließen ihre Spuren in Form von Kirchen sowie abwechslungsreichen und billigen Restaurants. In den 1960er Jahren fühlte sich die »Beat Generation« von den niedrigen Mieten angezogen. Den Hippies folgten die Punks. Die Musikklubs und Theater sind zahlreich, am Astor Place wimmelt es von Studenten. Im Osten liegen die Avenues A, B, C, D; das »Alphabet City« genannte Areal ist mittlerweile eines der angesagtesten Viertel von New York.

Mosaik der St. George's Ukrainian Catholic Church

Sehenswürdigkeiten auf einen Blick

Historische Straßen und Gebäude
Bayard-Condict Building [8]
Colonnade Row [3]
Cooper Union [1]

Museum
Merchant's House Museum [4]

Kirchen
Grace Church [6]
St. Mark's-in-the-Bowery Church [5]

Platz
Tompkins Square [7]

Berühmtes Theater
Public Theater [2]

Siehe auch

- ***Stadtplan*** Karten 4, 5
- ***Spaziergang*** S. 270f
- ***Übernachten*** S. 281f
- ***Restaurants*** S. 301f

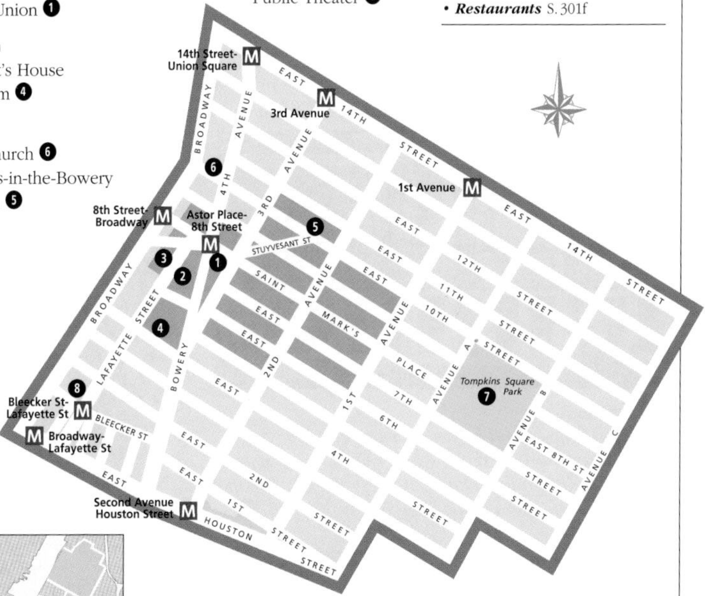

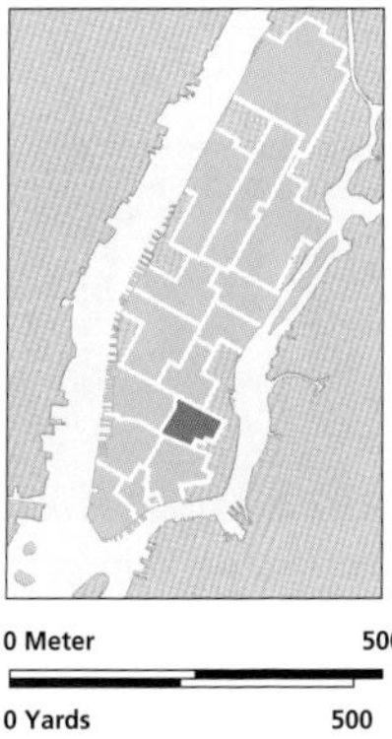

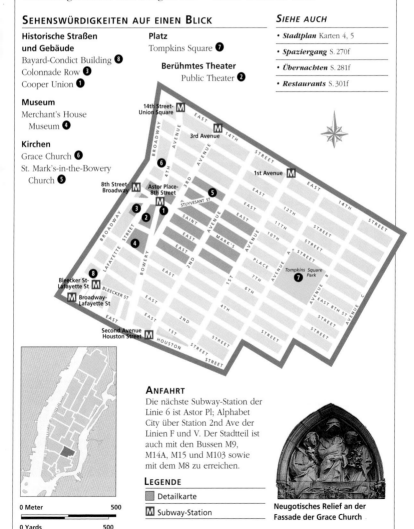

Anfahrt

Die nächste Subway-Station der Linie 6 ist Astor Pl; Alphabet City über Station 2nd Ave der Linien F und V. Der Stadtteil ist auch mit den Bussen M9, M14A, M15 und M103 sowie mit dem M8 zu erreichen.

Legende

Detailkarte
[M] Subway-Station

Neugotisches Relief an der Fassade der Grace Church

◁ **Interieur aus dem 19. Jahrhundert in McSorley's Old Ale House**

Im Detail: East Village

An der Kreuzung von Tenth und Stuyvesant Street stand einst Peter Stuyvesants Land-haus. Sein ebenfalls Peter benannter Enkel erbte den Großteil des Anwesens und ließ es 1787 in Straßen aufteilen. Besonders sehenswert ist der historische Bezirk St. Mark's, die Kirche St. Mark's-in-the-Bowery, das Stuyvesant-Fish House und das Haus von Nicholas Stuyvesant (1795). Viele Häuser im East Village wurden zwischen 1871 und 1890 erbaut und besitzen noch originale Vor-dächer, Fensterstürze und andere architek-tonische Details.

Am Astor Place kam es 1849 zu Ausschreitungen. Der englische Schauspieler William Macready, der an der Oper den *Hamlet* spiel-te, kritisierte den amerika-nischen Kollegen Edwin Forrest. Dessen Fans revol-tierten: Es gab 34 Tote.

Subway-Station Astor Place (Linie 6)

Alamo heißt der 4,50 Meter hohe, von Bernard Rosen-thal entworfene Stahlkubus auf dem Astor Place. Er dreht sich, wenn man ihn anstößt.

Colonnade Row
Diese Stadthäuser sind heruntergekommen. Die Ge-bäude, von denen noch vier existieren, verband eine gemeinsame Fassade im europäischen Stil. Der Marmor wurde von Gefangenen aus Sing-Sing gebrochen. ❸

Public Theater
1965 überzeugte Joseph Papp die Stadt, die Astor Library (1849) zu kaufen und zu einem Theater umzubauen. Später hat-ten hier viele berühmte Stücke Premiere. ❷

NICHT VERSÄUMEN

★ Cooper Union

★ Merchant's House Museum

★ Merchant's House
In dem Museum sind Origi-nalmöbel im American Em-pire, Federal Style und vikto-rianischen Stil zu sehen. ❹

★ Cooper Union
Die von P. Cooper 1859 gegründete Einrichtung bietet Studenten eine kostenlose Ausbildung. ❶

Das Stuyvesant-Fish House
(1803/04) ist ein Ziegelbau – und zudem ein klassisches Beispiel für den Federal Style.

Renwick Triangle
heißt eine Gruppe von 16 Häusern, die 1861 im englisch-italienischen Stil erbaut wurden.

St. Mark's-in-the-Bowery Church
Die Kirche wurde 1799 erbaut; den Turm fügte man 1828 hinzu. ❺

ZUR ORIENTIERUNG
Siehe Übersichtskarte S. 14f

Die Stuyvesant Polyclinic
wurde 1857 als German Dispensary (Armenklinik) gegründet und ist noch immer ein Krankenhaus. Die Fassade schmücken die Büsten vieler berühmter Ärzte und Wissenschaftler.

St. Mark's Place war Mittelpunkt der Hippieszene und ist noch immer ein Treffpunkt für junge Leute. In vielen Häusern hier gibt es flippige Läden.

0 Meter 100

0 Yards 100

In Little India
auf der Südseite der East Sixth Street bieten zahlreiche Lokale indisches Essen zu zivilen Preisen.

LEGENDE

- - - Routenempfehlung

In Little Ukraine leben 30 000 Ukrainer. Mittelpunkt ist die St. George's Ukrainian Catholic Church.

McSorley's Old Ale House braut noch immer sein eigenes Bier und serviert es im fast unveränderten Interieur von 1854 *(siehe S. 317)*.

Die Great Hall der Cooper Union, in der Abraham Lincoln sprach

Cooper Union ❶

7 East 7th St. **Stadtplan** 4 F2.
C (212) 353-4000. **M** Astor Pl.
O Mo–Fr 11–19, Sa 11–17 Uhr, zu
Vorträgen und Konzerten in der Great
Hall. **●** Juni–Aug, Feiertage. **Ø &**
www.cooper.edu

Peter Cooper, ein Industrieller, der die erste amerikanische Dampflok und die ersten Stahlschienen produzierte
und sich am ersten transatlantischen Kabel beteiligte, war
ein typischer Selfmademan.

1859 gründete er das erste
nicht-konfessionelle College
für Männer und Frauen (Technik, Ingenieurswesen, Architektur und Design). Das fünf-
stöckige Gebäude (1973/74
renoviert) war das erste mit
einem Stahlgerippe. Die Great
Hall wurde 1859 von Mark
Twain eingeweiht; Lincoln
hielt hier 1860 seine Rede
»Right makes Might« (»Recht
verleiht Macht«). Die Cooper
Union unterstützt heute noch
das Public Forum.

Public Theater ❷

425 Lafayette St. **Stadtplan** 4 F2.
C (212) 239 6200 (Tickets), (212)
539-8500 (Verwaltung). **M** Astor Pl.
Siehe **Unterhaltung** S. 344.
www.publictheater.org

Das Gebäude aus roten
Ziegeln und braunem
Sandstein fungierte ab 1849

als Astor Library, die erste
kostenlose Bücherei der Stadt.
Der Bau, jetzt Spielstätte beim
New York Shakespeare Festival, ist ein Beispiel für den
deutschen neuromanischen
Stil. Als das Gebäude 1965
vom Abriss bedroht war,
überzeugte der Gründer des
Festivals, Joseph Papp,
die Stadt, es für das
Theater zu erwerben.
Die Renovierung
begann 1967, und
ein Großteil der
schönen Innen-
architektur wurde
bei der Umwand-
lung in sechs Thea-
ter bewahrt. Zwar
wird hier meist
experimentelles
Theater aufge-
führt, doch auch
die weltbekannten
Musicals *Hair* und
A Chorus Line nah-
men von hier ihren
Ausgang.

Colonnade Row ❸

428–434 Lafayette St. **Stadtplan** 4 F2.
M Astor Pl. **●** für Besucher.

Die korinthischen Säulen
dieser vier Gebäude sind
die einzigen Überbleibsel von
neun beeindruckenden klassizistischen Stadthäusern. Sie
wurden 1833 von Seth Geer
vollendet und als »Geer's
Folly« (»Geers Wahnwitz«)
bekannt, weil niemand glaubte, dass irgend-
wer so weit öst-
lich wohnen
wollte. Doch als
so prominente
Bürger wie John
Jacob Astor und
Cornelius Van-
derbilt in die

Häuser zogen, waren die
spöttischen Zweifler wider-
legt. Neben Washington
Irving lebten hier die Autoren
William Makepeace Thacke-
ray und Charles Dickens.

Fünf der Gebäude fielen
Anfang des 20. Jahrhunderts
einer Garage der John Wana-
maker Department Stores
zum Opfer; die restlichen
wurden völlig vernachlässigt.

Merchant's House Museum ❹

29 E 4th Street. **Stadtplan** 4 F2.
C (212) 777-1089. **M** Astor Pl,
Bleecker St. **O** Mo–Do 12–17 Uhr
und nach Vereinbarung. **● Ø** (Blitz-
licht verboten). **☑ Vorträge ●**
www.merchantshouse.com

**Originalherd aus dem 19. Jahrhundert in der
Küche des Merchant's House Museum**

Das bemerkenswerte klas-
sizistische Ziegelgebäude
steht etwas versteckt in einem
Block im East Village. Hier
scheint die Zeit stehen geblieben zu sein, denn Inventar,
Einrichtung, Küche, Dekorationen und auch Gebrauchsgegenstände sind dieselben
wie vor 100 Jahren.

Das 1832 gebaute Haus
wurde 1835 von dem wohl-
habenden Kaufmann Seabury
Tredwell erworben und blieb
bis zum Tod von Gertrude
Tredwell 1933 im Familienbesitz. Sie hatte als letzte Ver-
treterin der Familie das Haus
im Sinn ihres Vaters konser-
viert, und ein Verwandter
eröffnete hier 1936 das Museum. Die großen Räume im
Erdgeschoss zeugen vom
Reichtum der New Yorker
Kaufleute im frühen 19. Jahrhundert.

Das Public Theater in der Lafayette Street

St. Mark's-in-the-Bowery Church ❺

131 E 10th St. **Stadtplan** 4 F1.
📞 (212) 674-6377. Ⓜ Astor Pl.
🕐 Mo–Fr 8.30–16 Uhr außer
während Proben für Literaturprojekte.
✝ Mi 18, So 11 Uhr; auf Spanisch:
Sa 17.30 Uhr. www.stmarkschurch-
in-the-bowery.com

Der 1799 errichtete Bau,
der die auf der *Bouwerie*
(Farm) von Gouverneur Peter
Stuyvesant gelegene Kirche
von 1660 ersetzte, ist eine der
ältesten Kirchen New Yorks.
Stuyvesant ist hier zusammen
mit sieben Generationen der
Familie bestattet. Auch an den
Dichter W. H. Auden wird
hier erinnert. 1878 fand auf
dem Friedhof eine makabre
Entführung statt; die exhu-
mierten Überreste des Kauf-
hausmagnaten A. T. Stewart
wurden gegen 20 000 Dollar
Lösegeld zurückgegeben.

Das Pfarreigebäude (232
East 11th Street) stammt von
Ernest Flagg.

Grace Church ❻

802 Broadway. **Stadtplan** 4 F1.
📞 (212) 254-2000. Ⓜ Astor Pl/
Union Sq. 🚌 M1. ✝ Juli, Aug: So
10, 18 Uhr; Sep–Juni: So 9, 11,
18 Uhr. 🚫 ♿ Konzerte.
www.gracechurchnyc.org

Der Architekt der St. Patrick's Cathedral, James
Renwick junior, war erst
23 Jahre alt, als er die Grace
Church entwarf, die viele für
sein Meisterwerk halten. Die
filigranen frühgotischen Lini-
en sind von einer Anmut, die
dem Kirchennamen durchaus
angemessen ist. Auch
das Innere ist dank
präraffaelitischer Bunt-
glasfenster und eines
Mosaikbodens sehr
eindrucksvoll. Die
Ruhe der Kirche
wurde 1863 emp-
findlich gestört,
als Phineas
T. Barnum

Tom Thumb und Braut in der Grace Church

hier die Hochzeit des Lilipu-
tanergenerals Tom Thumb
inszenierte und ein Chaos
heraufbeschwor.

Im Jahr 1888 ersetzte man
den hölzernen Kirchturm
durch einen aus Marmor.
Die Befürchtung, dass dieser
zu schwer sein könnte, hat
sich als durchaus begründet
erwiesen: Er neigt sich nämlich bedenklich. Die Kirche
ist schon von Weitem zu
sehen, da sie an einer Krüm-
mung des Broadway liegt.

Apsis der Grace Church

Tompkins Square ❼

Stadtplan 5 B1. Ⓜ 2nd Ave, 1st Ave.
🚌 M9, M14A.

Der Park im englischen Stil
wirkt idyllisch, war aber
oft Schauplatz von bewegten
Auseinandersetzungen und
tragischen Ereignissen.

1874 fand hier die erste
organisierte ameri-
kanische Arbeiter-
demonstration statt.
Während der Hip-
pie-Ära in den
späten 1960er
Jahren avancier-
te der Park zum
Haupttreffpunkt.
1991 kam es zu
blutigen Unruhen,
als die Polizei ver-
suchte, Obdachlose
von hier zu vertrei-
ben. Auf dem Platz
befindet sich auch
ein Denkmal in Ge-
stalt eines Knaben

und eines Mädchens, die auf
einen Dampfer blicken. Es
erinnert an das Unglück auf
dem Dampfer *General Slo-
cum*. Am 15. Juni 1904 starben über 1000 Menschen, vor
allem Frauen und Kinder der
überwiegend deutschstämmi-
gen Anwohnerschaft, bei
einer Vergnügungsfahrt auf
dem East River, als auf dem
überfüllten Schiff Feuer aus-
brach. Viele Männer verloren
ihre ganze Familie und zogen
aus dem Viertel weg.

Bayard-Condict Building ❽

65 Bleecker St. **Stadtplan** 4 F3.
Ⓜ Bleecker St.

Die graziösen Säulen, die
elegant-filigrane Terra-
kottafassade und das prächtige Gesims kennzeichnen den
einzigen, 1898 entstandenen
New Yorker Bau des großen
Chicagoer Architekten Louis
Sullivan, des Lehrers von
Frank Lloyd Wright. Sullivan
starb 1924 vergessen und
verarmt in Chicago.

Sullivan soll sich sehr gegen
die kitschigen, das Gesims
stützenden Engel gewehrt
haben, musste sich aber
schließlich den Wünschen
des Eigentümers Silas Alden
Condict fügen.

Da der Bau in einen Block
von Geschäftshäusern einge-
zwängt ist, kann man ihn besser aus einiger Distanz sehen;
gehen Sie dazu ein Stück die
Crosby Street hinunter.

Das Bayard-Condict Building

GRAMERCY UND FLATIRON DISTRICT

Vier Plätze legten die Stadtplaner im 19. Jahrhundert an – sie wollten ruhige, elegante Wohnbezirke schaffen, wie man sie in europäischen Städten fand. Einer dieser Plätze ist Gramercy Park, immer noch eine begehrte Adresse. Die besten Architekten New Yorks, z.B. Calvert Vaux

Eidechse an einer Statue am Union Square

und Stanford White, entwarfen die Stadtresidenzen, heute wohnen hier prominente und wohlhabende New Yorker. In der Nähe prägen teure Boutiquen, Restaurants, schicke Cafés und Apartmenttürme den einst schäbigen Abschnitt der unteren Fifth Avenue südlich des Flatiron Building.

SEHENSWÜRDIGKEITEN AUF EINEN BLICK

Historische Straßen und Gebäude
Appellate Division of the Supreme Court of the State of New York ❸
Block Beautiful ⓫
Con Edison Headquarters ⓮
Flatiron Building ❺
Gramercy Park Hotel ⓬
Ladies' Mile ❻
The Library at the Players ❾

Metropolitan Life Insurance Company ❹
National Arts Club ❽
New York Life Insurance Company ❷

Museum
Theodore Roosevelt Birthplace ❼

Kirche
The Little Church Around the Corner ⓰

Parks und Plätze
Gramercy Park ❿
Madison Square ❶
Stuyvesant Square ⓭
Union Square ⓯

SIEHE AUCH

• *Stadtplan* Karten 8, 9
• *Übernachten* S. 282
• *Restaurants* S. 302f

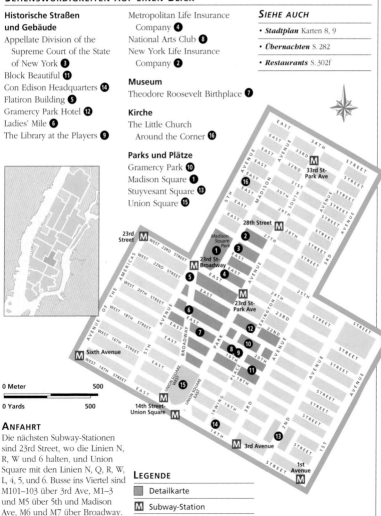

ANFAHRT

Die nächsten Subway-Stationen sind 23rd Street, wo die Linien N, R, W und 6 halten, und Union Square mit den Linien N, Q, R, W, L, 4, 5, und 6. Busse ins Viertel sind M101–103 über 3rd Ave, M1–3 und M5 über 5th und Madison Ave, M6 und M7 über Broadway.

LEGENDE

▨ Detailkarte
Ⓜ Subway-Station

◁ **Con Edison Headquarters bei Nacht**

Im Detail: Gramercy Park

Gramercy Park und der nahe gelegene Madison Square repräsentieren zwei gegensätzliche Stadtbilder. Der Madison Square wird von Büros und Verkehr geprägt und ist vor allem von dort arbeitenden Geschäftsleuten und Angestellten bevölkert. Die Bürohaus-Architektur und die Statuen lohnen dennoch einen Besuch. Früher stand hier Stanford Whites berühmter Vergnügungspalast, der alte Madison Square Garden, in dem es stets von Nachtschwärmern wimmelte. Der Gramercy Park hingegen hat sich eine Aura abgeklärter Würde bewahrt. Hier gibt es noch vornehme Anwesen und Klubs. Für New Yorks letzten Privatpark erhalten nur die Anwohner einen Schlüssel.

★ Madison Square
Mitte des 18. Jahrhunderts spielte der Knickerbocker Club hier Baseball und etablierte als Erster die Spielregeln. Heute zieren den Park viele Statuen von Persönlichkeiten des 19. Jahrhunderts, darunter auch diejenige von Admiral David Farragut. ❶

Subway-Station 23rd Street (Linien N, R, W)

Diana-Statue auf dem alten Madison Square Garden

★ Flatiron Building
Im Dreieck von Fifth Avenue, Broadway und 23rd Street steht einer der berühmtesten Wolkenkratzer New Yorks. Als er 1902 gebaut wurde, war er das höchste Gebäude der Welt. ❺

Eine Uhr vor dem Gebäude 200 Fifth Avenue markiert den Endpunkt einer einst beliebten, als Ladies' Mile bekannten Einkaufsgegend.

Ladies' Mile
Der Broadway vom Union Square bis zum Madison Square war einst das edelste Einkaufsviertel New Yorks. ❻

Theodore Roosevelt Birthplace
Das Haus ist ein Nachbau des Gebäudes, in dem der 26. amerikanische Präsident zur Welt kam. ❼

LEGENDE

– – – Routenempfehlung

0 Meter 100

0 Yards 100

National Arts Club
Der private Kunstverein liegt an der Südseite des Parks. ❽

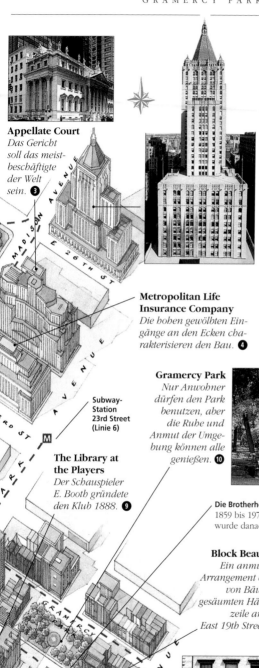

Appellate Court
Das Gericht soll das meistbeschäftigte der Welt sein. ❸

ZUR ORIENTIERUNG
Siehe Übersichtskarte S. 14f

New York Life Insurance Company
Der spektakuläre Bau von Cass Gilbert trägt eine pyramidenförmige Spitze. ❷

Metropolitan Life Insurance Company
Die hohen gewölbten Eingänge an den Ecken charakterisieren den Bau. ❹

NICHT VERSÄUMEN

★ Flatiron Building

★ Madison Square

Subway-Station
23rd Street
(Linie 6)
M

The Library at the Players
Der Schauspieler E. Booth gründete den Klub 1888. ❾

Gramercy Park
Nur Anwohner dürfen den Park benutzen, aber die Ruhe und Anmut der Umgebung können alle genießen. ❿

Die Brotherhood Synagogue war von 1859 bis 1975 ein Andachtshaus und wurde danach eine Synagoge.

Block Beautiful
Ein anmutiges Arrangement einer von Bäumen gesäumten Häuserzeile an der East 19th Street. ⓫

Pete's Tavern
steht seit 1864 an dieser Stelle. Der Kurzgeschichtenerzähler und Stadtchronist O. Henry schrieb hier *Das Geschenk der Weisen.*

Madison Square ❶

Stadtplan 8 F4. Ⓜ *23rd St.*

Farragut-Statue, Madison Square

Die als mondäner Wohnbezirk geplante Gegend wurde nach dem Bürgerkrieg ein populäres Vergnügungsviertel – begrenzt durch das elegante Fifth Avenue Hotel, das Madison Square Theater und Stanford Whites Madison Square Garden. 1884 stellte man hier den fackeltragenden Arm der Freiheitsstatue aus. Angestellte essen an dem mittlerweile wieder ruhigen Ort gern zu Mittag oder gehen zwischen Statuen spazieren.

Die Statue von Admiral David Farragut (1880) stammt von Augustus Saint-Gaudens, der Sockel von Stanford White. Farragut war der Held einer Seeschlacht des Bürgerkriegs; auf dem Sockel finden sich aus Wellen emportauchende Figuren, die Mut und Loyalität repräsentieren. Die Statue von Roscoe Conkling erinnert an einen Senator, der 1888 im Schneesturm starb. Der Fahnenmast mit dem ewigen Licht, eine Schöpfung von Carrère & Hastings, ehrt die im Ersten Weltkrieg in Frankreich Gefallenen.

New York Life Insurance Company ❷

51 Madison Ave. **Stadtplan 9 A3.** Ⓜ *28th St.* ⬤ *für Besucher.*

Der mächtige Bau wurde 1928 von Cass Gilbert entworfen, der davor das Woolworth Building errichtet hatte. Das Innere ist ein Meisterstück mit gewaltigen Lüstern, Bronzetüren, Täfelung und einem imposanten Treppenhaus, das zur U-Bahn führt.

Hier standen einst andere berühmte Bauten, etwa Barnum's Hippodrome (1874) und der erste Madison Square Garden (ab 1879). Neben anderen Veranstaltungen fanden hier um 1880 die Kämpfe des Boxschwergewichts Jack Dempsey statt. 1890 eröffnete an derselben Stelle der nächste Madison Square Garden, Stanford Whites legendärer Vergnügungspalast. Zu den opulent ausgestatteten Musicals und anderen Events strömte New Yorks Elite herbei, die für die jährliche Pferdeschau über 500 Dollar pro Loge zahlte.

Der Bau hatte Arkaden im Erdgeschoss und einen der Giralda in Sevilla nachempfundenen Turm. Die goldene Statue der Diana auf dem Turm schockierte wegen ihrer Nacktheit, doch noch viel skandalöser waren das Leben und der Tod von White selbst. 1906 wurde er beim Besuch einer Revue vom Ehemann seiner früheren Mätresse Evelyn Nesbit erschossen. Die Schlagzeile der Zeitschrift *Vanity Fair* spiegelte die öffentliche Meinung wider: »Der Lüstling Stanford White stirbt wie ein Hund.« Die Enthüllungen über die High Society am Broadway bei den nachfolgenden Untersuchungen lassen heutige Seifenopern verblassen.

Appellate Division of the Supreme Court of the State of New York ❸

E 25th St./Madison Ave. **Stadtplan 9 A4.** Ⓜ *23rd St.* ⬤ *Mo–Fr 9–17 Uhr (Verhandlungen: Di, Mi, Do ab 14 Uhr, Fr ab 10 Uhr).* ⬤ *Feiertage.* ⌀

In dem angeblich meistbeschäftigten Gericht der Welt finden die Berufungsverhandlungen von Zivil- und Strafprozessen für New York und für die Bronx statt. James Brown Lord entwarf das kleine, aber noble Gebäude 1900 im palladianischen Stil. Es ist mit mehreren hübschen Skulpturen

Statuen der *Justitia* und *Prudentia* auf dem Appellate Court

verziert, darunter Daniel Chester Frenchs *Justitia*, flankiert von *Fortitudo* und *Prudentia*. Unter der Woche sind die schönen, von den Brüdern Herter entworfenen Innenräume auch der Öffentlichkeit zugänglich, sofern keine Sitzungen stattfinden. Besonders sehenswert sind die Buntglasfenster und die Kuppel sowie die Wandgemälde und die wunderbaren Tischlerarbeiten.

Ausstellungen in der Lobby haben oft berühmte – und berüchtigte – im Gericht verhandelte Fälle zum Gegenstand. Zu den in Berufungsverfahren verwickelten prominenten Persönlichkeiten zählen Babe Ruth, Charlie Chaplin, Fred Astaire, Harry Houdini, Theodore Dreiser und Edgar Allan Poe.

Das goldene Pyramidendach der New York Life Insurance Company

Uhrturm des Metropolitan Life Insurance Company Building

Metropolitan Life Insurance Company ❹

1 Madison Ave. **Stadtplan** 9 A4. **M** 23rd St. ◻ Schalterstunden. ⊘

Durch Hinzufügen eines 210 Meter hohen Turms überflügelte im Jahr 1909 das Gebäude von 1893 das bis dato höchste Gebäude der Welt, das Flatiron Building. Die Minutenzeiger der massiven vierseitigen Uhr sollen 450 Kilogramm wiegen. Die nächtliche Beleuchtung bildet einen vertrauten Anblick am Horizont und unterstützt das Firmenmotto: »Das Licht, das nie erlischt.« Einige Wandgemälde von N. C. Wyeth, dem Vater des Malers Andrew Wyeth und Illustrator von Klassikern wie *Robin Hood*, *Die Schatzinsel* und *Robinson Crusoe*, schmückten früher die Cafeteria. Das Gebäude ist heute Sitz der First-Boston Crédit-Suisse.

Flatiron Building ❺

175 5th Ave. **Stadtplan** 8 F4. **M** 23rd St. ◻ Geschäftszeiten.

Das ursprünglich nach der Baufirma Fuller, dem ersten Besitzer, benannte Gebäude entwarf der Chicagoer Architekt David Burnham. Es war das weltweit höchste, als es 1902 vollendet wurde. Als eines der ersten Gebäude mit Stahlgerippe läutete es das Zeitalter der Wolkenkratzer ein. Wegen seiner Form hieß es bald »Flatiron« (»Bügeleisen«) oder auch »Burnham's folly« (»Burnhams Irrwitz«). Viele sagten voraus, dass es aufgrund der durch seine Form provozierten Winde einstürzen würde. Das Flatiron steht noch, doch die Wirbel hatten einen anderen Effekt: Sie zogen Männer an, die einen Blick auf die Fesseln der Frauen zu erhaschen hofften, wenn deren Röcke hochgeweht wurden. Polizisten forderten Passanten zum Weitergehen auf, und ihr »23-Skidoo« (»Haut ab in die 23 Street«) wurde zum Slangausdruck. Bis vor Kurzem war der Abschnitt der Fifth Avenue südlich des Gebäudes schäbig, doch jetzt hat er dank Läden wie Emporio Armani und Paul Smith ein neues Image und einen neuen Namen: Flatiron District.

Das Flatiron Building in der Bauphase

Ladies' Mile ❻

Broadway (Union Sq bis Madison Sq). **Stadtplan** 8 F4–5, 9 A5. **M** 14th St, 23rd St.

Das Kaufhaus Arnold Constable

Im 19. Jahrhundert fuhr hier die in nahen Stadthäusern wohnende Kaufmannselite in glänzenden Kutschen vor, um in Läden wie dem von Arnold Constable (Nr. 881–887) und Lord & Taylor (Nr. 901) einkaufen zu gehen. Heute jedoch lassen nur noch die oberen Geschosse den einstigen Glanz erahnen.

US-Präsident Teddy Roosevelt

Theodore Roosevelt Birthplace ❼

28 E 20th St. **Stadtplan** 9 A5. 🎟 (212) 260-1616 **M** 14th St/Union Sq/ 23rd St. ◻ Di–Sa 9–17 Uhr. ● Feiertage. 🖼 📷 🎫 stündlich. **Vorträge, Konzerte, Filme, Videovorführungen.** 🏠 www.nps.gov/thrb

Die Rekonstruktion des Hauses, in dem Theodore Roosevelt, der 26. amerikanische Präsident, seine Jugend verbrachte, enthält Spielzeug, Wahlkampf-Buttons und die Embleme des »Rough-Rider«-Huts, den er im Spanisch-Amerikanischen Krieg trug. Eine Ausstellung widmet sich seinen Interessen, eine zweite seiner politischen Karriere.

Flachrelief-Porträts großer Schriftsteller, National Arts Club

National Arts Club 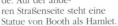❽

15 Gramercy Pk S. **Stadtplan** 9 A5. ☎ *(212) 475-3424.* Ⓜ *23rd St.* ○ *bei Ausstellungen Mo–Fr 12–17 Uhr.* www.nationalartsclub.org

D as Gebäude war die Residenz von Samuel Tilden, dem New Yorker Gouverneur, der »Boss« Tweed verurteilte *(siehe S. 27)* und eine kostenlose Bibliothek schuf. 1881 bis 1884 gestaltete Calvert Vaux die Fassade um. 1906 erwarb der National Arts Club das Haus und erhielt die originalen Decken und Buntglasfenster von John LaFarge. Fast alle bedeutenden amerikanischen Künstler des späten 19. und frühen 20. Jahrhunderts traten dem Klub bei. Dafür mussten sie ein eigenes Werk stiften – diese Werke begründen die Sammlung des Klubs. Nur bei Ausstellungen ist er öffentlich zugänglich.

The Library at the Players ❾

18 Gramercy Pk S. **Stadtplan** 9 A5. ☎ *(212) 228-7610.* Ⓜ *23rd St.* ● *außer für Gruppen nach Voranmeldung.* 📷

D as zweigeschossige Haus aus Sandstein war das Zuhause des Schauspielers Edwin Booth, Bruder des Lincoln-Mörders John Wilkes Booth. 1888 verwandelte der Archi-

tekt Stanford White den Bau in einen Klub. Obwohl dieser für Schauspieler gedacht war, gehörten zu seinen Mitgliedern auch White selbst, Mark Twain, der Verleger Thomas Nast sowie Winston Churchill, dessen Mutter in der Nähe geboren wurde. Auf der anderen Straßenseite steht eine Statue von Booth als Hamlet.

Dekoratives Gitterwerk am Players Club

Gramercy Park ❿

Stadtplan 9 A4. Ⓜ *23rd St, 14th St/ Union Sq.*

N eben Union, Stuyvesant und Madison Square ist der Gramercy Park einer von vier Plätzen, die um 1840 betuchte Anwohner anlocken sollten. Es handelt sich um den einzigen privaten Park der Stadt, die Anwohner erhalten noch immer eigene Schlüssel für ihn. Durch das Gitter an seiner südöstlichen Ecke kann man Greg Wyatts Brunnen mit den Giraffen sehen, die sich um eine lächelnde Sonne ranken. Die umliegenden Gebäude wurden von einigen der berühm-

testen Architekten der Stadt entworfen, u. a. auch von Stanford White, dessen Haus an der Stelle des heutigen Gramercy Park Hotel stand. Nr. 3 und 4 haben elegante Gusseisentür und Vorbauten. Die Laternen vor Nr. 4 kennzeichnen das Haus des früheren Bürgermeisters James Harper. Nr. 34 (1883) war Heimstatt des Bildhauers Daniel Chester French, des Schauspielers James Cagney und des Zirkusimpresarios John Ringling, der eine gewaltige Orgel in sein Apartment bauen ließ.

Block Beautiful ⓫

E 19th St. **Stadtplan** 9 A5. Ⓜ *14th St/Union Sq, 23rd St.*

Hausfassade des Block Beautiful in der East 19th Street

D er beschauliche, von Bäumen gesäumte Block von Wohnhäusern stammt aus den 1920er Jahren. Kein Haus ist für sich etwas Besonderes, doch zusammen bilden sie ein harmonisches Ganzes. In Nr. 132 wohnten zwei berühmte Mieter aus der Theaterwelt: Theda Bara, Stummfilmstar und Hollywoods erstes Sexsymbol, und die Shakespeare-Schauspielerin Mrs. Patrick Campbell, die Vorbild für die Rolle der Eliza Doolittle in George Bernard Shaws *Pygmalion* (1914) war. Die Anbindeplätze vor Nr. 141 und das Giraffenrelief von Nr. 147–149 sind nur zwei der vielen sehenswerten Details des Blocks.

Greg Wyatts Brunnen mit Sonne und Giraffen im Gramercy Park

Gramercy Park Hotel  ⑫

2 Lexington Ave/21st St. **Stadtplan** 9 B4.
[C] 475-4320. [M] 14th St/Union Sq,
23rd St. **www**.gramercyparkhotel.com

Das Hotel liegt auf dem Gelände des einstigen Hauses von Stanford White und neben Manhattans einzigem Privatpark. Es ist seit über 60 Jahren vielen internationalen Besuchern, aber auch New Yorkern eine zweite Heimat. In der altmodischen Bar mit den stilvollen Fenstern – wie geschaffen für verschwiegene Treffen – konnte man neben der betuchten, alten Dame zum Sitzen kommen oder neben dem jungen, reichen Popstar.

Ian Schrager vom Studio 54 begann eine umfassende Renovierung des Hauses. Eine Reihe von Hotelzimmern wird in 23 Apartments umgebaut. Mit 170 Zimmern wird das Luxushotel 2007 neu eröffnet, auch eine Brasserie mit 140 Plätzen ist geplant.

Die Türme von Con Edison *(rechts)*, Metropolitan Life und Empire State

Stuyvesant Square ⑬

Stadtplan 9 B5. [M] 3rd Ave, 1st Ave.

Diese Oase in Gestalt eines von der Second Avenue durchschnittenen Parks war im 17. Jahrhundert Teil von Peter Stuyvesants Farm – auch noch als er 1836 als eigentlicher Park gestaltet wurde; doch Stuyvesant verkaufte das Land zum symbolischen Preis von fünf Dollar (zur Freude der Anrainer, da die Immobilienpreise anzogen). Eine Statue Stuyvesants von Gertrude Vanderbilt Whitney steht im Park; er trennte das Areal einst vom Gas House District.

Con Edison Headquarters ⑭

145 E 14th St. **Stadtplan** 9 A5.
[M] 3rd Ave, 14th St/Union Sq.
● für Besucher.

Der Uhrturm des Gebäudes von 1911 ist ein lokales Wahrzeichen. Entworfen wurde es von dem Architekten Henry Hardenberg, der auch das Dakota *(siehe S. 218)* und das Plaza *(siehe S. 181)* schuf.

Der Turm mit den 26 Stockwerken wurde von der Firma gebaut, die auch das Grand Central Terminal gestaltete. Nahe der Turmspitze wurde eine 1,60 Meter hohe Bronzelaterne zur Erinnerung an Con Eds im Ersten Weltkrieg gefallene Arbeiter aufgestellt. Der Turm ist nicht so hoch wie das nahe gelegene Empire State Building – angestrahlt wirkt das Gebäude bei Nacht jedoch keineswegs weniger imposant.

Union Square ⑮

Stadtplan 9 A5. [M] 14th St/
Union Sq. **Bauernmarkt** ☐ Mo, Mi,
Fr, Sa 8–18 Uhr.

Markttag auf dem Union Square

Der 1839 eröffnete Park verband die Bloomingdale Road (jetzt Broadway) mit der Bowery Road (Fourth oder Park Avenue), daher der Name. Später wurde die Mitte des Parks wegen des U-Bahn-Baus erhöht. Der Platz erfreute sich bei Rednern großer Beliebtheit. Während der Depression 1930 versammelten sich hier 35 000 Arbeitslose, bevor sie zum Rathaus marschierten, um Arbeit zu fordern. Viermal pro Woche findet hier ein Markt statt, auf dem Bauern frische ökologische Produkte verkaufen.

The Little Church Around the Corner ⑯

1 E 29th St. **Stadtplan** 8 F3. [C]
(212) 684-6770. [M] 28th St. ☐ tägl.
8–18 Uhr. ✝ Mo–Fr 12.10, So 8.30,
11 Uhr. 📷 ♿ 📷 So nach 11-Uhr-
Gottesdienst. **Vorträge, Konzerte,
Lesungen**. 📷 **www**.littlechurch.org

Die 1849–56 erbaute Episcopal Church of the Transfiguration ist eine Oase der Ruhe. Als Joseph Jefferson die Beerdigung seines Schauspielerkollegen George Holland organisieren wollte, weigerte sich der Pfarrer einer nahe gelegenen Kirche, eine Person mit diesem wenig angesehenen Beruf zu bestatten, und schlug stattdessen «die kleine Kirche um die Ecke» vor. Der Name blieb, die Verbindung der Kirche zum Theater auch. Sarah Bernhardt besuchte hier die Messe.

Im südlichen Querschiff zeigt ein Fenster von John LaFarge Edwin Booth als Hamlet. Jeffersons Ausruf «Gott segne die kleine Kirche um die Ecke» ist auf einem Fenster im Südschiff verewigt.

CHELSEA UND
GARMENT DISTRICT

Das Areal war 1750 Ackerland, ab 1830 Vorstadt. Um 1870 wurde das Viertel durch den Bau der Hochbahn zum Geschäftsviertel. Varietés und Theater säumten damals die 23rd Street. Die Fashion Row wuchs im Schatten der *elevated railroad*; es entstanden Kaufhäuser für die Mittelschicht. Als die Modeläden nach Uptown zogen, ging es mit Chelsea

Statue eines Textilarbeiters, 555 7th Ave

bergab. Es wurde ein Lagerhausbezirk, bis die Hochbahn abgerissen wurde und die New Yorker die alten Stadthäuser wiederentdeckten. Als nördlich davon, am Herald Square, Macy's aufmachte, gedieh die Handels- und Textilbranche in dieser Gegend; deswegen der Name Garment District. Heute besucht man Chelseas Galerien und Antiquitätengeschäfte.

Art-déco-Nostalgie: das Empire Diner in Chelsea

SEHENSWÜRDIGKEITEN AUF EINEN BLICK

Historische Straßen und Gebäude
Chelsea Historic District ⓬
Empire State Building S. 136f ❷
General Post Office ❼
General Theological Seminary ⓫

Hugh O'Neill Dry Goods Store ⓮

Kirchen
Marble Collegiate Reformed Church ❶
St. John the Baptist Church ❺

Moderne Architektur
Chelsea Piers Sports and Entertainment Complex ❾

Jacob K. Javits Convention Center ❽
Madison Square Garden ❻

Denkmal
Worth Monument ⓯

Platz
Herald Square ❸

Berühmte Hotels und Restaurants
Chelsea Hotel ⓭
Empire Diner ❿

Berühmtes Kaufhaus
Macy's ❹

0 Meter   500

0 Yards   500

ANFAHRT
Nach Chelsea nehmen Sie die Subway-Linien 1 oder 9 zur 18th oder 23rd St. Die Linien C und E fahren zur 23rd St. Oder Sie benutzen die Busse M11 und M20. Richtung Macy's fahren die Züge 1, 2, 3 oder 9 zur 34th St/Penn Station. Die Linien A, C und E halten auch bei 34th St, B, D, F, N, Q, R, V und W am Herald Square.

LEGENDE
▦ Detailkarte
Ⓜ Subway-Station
🛬 Heliport

SIEHE AUCH
• *Stadtplan* Karten 7–8
• *Übernachten* S. 282–284
• *Restaurants* S. 304

Im Detail: Herald Square

D er Herald Square ist nach dem New Yorker *Herald*
benannt, der hier von 1894 bis 1921 seine Büros hatte.
Die heutige Einkaufsgegend war einst ein anrüchiges Viertel.
Ende des 19. Jahrhunderts war es als »Tenderloin District« mit
Varietés und Bordellen bekannt. Als 1901 Macy's eröffnet
wurde, verschob sich der Fokus hin zur Mode. Der Garment
District umfasst heute die Straßen
um Macy's und die Seventh
Avenue, die »Fashion
Avenue«. Östlich davon
erhebt sich in der Fifth
Avenue das Empire State
Building, von dessen
Aussichtsplattform man
einen fantastischen
Rundumblick genießt.

Manhattan Mall
Gimbel's unterhält
hier 90 Läden,
Restaurants und
ein Stockwerk
für Kindermode.

Fashion Avenue ist ein anderer Name für
den Abschnitt der Seventh Avenue um die
34th Street. Hier ist das Zentrum der New
Yorker Textilindustrie. In den Straßen
sieht man viele Männer, die Kleider-
ständer mit Textilien herumschieben.

**Subway-Station
34th Street
(Linien 1, 2, 3, 9)**

**Das Ramada Hotel
Pennsylvania** war
ein Dorado für die
Bigbands der 1930er
Jahre – Glenn Millers
Pennsylvania 6-5000
verewigte die Telefon-
nummer des Hotels.

**St. John
the Baptist Church**
*In der mit weißem Mar-
mor ausgekleideten Kir-
che befindet sich ein ge-
schnitzter Kreuzweg.*

Das SJM Building, 130 West 30th
Street, ist mit mesopotamischen
Friesen versehen.

Im Fur District im Süden des Garment
District, zwischen West 27th und 30th Street,
gehen Kürschner ihrem Handwerk nach.

Im Flower District um
die Sixth Avenue und
die West 28th Street
pulsiert morgens das
Leben, wenn die Blu-
menhändler die Liefer-
wagen mit ihrer duften-
den, farbenprächtigen
Ware beladen.

**Subway-Station
28th Street
(Linien N, R, W)**

★ Macy's
Im größten Kaufhaus der Welt findet jeder etwas. ❹

Die Greenwich Savings Bank (jetzt die HSBC) gleicht einem griechischen Tempel mit riesigen Säulen auf drei Seiten.

Subway-Station 34th Street (Linien B, D, F, N, Q, R, V, W)

Herald Square
Die Uhr des New York Herald Building steht dort, wo Broadway und Sixth Avenue aufeinander treffen. ❸

ZUR ORIENTIERUNG
Siehe Übersichtskarte S.14f

LEGENDE

– – – Routenempfehlung

0 Meter	100

| 0 Yards | 100 |

★ Empire State Building
Die Aussichtsplattform des Wolkenkratzers par excellence bietet einen großartigen Blick. ❷

Greeley Square ist eher eine Verkehrsinsel als ein Platz, doch hier findet man die Statue von Horace Greeley, dem Gründer der *New York Tribune*.

In Little Korea betreiben die Koreaner ihre Geschäfte. Neben Läden finden sich in West 31st Street und 32nd Street auch Restaurants.

Das Life Building in 19 West 31st Street beherbergte das *Life*-Magazin, als es noch eine satirische Wochenschrift war. Carrère und Hastings entwarfen 1894 das Gebäude, das heute ein Hotel ist.

Marble Collegiate Reformed Church
Die Kirche, 1854 im neugotischen Stil errichtet, wurde durch ihren Pfarrer Norman Vincent Peale berühmt. ❶

NICHT VERSÄUMEN

★ Empire State Building

★ Macy's

Tiffany-Buntglasfenster, Marble Collegiate Reformed Church

Marble Collegiate Reformed Church ❶

1 W 29th St. **Stadtplan** 8 F3. 🔤
(212) 686-2770. Ⓜ *28th St.* 🔵
*Mo–Fr 8.30–20.30 Uhr, Sa 9–16 Uhr,
So 8–15 Uhr.* 🔵 *Feiertage.* 🔟 *So
11.15 Uhr.* 🔯 *während Gottesdiensten.* 🔯 **Sanktuarium** *3 W 29th St.*
🔵 *Mo–Fr 10–12, 14–16 Uhr.*
www.marblechurch.org

D ie Kirche wurde durch
ihren früheren Pfarrer
Norman Vincent Peale, Autor
von *Die Wirksamkeit positiven
Denkens*, bekannt. Ein anderer
»positiver Denker«, der spätere
Präsident der USA, Richard M.
Nixon, ging hier zur Messe, als
er noch Rechtsanwalt war.

Die Kirche von 1854 besteht
aus Marmor, daher ihr Name.
Damals war die Fifth Avenue
noch eine staubige Landstra-
ße, das Gusseisengitter um
die Kirche diente dazu, das
Vieh fernzuhalten.

Die Originalwände wurden
durch ein goldenes *Fleur-de-
lis*-Schablonendesign auf rost-
farbenem Hintergrund ersetzt.
Zwei Tiffany-Fenster mit Szenen aus dem Alten Testament
wurden 1893 eingesetzt.

Empire State Building ❷

Siehe S. 136f.

Herald Square ❸

6th Ave. **Stadtplan** 8 E2. Ⓜ *34th St/
Penn Station. Siehe* **Shopping** *S. 321.*

D er Platz ist nach dem *New
York Herald* benannt,
der hier von 1894 bis 1921 in
einem eleganten Gebäude
von Stanford White residierte.
Hier war von 1870 bis 1890
das Zentrum des anrüchigen
Tenderloin District. Theater
wie das Manhattan Opera
House, Tanzlokale, Hotels
und Restaurants füllten den
Bezirk mit Leben, bis die Pla-
ner in den 1890er Jahren das
Viertel umgestalteten. Die verzierte Bennett-Uhr, die nach
dem *Herald*-Verleger James
Gordon Bennett Jr. benannt
wurde, ist alles, was vom
einstigen Herald Building
geblieben ist.

Das Opernhaus wurde 1901
abgerissen, um zunächst für
Macy's, später für Ladenketten
Platz zu machen. Am Herald
Square stand auch das Kaufhaus der Brüder Gimbel, der
einstigen Erzrivalen von
Macy's. (Eine einfühlsame
Darstellung der Rivalität bietet
der Weihnachtsfilm *A Miracle
on 34th Street*.) 1988 wurde
das Kaufhaus in eine Ein-
kaufsgalerie mit glitzernder
Neonfront verwandelt.

Obwohl viele der alten Namen verschwunden sind, ist
der Herald Square noch heute
ein beliebtes Einkaufsviertel.

Macy's ❹

151 W 34th St. **Stadtplan** 8 E2.
🔤 *(212) 695-4400* Ⓜ *34th St/
Penn Station.* 🔵 *Mo–Sa 10–20.30,
So 11–19 Uhr. Siehe* **Shopping**
S. 319. 🔵 *Feiertage.* **www.**macys.com

D as »größte Kaufhaus der
Welt« erstreckt sich über
einen ganzen Block. Nahezu
alle nur denkbaren Artikel
werden hier angeboten.

Macy's wurde von dem ehe-
maligen Walfänger Rowland
Hussey Macy gegründet, der
1857 an der West 14th Street
einen kleinen Laden eröffnete. Das Firmenlogo, ein roter
Stern, stammt von einer Täto-
wierung aus Macys Seefahrer-
tagen.

Als Macy 1877 starb, war
sein kleiner Laden auf elf Gebäude angewachsen. Unter
den Brüdern Isidor und Nathan Straus, die die Porzellan-
und Glaswarenabteilung
betreut hatten, expandierte
Macy's weiter. 1902 bezog
Macy's seine heutige Adresse.
Die Ostfassade hat zwar einen
neuen Eingang, weist aber

Die Fassade von Macy's in der 34th Street

Hauptschiff der St. John the Baptist Church

noch immer die Erkerfenster und die korinthischen Säulen von 1902 auf. An der Fassade befinden sich die Karyatiden des Originals ebenso wie Uhr, Baldachin und Schriftzug. Im Inneren des Gebäudes sind viele der Originalfahrstühle auch heute noch in Betrieb.

Noch einmal spielte das Meer in Macy's Geschichte eine Rolle, als Isidor 1912 mit seiner Frau beim Untergang der *Titanic* starb. Eine Plakette im Eingangsbereich erinnert daran.

Macy's sponsert die New Yorker Thanksgiving Parade und das Feuerwerk am 4. Juli; die Frühlings-Blumenschau des Kaufhauses zieht Tausende von Besuchern an.

St. John the Baptist Church **5**

210 W. 31st St. **Stadtplan** 8 E3. (212) 564-9070. **M** 34th St/Penn Station. ◯ tägl. 6.15–18 Uhr. ✝ tägl. 10.30, 17.15 Uhr. ◻ ♿ ▯

Die kleine katholische Kirche, 1840 von einer Immigrantengemeinde gegründet, geht im Herzen des Fur Dis-

trict fast verloren. Die Sandstein-Fassade ist zur 30th Street hin stark verschmutzt, dahinter jedoch verbirgt sich manche Kostbarkeit. Der Eingang an der 31st Street führt durch ein modernes Mönchskloster. Das Heiligtum von Napoleon Le Brun ist ein Wunderwerk mit gotischen Bogen aus weißem Marmor und goldenen Kapitellen. Bemalte Reliefs mit religiösen Szenen säumen die Wände; durch die Buntglasfenster fällt das Sonnenlicht. Vor dem Kloster liegt der Gebetsgarten, eine kleine, grüne Oase mit religiösen Statuen, einem Brunnen und Steinbänken.

Madison Square Garden **6**

4 Pennsylvania Plaza. **Stadtplan** 8 D2. (212) 465-6741. **M** 34th St/Penn Station. ◯ Mo–So, je nach Veranstaltung. ▨ Siehe **Unterhaltung** S. 360f. www.thegarden.com

Das einzig Gute, das man zum Abriss der Pennsylvania Station von McKim, Mead & White zugunsten dieses einfallslosen Komplexes von 1968 sagen kann, ist, dass er die Denkmalpfleger so in Rage brachte, dass sie sich zusammenschlossen, um Derartiges in Zukunft zu verhindern.

Der Madison Square Garden, der über der Pennsylvania Station liegt, ist ein Zylinder aus Fertigbeton, der mit 20 000 Plätzen seine Funktion als zentral gelegene Spielstätte für Knickerbockers

(Basketball), Liberty (Frauen-Basketball) und Rangers (Hockey) erfüllt. Hier finden auch andere Veranstaltungen statt: Rockkonzerte; Tennis-, Box- und Ringkämpfe; Zirkusveranstaltungen der Ringling Bros. und Barnum & Bailey; eine Antiquitätenschau; eine Hundeschau u. a. Außerdem befindet sich hier ein Theater mit 5600 Sitzen.

Trotz einer Renovierung hat der Madison Square Garden nicht die Ausstrahlung des Baus von Stanford White am alten Standort *(siehe S. 126)*, wo in faszinierender Architektur extravagante Unterhaltung geboten wurde.

Das kompakte Innere des Madison Square Garden

General Post Office **7**

421 8th Ave. **Stadtplan** 8 D2. (212) 967-8585. **M** 34th St/Penn Station. ◯ tägl. 24 Std., auch Feiertage. Siehe **Praktische Hinweise** S. 377.

Der 1913 von McKim, Mead & White als Gegenstück zur gegenüberliegenden Pennsylvania Station (1910) entworfene Bau des General Post Office ist ein Musterbeispiel eines öffentlichen Gebäudes im Beaux-Arts-Stil. Eine breite Treppe führt zu der mit 20 korinthischen Säulen geschmückten Fassade mit einem Pavillon an jedem Ende.

Die 85 Meter lange Inschrift beschreibt, nach Herodot, den Postdienst des Persischen Reiches um das Jahr 520 v. Chr.: »Weder Schnee noch Regen noch Hitze noch die Düsternis der Nacht hindern diese Kuriere an der raschen Erledigung ihres Auftrags.«

Die korinthische Säulenreihe des General Post Office

Empire State Building ❷

Empire State Building

D as Empire State Building ist New Yorks höchster Wolken-kratzer und Wahrzeichen der Stadt. Die Bauarbeiten begannen im März 1930, nur kurze Zeit nach dem Börsenkrach an der Wall Street. Als es 1931 eröffnet wurde, waren die Räumlichkeiten so schwer zu vermieten, dass es den Spitznamen »The Empty State Building« erhielt. Nur die Beliebtheit der Aussichtsplattform bewahrte das Gebäude vor dem Bankrott (bisher über 120 Millionen Besucher).

Aussichtsplattform im 102. Stock

Das Empire State sollte 85 Etagen hoch werden, doch dann kam noch ein Anlegemast (46 m) für Zeppeline hinzu. Über den heutigen 62 Meter hohen Mast werden Rundfunk-programme in die Stadt und in vier Staaten über-tragen.

Die farbige Beleuchtung der oberen 30 Stockwerke weist auf besondere und saisonale Ereignisse hin.

Hochgeschwin-digkeitsaufzüge legen 366 Meter pro Minute zurück.

Neun Minuten und 33 Sekunden beträgt derzeit der Rekord für die 1575 Stufen von der Lobby bis zum 86. Stockwerk beim jähr-lichen Empire State Run-Up.

Symbole der Moderne sind auf den bronze-nen Art-déco-Medaillons in der Eingangshalle dargestellt.

KONSTRUKTION

Das Gebäude wurde so einfach und schnell wie möglich errichtet. Viele Teile wurden vorgefertigt und vor Ort verar-beitet – mit einem Tempo von vier Etagen pro Woche.

Das Gerüst wurde in 23 Wo-chen aus 60 000 Tonnen Stahl errichtet.

Verkleidungen aus Aluminium statt aus Stein wurden zwi-schen den 6500 Fenstern ver-wendet. Die Stahlverzierung verbirgt unregelmäßige Ecken an der Verkleidung.

Zehn Millionen Ziegel wurden für die Fassade des Gebäudes verbaut.

In den Hohlräumen zwischen den Stockwerken verlaufen Drähte, Röhren und Kabel.

Über 200 Stahl- und Beton-pfeiler tragen das 365 000 Tonnen schwere Gebäude.

NICHT VERSÄUMEN

★ Blick von den Aus-sichtsplattformen

★ Eingangslobby in der Fifth Avenue

★ **Blick von den Aussichtsplattformen**
*Schon von der Terrasse im 86. Stock hat man einen fan-
tastischen Blick über Manhattan. Vom Aussichtsdeck im
102. Stock (381 m) kann man an klaren Tagen über
120 Kilometer weit sehen. Es gibt strenge Sicherheitschecks,
Glasflaschen sind nicht erlaubt.*

INFOBOX

350 5th Ave. **Stadtplan** 8 F2.
C (212) 736-3100. **M** B, D, F, N,
Q, R, 1, 2, 3, 9 bis 34th St; 6 bis
33rd St. M1–5, M16, M34,
Q32. **Aussichtsdecks** tägl.
8–24 Uhr (letzter Lift 23.15 Uhr;
Do–So evtl. bis 2 Uhr); 24. Dez
9–19 Uhr, 25. Dez und 1. Jan
11–19 Uhr. nur
86. Stock. www.esbnyc.com

Über dem Abgrund
*Je mehr das Gebäude
Gestalt annahm, desto
größer wurden die
Anforderungen an die
Arbeiter. Hier hängt
einer ungesichert am
Kranhaken. Das
Chrysler Building im
Hintergrund wirkt
geradezu klein.*

Blitzschlag
*Das Empire State wirkt
wie ein Blitzableiter,
der bis zu hundert Mal
pro Jahr getroffen wird.
Die Aussichtsplattform
wird bei schlechtem
Wetter geschlossen.*

**Empire State
(443 m mit Mast)**

**Eiffelturm
(319 m)**

**Große Pyramide
(107 m)**

**Big Ben
(67 m)**

Rangordnung
*Die New Yorker sind zu Recht stolz
auf das Symbol ihrer Stadt, das die
Wahrzeichen anderer Kulturen
übertrumpft.*

★ **Eingangslobby
in der Fifth Avenue**
*Ein Reliefbild des Wolken-
kratzers befindet sich in
der Marmorlobby auf einer
Karte des Staates New York.*

BEGEGNUNGEN AM HIMMEL
Das Empire State Building war in vielen Filmen zu sehen; den berühmtesten
Auftritt hat es am Schluss von *King Kong*
(1933), als der Riesenaffe auf der Spitze des
Gebäudes steht und gegen Armeeflugzeuge
kämpft. 1945 flog ein Flugzeug im Nebel zu
tief über Manhattan und rammte den Bau
oberhalb des 77. Stocks. Die Überlebende
mit dem meisten Glück war ein Liftgirl,
deren Aufzug 79 Stockwerke in die Tiefe
raste. Die Notbremsen retteten sie.

Jacob K. Javits Convention Center ❽

655 W 34th St. **Stadtplan** 7 B2.
📞 *(212) 216-2000.* Ⓜ *34th St/
Penn Station, 42nd St.* 🚌 *M34, M42.*
⭕ *nur bei Veranstaltungen.* 🎧 🚫
♿ 🍴 www.javitscenter.com

**Moderne New Yorker Architektur
im Convention Center**

D en modernistischen Glas-
bau am Hudson entwarf
I. M. Pei, um in New York
Räumlichkeiten für Großaus-
stellungen zu schaffen. Diesen Zweck hat der Bau seit
der Eröffnung 1986 erfüllt.
Das 15-stöckige Gebäude
besteht aus 16 000 Glasplat-
ten; die beiden Haupthallen
können Tausende von Dele-
gierten aufnehmen, und die
Lobby ist so hoch, dass die
Statue of Liberty hineinpassen

würde. 1989 kamen mit dem
Galleria River Pavilion noch
3750 Quadratmeter schön
gestalteter Freiflächen dazu.

Chelsea Piers Complex ❾

11th Ave (17th bis 23rd St). **Stadtplan**
7 B5. 📞 *(212) 336-6666.* Ⓜ *14th
St, 18th St, 23rd St.* 🚌 *M14, M23.*
⭕ *tägl.* 🎧 www.chelseapiers.com

D ie Chelsea Piers wurden
1995 als riesiges Sport-
und Freizeitzentrum wieder
eröffnet *(siehe S. 33)*. Hier
kann man u. a. Rollschuh
laufen, Golf spielen und elf
Fernseh- und Filmproduk-
tionsbühnen besichtigen.

Empire Diner ❿

210 10th Ave. **Stadtplan** 7 C4. 📞
(212) 243-2736. Ⓜ *23rd St.* 🚌 *M11,
M23.* ⭕ *tägl. 24 Std.* 🌑 *Mo 4–8 Uhr.*

D as Art-déco-Juwel ist das
Remake einer amerikani-
schen Imbissbar von 1929 mit
einer Theke aus Stahl und
einer mit Chrom und Schwarz
dominierten Innenausstattung.
Bette Davis soll es zu ihrem
Lieblings-Diner erklärt haben.
Die Küche und die Gäste
sind jedoch ganz heutiges
schickes New York.

**Eine Notenschrift (15. Jh.) aus der
Sammlung des Seminars**

General Theological Seminary ⓫

175 9th Ave. **Stadtplan** 7 C4.
📞 *(212) 243-5150.* Ⓜ *23rd St.*
⭕ *Mo–Fr 12–15, Sa 11–15 Uhr.*
✝ *Mo, Mi–Fr 11.45, Di, So 18 Uhr.*
🚫 ♿ www.gts.edu

A uf dem 1817 gegründeten
Campus werden 150 Stu-
denten auf das Priesteramt
vorbereitet. Clement Clarke
Moore, ein Professor für
Bibelkunde, stiftete das
Grundstück. Der älteste Bau
stammt von 1836; der mo-
dernste, die St. Mark's Library,
von 1960. Die Bibliothek
besitzt die weltweit größte
Sammlung lateinischer Bibeln.
Der Zugang zum Campus
liegt an der Ninth Avenue.
Die Gartenanlage hat die
Form zweier Vierecke, wie
der Hof der englischen Kathedrale. Vor allem im Frühling
zeigt der Garten seine hüb-
scheste Seite.

Das Empire Diner vor der Ankunft hungriger Frühstücksgäste

Chelsea Historic District ⑫

W 20th St von 9th bis 10th Ave. **Stadtplan** 8 D5. Ⓜ *18th St.* 🚌 *M11.*

Clement Clarke Moore ist als Autor von *A Visit from St Nicholas* bekannter denn als Städteplaner. 1830 teilte er sein Grundstück hier in einzelne Parzellen auf und ließ darauf hübsche Reihenhäuser errichten. Dank sorgfältiger Restaurierung wurden viele Originalbauten erhalten.

Die sieben schönsten sind als Cushman Row (406–418 West 20th Street) bekannt. Sie wurden 1839/40 für den Kaufmann Don Alonzo Cushman gebaut, der auch die Greenwich Savings Bank gründete. Er trug mit Moore und James N. Wells zum Ausbau Chelseas bei. Mit ihrem Detailreichtum und den Schmiedeeisenarbeiten gelten die Cushman Row und Washington Square North als Musterbeispiele klassizistischer Architektur. Beachtenswert sind die gusseisernen Dekors an den Mansardenfenstern und die Ananasfrüchte auf den Treppensäulen von zweien der Häuser – alte Symbole der Gastfreundschaft. Weiter oben in der West 20th Street (Nr. 446–450) gibt es schöne Beispiele für den italienischen Stil, für den Chelsea ebenfalls bekannt ist.

Haus in der Cushman Row

Die Ziegel-Fensterbogen und die fächerförmigen Oberlichter zeugen vom Reichtum des Besitzers – nur wenige konnten sich dies leisten.

Hugh O'Neill Dry Goods Store

Chelsea Hotel ⑬

222 W 23rd St. **Stadtplan** 8 D4. 📞 *(212) 243-3700.* Ⓜ *23rd St.* **www**.chelseahotel.com *Siehe* **Übernachten** *S. 283.*

Wenige Hotels können es mit dem künstlerischen und literarischen Ruhm des Chelsea Hotel aufnehmen. An viele seiner früheren Gäste, darunter Tennessee Williams,

Das Treppenhaus des Chelsea Hotel

Mark Twain und Jack Kerouac, erinnern Messingplaketten an der Hotelfassade. Dylan Thomas verbrachte seine letzten Jahre hier. 1966 war das Hotel Schauplatz von Andy Warhols Film *Chelsea Girls*. Der Punk-Musiker Sid Vicious tötete hier seine Freundin. Das Chelsea zieht immer noch Musiker, Künstler und Schriftsteller an, die hoffen, dass man sich eines Tages ihrer erinnert. In der Bar können Sie das dekadente, kreative Flair genießen.

Hugh O'Neill Dry Goods Store ⑭

655–671 6th Ave. **Stadtplan** 8 E4. Ⓜ *23rd St.*

Auch wenn das Geschäft nicht mehr existiert, zeigt die gusseiserne Fassade noch Ausmaß und Glanz des Unternehmens. Es erstreckte sich einst entlang der Sixth Avenue von der 18th bis 23rd Street, in dem als Fashion Row bekannten Gebiet. O'Neill, dessen Schriftzug noch an der Fassade sichtbar ist, war ein Schausteller und Verkäufer mit einer Flotte von Lieferwagen. Seine Kunden kamen scharenweise mit der nahe gelegenen Sixth-Avenue-Hochbahn. Zwar gab es hier kein so vornehmes Publikum wie der Ladies' Mile *(siehe S. 127)*, doch dank der vielen Kunden blühte das Geschäft auf der Row bis 1900, als der Einzelhandel nach Uptown zog. Inzwischen sind die meisten Gebäude restauriert und wurden in Kaufhäuser und Schnäppchenläden wie Filene's Basement umgewandelt.

Worth Monument ⑮

5th Ave und Broadway. **Stadtplan** 8 F4. Ⓜ *23rd St/Broadway.*

Versteckt hinter einem Wasserzähler auf einer Verkehrsinsel steht ein Obelisk (1857) – die Grabstätte der einzigen Berühmtheit, die unter den Straßen Manhattans beerdigt ist: General William J. Worth, Held der mexikanischen Kriege im 19. Jahrhundert. Ein gusseiserner Zaun in Form von Schwertern umgibt das Monument.

Das Worth Monument

THEATER DISTRICT

Design von Lee Lawrie im Rockefeller Center

Erst als die Metropolitan-Oper 1883 an den Broadway (Ecke 40th Street) gezogen war, entstanden hier üppig ausgestattete Theater und Restaurants. In den 1920er Jahren kam der Neonglanz prächtiger Kinopaläste hinzu; die Leuchtreklamen wurden immer größer und greller – bis die Straße »The Great White Way« hieß. Nach dem Zweiten Weltkrieg verlor das Kino an Faszination, dem Glanz folgte der rasche Verfall. Ein Wiederbelebungsprogramm ließ die Lichter wieder angehen und brachte das Publikum zurück. Inmitten des Trubels gibt es allerdings auch Inseln der Ruhe wie die Public Library oder den Bryant Park. Das Beste aus beiden Welten bietet das Rockefeller Center.

Mitten im Theater District beim Times Square

SEHENSWÜRDIGKEITEN AUF EINEN BLICK

Historische Straßen und Gebäude
Alwyn Court Apartments ⓲
Group Health Insurance
  Building ⓬
New York Public Library ⓼
New York Yacht Club ⓹
Paramount Building ⓭
Shubert Alley ⓮
Times Square ⓾

Museen und Sammlungen
International Center of
  Photography ⓽
Intrepid Sea-Air-Space
  Museum ⓳

Moderne Architektur
MONY Tower ⓯
Rockefeller Center ❶

Park
Bryant Park ⓺

Berühmte Bühnen
Carnegie Hall ⓱
City Center of Music
  and Dance ⓰
Lyceum Theater ❸
New Amsterdam
  Theater ⓫

Berühmte Hotels
Algonquin Hotel ❹
Bryant Park Hotel ❼

Berühmte Geschäfte
Diamond Row ❷

ANFAHRT
Die Subway-Linien A, C und E fahren zur Port Authority und verbinden mit Linien 1, 2, 3, 9, N, Q, R, S, W und 7 am Times Square. B, D, F, V und 7 halten am Bryant Park. 1, 9, c, E, N, R und W halten auch am nördlichen Ende des Times Square. Die Buslinien in dieses Gebiet sind M1–7, M10, M20, M27, M104, M42, M50 und M57.

LEGENDE
☐ Detailkarte
Ⓜ Subway-Station
🚢 Schiffsanlegestelle

0 Meter   500
0 Yards   500

Im Detail: Times Square

Der Times Square wurde nach dem 1906 eröffneten Turm der *New York Times* benannt. 1899 ließ Oscar Hammerstein das Victoria Theater und das Republic Theater bauen – der Times Square wurde zum Zentrum des Theaterbezirks. Seit den 1920er Jahren schaffen die bunten Neonreklamen zusammen mit dem leuchtenden Nachrichtenband der *Times* eine spektakuläre Lightshow. Während der Weltwirtschaftskrise in den 1930er Jahren zogen viele Sexshows in die großen Theater. Die Wiederaufwertung des Areals begann in den 1990er Jahren. Nun kann man hier wieder Broadway-Glamour alten Stils und moderne Unterhaltung erleben.

Paramount Hotel
In dem von Ian Schrager entworfenen Hotel *(siehe S. 285)* nehmen Theaterbesucher und Schauspieler gern einen Drink in der Whiskey Bar.

MTV Studios
Montag bis Freitag um 15 Uhr versammeln sich hier Leute, um die Interviews im zweiten Stock zu verfolgen. Mobile Kameras fangen oft die Reaktionen von Passanten auf der Straße ein.

Westin Hotel
Eines der neuesten Gebäude in Manhattan ist dieses markante 45-stöckige Hotel mit seinem spektakulären Lichteffekt.

SARDI'S RESTAURANT - AND GRILL -

Sardi's
Seit 1921 sind die Wände des Sardi's am Times Square mit Karikaturen von Broadway-Stars von gestern und heute verziert.

★ **E Walk**
Der Unterhaltungs- und Einkaufskomplex beherbergt ein Kino, Restaurants, ein Hotel und den BB King Blues Club.

★ **Times Square** ❿
An Silvester wird die berühmte silberne Kristallkugel mit einem Countdown von 1 Times Square herabgelassen. Der Ausblick von hier ist großartig.

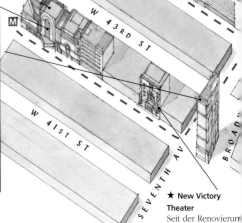

W 48
W
W 45TH ST
M
M
W 43RD ST
W 41ST ST
SEVENTH AV
BROAD

★ **New Victory Theater**
Seit der Renovierun 1995 ist dieses alte Broadway-Theater eine Bühne für den Schauspielnachwuc

0 Meter   100
0 Yards   100

Elektronischer Ticker
Die Ziffern auf dem Nachrichtenband von Morgan Stanley sind drei Meter hoch. Die auffällige Anzeigetafel beleuchtet den Times Square Tag und Nacht. Nach einer Stadtverordnung müssen Bürogebäude mit Neon-Werbung dekoriert sein.

LEGENDE

- - - Routenempfehlung

NICHT VERSÄUMEN

★ E Walk

★ New Victory Theater

★ Times Square

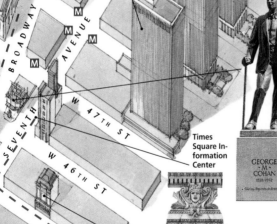

McGraw-Hill Building

J.P. Stevens Tower

Celanese Building

Times Square Information Center

Duffy Square
Die Statue des Schauspielers, Komponisten und Schriftstellers George M. Cohan, der viele Broadway-Hits schrieb, steht auf dem Platz. Duffy Square ist nach »Fighting« Father Duffy, einem Helden des Ersten Weltkriegs, benannt, der in einer Statue verewigt wurde. Hier befindet sich auch der TKTS-Stand, der preiswerte Theater-Tickets verkauft.

Lyceum Theater
Das älteste Broadway-Theater, das Lyceum, hat eine wunderschön verzierte Barockfassade. ❸

Belasco Theater
1907 wurde das Belasco, das modernste Theater seiner Zeit, vom Produzenten David Belasco erbaut. Originales Tiffany-Glas und Everett-Shinn-Gemälde schmücken das Innere. Angeblich soll auch Belascos Geist in manchen Nächten zu sehen sein.

Rockefeller Center mit Blick auf das General Electric Building

aus 19 Gebäuden. Im Dezember 1932 eröffnete die Radio City Music Hall; ihre Weihnachts- und Ostershows sind bis heute beliebt. Hier befinden sich auch Studios von NBC. Die neueste Attraktion ist die Aussichtsplattform Top of the Rock, die vom 70. Stock einen atemberaubenden 360°-Panoramablick bietet.

Diamond Row ❷

47th St zwischen 5th und 6th Ave. **Stadtplan** 12 F5. **M** *47th/50th St.* Siehe **Shopping** *S. 328.*

In nahezu jedem Schaufenster der 47th Street glitzern Juwelen. In Läden und Werkstätten werben Händler um Kunden, in den oberen Etagen wechseln Millionen von Dollar den Besitzer. Der Diamantenbezirk entstand in den 1930er Jahren, als Amsterdamer und Antwerpener Diamantenhändler vor den Nazis hierher flohen. Chassidische Juden mit schwarzen Hüten, Bärten und langen Stirnlocken sieht man noch immer. Obwohl hier eher Großhandel stattfindet, sind auch Privatkunden willkommen. Es empfiehlt sich, Bargeld mitzubringen, Preise zu vergleichen und zu verhandeln.

Hauptartikel der Diamond Row

Rockefeller Center ❶

Stadtplan 12 F5. **M** *47th/50th St.* **C** *(212) 332-6868 (Info).* 🅿 ♿ 🍴 📧 📷 *NBC, Rockefeller Center tägl.* **C** *(212) 664-7174 (Voranmeldung). Radio City Music Hall tägl.* **C** *(212) 247-4777. Top of the Rock tägl.* **C** *(212) 698-2000.* **www**.rockefellercenter. com **www**.nbc.com **www**.radiocity. com **www**.topoftherocknyc.com

Als die New Yorker Denkmalschutzbehörde 1985 das Rockefeller Center einmütig zum erhaltenswerten Wahrzeichen erklärte, sprach sie vom »Herzen New Yorks … mit einer ordnungsstiftenden Präsenz im chaotischen Kern Manhattans«.

Es ist der größte derartige Komplex in privater Hand, und viele Städte versuchen, seine perfekte Mixtur nachzuahmen. Der Art-déco-Entwurf stammt von einem Team von Spitzenarchitekten unter der Leitung von Raymond Hood. In den Foyers und Gärten sowie an den Fassaden finden sich Werke von 30 Künstlern.

Das Gelände, einst ein Botanischer Garten im Besitz der Columbia University, wurde 1928 von John D. Rockefeller Jr. gemietet, als Standort für eine neue Oper. Als die Depression von 1929 die Pläne zunichte machte, entschied sich Rockefeller wegen des langfristigen Mietvertrags zu einem eigenen Projekt. Die 14 Gebäude, die 1931–40 in der tiefsten Rezession entstanden, boten 225 000 Menschen Arbeit. Seit 1973 besteht der Komplex

Weisheit von Lee Lawrie am G. E. Building

Lyceum Theater ❸

149 W 45th St. **Stadtplan** 12 E5. **C** *(212) 239-6200 (Tickets).* **M** *42nd St/47th St/49th St.* Siehe **Unterhaltung** *S. 345.*

Das älteste noch bespielte Theater New Yorks wirkt wie eine barocke Hutschachtel mit Hochzeitstorten-Garnitur. Es war 1903 das erste Theater von Herts und Tallant, die später für ihren extravaganten Stil berühmt wurden. Mit 1600 Aufführungen der Komödie *Born Yesterday* stellte das Lyceum einen Rekord auf. Das Theater wurde zum historischen Denkmal erklärt und zeigt immer noch viele Shows.

Rose Room im Algonquin Hotel

Algonquin Hotel **4**

59 W 44th St. **Stadtplan** 12 F5. (212) 840-6800. **M** 42nd St. Siehe **Übernachten** S. 285.
www.algonquinhotel.com

Das Äußere des Algonquin wirkt heute etwas affektiert – eiserne Erkerfenster in vertikalen Reihen, roter Backstein, viel Dekor. Doch es ist nicht die Architektur, sondern das Ambiente, das das Hotel von 1902 zu etwas Besonderem macht. In den 1920er Jahren war das Algonquin Schauplatz von Amerikas bekanntester Lunch-Gesellschaft, dem Round Table, an dem literarische Größen wie Alexander Woollcott, Franklin P. Adams, Dorothy Parker, Robert Benchley und Harold Ross saßen. Alle hatten mit dem *New Yorker* zu tun (Ross war Gründungsherausgeber), dessen Hauptsitz (25 West 43rd Street) eine Hintertür ins Hotel hatte.

Renovierungen haben die altmodische bürgerliche Aura des Rose Room wie auch der getäfelten Lobby bewahrt, in der sich die Verlags- und Theaterszene bei Drinks trifft, sich in bequemen Lehnstühlen niederlässt und mit einem Glöckchen den Ober herbeiklingelt.

Statue des Dichters William Cullen Bryant im Bryant Park

New York Yacht Club **5**

37 W 44th St. **Stadtplan** 12 F5. (212) 382-1000. **M** 42nd St. für Besucher (nur für Mitglieder offen). www.nyyc.org

In der Institution von 1899, einem Privatklub, befinden sich in den Erkerfenstern die Hecks holländischer Galeonen aus dem 16. Jahrhundert, deren Bugspitzen von Delfinen und Wellen umspielt werden. Das über 100 Jahre alte Gebäude ist sehr herausgeputzt. Es ist der Geburtsort der Segelregatta um den *America's Cup,* der von 1857 bis 1982 in den USA blieb. 1983, als die *Australia II* siegte, musste die Trophäe von dem Platz weichen, an dem sie über ein Jahrhundert lang gestanden hatte.

Der America's Cup, der begehrteste Seglerpreis

Bryant Park **6**

Stadtplan 8 F1. **M** 42nd St. www.bryantpark.org

Als sich am heutigen Standort der Public Library 1853 noch das Croton Reservoir befand, gab es im Bryant Park (damals Reservoir Park) einen Kristallpalast, der für die Weltausstellung dieses Jahres gebaut worden war *(siehe S. 25).*

In den 1960er Jahren war der Park fest in der Hand von Drogensüchtigen. 1989 schloss ihn die Stadt und renovierte ihn, um ihn als Erholungsstätte für Einheimische und Besucher neu zu eröffnen. Im Herbst und Frühling finden hier weltberühmte Modenschauen statt; im Sommer gibt es Openair-Kino mit Klassikern.

Bryant Park Hotel **7**

40 W 40th St. **Stadtplan** 8 F1. (212) 869-0100. **M** 42nd St/. www.bryantparkhotel.com

Das American Radiator Building, heute Bryant Park Hotel, stammt von Raymond Hood und John Howell, die auch das News Building *(siehe S. 155)* und das Rockefeller Center entwarfen. Der Bau von 1924 erinnert an den neugotischen Tribune Tower in Chicago, der Hood damals bekannt machte. Hier ist das Design schlanker, wodurch der Bau höher wirkt als 23 Stockwerke. Die schwarze Backsteinfassade wird durch eine goldfarbene Terrakottaverkleidung kontrastiert, die den Eindruck glühender Kohlen vermittelt. Dies lässt an die ursprünglichen Eigentümer denken, die Heizungen herstellten.

Nach einem Besitzerwechsel wurde der Bau zum Luxushotel in Midtown *(siehe S. 288).* Das beliebte Restaurant Koi aus Los Angeles hat hier einen Ableger eröffnet.

Das Bryant Park Hotel, früher American Radiator Building

New York Public Library ⑧

5th Ave und 42nd St. **Stadtplan** 8 F1.
📞 *(212) 930-0830.* Ⓜ *42nd St/
Grand Central, 42nd St/5th Ave.*
🕐 *Di–Sa.* ⚫ *Feiertage.* 📷 ♿ 🎬
Vorträge, Workshops. 📱

**Der Eingang zum Hauptlesesaal
der Public Library**

Im Jahr 1897 wurde der begehrte Auftrag für den Entwurf der Public Library der Stadt an die Architekten Carrère & Hastings vergeben. Der erste Direktor der Bibliothek hatte sich einen hellen und luftigen Lesesaal vorgestellt mit einer Kapazität für Millionen von Büchern. Der Bau realisiert diese Wünsche auf eine Weise, die ihn zum Inbegriff von New Yorks Beaux-Arts-Periode werden ließ. Das an der Stelle des ehemaligen Croton Reservoir *(siehe S. 24)* 1911 errichtete, neun Millionen Dollar teure Gebäude fand viel Beifall. Der riesige

**Tonnengewölbe aus
weißem Marmor über den
Treppen von Astor Hall**

Hauptlesesaal erstreckt sich über zwei Blocks und ist dank zweier Innenhöfe lichtdurchflutet. Unter ihm befinden sich 140 Kilometer Regale mit über sieben Millionen Bänden. Eine hundertköpfige Belegschaft kann jedes Buch binnen zehn Minuten beschaffen. Die Zeitschriftenabteilung führt 10 000 Titel aus etwa 128 Ländern. Die Wandgemälde von Richard Haas sind eine Hommage an New Yorks große Verlage.

Die ursprüngliche Bibliothek vereinte die Sammlungen von John Jacob Astor und James Lenox. Der heutige Bestand enthält u. a. Thomas Jeffersons handgeschriebene Unabhängigkeitserklärung und T. S. Eliots Schreibmaschinenmanuskript von *Das wüste Land*. Über 1000 Anfra-

Einer der beiden Löwen der Bibliothek, von Bürgermeister LaGuardia *Patience* und *Fortitude* genannt

**Der Hauptlesesaal mit seinen
Leselampen aus Bronze**

gen täglich werden per Datenbank des CATNYP- und LEO-Computerkatalogs beantwortet.

Die Bibliothek ist der Kern eines Netzwerkes aus 82 Filialen mit fast sieben Millionen Benutzern. Zu den Filialen gehören auch die NYPL for the Performing Arts im Lincoln Center *(siehe S. 212)* und das Schomburg Center in Harlem *(siehe S. 229)*.

International Center of Photography ❾

1133 Avenue of the Americas (43rd St) **Stadtplan** 8 F1. 🄲 *(212) 857-0000.* Ⓜ *42nd St.* 🄾 *Di–Do 10–17, Fr 10–20, Sa, So 10–18 Uhr.* ♿ 🄿 🄾 *auch Mo 10–17 Uhr.* **www**.icp.org

Das Museum wurde 1974 von Cornell Capa gegründet, um Werke von Fotojournalisten wie seinem Bruder Robert zu bewahren, der 1954 in Vietnam starb. Die Sammlung enthält 12 500 Originaldrucke, darunter Werke angesehener Fotografen, z. B. Ansel Adams und Henri Cartier-Bresson. Sonderausstellungen werden aus dem Archiv und anderen Quellen zusammengestellt. Zudem werden Filme, Lesungen und Kurse organisiert.

W. C. Fields (ganz links) und Eddie Cantor (mit Zylinder, rechts) in den *Ziegfeld Follies* des New Amsterdam Theater (1918)

Times Square ❿

Stadtplan 8 E1. Ⓜ *42nd St/Times Sq.* 🄷 *Times Square Information Center, 1560 Broadway (46th St) tägl. 8–20 Uhr.* 🄲 *Fr 12 Uhr, (212) 869-1890.* **www**.timessquarenyc.org

In den 1990er Jahren veränderte sich der Times Square stark; seinem Verfall seit der Wirtschaftskrise wurde ein Riegel vorgeschoben. Er ist nun ein sicherer und pulsierender Ort, wo Broadway-Traditionen und modernes Theater koexistieren.

Obwohl die *New York Times* von ihrem einstigen Hauptquartier am südlichen Ende des Platzes ausgezogen ist, wird immer noch an Silvester die Kristallkugel heruntergelassen, wie es seit Eröffnung des Gebäudes 1906 Tradition ist. Interessante neue Bauten wie das Bertelsmann Building und die modern-minimalistischen Condé-Nast-Büros stehen neben den klassischen Broadway-Theatern.

Dem Broadway ist das Glück wieder hold. Viele Theater wie das New Victory und das New Amsterdam wurden renoviert. Sie zeigen neue Produktionen, und Theaterbesucher stürmen jeden Abend die Bars und Restaurants.

Neuestes Wahrzeichen ist der von Arquitectonica entworfene 57-stöckige Turm, der den Unterhaltungs- und Einkaufskomplex E Walk in der 42nd Street/Ecke Eighth Avenue (*siehe S. 142*) überragt. Weitere Attraktionen sind eine Zweigstelle des Madame Tussaud's Wax Museum in der 42nd Street, zwischen Seventh und Eighth Avenue, und der Lazer Park in der 46th Street/Ecke Broadway.

New Amsterdam Theater ⓫

214 W 42nd St. **Stadtplan** 8 E1. 🄲 *(212) 282-2900.* Ⓜ *42nd St/Times Sq.* 🄲 *Mo, Di 10–15, Do–Sa 10–11, So 10 Uhr; (212) 282-2907.*

Das Theater war bei der Eröffnung 1903 das opulenteste der USA und das erste mit Jugendstil-Interieur. Eine Zeit lang gehörte es Florenz Ziegfeld, der 1914–18 hier seine berühmte Revue *Follies* produzierte (das Ticket zu fünf Dollar). Er machte aus dem Dachgarten ein weiteres Theater, die Aerial Gardens. Heute werden hier Disney-Produktionen aufgeführt. Die altehrwürdigen Theater in der 42nd Street haben schwere Zeiten hinter sich, sind aber wieder im Kommen.

Group Health Insurance Building ⓬

330 W 42nd St. **Stadtplan** 8 D1. Ⓜ *42nd St/8th Ave.* 🄾 *Geschäftszeiten.*

Der Entwurf Raymond Hoods von 1931 war das einzige New Yorker Gebäude, das für den bedeutenden International-Style-Wettbewerb 1932 ausgewählt wurde (*siehe S. 43*). Sein ungewöhnliches Design gibt ihm von Osten und Westen aus ein stufiges Profil, von Süden und Norden her ein flaches Aussehen. Die blaugrünen horizontalen Fassadenstreifen haben zu seinem Spitznamen *»jolly green giant«* geführt. Im Inneren befindet sich eine Art-déco-Lobby aus Glas und Stahl. Einen Block weiter liegt die Theater Row mit hübschen Off-Broadway-Theatern und Cafés.

Paramount Building ⓭

1501 Broadway. **Stadtplan** 8 E1. Ⓜ *34th St.*

Das legendäre Kino im Erdgeschoss, wo in den 1940er Jahren Mädchen anstanden, um Frank Sinatra zu hören, existiert zwar nicht mehr, doch das 1927 von Rapp & Rapp entworfene massive Gebäude hat noch immer Theater-Aura. Es ist nach oben symmetrisch zurückgesetzt, sodass die 14 »Stufen« eine Art-déco-Krone bilden – mit Turm, Uhr und Globus. In der Glanzzeit des »Great White Way« war der Turm angestrahlt.

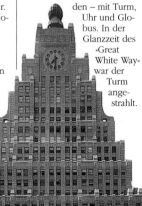

Die Art-déco-Spitze des Paramount Building

Shubert Alley 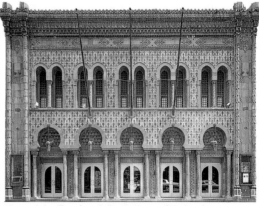 ❶

Zwischen W 44th und W 45th St.
Stadtplan 12 E5. Ⓜ *42nd St/Times
Sq. Siehe Unterhaltung S. 345.*

Die Schauspielhäuser in
den Straßen westlich des
Broadway sind reich an Theatergeschichte und bemerkens-
werter Architektur. Zwei klassische Theater sind nach dem
Schauspieler Edwin Booth
(222 West 45th Street) und
nach dem Theaterbaron Sam
S. Shubert (225 West 44th
Street) benannt. Sie bilden die
westliche Grenze der Shubert
Alley, wo junge Schauspieler
für ein Engagement am Shubert Schlange stehen.

A Chorus Line lief hier bis
1990 ganze 6137 Mal. Früher
spielte Katharine Hepburn in
The Philadelphia Story. Am
Ende der Alley an der 44th
Street steht das St. James, wo
Rogers und Hammerstein
1941 mit *Oklahoma* debütier-
ten, auf das *The King and I*
folgte. Im Restaurant Sardi's
in der Nähe warteten Schauspieler nach den Premiere-
abenden auf die Kritiken.
Irving Berlin inszenierte 1921
The Music Box Revue in seinem traditionsreichen »Music
Box Theater« am anderen
Ende der Alley.

Die maurische Fliesenfassade des City Center of Music and Dance

MONY Tower ❶

1740 Broadway. **Stadtplan** 12 E4.
Ⓜ *57th St.* ⬤ *für die Öffentlichkeit.*

Das 1950 erbaute Haupt-
quartier der MONY Insu-
rance Company (heute MONY
Financial Services) hat einen
aufschlussreichen Wetter-
masten. Er wird bei schönem
Wetter grün, bei Bewölkung
orange, bei Regen grellorange
und bei Schnee weiß. Eine
aufsteigende Lichterfolge bedeutet Erwärmung; bei fallen-
der Folge sollte man einen
Mantel dabei haben.

City Center of Music and Dance ❶

131 W 55th St. **Stadtplan** 12 E4.
Ⓒ *(212) 581-1212.* Ⓜ *57th St.* ⬛
Ⓖ *Siehe Unterhaltung S. 346.*
www.citycenter.org

Die maurische Fassade mit
ihrer Kuppel aus spani-
schen Fliesen wurde 1947 als
Freimaurertempel entworfen.
Bürgermeister LaGuardia ret-
tete den Bau vor den Städte-
planern; 1943 wurde er zur
Heimat der New York City
Opera and Ballet. Als Oper
und Ballett umzogen, blieb
das City Center einer der
Hauptveranstaltungsorte für
Tanz. Die gelungene Reno-
vierung hat die Eigenheiten
der Architektur bewahrt.

Carnegie Hall ❶

154 W 57th St. **Stadtplan** 12 E3. Ⓒ
(212) 247-7800. Ⓜ *57th St, 59th St.*
Museum ⬤ *Do–Di 11–16.30 Uhr
und nach Konzerten.* ⬤ *Mi.* ⬛ Ⓖ
⬛ *Mo–Fr während Spielzeit.* ⬛
Siehe Unterhaltung S. 343 und 350.
www.carnegiehall.org

Der von Andrew Carnegie
finanzierte erste große
Konzertsaal New Yorks wurde
1891 in einer Gegend eröffnet, die damals noch Vorstadt
war. Die Akustik des Terra-
kotta-Ziegel-Baus im Stil der
Renaissance gehört zu den
besten der Welt. Zur Eröffnung, bei der Tschaikowsky
Gastdirigent war, kamen die
besten New Yorker Familien,

Auditorium des 1913 von Henry Herts erbauten Shubert Theater

Die Carnegie Hall hat eine großartige Akustik

obwohl sie in ihren Pferdekutschen bis zu einer Stunde vor dem Saal warten mussten.

Viele Jahre lang war die Carnegie Hall Heimat der New York Philharmonic unter Dirigenten wie Arturo Toscanini, Leopold Stokowski, Bruno Walter und Leonard Bernstein. Hier gespielt zu haben galt bald als Zeichen internationalen Erfolgs, bei E- wie bei U-Musik.

Eine von dem Geiger Isaac Stern in den 1950er Jahren initiierte Kampagne verhinderte die Umwandlung des Baus, und 1964 wurde er zum nationalen Wahrzeichen erklärt. Die Renovierung von 1986 brachte den Glanz der Bronzebalkone und des ornamentalen Stucks **Der Millionär Andrew Carnegie** zurück. 1991 wurde ein Museum eröffnet, das die glanzvolle Geschichte der ersten 100 Jahre des »Hauses, das die Musik erschuf«, nachzeichnet. 2003 wurde im unteren Bereich die Judy and Arthur Zankel Hall eröffnet. Die Spitzenorchester und -stars der Welt treten nach wie vor in der Carnegie Hall auf.

Alwyn Court Apartments ⓲

180 W 58th St. **Stadtplan** 12 E3.
Ⓜ *57th St.* ⬤ *für die Öffentlichkeit.*

Man kann sie nicht übersehen: die bizarren Kronen, die Drachen und anderen Terrakotta-Skulpturen im Stil der französischen Renaissance an der Fassade des Apartmenthauses von Harde und Short (1909). Das Erdgeschoss büßte sein Gesims ein, doch der Rest des Gebäudes ist so intakt wie einzigartig. Die Fassade ist im Stil von François I errichtet, dessen Symbol, ein gekrönter Salamander, über dem Eingang zu sehen ist.

Anwohner und Besucher können sich im Innenhof an illusionistischen Wandbildern von Richard Haas erfreuen, die eine strukturierte Oberfläche der Mauern vortäuschen.

Der Salamander, Symbol von François I, am Alwyn Court

Auf dem Flugzeugträger *Intrepid* der US-Navy

Intrepid Sea-Air-Space Museum ⓳

Pier 86, W 46th St. **Stadtplan** 11 A5.
🆘 *(877) 957-SHIP.* Ⓜ *M42, M16, M50.* ⬤ *Apr–Sep: Mo–Fr 10–17 Uhr, Sa, So, Feiertage 10–18 Uhr; Okt–März: Di–So, Feiertage 10–17 Uhr.*
🅰 **www.intrepidmuseum.org**

Auf der *Intrepid*, einem US-Flugzeugträger aus dem Zweiten Weltkrieg, sind u.a. Kampfflugzeuge aus den 1940er Jahren zu sehen, die *A-12*, das schnellste Aufklärungsflugzeug der Welt, das U-Boot *Growler*, der Zerstörer *Edson* und die berühmte *Concorde*. Die Stern Hall beschäftigt sich mit der Technik heutiger Flugzeugträger, die Technologies Hall mit Raketentechnologie. Hier stehen auch zwei Flugsimulatoren. Mission Control widmet sich NASA-Shuttle-Missionen.

LOWER MIDTOWN

V on Beaux Arts bis Art déco – dieser Teil von Midtown bietet erlesene Architektur. Das ruhige Wohnviertel Murray Hill wurde nach einem ländlichen Anwesen benannt, das einst hier stand. Um 1900 lebten auf dem Areal viele der betuchtesten New Yorker Familien, darunter der Finanzier J. P. Mor-

Messingtür am Fred F. French Building

gan, dessen Bibliothek (nun Museum) die Pracht jener Zeit verdeutlicht. Um die 42nd Street, in der Nähe des Grand Central Terminal, geht es kommerzieller zu. Doch keines der neueren Gebäude kann sich mit der Pracht des Beaux-Arts-Bahnhofs oder der Art-déco-Schönheit des Chrysler Building messen.

SEHENSWÜRDIGKEITEN AUF EINEN BLICK

Historische Straßen und Gebäude

Chanin Building **4**
Chrysler Building **5**
Daily News Building **6**
Fred F. French Building **12**
Grand Central Terminal S. 156f **2**
Helmsley Building **8**
Home Savings of America **3**
Sniffen Court **15**
Tudor City **7**

Museen und Sammlungen

Japan Society **11**
Morgan Library & Museum S. 164f **14**

Moderne Architektur

1 & 2 United Nations Plaza **9**
MetLife Building **1**
United Nations S. 160–163 **10**

Kirche

Church of the Incarnation **13**

ANFAHRT

Mit der Subway: Lexington Ave-Linien 4, 5 oder 6 nach 42nd St/Grand-Central. Die Busse M15, M101/102, M1, M2, M3 und M4 verkehren hier entlang der Avenues, die von den Buslinien M34 und M42 gekreuzt werden.

SIEHE AUCH

• *Stadtplan* Karten 9, 12, 13

• *Übernachten* S. 287f

• *Restaurants* S. 306

LEGENDE

Detailkarte

M Subway-Station

◁ Die aus rostfreiem Stahl bestehende Turmspitze des Chrysler Building

Im Detail: Lower Midtown

Beim Spaziergang im Grand-Central-Viertel bekommt man eine ausgefallene Mixtur lokaler Architekturstile zu sehen: von außen die Fassaden der höchsten Wolkenkratzer, von innen viele schöne Interieurs, etwa moderne Atrien wie das des Philip Morris Building und das der Ford Foundation, die ornamentalen Details in der Home Savings Bank oder die imposant hohen Räume des Grand Central Terminal.

MetLife Building
Der 1963 von Pan Am erbaute Wolkenkratzer ragt über der Park Avenue auf. ❶

★ **Grand Central Terminal**
Das riesige Gewölbe ist ein beeindruckendes Relikt aus der Glanzzeit der Eisenbahn. ❷

Im Philip Morris Building befinden sich das Hauptquartier der Tabakfirma und auch eine Filiale des auf moderne Kunst spezialisierten Whitney Museum.

Subway-Station Grand Central/ 42nd St (Linien S, 4, 5, 7)

NICHT VERSÄUMEN

★ Chrysler Building

★ Daily News Building

★ Grand Central Terminal

★ Home Savings of America

Chanin Building
Das in den 1920er Jahren für den Immobilienhändler Irwin Chanin errichtete Gebäude hat eine schöne Art-déco-Lobby. ❹

Das Mobil Building von 1955 hat eine sich selbst reinigende, nicht rostende Stahlfassade mit eingestanzten geometrischen Mustern.

Messingtür, Home Savings Bank

★ **Home Savings of America**
Das frühere Hauptquartier der Bowery Savings Bank ist eines der schönsten Bankgebäude New Yorks. Es wurde von den Architekten York & Sawyer im Stil eines romanischen Palasts errichtet. ❸

Helmsley Building
Der Eingang an der Park Avenue verdeutlicht den Reichtum der New York Central Railroad, die hier ihren Sitz hatte. **8**

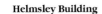

Briefkasten im Chrysler Building

ZUR ORIENTIERUNG
Siehe Übersichtskarte S. 14f

LEGENDE

– – – Routenempfehlung

0 Meter 100
0 Yards 100

★ Chrysler Building
Das Art-déco-Prachtstück wurde 1930 für die Autofirma Chrysler gebaut. **5**

Arbeitspause während der Errichtung des Chrysler Building

Das Ford Foundation Building ist Hauptsitz der Ford-Stiftung. Es hat einen reizenden Innengarten, der von einem kubusförmigen Gebäude aus Granit, Glas und Stahl umgeben ist.

Ralph J. Bunche Park

★ Daily News Building
In der Lobby des Art-déco-Gebäudes, früher Sitz der Daily News, *rotiert ein Globus.* **6**

Tudor City
Der 1928 im Tudor-Stil errichtete Komplex umfasst 3000 Apartments und weist schöne Steinmetzarbeiten auf. **7**

MetLife Building ❶

200 Park Ave. **Stadtplan** 13 A5.
Ⓜ *42nd St/Grand Central.*
◯ *Geschäftszeiten.* 🍴 🚻

Lobby im MetLife Building

Früher hoben sich die Skulpturen auf dem Grand Central Terminal gegen den Himmel ab. 1963 jedoch wurde der frühere Pan Am Building genannte Koloss (Entwurf: Walter Gropius, Emery Roth und Söhne, Pietro Belluschi) errichtet; er versperrte den Blick die Park Avenue entlang. Er ließ den Bahnhof winzig erscheinen und erregte allgemein Unwillen. Damals war er das größte Geschäftsgebäude der Welt. Das Entsetzen ob seiner Größe ließ spätere Pläne, einen Turm über dem Terminal selbst zu errichten, scheitern.

Es ist paradox, dass der Blick auf den Himmel über New York von einer Firma verstellt wurde, die Millionen Reisenden diesen Himmel erst erschlossen hatte. Als sich Pan Am 1927 formierte, war der gerade von seinem Atlantikflug zurückgekehrte Charles Lindbergh einer der Piloten und Streckenberater. 1936 führte Pan Am den transatlantischen Linienverkehr ein, 1947 folgte die erste Route rund um den Globus.

Der berühmte Dachlandeplatz für Hubschrauber wurde 1977 nach einem Unfall aufgegeben. Mittlerweile existiert Pan Am nicht mehr. Der Bau gehört seit 1981 der Metropolitan-Life-Organisation.

Grand Central Terminal ❷

Siehe S. 156f.

Home Savings of America ❸

110 E 42nd St. **Stadtplan** 9 A1. Ⓜ *42nd St/Grand Central.* ◯ *nur nach Voranmeldung.* ☎ *(212) 499-0599.*

Viele Menschen sind der Ansicht, dass der Bau von 1923 das gelungenste Werk der besten Bankarchitekten der 1920er Jahre ist. York & Sawyer errichteten die Uptown-Büros der Bowery Savings Bank (jetzt Home Savings Bank of America) im Stil einer romanischen Basilika. Ein von Torbogen gebildeter Eingang führt in die riesige Schalterhalle, die mit Mosaikböden und Marmorsäulen mit Steinbogen ausgestattet ist.

Fassade der Home Savings of America

Zwischen den Säulen zeigen unpolierte Mosaikfliesen aus Marmor Tiermotive, z. B. ein Sparsamkeit repräsentierendes Eichhörnchen und einen Löwen als Symbol der Macht.

Chanin Building ❹

122 E 42nd St. **Stadtplan** 9 A1.
Ⓜ *42nd St/Grand Central.*
◯ *Geschäftszeiten.*

Fassadendetail, Chanin Building

Der ehemalige Sitz des führenden New Yorker Immobilienhändlers Irwin S. Chanin war mit 55 Stockwerken der erste Wolkenkratzer in der Grand-Central-Gegend und wegweisend für die Zukunft. Der Bau wurde 1929 von Sloan & Robertson entworfen und ist eines der besten Beispiele für den Art-déco-Stil. Ein Bronzeband mit Vogel- und Fischmustern zieht sich an der Fassade entlang. Die Terrakottabasis ist mit einem üppigen Gewirr aus stilisierten Blättern und Blumen reich verziert. Innen gestaltete der Bildhauer der Radio City Music Hall, René Chambellan, Reliefs, Bronzegitter, Fahrstuhltüren, Briefkästen und Wellenmuster auf dem Boden. Die Reliefs in der Vorhalle illustrieren die Karriere des Selfmademan Chanin.

Detail in der Schalterhalle der Home Savings of America

Chrysler Building ❺

405 Lexington Ave. **Stadtplan** 9 A1.
📞 (212) 682-3070. Ⓜ 42nd St/
Grand Central. ⬭ nur Lobby, zu
Geschäftszeiten 7–18 Uhr. 📷 ♿

**Wasserspeier
aus Edelstahl am
Chrysler Building**

W alter P. Chrysler begann
seine Karriere in einer
Maschinenhalle der Union
Pacific Railroad, doch seine
Leidenschaft für Autos
ließ ihn bald eine
Spitzenposition in der
neuen Industrie ein-
nehmen. 1925 gründe-
te er eine Firma. Für
das Hauptquartier in
New York entstand
ein Gebäude, das
immer mit dem gol-
denen Zeitalter des
Automobils verbun-
den bleiben wird. Ent-
sprechend Chryslers
Wünschen ähnelt der
Art-déco-Turm aus
rostfreiem Stahl den
Lamellen eines Auto-
kühlers; die gestuften
Mauervorsprünge sind
Kühlerhauben und
Rädern nachempfun-
den; ebenso finden
sich stilisierte Autos
und Wasserspeier, die
den Kühlerfiguren des
Chrysler Plymouth
von 1929 nachgebildet
sind.

Das 320 Meter hohe
Chrysler Building ver-
lor den Titel »höchstes
Gebäude der Welt«
wenige Monate nach
seiner Fertigstellung
1930 an das Empire State
Building. Dennoch gehört
William Van Alens 76-stöcki-
ger Bau zu den bekanntesten
Wahrzeichen der Stadt.

Die Spitze des Baus wurde
bis zum letzten Moment ver-

steckt gehalten. Nachdem sie
im Heizschacht des Gebäudes
montiert worden war, wurde
sie durch das Dach in Position gebracht – man stellte
damit sicher, dass das Gebäude höher war als das der
Bank of Manhattan,
das gerade in
Downtown von
Van Alens großem
Rivalen H. Craig Se-
verance errichtet wor-
den war. Doch Van Alens
Mühe wurde nicht belohnt.
Chrysler warf ihm vor, Beste-
chungsgelder genommen zu
haben, und bezahlte ihn
nicht. Van Alens Karriere als
Star-Architekt war beendet.

Die beeindruckende Lobby,
einst Ausstellungsraum für
Chrysler-Autos, wurde 1978
von Grund auf renoviert. Sie
ist mit Marmor und Granit aus
aller Welt geschmückt und

Aufzugstür im Chrysler Building

mit verchromtem Stahl verkleidet. Ein riesiges Decken-
gemälde von Edward Trum-
ball zeigt Motive aus dem
Transportwesen. Obwohl
Chrysler das Gebäude nie bezog, blieb der Name erhalten.

Eingang zum Daily News Building

Daily News
Building ❻

220 E 42nd St. **Stadtplan** 9 B1.
Ⓜ 42nd St/Grand Central.
⬭ Mo–Fr 8–18 Uhr.

D ie Zeitung *Daily News*
wurde 1919 gegründet
und erreichte 1925 eine Auf-
lage von einer Million. Man
sprach verächtlich von der
»Dienstmädchenbibel«, da sie
sich auf Skandale, Prominente
und Morde konzentrierte,
leicht zu lesen war und großzügigen Gebrauch von Illustrationen machte. Doch dies
zahlte sich letztendlich für die
Zeitung aus – sie enthüllte
etwa die Romanze von Ed-
ward VIII und Mrs. Simpson.
Daily News ist bekannt für
spektakuläre Schlagzeilen, die
prägnant den jeweiligen Zeit-
geist widerspiegeln. Sie zählt
noch immer zu den auflagen-
stärksten Zeitungen der USA.

In dem 1930 von Raymond
Hood entworfenen Redakti-
onsgebäude wechseln braune
und schwarze Backsteinrei-
hen mit Fenstern, wodurch
die Vertikale betont wird.
Hoods Lobby enthält den
größten Globus der Welt im
Inneren eines Gebäudes; Linien auf dem Boden weisen
in die Richtung anderer Welt-
städte und geben die Position
der Planeten an. Nachts wird
ein Art-déco-Muster über dem
Haupteingang des Gebäudes
von innen her mit Neon
beleuchtet. Heute residiert die
Zeitung in der West 33rd
Street; die Zukunft des
Gebäudes ist unklar.

Grand Central Terminal ❷

Cornelius Vanderbilt eröffnete 1871 an der 42nd Street einen Bahnhof, der trotz mehrfacher Umbauten nie groß genug war. Der jetzige Bau wurde 1913 eröffnet. Die Perle des Beaux-Arts-Stils ist seitdem das Tor zur Stadt und eines ihrer Wahrzeichen. Seinen Ruhm verdankt der Grand Central der Haupthalle und der Art, wie Auto-, Fußgänger- und Zugverkehr kanalisiert werden. Das Bahnhof hat ein mit Gips und Marmor verkleidetes Stahlgerippe. Reed & Stern planten die Logistik, Warren & Wetmore die äußere Gestaltung. Architekten der Restaurierung waren Beyer, Blinder & Belle.

Säulenfassade in der 42nd Street

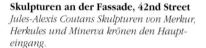

Skulpturen an der Fassade, 42nd Street
Jules-Alexis Coutans Skulpturen von Merkur, Herkules und Minerva krönen den Haupteingang.

Bahnhofshalle

Zufahrtsstraße

Subway

Cornelius Vanderbilt
Der Eisenbahnmagnat war als »Commodore« bekannt.

Pendler nutzen den Bahnhof hauptsächlich – täglich eine halbe Million. Eine Rolltreppe führt zum MetLife Building, in dem Fachgeschäfte und andere Läden zu finden sind.

Die Vanderbilt Hall, die an die Haupthalle anschließt, ist ein herrliches Beispiel für Beaux-Arts-Architektur; sie ist mit goldenen Kerzenleuchtern und rosa Marmor dekoriert.

NICHT VERSÄUMEN

★ Bahnhofshalle

★ Grand Staircases

★ Reiseauskunft

Grand Central Oyster Bar
Die mit Gustavino-Fliesen ausgestattete Bar (siehe S. 306) ist eine der zahlreichen Eateries auf dem Bahnhofsgelände: Restaurants und Spezialitätenimbisse bieten Essen für jeden Geschmack.

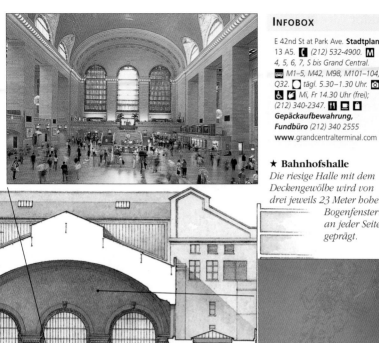

INFOBOX

E 42nd St at Park Ave. **Stadtplan**
13 A5. 📞 *(212) 532-4900.* Ⓜ
4, 5, 6, 7, S bis Grand Central.
🚌 *M1–5, M42, M98, M101–104,
Q32.* 🕐 *tägl. 5.30–1.30 Uhr.* 📷
♿ 📷 *Mi, Fr 14.30 Uhr (frei);
(212) 340-2347.* 🍴 📷 📷
***Gepäckaufbewahrung,
Fundbüro** (212) 340 2555*
www.grandcentralterminal.com

★ Bahnhofshalle

*Die riesige Halle mit dem
Deckengewölbe wird von
drei jeweils 23 Meter hohen
Bogenfenstern
an jeder Seite
geprägt.*

Gewölbedecke

*Das Tierkreisdesign
des französischen
Künstlers Paul Helleu
zeigt über 2500 Ster-
ne. Die wichtigsten
Konstellationen
werden beleuchtet
angezeigt.*

Die untere Ebene ist
mit den anderen über
Treppen, Rampen
und nagelneue Roll-
treppen verbunden.

★ Grand Staircases

*Es gibt nun zwei
dieser dem großen
Treppenhaus der
Pariser Oper nach-
empfundenen Trep-
penaufgänge mit
Marmorstufen. Sie
erinnern an die
frühere Exklusivität
des Bahnreisens.*

★ Reiseauskunft

*Die vierseitige Uhr steht auf
dem Reiseauskunftskiosk in
der Haupthalle.*

Tudor City ❼

E 41st–43rd St zwischen 1st und 2nd
Ave. **Stadtplan** 9 B1. **M** *42nd St/
Grand Central.* **▥** *M15, M27, M42,
M50, M104.* **www**.tudorcity.com

Dieser frühe Versuch einer
Stadterneuerung wurde
1925–28 von der Fred F.
French Company unternom-
men – es sollte ein Stadtteil
für die Mittelklasse sein. Das
Ergebnis waren zwölf Gebäude mit 3000 Wohnungen,
einem Hotel, Läden, Restaurants, einer Post und zwei
kleinen Privatparks – alles im
neugotischen Tudor-Stil. Die
Mieten waren gering.
    Das ruhige Viertel war um
1850 ein Zufluchtsort für
Kriminelle und als »Corcoran's
Roost« bekannt, nach Paddy
Corcoran, dem Anführer der
berüchtigten »Rag Gang«. Am
Ufer des East River reihten
sich Leimfabriken, Schlacht-
häuser, Brauereien und Gas-
werke aneinander. Einige
existierten noch, als man
Tudor City plante. Deshalb
haben die Gebäude nur
wenige Fenster mit Blick auf
den Fluss.

Obere Stockwerke von Tudor City

Helmsley Building ❽

230 Park Ave. **Stadtplan** 13 A5.
M *42nd St/Grand Central.*
◯ *Geschäftszeiten.*

Eine grossartige Ansicht
ermöglicht eigentlich der
Blick die Park Avenue entlang
in Richtung Süden auf das
Helmsley Building mit dem
regen Verkehr darunter. Allerdings: Das monolithische
MetLife Building, das hinter
ihm emporragt, verdeckt den

Aufführung in der Japan Society

Blick auf den ursprünglichen
Hintergrund – den Himmel.
(Das Gebäude entstand 1963
als Hauptsitz von Pan Am.)
    Das 1929 von Warren &
Whetmore errichtete Helmsley Building war der Sitz der
New York Central Railroad
Company. Sein Besitzer
war der Immo-
bilienmagnat Harry
Helmsley, ein
Milliardär, der
seine Karriere
als Laufbursche
mit zwölf Dollar
Wochenlohn be-
gann. Bekannter
ist seine Frau
Leona, die
auf allen
Anzeigen
ihrer Hotelkette zu sehen
war, bis sie 1989 wegen
Steuerhinterziehung inhaftiert
wurde. Das extravagante
Glitzern des renovierten
Gebäudes dürfte auf
ihren überkandidelten
Geschmack zurück-
gehen.

Römische Götter lehnen an der Uhr des Helmsley Building

1 & 2 United Nations Plaza ❾

Stadtplan 13 B5. **M**
42nd St/Grand Central.
▥ *M15, M27, M42,
M50, M104.*

Die beiden fan-
tastischen
Säulen aus blau-
grünem Spiegelglas
stehen im Winkel zueinander.
Das Spiel des Lichts und die
Reflexionen auf den glänzenden Flächen und schrägen
Vorsprüngen machen sie
zu einem sich ständig
verändernden modernen
Kunstwerk. Auch ihre
Marmor- und Spiegel-
interieurs sind faszi-
nierend. Sie beher-
bergen Büros
und, in Nr. 1,
das Millenium
United Nations Plaza Hotel.
Auf der Gästeliste stehen oft
UN-Diplomaten und wichtige
Staatsoberhäupter. Doch der
Stress der internationalen
Diplomatie dürfte nachlassen,
wenn man sich im verglasten
Swimmingpool treiben lässt
und aus der Vogelperspektive
auf die Stadt und die UN
blicken kann.

United Nations ❿

Siehe S. 160–163.

Japan Society ⓫

333 E 47th St. **Stadtplan** 13 B5.
[(212) 832-1155. **M** *42nd St/
Grand Central.* **▥** *M15, M27, M50.*
Galerie **◯** *Di–Do 11–18, Fr 10–21,
Sa, So 11–17 Uhr.* **▨ &** **◯**
www.japansociety.org

Für das Hauptquartier der
Japan Society, die 1907 zur
Förderung des Verständnis-
ses und kulturellen
Austauschs zwi-
schen den
USA und
Japan

gegründet wurde, übernahm John D. Rockefeller III eine Bürgschaft von 4,3 Millionen Dollar. Die Tokioter Architekten Junzo Yoshimura und George Shimamotoas entwarfen das schwarze Gebäude mit den filigranen Sonnengittern 1971. Es enthält einen Vortragssaal, ein Sprachenzentrum, eine Forschungsbibliothek, ein Museum und fernöstliche Gärten.

In Wechselausstellungen wird japanisches Kunsthandwerk gezeigt, etwa Schwerter oder Kimonos. Weitere Programmpunkte sind Theater, Vorträge und Workshops.

Fred F. French Building ⑫

521 5th Ave. **Stadtplan** 12 F5.
Ⓜ *42nd St/Grand Central.*
◯ *Geschäftszeiten.*

Das 1927 als Hauptsitz der damals bekanntesten Immobilienfirma errichtete Gebäude ist eine unglaublich opulente Kreation. Es wurde von H. Douglas Ives in Zusammenarbeit mit Sloan & Robertson entworfen, die z. B. auch das Chanin Building

Tiffany-Buntglasfenster in der Church of the Incarnation

geplant hatten *(siehe S. 154)*. Sie verschmolzen orientalische, altägyptische und antikgriechische Stile mit der frühen Form des Art déco.

Vielfarbige Fayence-Ornamente schmücken den oberen Teil der Fassade; der Wasserturm auf dem Dach weist eine exquisite Camouflage auf: Die Reliefs seiner Verkleidung zeigen eine von Greifen und Bienen flankierte aufgehende Sonne sowie die Tugenden. Geflügelte assyrische Raubtiere finden sich auf den Bronzefriesen über den Eingängen. Die exotischen Motive setzen sich in der Lobby fort, die eine polychrome Decke und 25 vergoldete Bronzetüren hat.

Bei dem Projekt wurden erstmals kanadische Caughnawaga-Indianer eingesetzt. Sie hatten nämlich keine Höhenangst und waren daher schon bald gesuchte Gerüstbauer, die an der Errichtung vieler Wolkenkratzer in New York beteiligt waren.

Church of the Incarnation ⑬

209 Madison Ave. **Stadtplan** 9 A2.
Ⓒ *(212) 689-6350.* Ⓜ *42nd St/ Grand Central.* ◯ *Mo–Fr 11.30– 14 Uhr (Di auch 16–19, Mi 17–19 Uhr), So 8.15–12.30 Uhr.* ✝ *Mi 12,15, 18.30, Fr 12.45, So 8.30, 11 Uhr.*
◙ Ⓖ ◪ *nach Voranmeldung.*
www.churchoftheincarnation.org

Die Episkopalkirche mit Pfarrhaus entstand 1864, als in der Madison Avenue die Elite wohnte. Die Fassade aus hellem und braunem Sandstein ist repräsentativ für die Zeit. Innen gibt es eine Kommunionbank von Daniel Chester French, ein Altargemälde von John LaFarge und Bluntglasfenster von LaFarge, Tiffany, William Morris und Edward Burne-Jones.

Morgan Library & Museum ⑭

Siehe S. 164f.

Sniffen Court ⑮

150–158 E 36th St. **Stadtplan** 9 A2.
Ⓜ *33rd St.*

Hier bietet sich eine hübsche Überraschung: ein ruhiger Hof mit zehn Kutschhäusern aus Backstein, von John Sniffen um 1850 im neoromanischen Stil errichtet. Es grenzt an ein Wunder, dass diese Anlage bis heute bewahrt werden konnte. Das Haus am südlichen Ende war das Atelier der Bildhauerin Malvina Hoffman. Ihre Medaillons mit griechischen Reitern zieren die Außenmauer.

Malvina Hoffmans Atelier

Lobby des Fred F. French Building

United Nations ⑩

Die UN-Flagge

Die 1945 gegen Ende des Zweiten Weltkriegs gegründeten Vereinten Nationen haben mittlerweile 192 Mitglieder. Ihre Ziele sind die Bewahrung des Weltfriedens, die Durchsetzung des Selbstbestimmungsrechts sowie weltweites wirtschaftliches und soziales Wohlergehen. New York wurde als Sitz des UN-Hauptquartiers auserkoren, als John D. Rockefeller Jr. 8,5 Millionen Dollar zum Kauf des Geländes am East River stiftete. Chefarchitekt war der Amerikaner Wallace Harrison. Die 17 Hektar große Fläche gehört nicht zu den USA, sondern ist internationale Zone mit eigenen Briefmarken und eigener Post. Demnächst erfolgen Renovierungsarbeiten; bitte erfragen Sie Öffnungszeiten und Führungen aktuell.

UN-Hauptquartier

Sekretariatsgebäude

Im Konferenzgebäude finden die Treffen des Sicherheitsrats, des Treuhand-Verwaltungsrats und des Wirtschafts- und Sozialrats statt.

★ **Sicherheitsrat**
Die Delegierten und ihre Assistenten konferieren am hufeisenförmigen Tisch, während Stenografen und andere UN-Mitarbeiter an dem langen Tisch in der Mitte sitzen.

Treuhand-Verwaltungsrat

Wirtschafts- und Sozialrat

★ **Friedensglocke**
Das aus den Münzen von 60 Nationen gegossene Geschenk Japans besitzt die Form eines Shintoschreins.

Rosengarten
25 Rosenarten blühen in den gepflegten Gärten am East River.

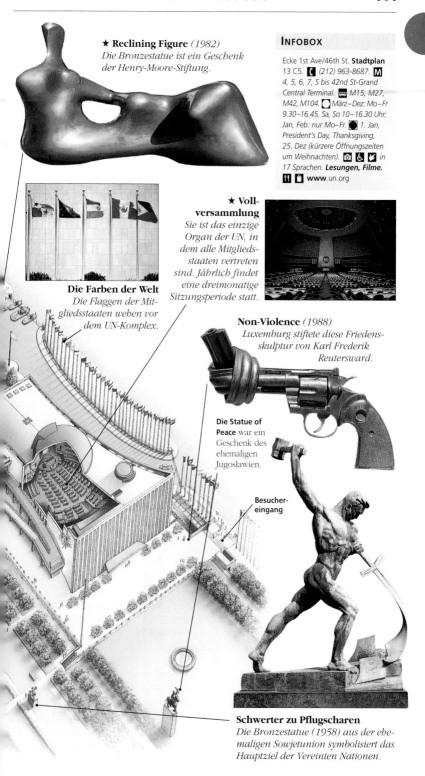

★ Reclining Figure (1982)
*Die Bronzestatue ist ein Geschenk
der Henry-Moore-Stiftung.*

INFOBOX

Ecke 1st Ave/46th St. **Stadtplan**
13 C5. ☎ (212) 963-8687. Ⓜ
4, 5, 6, 7, S bis 42nd St-Grand
Central Terminal. 🚌 M15, M27,
M42, M104. ◯ März–Dez: Mo–Fr
9.30–16.45, Sa, So 10–16.30 Uhr;
Jan, Feb: nur Mo–Fr. ● 1. Jan,
President's Day, Thanksgiving,
25. Dez (kürzere Öffnungszeiten
um Weihnachten). 📷 ♿ 🎧 in
17 Sprachen. **Lesungen, Filme.**
🍴 🏛 www.un.org

**★ Voll-
versammlung**
*Sie ist das einzige
Organ der UN, in
dem alle Mitglieds-
staaten vertreten
sind. Jährlich findet
eine dreimonatige
Sitzungsperiode statt.*

Die Farben der Welt
*Die Flaggen der Mit-
gliedsstaaten weben vor
dem UN-Komplex.*

Non-Violence (1988)
*Luxemburg stiftete diese Friedens-
skulptur von Karl Frederik
Reutersward.*

**Die Statue of
Peace** war ein
Geschenk des
ehemaligen
Jugoslawien.

**Besucher-
eingang**

Schwerter zu Pflugscharen
*Die Bronzestatue (1958) aus der ehe-
maligen Sowjetunion symbolisiert das
Hauptziel der Vereinten Nationen.*

Die Arbeit der United Nations

Die Ziele der Vereinten Nationen werden von drei UN-Ratskammern und der Vollversammlung aller Mitgliedsstaaten vertreten. Das Sekretariat führt die administrative Arbeit der Organisation. Bei Führungen kann man den Saal des Sicherheitsrats besichtigen und manchmal kurz einer Versammlung beiwohnen.

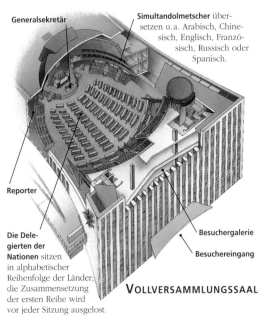

Generalsekretär

Simultandolmetscher übersetzen u.a. Arabisch, Chinesisch, Englisch, Französisch, Russisch oder Spanisch.

Reporter

Die Delegierten der Nationen sitzen in alphabetischer Reihenfolge der Länder; die Zusammensetzung der ersten Reihe wird vor jeder Sitzung ausgelost.

Besuchergalerie

Besuchereingang

VOLLVERSAMMLUNGSSAAL

VOLLVERSAMMLUNG

Die Vollversammlung ist das Hauptgremium der UN und tagt regelmäßig zwischen Mitte September und Mitte Dezember. Sondersitzungen werden auf Wunsch des Sicherheitsrats oder der Mehrheit der Mitglieder abgehalten. Alle Mitgliedsstaaten sind unabhängig von ihrer Größe mit je einer Stimme vertreten. Die Vollversammlung kann über jedes von den Mitgliedern oder anderen UN-Organen gewünschte international bedeutende Thema debattieren. Sie kann keine Gesetze verabschieden, doch ihre Beschlüsse beeinflussen die Weltmeinung beträchtlich. Für das Zustandekommen jeder Resolution wird eine Zweidrittelmehrheit benötigt.

Vor jeder Sitzung wird die Sitzordnung im Delegiertensaal ausgelost. Jeder der 2070 Plätze ist mit Kopfhörern ausgestattet, die Simultanübersetzungen in mehrere Sprachen bieten. Die Vollversammlung ernennt den Generalsekretär (auf Empfehlung des Sicherheitsrats), stimmt

Foucaults Pendel (Holland); sein Ausschlag beweist, dass sich die Erde um ihre Achse dreht

dem UN-Haushalt zu, wählt die nichtständigen Mitglieder des Rats und ernennt die Richter des Internationalen Gerichtshofs in Den Haag.

SICHERHEITSRAT

Das mächtigste Organ der UN ist der Sicherheitsrat, der sich um den internationa-

Wandbild zum Thema Frieden und Freiheit von Per Krohg (Norwegen)

len Frieden kümmert und bei Kriegen wie in Afghanistan oder im Irak interveniert. Er ist das einzige UN-Organ, dessen Entscheidungen für die Mitgliedsstaaten bindend sind. Der Sicherheitsrat tagt ständig.

China, Frankreich, Großbritannien, die Russische Föderation und die Vereinigten Staaten von Amerika gehören zu den ständigen Mitgliedern. Die anderen werden von der Vollversammlung im Zweijahresturnus gewählt. Bei internationalen Konflikten versucht der Sicherheitsrat zu vermitteln und den Konflikt auf diplomatischem Wege beizulegen. Wenn es zum Krieg kommt, kann er Waffenstillstandsbefehle oder Sanktionen erlassen. Ferner kann er UN-Friedenstruppen in die Kriegsgebiete senden, um die Parteien zu trennen.

Eine militärische Intervention ist die letzte Möglichkeit des Sicherheitsrats. UN-Truppen können dann langfristig als Friedenstruppen stationiert werden, wie in Zypern oder im Nahen Osten.

TREUHAND-VERWALTUNGSRAT

Dies ist der kleinste UN-Rat, dessen Aufgabenbereich sich ständig verkleinert. Er wurde 1945 gegründet, um die friedliche Erlangung der Unabhängigkeit besetzter Gebiete und Kolonien zu unterstützen. Seitdem sind mehr als 80 Kolonien souveräne Staaten geworden. Die Zahl der in abhängigen Gebieten lebenden Menschen ist von 750 auf drei Millionen gesunken. Zurzeit besteht der Rat aus den fünf ständigen Mitgliedern des Sicherheitsrats.

Das Wandbild von Zanetti (Dominikanische Republik) im Konferenzgebäude stellt den Kampf um Frieden dar

Treuhand-Verwaltungsrat

WIRTSCHAFTS- UND SOZIALRAT

Die 54 Mitglieder des Rats arbeiten an der Verbesserung der Lebensstandards – eine Aufgabe, die 80 Prozent des UN-Budgets verbraucht. Er gibt der Vollversammlung, den Mitgliedsstaaten und den UN-Spezialabteilungen Empfehlungen. Unterstützt wird er von Kommissionen, die sich mit regionalen Wirtschaftsproblemen, Menschenrechtsverletzungen, Bevölkerungsfragen, Drogenproblemen und den Rechten der Frauen beschäftigen. Er kooperiert mit der International Labour Organisation, der WHO, der UNICEF und anderen globalen Wohlfahrtsorganisationen.

SEKRETARIAT

Ein internationales Team von 16 000 Mitarbeitern ist für das Sekretariat tätig, um die alltägliche Arbeit der UN auszuführen und den Räten, Kommissionen und Agenturen Hilfestellung zu leisten. Das Sekretariat wird vom Generalsekretär geleitet, dem

eine Schlüsselrolle als Sprecher bei den Friedensbemühungen der Organisation zukommt. Der Generalsekretär wird von der Vollversammlung im Fünfjahresturnus gewählt.

BEDEUTENDE EREIGNISSE IN DER UN-GESCHICHTE

Nikita Chruschtschow vor der Vollversammlung 1960

Da die Vereinten Nationen über keine Einsatztruppe verfügen, sind sie vom Willen und von der militärischen

Unterstützung ihrer Mitglieder abhängig. Entsprechend sind ihre Friedensbemühungen nicht immer von Erfolg gekrönt.

1948 erklärten die UN Südkorea zur legitimen Regierung Koreas. Zwei Jahre später spielten sie eine führende Rolle bei der Verteidigung Südkoreas gegen Nordkorea. 1949 halfen die Vereinten Nationen bei der Vermittlung eines Waffenstillstands zwischen Indonesien und den Niederlanden und setzten sich für die Anerkennung der Unabhängigkeit Indonesiens ein (2002 beaufsichtigten sie die Wahlen in Osttimor).

Seit 1964 ist eine UN-Truppe auf Zypern stationiert. 1974 erhielt die Volksrepublik China die wegen Taiwan lange verweigerte UN-Mitgliedschaft. Im Nahen Osten sind seit 1974 UN-Truppen stationiert, nach dem Israel-Libanon-Krieg 2006 wurde der Auftrag erweitert. Auch ins ehemalige Jugoslawien, nach Afghanistan und in den Irak entsandten die UN Truppen.

1988 und 2001 wurde der Organisation der Friedensnobelpreis verliehen. Aktueller Generalsekretär der UN und Nachfolger von Kofi Annan ist Ban Ki Moon.

KUNSTWERKE BEI DEN VEREINTEN NATIONEN

Die UN besitzen zahlreiche Werke berühmter Künstler, viele davon sind Geschenke von Mitgliedsstaaten. Die meisten kreisen um das Thema Frieden oder internationale Freundschaft. In der Legende zu Norman Rockwells *The Golden Rule* heißt es: »Behandle andere so, wie du selbst behandelt werden willst.« Marc Chagall entwarf ein Glasfenster in Erinnerung an den früheren Generalsekretär Dag Hammarskjöld, der während einer Friedensmission 1961 beim Absturz seines UN-Flugzeugs ums Leben kam. Eine Plastik von Henry Moore und viele Skulpturen zieren die Außenanlage (eingeschränkter Zugang).

The Golden Rule (1985), ein großes Mosaik von Norman Rockwell

Morgan Library & Museum

Morgan Library & Museum eröffnete nach Ausbauten 2006 neu. Die Bibliothek, eine Sammlung des Bankiers J. Pierpont Morgan, befindet sich in einem von McKim, Mead & White 1902 errichteten palazzoartigen Bau. Morgan Jr. machte aus der Bibliothek 1924 eine öffentliche Einrichtung. Eine der weltweit wertvollsten Sammlungen seltener Manuskripte und Drucke befindet sich im selben Trakt wie die Original-bibliothek und die Privatresidenz J. P. Morgans Jr.

Fassade des alten Bibliotheksgebäudes

The Song of Los *(1795)*
Der Schriftsteller William Blake entwarf und gravierte diese Platte für eines seiner bedeutendsten Werke.

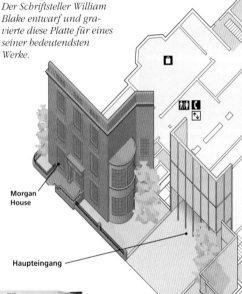

Morgan
House

LEGENDE

☐ Ausstellungsfläche

▨ Kein Ausstellungsbereich

Haupteingang

Gutenberg-Bibel *(1455)*
Die Pergament-ausgabe ist eines von elf noch existie-renden Exemplaren.

Ausstellungs-
räume

Alice im Wunderland
Lewis Carrolls Charaktere sind in John Tenniels Illustrationen ver-ewigt (um 1865).

INFOBOX

225 Madison Ave. **Stadtplan**
9 A2. 📞 (212) 685-0008.
Ⓜ 6 bis 33rd St; 4, 5, 6, 7 bis
Grand Central Terminal; B, D, F, Q
bis 42nd St. 🚌 M1–5, M16,
M34. 🕐 Di–Do 10.30–17 Uhr,
Fr 10.30–21 Uhr, Sa 10–18 Uhr,
So 11–18 Uhr. 🔴 Mo.
📷 ⊘ 🅰 🎁 🚻 ⃣
www.themorgan.org

KURZFÜHRER

*Morgans Arbeitszimmer und
Bibliothek enthalten einige seiner
Lieblingsgemälde sowie Kunst-
objekte. Wechselausstellungen
zeigen einige der bedeutendsten
kulturellen Werke.*

**Partitur von Mozarts
Hornkonzert in Es-Dur**

*Die sechs noch existieren-
den Seiten der Partitur
sind mit unterschiedlich
farbiger Tinte beschrieben.*

**West Room (Morgans
Arbeitszimmer)**

★ East Room

*Die Wände sind voller
Bücherregale. Die
Wandgemälde zeigen
historische Persönlich-
keiten und ihre Musen
sowie Tierkreiszeichen.*

★ Rotunde *(1504)*

*Das Eingangsfoyer hat
Marmorsäulen. Der Marmor-
boden ist dem der Villa Pia
in den Vatikanischen Gärten
nachempfunden.*

★ West Room

*Renaissance-Kunst und
florentinische Holzdecke
schmücken den Raum.*

J. PIERPONT MORGAN

Der Finanzier J. P. Morgan
(1837–1913) war ein großer
Sammler seltener Bücher
und Originalmanuskripte –
in seine Sammlung aufge-
nommen zu werden, war
eine Ehre. Als Morgan 1909
Mark Twain um das Origi-
nalmanuskript von *Pudd'n-
head Wilson* bat, antwortete
dieser: »Einer meiner größten
Wünsche hat sich erfüllt.«

UPPER MIDTOWN

Cisitalia von 1946 im MoMA

Das Viertel der Kirchen, Synagogen, Museen, Klubs, berühmten Geschäfte, Grand-Hotels, innovativen Wolkenkratzer und Luxuswohnungen ist das »gehobene« New York. Die Upper Class, etwa die Astors und Vanderbilts, war hier ab 1833 fast 30 Jahre lang zu Hause. In den 1950er Jahren wurden das Lever House und das Seagram Building errichtet – Meilensteine der Architektur. Dies leitete den Wandel der Park Avenue vom »normalen« Wohnviertel zu einer der vornehmsten Geschäftsadressen New Yorks ein.

SEHENSWÜRDIGKEITEN AUF EINEN BLICK

Historische Straßen und Gebäude
Beekman Place **19**
Fuller Building **22**
General Electric Building **12**
Roosevelt Island **20**
Sutton Place **18**
Villard Houses **10**

Moderne Architektur
Citigroup Center **16**
IBM Building **3**
Lever House **14**
Seagram Building **15**
Trump Tower **2**

Museen und Sammlungen
American Folk Art Museum **7**
Museum of Arts and Design **6**
Museum of Modern Art (MoMA) S. 172–175 **5**

Museum of Television and Radio **8**

Kirchen und Synagogen
Central Synagogue **17**
St. Bartholomew's Church **11**
St. Patrick's Cathedral S. 178f **9**
St. Thomas Church **4**

Berühmte Hotels
Plaza Hotel **23**
Waldorf-Astoria **13**

Berühmte Läden
Bloomingdale's **21**
Fifth Avenue **1**

LEGENDE

Detailkarte

M Subway-Station

SIEHE AUCH

• *Stadtplan* Karten 12, 13–14

• *Übernachten* S. 288f

• *Restaurants* S. 306–308

ANFAHRT

Mit der Subway-Linie 6 bis 51st St oder mit Linie 4, 5 oder 6 bis 59th St; N, R oder W bis 60th St; E oder V bis 53rd St-5th Ave oder 53rd St-Lexington. Busse M1–4, M15, M101–103. Die Busse M27, M31, M50 und M57 fahren quer *(crosstown)*.

◁ **Die Fifth Avenue**

Im Detail: Upper Midtown

Die Fifth Avenue wurde zur Straße der Luxusgeschäfte, als die vornehme Gesellschaft uptown neue Wohnquartiere bezog. 1917 erwarb Pierre Cartier das Haus des Bankiers Morton F. Plant im Tausch gegen eine Perlenkette. Andere Luxusläden folgten. Dieser Teil von Midtown hat aber noch mehr zu bieten: Er wartet auch mit drei exquisiten Museen auf und besticht durch seine architektonische Vielfalt.

Der University Club wurde 1899 als Eliteklub für Gentlemen gebaut.

Fifth Avenue
Kutschenfahrten vermitteln einen Eindruck von vergangenem Glanz. **1**

Museum of Arts and Design
Gezeigt wird Handwerk – von Keramik bis zu Möbeln. **6**

St. Thomas Church
Viele der Steinmetzarbeiten im Inneren stammen von Lee Lawrie. **4**

★ Museum of Modern Art
Es beherbergt eine der weltweit besten Sammlungen moderner Kunst. **5**

Museum of Television and Radio
Ausstellungen, Retrospektiven, Live-Auftritte und ein riesiges Archiv an historischen Sendungen zählen zu den Attraktionen dieses Museums. **8**

Subway-Station 5th Avenue (Linien E, V)

Saks Fifth Avenue steht für Mode von unfehlbarem Geschmack. Generationen von New Yorkern haben sich hier eingekleidet *(siehe S. 319)*.

★ St. Patrick's Cathedral
Die größte katholische Kathedrale der Vereinigten Staaten ist ein prächtiger neugotischer Bau. **9**

Olympic Tower, ein eleganter Wolkenkratzer mit Büros, Wohnungen und Atrium.

Villard Houses
Fünf Gebäude aus Sandstein bilden einen Bestandteil des New York Palace Hotel. **10**

NICHT VERSÄUMEN

★ Museum of Modern Art

★ St. Patrick's Cathedral

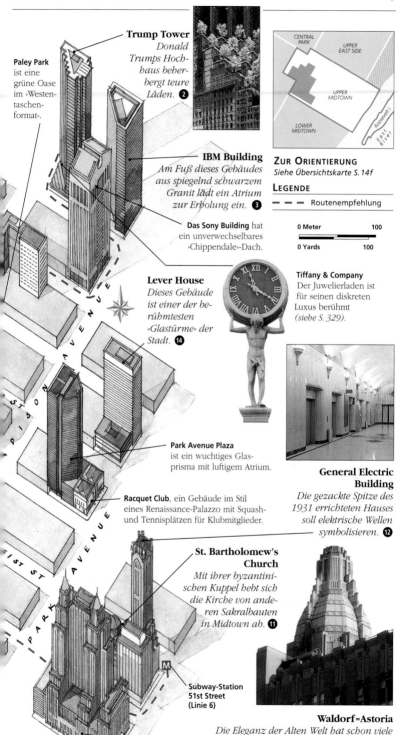

Trump Tower
Donald Trumps Hochhaus beherbergt teure Läden. ❷

Paley Park
ist eine grüne Oase im »Westentaschenformat«.

CENTRAL PARK

UPPER EAST SIDE

UPPER MIDTOWN

LOWER MIDTOWN

Roosevelt I.

East River

IBM Building
Am Fuß dieses Gebäudes aus spiegelnd schwarzem Granit lädt ein Atrium zur Erholung ein. ❸

ZUR ORIENTIERUNG
Siehe Übersichtskarte S. 14f

LEGENDE

– – – Routenempfehlung

Das Sony Building hat ein unverwechselbares »Chippendale«-Dach.

| 0 Meter | 100 |
| 0 Yards | 100 |

Lever House
Dieses Gebäude ist einer der berühmtesten »Glastürme« der Stadt. ⓮

Tiffany & Company
Der Juwelierladen ist für seinen diskreten Luxus berühmt *(siehe S. 329).*

Park Avenue Plaza
ist ein wuchtiges Glasprisma mit luftigem Atrium.

General Electric Building
Die gezackte Spitze des 1931 errichteten Hauses soll elektrische Wellen symbolisieren. ⓬

Racquet Club, ein Gebäude im Stil eines Renaissance-Palazzo mit Squash- und Tennisplätzen für Klubmitglieder.

St. Bartholomew's Church
Mit ihrer byzantinischen Kuppel hebt sich die Kirche von anderen Sakralbauten in Midtown ab. ⓫

Subway-Station 51st Street (Linie 6)

Waldorf=Astoria
Die Eleganz der Alten Welt hat schon viele berühmte Gäste angezogen, etwa den Herzog und die Herzogin von Windsor. ⓭

Schaufensterdekoration bei Bergdorf Goodman *(siehe S. 319)*

Fifth Avenue ❶

Stadtplan 12 F3–F4. **M** *5th Ave/53rd St, 5th Ave/59th St.*

W illiam Henry Vanderbilt ließ sich 1883 an der Ecke Fifth Avenue/51st Street ein Stadthaus errichten. Andere vornehme Familien folgten, bald reihten sich bis zum Central Park palastartige Residenzen aneinander. Heute erinnern nur noch wenige Gebäude an die alte Pracht.

Eines davon ist das Gebäude der Nr. 651 – heute Sitz von Cartier. Einst gehörte es dem Millionär Morton F. Plant, der auch als Präsident des New York Yacht Club fungierte. Ab 1906 siedelten sich immer mehr Geschäfte in der Fifth Avenue an, woraufhin die feine Gesellschaft allmählich nach Uptown auswich. So bezog Plant 1917 eine neue Stadtresidenz in der 86th Street. Das alte Haus soll er Pierre Cartier für eine Perlenkette überlassen haben.

Seither ist die Fifth Avenue ein Synonym für Luxus. Namen wie Cartier (52nd St), Tiffany und Bergdorf Goodman (57th St) symbolisieren Wohlstand und Ansehen genau wie Vanderbilt oder Astor vor über 100 Jahren.

Trump Tower ❷

725 5th Ave. **Stadtplan** 12 F3. **[C]** *(212) 832-2000.* **M** *5th Ave/53rd St, 5th Ave/59th St.* **Gartenebene, Läden** ◯ *Mo–Sa 10–18 Uhr, So 12–17 Uhr.* **Gebäude** ◯ *tägl. 8–22 Uhr.* 📷 ♿ **Konzerte.** 🍴 💻 🏧

D er glitzernde Büro- und Apartmentturm – ein Entwurf des Architekten Der Scutt – wurde 1983 fertiggestellt. Das pompöse Atrium erstreckt sich über sechs Stockwerke voller Läden und Cafés. Der öffentliche Bereich beeindruckt durch Gold, rosa Marmor, Spiegel und Wasserfälle – das prunkvollste Beispiel für den Trend zu vertikal angelegten Einkaufszentren. Damit hat sich der Immobilienmagnat Donald Trump, dessen Person für die Exzesse der 1980er Jahre steht, ein extravagantes Denkmal gesetzt *(siehe S. 33)*.

Nr. 727 nebenan bietet das krasse Gegenteil: Dort übt das 1837 gegründete Juweliergeschäft Tiffany & Co. (seit *Frühstück bei Tiffany* von Truman Capote unsterblich) vornehme Zurückhaltung. Seine Schaufensterdekorationen sind weltberühmt; die schlichten blauen Verpackungen sind ein Statussymbol.

Die Pforte zum Juwelentempel Tiffany & Co.

IBM Building ❸

590 Madison Ave. **Stadtplan** 12 F3. **M** *5th Ave.* **Garden Plaza** ◯ *tägl. 8–22 Uhr.* 📷 ♿ **Dahesh Museum of Art [C]** *(212) 759-0606.* ◯ *Di–So 11–18 Uhr (1. Do im Monat bis 21 Uhr).* ● *Feiertage.* 🎫 *1. Do im Monat frei.* 💻

D as Gebäude wurde von Edward L. Barnes entworfen und 1983 vollendet – ein fünfseitiges Prisma aus graugrünem Granit mit einer frei tragenden Ecke in der 57th Street. Die **Garden Plaza** ist für die Öffentlickeit zugänglich. Nahebei ist eine Arbeit des Bildhauers Michael Heizer zu bewundern: *Levitated Mass* – eine scheinbar schwebende Granitplatte im Edelstahltank mit Wasser.

Das **Dahesh Museum of Art** (480 Madison Ave) zeigt Gemälde, Zeichnungen, Fotografien und Skulpturen bekannter europäischer Künstler des 19. und frühen 20. Jahrhunderts.

Atrium des Trump Tower

St. Thomas Church ❹

1 W 53rd St. **Stadtplan** 12 F4. ▐
(212) 757-7013. Ⓜ 5th Ave/53rd St.
◷ tägl. 7–18 Uhr. ✝ häufig. ⊘ ♿
▐ nach 11-Uhr-Gottesdienst und Konzerten. **www**.saintthomaschurch.org

St. Thomas ist der vierte Sitz
der Kirchengemeinde in
diesem Pfarrbezirk
und der zweite Bau
am heutigen Ort. Die
jetzige Kirche wurde
1909–14 errichtet. Der
1905 niedergebrannte Vor-
gängerbau war im späten
19. Jahrhundert Schauplatz
prunkvoller High-Society-
Hochzeiten. Die verschwen-
derischste davon war die
legendäre Zeremonie,
bei der sich 1895 die
Erbin Consuela Van-
derbilt und der eng-
lische Herzog von
Marlborough das
Jawort gaben.

Silberkelch im Design Museum

Der Kalksteinbau im franzö-
sisch-gotischen Stil hat einen
asymmetrischen Einzelturm
und ein versetztes Schiff. So
löste man die Probleme, die
das Eckgrundstück aufwarf.
Die reich verzierten Wände
hinter dem Altar sind das
Werk des Architekten Bertram
Goodhue und des Bildhauers
Lee Lawrie. Im aus den
1920er Jahren stammenden
Chorgestühl sind die US-Präsidenten Roosevelt und Wilson
sowie Lee Lawrie dargestellt.

Museum of Modern Art ❺

Siehe S. 172 ff.

Museum of Arts and Design ❻

40 W 53rd St. **Stadtplan** 12 F4.
▐ (212) 956-3535. Ⓜ 5th Ave/
53rd St. ◷ tägl. 10–18 Uhr (Do bis
20 Uhr). ▓ ⊘ ♿ ▐ **Vorträge,
Filme**. **www**.madmuseum.org

Die führende amerikani-
sche Einrichtung ihrer Art
widmet sich der Sammlung
und Präsentation von zeit-
genössischem Kunsthandwerk
und Design. Die Daueraus-

stellung, die seit dem
Jahr 1900 kontinuierlich
zusammengetragen
wurde, umfasst heute
über 2000 Exponate aus
den Werkstätten inter-
nationaler Handwerker
und Designer. Die ver-
wendeten Materialien
reichen von Lehm über
Glas, Holz und Metall
bis zu modernsten Verbund-
stoffen. Das Museum
wurde 1956 in dem
Sandsteinhaus an der
23rd Street eröffnet. Im
Frühjahr 2008 ist der Um-
zug nach 2 Columbus Circle
im Theater District geplant.

American Folk Art Museum ❼

45 W 53 St. **Stadtplan** 12 F4.
▐ (212) 265-1040. Ⓜ
5th Ave/53rd St. ◷ Di–So
10.30–17.30 Uhr (Fr bis
19.30 Uhr). ♿ ⊘ ▢ ▐
www.folkartmuseum.org

Das neue Haus, das ameri-
kanische Volkskunst wür-
digt, ist das erste seit 1966
erbaute frei stehende Muse-
umsgebäude in New York. Es
wurde 2001 vom innovativen
Architektenbüro Tod Williams
Billie Tsien & Associates aus-
geführt. Die Struktur des
Baukörpers wird von den
Panelen der weißen Bronze-
legierung bestimmt. Das
Museum hat auf acht Ebenen
rund 2800 Quadratmeter Ausstellungsfläche. Zur Sammlung gehört auch die Eva and
Morris Feld Gallery am Lincoln Square.

Museum of Television and Radio ❽

25 W 52nd St. **Stadtplan** 12
F4. ▐ (212) 621-6600. Ⓜ 5th
Ave/53rd St. ◷ Di–So 12–18 Uhr
(Do bis 20 Uhr). Theater und Vor-
führsäle Fr bis 21 Uhr. ● Feiertage.
▓ ⊘ ♿ ▐ ▐ **www**.mtr.org

In dem einzigartigen Mu-
seum kann man Nach-
richten, Unterhaltungs-
sendungen, Sportberich-
te und Dokumentarisches

Die Beatles Paul, Ringo und John in der Ed Sullivan Show 1964

von den Anfängen bis heute
verfolgen. Popfans bewun-
dern die Beatles oder das
Fernsehdebüt von Elvis Pres-
ley; Sportenthusiasten erleben
klassische Wettkämpfe bei
Olympischen Spielen; Ge-
schichtsinteressierte bevorzugen vielleicht Filmdokumente
aus dem Zweiten Weltkrieg.
Aus über 50 000 archivierten
Sendungen kann man jeweils
sechs Titel auswählen. Zudem gibt es Vorführsäle und
ein Theater mit 200 Plätzen,
in dem Retrospektiven zu
Künstlern, Regisseuren oder
Themen laufen. Außerdem
werden Fotos, Plakate und
Erinnerungsstücke gezeigt.

Das Museum wurde von
William S. Paley konzipiert,
dem verstorbenen Direktor
der Fernsehgesellschaft CBS.
1975 an der 53rd Street als
Museum of Broadcasting
eröffnet, wurde es bald so
populär, dass man mehr Platz
benötigte. 1991 zog das Museum in die heutigen High-
tech-Räume ein – in ein Gebäude, das viele an einen
alten Radioapparat erinnert.

Fernsehstar der 1950er Jahre: Lucille Ball

Museum of Modern Art (MoMA) ❺

Museumsfassade, West 53rd Street

D as MoMA besitzt eine der weltweit größten Sammlungen moderner Kunst. Das 1929 gegründete Museum hat immer schon Standards gesetzt. Nach einer Umbauphase wurde es 2004 in Midtown wiedereröffnet. Die Ausstellungsflächen des Baus erstrecken sich über sechs Ebenen und bieten doppelt so viel Platz wie vorher. Die Glasfassaden lassen viel Licht ins Innere und ermöglichen einen Ausblick auf den Skulpturengarten.

Skulpturengarten
Der Abby A. Rockefeller Sculpture Garden ist ein meditativer Ort.

NICHT VERSÄUMEN

★ *Les Demoiselles d'Avignon* von Pablo Picasso

★ *Sternennacht* von Vincent van Gogh

Christina's World
(1948) Andrew Wyeth kontrastiert einen überwältigenden Horizont mit dem unmittelbaren Umfeld seiner behinderten Nachbarin.

Vogel im Raum *(um 1928)*
Die Bronzeskulptur von Constantin Brâncuși verkörpert die Quintessenz des Fliegens.

KURZFÜHRER

Der Skulpturengarten liegt im Erdgeschoss. Zeitgenössische Kunst, Drucke und mediale Kunst sind auf der ersten Etage untergebracht. Gemälde und Skulpturen finden sich im ersten, dritten und vierten Stock. Architektur, Design, Fotografie und Zeichnungen werden auf der zweiten Etage präsentiert. Wechselausstellungen gibt es im zweiten und fünften Stock, Filmvorführungen im Basement.

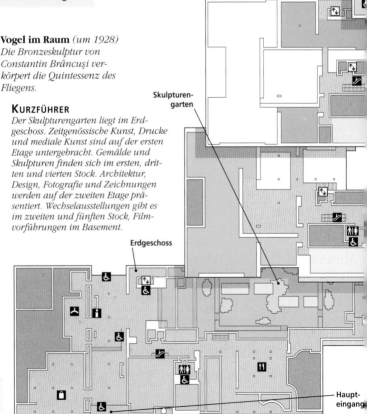

Skulpturengarten

Erdgeschoss

Haupteingang

Fünfter Stock

Vierter Stock

Dritter Stock

Zweiter Stock

Erster Stock

INFOBOX

11 West 53rd St zwischen Fifth Ave und Avenue of the Americas. **Stadtplan** 12 F4. (212) 708-9400. 5th Ave/53rd St. M1–4, M27, M50. Mi–Mo 10.30–17.30, Fr 10.30–20 Uhr. Di, 25. Dez. Gruppen. www.moma.org

La Clownesse *(1896)*
Eines der für Henri Toulouse-Lautrec typischen Porträts aus dem Pariser Nachtleben.

Seerosen *(um 1920)*
Claude Monets spätes Triptychon strahlt eine intensive, heiter-ruhige Stimmung aus.

★ **Les Demoiselles d'Avignon**
In frühen Entwürfen sind auch zwei Freier zu sehen. Später konzentrierte sich Picasso ganz auf die Darstellung der Prostituierten.

LEGENDE

▢	Skulpturengarten
▢	Zeitgenössische Kunst
▢	Mediale Kunst
▢	Drucke und illustrierte Bücher
▢	Architektur und Design
▢	Zeichnungen
▢	Fotografie
▢	Gemälde und Skulpturen
▢	Sonderausstellungen
▢	Kein Ausstellungsbereich
▢	Nicht zugänglicher Bereich

★ **Sternennacht** *(1889)*
Das kleine Format dieses Werks Vincent van Goghs steht in scharfem Kontrast zur Leidenschaft der Darstellung. Das Bild ist eine Hauptattraktion der Sammlung.

Überblick: Die Sammlung

Das Museum of Modern Art besitzt etwa 150 000 Exponate – von Klassikern des Nach-Impressionismus bis zur einzigartigen Sammlung moderner und zeitgenössischer Kunst, von frühen Meisterwerken der Film- und Fotokunst bis zu Glanzstücken modernen Designs.

GEMÄLDE UND SKULPTUREN 1880–1945

Zerrinnende Zeit **von dem Surrealisten Salvador Dalí (1931)**

Paul Cézannes monumentales Bild *Der Badende* und Vincent van Goghs übernatürlich leuchtende *Sternennacht* sind zwei der Gemälde aus dem späten 19. Jahrhundert, mit denen die Sammlung aufwartet. Fauvismus und Expressionismus sind durch Matisse, Derain, Kirchner u. a. repräsentiert, während Picassos *Les Demoiselles d'Avignon* den Übergang zu einem neuen Stil markiert.

Einzigartig ist die Anzahl von kubistischen Gemälden. Sie vermittelt einen Überblick über die Bewegung, die unsere Wahrnehmung radikal in Frage gestellt hat.

Highlights sind Picassos *Mandolinenspielerin*, Braques *Mann mit Gitarre* und *Soda* sowie Juan Gris' *Gitarre und Blumen*. Von den Futuristen, die Farbe und Bewegung in den Kubismus brachten, sind u. a. Gino Severini *(Bal Tabarin)*, Umberto Boccioni *(Dynamismus eines Fußballspielers)*, Balla, Carrà und Villon vertreten.

Die geometrische Abstraktion der Konstruktivisten lässt sich an Werken von Malewitsch, Lissitzky und Rodtschenko nachvollziehen. Der Einfluss der De-Stijl-Gruppe tritt in Bildern wie Mondrians *Broadway Boogie Woogie* zutage. Henri Matisse ist mit Werken wie *Der Tanz I* und *Das rote Atelier* vertreten. In der Sammlung surrealistischer Werke sind vor allem Arbeiten von Salvador Dalí, Joan Miró und Max Ernst zu sehen.

GEMÄLDE UND SKULPTUREN NACH 1945

Die Sammlung moderner Nachkriegskunst beginnt mit Werken Bacons und Dubuffets. Jackson Pollocks *One (Number 31, 1950)*, Willem de Koonings *Woman, I*, Arshile Gorkys *Agony* und Mark Rothkos *Red, Brown and Black* repräsentieren den abstrakten Expressionismus. Zu den weiteren beachtenswerten Werken

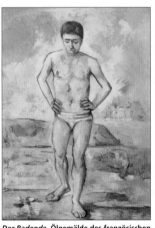

Der Badende, **Ölgemälde des französischen Impressionisten Paul Cézanne**

zählen *Flag* von Jasper Johns sowie der aus städtischem Abfall zusammengesetzte *First Landing Jump* und das aus Bettwäsche gefertigte *Bed* von Robert Rauschenberg. Glanzlichter der Pop-Art-Sammlung sind Roy Lichtensteins *Girl with Ball* und *Drowning Girl*, Andy Warhols berühmte *Gold Marilyn Monroe* und Claes Oldenburgs *Giant Soft Fan*. Zu den Arbeiten ab etwa 1965 gehören Werke von Judd, Flavin, Serra, Beuys und vielen anderen Künstlern.

ZEICHNUNGEN UND PAPIERARBEITEN

Mann mit Hut **von Pablo Picasso (Collage und Holzkohle, 1912)**

Über 7000 zeichnerische Kunstwerke – von kleinen Skizzen bis zu wandgroßen Exponaten – gehören zur Grafiksammlung des MoMA. Viele Zeichnungen sind konventionell, benutzen Stift, Holzkohle, Feder und Tinte oder Wasserfarben. Es gibt jedoch auch Collagen und Werke mit recht unterschiedlichen Materialien, etwa mit Papierschnipseln und (Natur-)Produkten.

Die Sammlung bietet einen Überblick über die Moderne – vom späten 19. Jahrhundert bis heute, von Kunstrichtungen wie Kubismus und Dadaismus bis zum Surrealismus. Dabei stehen die Zeichnungen berühmter Künstler wie Picasso, Miró, und Johns neben den Werken von noch unbekannteren, aber begabten Künstlern.

DRUCKE UND ILLUSTRIERTE BÜCHER

American Indian Theme II von
Roy Lichtenstein (1980)

Alle relevanten Kunstrichtungen seit 1880 sind in dieser Sammlung von Drucken und Illustrationen vertreten. Mehr als 50 000 Exponate vermitteln sowohl die historischen wie die zeitgenössischen Richtungen der grafischen Kunst. Es gibt Werke mit traditioneller Technik (etwa Lithografien, Radierungen, Siebdrucke und Holzdrucke) und Exponate, die eher experimentell sind.

Von Pablo Picasso gibt es einige besonders sehenswerte Werke; er gilt als einer der wichtigsten Vertreter für Drucke im 20. Jahrhundert. Des Weiteren sind viele Illustrationen und Drucke anderer Künstler zu sehen, darunter Werke von Redon, Munch, Matisse, Dubuffet, Johns, Lichtenstein und Warhol.

Die Exponate in den Ausstellungsräumen wechseln regelmäßig, da immer nur Teile der riesigen Sammlung präsentiert werden können.

FOTOGRAFIE

Die fotografische Sammlung beginnt mit der Erfindung des Mediums um 1840. Neben Aufnahmen von Künstlern, Journalisten, Wissenschaftlern und Unternehmern umfasst sie auch solche von Amateuren. Zu den Highlights gehören einige der bekanntesten Werke amerikanischer und europäischer Fotografen wie Atget, Stieglitz, Lange, Arbus, Steichen, Cartier-Bresson und Kertesz. Daneben gibt es eine Reihe von zeitgenössischen

FILMABTEILUNG

Das Filmmuseum besitzt über 10 000 Filme und vier Millionen Standfotos. Es bietet ein vielfältiges Programm – Retrospektiven, Filme bestimmter Regisseure oder Schauspieler, Genre-Filme, experimentelle Filme. Zudem gibt es abwechslungsreiche Ausstellungen. Ein wichtiger Bereich ist die Konservierung von Filmkopien. Berühmte Regisseure stiften Kopien ihrer Filme, um die kostspielige Archivierung zu unterstützen.

Charlie Chaplin und Jackie
Coogan in *The Kid* (1921)

Fotografen wie Friedlander, Sherman und Nixon. Die in Farbe oder Schwarzweiß aufgenommenen Sujets reichen von Landschaften über Szenen städtischen Elends bis hin zu abstrakten Bildern und ausgefallenen Porträts (darunter befinden sich auch Gelatinesilberdruck-Akte des

Sonntag am Ufer der Marne, 1939 fotografiert von
Henri Cartier-Bresson

französischen Surrealisten Man Ray). Die Aufnahmen spiegeln in ihrer Gesamtheit die Geschichte der Fotokunst wider und bilden eine der erlesensten Sammlungen ihrer Art.

ARCHITEKTUR UND DESIGN

Das Museum of Modern Art nahm als erstes Kunstmuseum Gebrauchsgegenstände in seine Sammlung auf – von Haushaltsgeräten, Stereoanlagen, Möbeln, Leuchten, Textilien und Glasartikeln bis hin zu Kugellagern und Siliziumchips. Die Architektur wird in der Fotosammlung, mit maßstabsgerechten Modellen und Zeichnungen dokumentiert, das grafische Design mit Druckerzeugnissen und Plakaten. Zu den großen Exponaten, die eigentlich in ein Transportmuseum gehörten, zählen der von Pinin Farina entworfene Cisitalia und ein Hubschrauber von Bell.

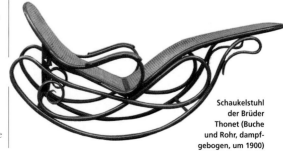

Schaukelstuhl
der Brüder
Thonet (Buche
und Rohr, dampf-
gebogen, um 1900)

St. Patrick's Cathedral ❾

Siehe S. 178f.

Villard Houses ❿

457 Madison Ave (New York Palace Hotel). **Stadtplan** 13 A4. 📞 *(800) NY PALACE.* Ⓜ *51st St.* **www. newyorkpalace.com Urban Center** ⏰ *Mo–Do 10–19, Fr 10–18, Sa 10– 17.30 Uhr.* 📞 *(212) 935-3595.* 📷 ♿ 🏛 *www.mas.org*

Der deutsche Einwanderer Henry Villard war Herausgeber der *New York Evening Post* und Gründer der Northern Pacific Railroad. 1881 erwarb er das Grundstück gegenüber der St. Patrick's Cathedral und ließ McKim, Mead & White dort sechs dreistöckige Stadthäuser um einen zur Straße und Kirche hin offenen Innenhof errichten. Noch vor der Fertigstellung musste Villard die Anlage wegen Geldmangels verkaufen.

Die Gebäude fielen an die katholische Erzdiözese. In den 1970er Jahren drohte ihnen der Abriss, weil der Platzbedarf der Kirche gewachsen war. Man löste das Problem, indem man die »Luftrechte« an die Helmsley-Kette verkaufte, die neben den Villard Houses das 50-stöckige Helmsley (heute New York) Palace Hotel bauen ließ. Der Hauptflügel dient als Hoteleingang; hier gelangt man auch in die Villard Bar & Lounge, von der aus die Salons der Villard-Suite einsehbar sind.

Im Nordflügel befindet sich das **Urban Center**, dessen Buchhandlung zahllose Architekturbücher über New York anbietet.

St. Bartholomew's Church

St. Bartholomew's Church ⓫

109 E 50th St. **Stadtplan** 13 A4. 📞 *(212) 378-0222.* Ⓜ *51st St.* ⏰ *tägl. 8–18 Uhr (Do bis 19.30, So bis 20.30 Uhr).* ✝ *häufig.* 📷 ♿ *Vorträge, Konzerte.* 🎫 📞 *So nach 11-Uhr-Gottesdiensten.* 🍴 *(212) 888-2664.* **www.stbarts.org**

Die rötliche Backsteinkirche mit byzantinischer Goldkuppel nennen die New Yorker »St. Bart's«. Das schmucke Gebäude brachte 1919 Farbe und Abwechslung in die Park Avenue. Der Architekt Bertram Goodhue setzte dem Bauwerk ein romanisches Portal vor, das Stanford White für die ursprüngliche, 1903 errichtete Kirche St. Bartholomew's an der Madison Avenue entworfen hatte. Für die Kapelle wurden Marmorsäulen der älteren Kirche verwendet.

St. Bartholomew's bietet ein sehr gutes Konzertprogramm. Seine Theatergruppe stellt jedes Jahr drei Produktionen vor.

General Electric Building ⓬

570 Lexington Ave. **Stadtplan** 13 A4. Ⓜ *Lexington Ave.* ● *für Besucher.*

Die Architekten Cross & Cross erhielten 1931 den Auftrag zum Bau eines Wolkenkratzers, der ein harmonisches Ensemble mit St. Bartholomew's bilden sollte. Die Aufgabe erfüllten sie zur allgemeinen Zufriedenheit. Der Turm wirkt wie eine Ergänzung zur polychromen Kuppel des Gotteshauses, bildet aber einen

Das General Electric Building an der Lexington Avenue

reizvollen Kontrast zu dessen Farbgebung. Von der Ecke Park Avenue/50th Street sieht man, wie gut die Verbindung gelungen ist.

Das Gebäude gibt nicht nur einen reizvollen Hintergrund ab, sondern kann selbst als Kunstwerk bestehen. Mit seiner Zackenspitze ist das Artdéco-Juwel ein Glanzstück der Skyline. Die Lobby erstrahlt in Chrom und Marmor.

Einen Block nördlich in der Lexington Avenue entstand die berühmte Szene für *Das verflixte siebente Jahr*, in der Marilyn Monroes weißes Kleid vom Luftstoß aus einem U-Bahn-Schacht erfasst wird.

Die Villard Houses dienen heute als Zugang zum New York Palace Hotel

Waldorf-Astoria ⑬

301 Park Ave. **Stadtplan 13 A5.**
📞 *(212) 355-3000.* **M** *Lexington
Ave, 53rd St. Siehe* **Übernachten**
S. 289. **www**.waldorf.com

D er klassische Art-déco-Bau
wurde 1931 nach Plänen
von Schultze & Weaver errichtet. Das ursprüngliche Waldorf-Astoria in der 34th Street
musste dem Empire State
Building weichen.

**Winston Churchill und der New
Yorker Philanthrop Grover Whalen
1946 im Waldorf-Astoria**

Das Waldorf-Astoria – ver-
dientermaßen noch immer
eines der nobelsten Hotels
New Yorks – erinnert an
glanzvollere Zeiten. In seinen
190 Meter hohen Zwillings-
türmen residierten die Herzogin und der Herzog von
Windsor, alle US-Präsidenten
seit 1931 und unzählige Berühmtheiten. Die riesige Uhr
in der Lobby wurde für die
Weltausstellung 1893 in Chicago angefertigt und stammt
aus dem alten Hotel. Das
Piano in der Cocktail Lounge
des Restaurants Peacock Alley
gehörte Cole Porter, der hier
häufig residierte.

Lever House ⑭

390 Park Ave. **Stadtplan 13 A4.**
M *5th Ave/53rd St.* **Lobby und
Gebäude ⬤** *für Besucher. Siehe*
Restaurants *S. 308.*

D ie Errichtung des ersten
Gebäudes aus Glas und
Stahl, in dessen Fassade sich
die soliden Wohnhäuser entlang der Park Avenue spiegel-
ten, war eine Sensation. Der
Entwurf der Architekten Skid-
more, Owings & Merrill –
über einem horizontalen Quader erhebt es sich senkrecht

**Der Pool des Four Seasons im
Seagram Building**

empor – hatte immensen
Einfluss auf den modernen
Städtebau. Die klare, luftige,
von allen Seiten licht-
durchlässige Kon-
struktion sollte die
Produkte der Firma
Lever Brothers sym-
bolisieren (Seifen,
Waschmittel etc.).
So revolutionär
das Lever House 1952
war, so unscheinbar wirkt
es heute zwischen den zahlreichen Nachahmerbauten
seiner Umgebung. Seine
Bedeutung als Meilenstein
der Architekturgeschichte
wird dadurch jedoch nicht
geschmälert. Das neue
Lever House Restaurant ist
ein In-Treff.

Lever House an der Park Avenue

Seagram Building ⑮

375 Park Ave. **Stadtplan 13 A4.** **M**
5th Ave/53rd St. **◻** *Mo–Fr 9–17 Uhr.*
🍴 *Siehe* **Restaurants** *S. 309.*

S amuel Bronfman, der Be-
sitzer der Seagram-Brannt-
weinbrennerei, wollte eigentlich ein ganz normales Geschäftshaus errichten lassen.
Auf Drängen seiner Tochter,
der Architektin Phyllis Lam-
bert, beauftragte er dann

jedoch Mies van der Rohe mit
der Planung. Das Resultat,
zwei Quader aus Bronze und
Glas, gilt als das gelungenste
der im International Style
errichteten Gebäude.
Das Restaurant Four Sea-
sons im Inneren *(siehe S. 289)*
ist eine Attraktion. Architekt
Philipp Johnson konzipierte
zwei miteinander verbundene
Räume – den einen um einen
Pool, den anderen um eine
Bar, über der eine Plastik von
Richard Lippold schwebt.

**Büromenschen beim Lunch im
Atrium des Citigroup Center**

Citigroup Center ⑯

153 E 53rd St. **Stadtplan 13 A4.**
M *53rd St/Lexington Ave.* **◻** *tägl.
7–23 Uhr (keine Besichtigung des
Gebäudes).* **🍴 📞** **St. Peter's
Lutheran Church** 619 Lexington
Ave. **📞** *(212) 935-2200.* **◻** *tägl.
9–21 Uhr.* **✝** *Mo–Fr 12.15 Uhr, Mi
18 Uhr, So 8.45, 11 Uhr.* **Jazzmesse**
So 17 Uhr. **Konzerte** *Mi 12 Uhr.*
York Theater at St. Peter's **📞** *(212)
935-5820.* **www**.saintpeters.org

D as aluminiumverkleidete
Citigroup Center ruht auf
vier neungeschossigen Pfeilern und sticht mit seinem
Schrägdach aus der Skyline
hervor. (Der Plan, dort Son-
nenkollektoren zu installie-
ren, wurde nie realisiert.)
Bei seiner Fertigstellung
1978 war der ungewöhnliche
Bau eine Sensation. In eine
Ecke ist die St. Peter's Lutheran Church integriert, ein
architektonisch eigenständiger
Granitbau. Die Erol-Beker-
Kapelle wurde von der Bildhauerin Louise Nevelson gestaltet. Die Kirche ist bekannt
für Orgelkonzerte und Jazzmessen. Sogar ein kleines
Theater befindet sich hier.

Saint Patrick's Cathedral **❾**

Fassade zur Fifth Avenue

Die römisch-katholische Kirche wollte hier ursprünglich einen Friedhof anlegen. 1850 wählte Erzbischof John Hughes das Grundstück jedoch als Standort für die Kathedrale – unbeirrt von der Kritik, der Ort liege zu weit von der (damaligen) Stadtgrenze entfernt. Nach Plänen des Architekten James Renwick entstand bis 1878 das prächtigste neugotische Bauwerk New Yorks und die größte Kathedrale der Vereinigten Staaten (für 2500 Gläubige). Die Türme wurden 1885–88 hinzugefügt.

★ Lady Chapel
Die Glasfenster der Kapelle der Heiligen Jungfrau zeigen die Mysterien des Rosenkranzes.

Pietà
Der amerikanische Bildhauer William O. Partridge schuf 1906 diese Pietà, die an der Seite der Lady Chapel steht.

★ Baldachin
Der große Baldachin über dem Hochaltar besteht komplett aus Bronze. Statuen von Heiligen und Propheten schmücken die vier Stützpfeiler.

NICHT VERSÄUMEN

★ Baldachin

★ Bronzetüren

★ Lady Chapel

★ Orgel und Fensterrose

Fassade
Für die Außenmauern wurde weißer Marmor verwendet. Die Türme haben eine Höhe von 101 Metern.

Kreuzwegstationen
Die in Holland aus Caen-Stein gemeißelten Reliefs erhielten bei der Weltausstellung 1893 in Chicago den ersten Preis für sakrale Kunst.

INFOBOX

5th Ave and 50th St. **Stadtplan** 12 F4. 📞 *(212) 753-2261.*
Ⓜ 6 *bis* 51st St.; E, F *bis* Fifth Ave. 🚌 *M1–4, M27, M50.*
🕐 *tägl. 7.30–20.30pm.*
✝ *Mo–Sa häufig; So 7, 8, 9, 10.15, 12, 13, 16 u. 17.30 Uhr.*
📷 ♿ 🎫 **Konzerte und Vorträge.**

Schrein der heiligen Elizabeth Ann Seton
Statue und Wand zeigen das Leben der Gründerin der Sisters of Charity, die als erste Amerikanerin heiliggesprochen wurde (siehe S. 76).

★ Orgel und Fensterrose
Die Fensterrose (acht Meter Durchmesser) erstrahlt über der großen Orgel mit über 7000 Pfeifen.

Haupteingang

★ Bronzetüren
Die massiven Bronzetüren wiegen neun Tonnen und sind mit Figuren verziert, die bedeutende Heilige New Yorks darstellen.

Central Synagogue

652 Lexington Ave. **Stadtplan** 13 A4.
C *(212) 838–5122.* **M** *51st St,
Lexington Ave.* ○ *Di, Mi 12–14 Uhr.*
✡ *Mi 12.45 Uhr.* ✦ *Fr 18 Uhr;
Sep–Juni: auch Sa 10.30, Juli, Aug: Sa
10 Uhr.* www.centralsynagogue.org

Der Innenraum besitzt Schablonenmuster und erstrahlt in Rot, Blau, Ocker und Gold. Viktorianische Darstellungen der Alhambra in Spanien lieferten die Vorlage.

Hufeisenbogen sind typisch für die spanisch-maurische Architektur.

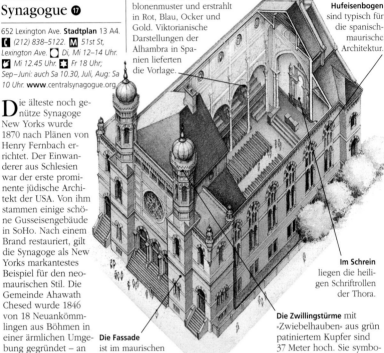

Im Schrein liegen die heiligen Schriftrollen der Thora.

Die Zwillingstürme mit »Zwiebelhauben« aus grün patiniertem Kupfer sind 37 Meter hoch. Sie symbolisieren die beiden Säulen vor Salomons Tempel.

Die Fassade ist im maurischen Stil aus rotbraunem Sandstein gestaltet.

Die älteste noch genütze Synagoge New Yorks wurde 1870 nach Plänen von Henry Fernbach errichtet. Der Einwanderer aus Schlesien war der erste prominente jüdische Architekt der USA. Von ihm stammen einige schöne Gusseisengebäude in SoHo. Nach einem Brand restauriert, gilt die Synagoge als New Yorks markantestes Beispiel für den neomaurischen Stil. Die Gemeinde Ahawath Chesed wurde 1846 von 18 Neuankömmlingen aus Böhmen in einer ärmlichen Umgebung gegründet – an der Ludlow Street in der Lower East Side.

Sutton Place

Stadtplan 13 C3, 13 C5. **M** *59th St, 51st St.* ▭ *M15, M31, M57.*

Sutton Place ist eine edle, ruhige Wohngegend mit eleganten Apartmenthäusern und Stadtresidenzen. Ehe sich dort in den 1920er Jahren die vornehme New Yorker Gesellschaft ansiedelte, prägten Fabriken und Mietskasernen das Viertel. Im Haus Sutton Square Nr. 3 residiert der Generalsekretär der Vereinten Nationen.

Über Sutton Square und die 59th Street hinweg fällt der Blick auf die Riverview Terrace, eine Privatstraße mit fünf am Fluss gelegenen efeubedeckten Sandsteinhäusern. Kleine Parks am Ende der 55th und 57th Street bieten Ausblicke auf East River und Queensboro Bridge.

Trotz des großen Widerstands bei den Anwohnern wurde im Jahr 2000 Bridgemarket eröffnet. Zwischen riesigen Gewölben unter der Queensboro Bridge gelegen, bietet es einen hippen Terence-Conran-Laden, zwei Guastavino's-Restaurants und verschiedene andere Lokale.

Park am Sutton Place mit Blick auf die Queensboro Bridge und Roosevelt Island

Beekman Place

Stadtplan 13 C5. **M** *59th St, 51st St.* ▭ *M15, M31, M57.*

Kleiner und noch ruhiger als Sutton Place ist das zwei Blocks umfassende Beekman Place. Berühmte Bewohner der Apartment- und Stadthäuser aus den

1920er Jahren waren Gloria Vanderbilt, Rex Harrison, Irving Berlin und Mitglieder der weit verzweigten Rockefeller-Familie.

Bei den Turtle Bay Gardens verbergen zwei Reihen von etwa 1860 entstandenen Häusern aus rotbraunem Sandstein einen bezaubernden italienischen Garten. Von der Ruhe des Ortes fühlten sich Filmstars wie Katharine Hepburn und Tyrone Power sowie der Schriftsteller E. B. White und der Komponist S. Sondheim angezogen.

Roosevelt Island ⑳

Stadtplan 14 D2. Ⓜ *59th St (für Seilbahn), Roosevelt Island (F).* **www**.*rioc.com*

Seit 1976 verkehrt über den East River nach Roosevelt Island eine »Tramway« genannte Seilbahn, von der sich atemberaubende Blicke auf Manhattan und die Queensboro Bridge bieten (Station Ecke 2nd Avenue und 60th Street).

Überreste des Blackwell Farmhouse in der Nähe der Seilbahnstation erinnern an das Landgut, das von 1796 bis 1804 auf der Insel wirtschaftete und ihr den Namen gab. Von den 1920er Jahren bis zur Neuerschließung in den 1970er Jahren hieß die Insel Welfare Island – Insel der Krankenhäuser, Armenasyle und psychiatrischer Anstalten. Mae West wurde 1927 nach einem »unanständigen Auftritt« einige Tage im Inselgefängnis festgehalten. Ruinen der Krankenhäuser (19. Jh.) sind ebenso erhalten wie der 1872 von einem Insassen der Psychiatrie errichtete Leuchtturm.

Statuen über dem Eingang zum Fuller Building

Bloomingdale's-Schriftzug

Bloomingdale's ㉑

1000 3rd Ave. **Stadtplan** 13 A3. Ⓒ *(212) 705-2000.* Ⓜ *59th St.* Ⓞ *Mo–Fr 10–20.30, Sa 10–19, So 11–19 Uhr. Siehe* **Shopping** *S. 319.* **www**.*bloomingdales.com*

In den 1980er Jahren war »Bloomies« ein Synonym für gutes Leben. Dabei hatte das berühmte, 1872 von Joseph und Lyman Bloomingdale gegründete Kaufhaus zunächst ein Billig-Image. Die Wandlung zum Shopping-Tempel vollzog sich nach dem Abriss der Hochbahn in den 1960er Jahren. Die 1980er Jahre brachten einen Besitzerwechsel und schließlich den Bankrott. Heute gibt sich Bloomingdale's weniger prunkvoll, bleibt aber eines der bestsortierten Kaufhäuser New Yorks. Eine Filiale liegt in SoHo, 504 Broadway.

Fuller Building ㉒

41 E 57th St. **Stadtplan** 13 A3. Ⓜ *59th St. Peter Findlay Gallery.* Ⓒ *(212) 6644-4433; James Goodman Gallery* Ⓒ *(212) 593-3737.* Ⓞ *Di–Sa 10–18 Uhr.*

Das schlanke, in Schwarz, Grau und Weiß ausgeführte Geschäftshaus wurde 1929 nach Plänen von Walker & Gillette errichtet und ist ein Paradebeispiel des geometrischen Art-déco-Designs. Die Statuen links und rechts der Uhr über dem Eingang sind ein Werk des Bildhauers Elie Nadelman. Eines der Bodenmosaike

im Inneren zeigt den früheren Sitz der Fuller Company im Flatiron Building. Der Bau beherbergt exklusive Galerien, etwa die von André Emmerich und Susan Sheehan.

Plaza Hotel: Fassade im Stil der französischen Renaissance

Plaza Hotel ㉓

Ecke 5th Ave/Central Park South. **Stadtplan** 12 F3. Ⓜ *59th St.* ● *wegen Renovierung bis Ende 2007.*

Die »Grande Dame« unter den New Yorker Hotels entstand nach Plänen Henry J. Hardenberghs, der auch das Dakota Building *(siehe S. 218)* und das erste Waldorf-Astoria gestaltet hatte. 1907 wurde es für 12,5 Millionen Dollar fertiggestellt und zum »besten Hotel der Welt« erklärt: mit 800 Zimmern, 500 Bädern, zweistöckigem Ballsaal, fünf Marmortreppenhäusern und 14- bis 17-Zimmer-Suiten für Familien wie die Vanderbilts oder Goulds *(siehe S. 49)*.

Die 17-stöckige Gusseisenkonstruktion gleicht einem französischen Renaissance-Schloss. Das Interieur stammt großteils aus Europa. Der Palm Court präsentiert sich noch heute mit Skulpturen an den Pfeilern, die die vier Jahreszeiten verkörpern.

Bereits der frühere Besitzer Donald Trump ließ das Hotel renovieren. Derzeit wird das Hotel erneut umgebaut. Es wird voraussichtlich Ende 2007 als Hotel mit 80 Zimmern wiedereröffnet. In den anderen Gebäudeteilen entstehen Luxuswohnungen.

UPPER EAST SIDE

Um 1900 zog die vornehme New Yorker Gesellschaft in die Upper East Side. Viele der Beaux-Arts-Gebäude beherbergen heute Museen und Botschaften, in den prächtigen Apartmenthäusern in der Fifth und der Park Avenue lebt jedoch nach wie vor die Elite. Elegante Läden und Galerien säumen

Afrikanische Urne, Metropolitan Museum of Art

die Madison Avenue. German Yorkville östlich davon (in den 80er Straßen), Hungarian Yorkville südlich davon sowie Little Bohemia waren einst Enklaven von Deutschen, Ungarn und Tschechen. Viele dieser ethnischen Gruppen haben die Stadtteile inzwischen verlassen, doch die Kirchen und einige Geschäfte sind geblieben.

Blick von oben auf die Lobby des Solomon R. Guggenheim Museum

SEHENSWÜRDIGKEITEN AUF EINEN BLICK

Historische Straßen und Gebäude
Gracie Mansion **16**
Henderson Place **14**
Seventh Regiment Armory **10**

Museen und Sammlungen
Asia Society **9**
Cooper-Hewitt National Design Museum **3**
Frick Collection S. 202f **8**
Jewish Museum **2**
Metropolitan Museum of Art S. 190–197 **6**
Mount Vernon Hotel Museum and Garden **13**
Museum of the City of New York **19**
National Academy Museum **4**
Neue Galerie New York **1**
Society of Illustrators **12**
Solomon R. Guggenheim Museum S. 188f **5**
Whitney Museum of American Art S. 200f **7**

Kirchen und Synagogen
Church of the Holy Trinity **17**
St. Nicholas Russian Orthodox Cathedral **18**
Temple Emanu-El **11**

Park
Carl Schurz Park **15**

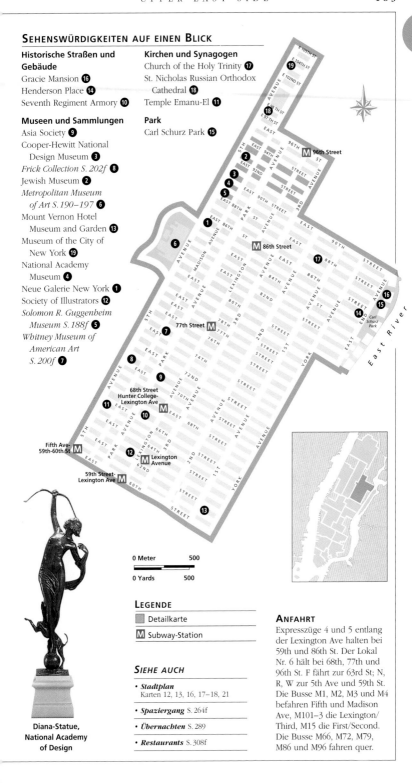

0 Meter 500
0 Yards 500

LEGENDE

▢ Detailkarte

M Subway-Station

SIEHE AUCH

• *Stadtplan*
Karten 12, 13, 16, 17–18, 21

• *Spaziergang* S. 264f

• *Übernachten* S. 289

• *Restaurants* S. 308f

**Diana-Statue,
National Academy
of Design**

ANFAHRT

Expresszüge 4 und 5 entlang der Lexington Ave halten bei 59th und 86th St. Der Lokal Nr. 6 hält bei 68th, 77th und 96th St. F fährt zur 63rd St; N, R, W zur 5th Ave und 59th St. Die Busse M1, M2, M3 und M4 befahren Fifth und Madison Ave, M101–3 die Lexington/ Third, M15 die First/Second. Die Busse M66, M72, M79, M86 und M96 fahren quer.

Im Detail: Museumsmeile

D ie Upper East Side ist das Viertel der Museen. Sie sind in Gebäuden untergebracht, die stilistisch von den einstigen Stadtpalais Fricks und Carnegies bis hin zur modernistischen Spirale des Guggenheim Museum reichen. Entsprechend vielfältig präsentieren sich die Ausstellungen: Von alten Meistern über Fotografie bis zu den dekorativen Künsten ist alles vertreten. Das Metropolitan Museum of Art – Amerikas Antwort auf den Louvre – beherrscht die Szene. Am Dienstagabend haben viele Museen länger geöffnet, manche gewähren dann freien Eintritt.

Jewish Museum
Die weltweit größte Sammlung von Judaika umfasst Münzen, archäologische Fundstücke sowie zeremonielle und religiöse Objekte. ❷

★ **Cooper-Hewitt National Design Museum**
Hier werden dekorative Kunst, etwa Keramik und Glas, Möbel und Textilien, präsentiert. ❸

The Church of the Heavenly Rest wurde 1929 im gotischen Stil erbaut. Die Madonna in der Kanzel stammt von der Bildhauerin Malvina Hoffman.

National Academy Museum
Die 1825 gegründete Akademie wurde 1940 hierher verlegt. Zur Sammlung gehören Gemälde und Skulpturen von Akademiemitgliedern. ❹

Graham House, ein Apartmentgebäude mit prächtigem Beaux-Arts-Eingang, entstand 1892.

★ **Solomon R. Guggenheim Museum**
Frank Lloyd Wrights Bau leuchtet abends lilafarben. Per Aufzug gelangt man ins oberste Stockwerk, dann folgt man der Rampe nach unten, vorbei an Meisterwerken moderner Kunst. ❺

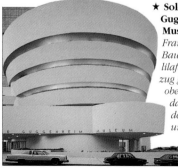

NICHT VERSÄUMEN

★ Cooper-Hewitt Museum

★ Solomon R. Guggenheim Museum

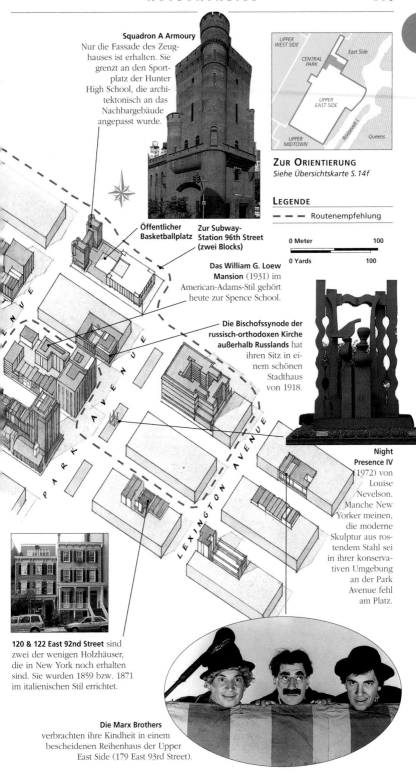

Squadron A Armoury
Nur die Fassade des Zeughauses ist erhalten. Sie grenzt an den Sportplatz der Hunter High School, die architektonisch an das Nachbargebäude angepasst wurde.

ZUR ORIENTIERUNG
Siehe Übersichtskarte S.14f

LEGENDE

— — — Routenempfehlung

| 0 Meter | 100 |
| 0 Yards | 100 |

Öffentlicher Basketballplatz

Zur Subway-Station 96th Street (zwei Blocks)

Das William G. Loew Mansion (1931) im American-Adams-Stil gehört heute zur Spence School.

Die Bischofssynode der russisch-orthodoxen Kirche außerhalb Russlands hat ihren Sitz in einem schönen Stadthaus von 1918.

Night Presence IV (1972) von Louise Nevelson. Manche New Yorker meinen, die moderne Skulptur aus rostendem Stahl sei in ihrer konservativen Umgebung an der Park Avenue fehl am Platz.

120 & 122 East 92nd Street sind zwei der wenigen Holzhäuser, die in New York noch erhalten sind. Sie wurden 1859 bzw. 1871 im italienischen Stil errichtet.

Die Marx Brothers verbrachten ihre Kindheit in einem bescheidenen Reihenhaus der Upper East Side (179 East 93rd Street).

Neue Galerie
New York ❶

1048 5th Ave, Ecke E 86th St. **Stadtplan** 16 F3. 🎫 *(212) 628-6200.*
Ⓜ *86th St.* ⏰ *Do, Sa–Mo 11–18 Uhr, Fr 11–21 Uhr.* ⬤ *Feiertage.* 🏷
🏠 ⌀ 🍴 *zwei Cafés Mo–Mi 9–18 Uhr, Do–So 9–21 Uhr.* ⚟ ♿
www.neuegalerie.org

D as Museum wurde von dem Kunsthändler Serge Sabarsky und dem Philanthropen Ronald Lauder gegründet. Ziel ist es, deutsche und österreichische Kunst und dekorative Kunst des frühen 20. Jahrhunderts zu sammeln, auszustellen und zu erforschen.

Das im Louis-XIII-Stil errichtete Beaux-Arts-Gebäude vollendeten 1914 Carrère & Hastings, die auch die New York Public Library *(siehe S.146)* bauten. Das Gebäude gilt als eines der herausragendsten Architekturbeispiele der Fifth Avenue. Das einst von Mrs. Cornelius Vanderbilt III bewohnte Anwesen erwarben Lauder und Sabarsky 1994. Das Erdgeschoss beherbergt einen Buchladen sowie das von Wiener Kaffeehäusern inspirierte Café Sabarsky und das Café Fledermaus.

Im ersten Stock sind Werke von Klimt, Schiele und der Wiener Werkstätte zu sehen. In den oberen Stockwerken befinden sich Werke der Künstlergruppen Der Blaue Reiter (u. a. Klee, Kandinsky), Das Bauhaus (Feininger, Schlemmer) und Die Brücke (Mies van der Rohe, Breuer).

Jewish Museum ❷

1109 5th Ave. **Stadtplan** 16 F2. 🎫 *(212) 423-3200.* Ⓜ *86th St, 96th St.* 🚌 *M1–4.* ⏰ *So–Mi 11–17.45 Uhr, Do 11–20 Uhr, Fr 11–15 Uhr.* ⬤ *Sa, gesetzliche und jüdische Feiertage.*
🏷 ⌀ ♿ 🎫 🏠
www.thejewishmuseum.org

D ie exquisite Privatresidenz des Bankiers Felix M. Warburg entstand 1908 nach Plänen von C. P. H. Gilbert. Sie beherbergt eine der größten Sammlungen jüdischer zeremonieller und klassischer

Kunst sowie historischer Judaika. Die Steinarbeiten im neuen Erweiterungsbau sind das Werk der Steinmetze von St. John the Divine *(siehe S.226f).*

Es wurden Objekte aus der ganzen Welt zusammengetragen, wobei die Stifter oft Verfolgung riskierten. Die Sammlung deckt 4000 Jahre jüdischer Geschichte ab. Neben Thorakronen, Leuchtern, Kiddushpokalen, Tellern, Schriftrollen und zeremoniellem Silber beeindrucken eine Bundeslade aus der Kollektion Benguiat, die Fayencewand einer persischen Synagoge aus dem 16. Jahrhunderts und das bedrückende Werk *Holocaust* des Bildhauers George Segal.

Kanne und Schale (19. Jh.) aus Istanbul im Jewish Museum

Cooper-Hewitt
National Design
Museum ❸

2 E 91st St. **Stadtplan** 16 F2. 🎫 *(212) 849-8400.* Ⓜ *86th St, 96th St.* 🚌 *M1–4.* ⏰ *Di–Do 10–17 Uhr (Fr bis 21, Sa bis 18 Uhr), So 12–18 Uhr.* ⬤ *Feiertage.* 🏷 ♿ 🎫 🏠
www.ndm.si.edu

D as Museum im ehemaligen Wohnhaus des Industriemagnaten Andrew Carnegie besitzt eine der weltgrößten Design-Sammlungen (zusammengetragen von Amy, Eleanor und Sarah Hewitt). Es wurde 1897 im Gebäude der Cooper Union *(siehe S. 120)* eröffnet. 1967 gingen die Bestände an die Smithsonian Institution über, und die Carnegie Corporation stellte das jetzige Haus zur Verfügung.

Carnegie wünschte sich zwar nur »das bescheidenste, einfachste und geräumigste

Eingang, Cooper-Hewitt Museum

Haus in New York« , doch die Ausstattung war exquisit: mit Zentralheizung, Klimaanlage und Privataufzug.

National Academy
Museum ❹

1083 5th Ave. **Stadtplan** 16 F3. 🎫 *(212) 369-4880.* Ⓜ *86th St.* 🚌 *M1–4.* ⏰ *Mi, Do 12–17 Uhr, Fr–So 11–18 Uhr.* ⬤ *Feiertage.* 🏷 ⌀ ♿ 🏠 **www**.nationalacademy.org

D ie Sammlung des National Academy Museum umfasst über 6000 Gemälde, Zeichnungen und Skulpturen, u. a. von Künstlern wie Thomas Eakins, Winslow Homer, Raphael Soyer und Frank Lloyd Wright.

Die Design-Akademie wurde 1825 von einer Künstlergruppe als Ausbildungsinstitut und Galerie gegründet. Der Kunstmäzen und Philanthrop Archer Huntington übereignete ihr im Jahr 1940 sein Haus, ein beeindruckendes Gebäude mit gemusterten Marmorböden und dekorativen Stuckdecken. Eine Diana-Statue der Bildhauerin Anna Hyatt Huntington beherrscht die Eingangshalle.

Diana-Statue im Foyer der National Academy Museum

Solomon R. Guggenheim Museum ❺

Siehe S. 188f.

Metropolitan Museum of Art ❻

Siehe S. 190–197.

Whitney Museum of American Art ❼

Siehe S. 200f.

Frick Collection ❽

Siehe S. 202f.

Asia Society ❾

725 Park Ave. **Stadtplan** 13 A1.
📞 *(212) 288-6400. Veranstaltungen: 517-ASIA.* Ⓜ *68th St.* ◐ *Di–So 11–18 Uhr (Fr bis 21 Uhr).* 📷 🎫 *Di–Sa 12.30 Uhr, Fr 18.30 Uhr, So 14.30 Uhr.* ⍉ ♿ 🚻
www.asiasociety.org

Südasiatische Skulptur in der Asia Society

U m Amerika die Kultur Asiens näherzubringen, gründete John D. Rockefeller III 1956 die Asia Society. 30 Länder finden hier ein Forum – vom Iran bis Japan, von Mittelasien bis Australien.

Der achtstöckige Bau wurde 1981 nach Plänen Edward Larrabee Barnes' errichtet. 2001 renoviert, verfügt das Museum nun über mehr Ausstellungsfläche. Eine Galerie ist den Skulpturen, Keramiken, Bronzen und Holzfiguren gewidmet, die Rockefeller und seine Frau von Asienreisen mitbrachten. Wechselausstellungen zeigen verschiedene Aspekte asiatischer Kunst; Tanz, Konzerte, Filme und Vorträge bereichern das Programm. Der Buchladen ist gut sortiert.

Eingangshalle des Seventh Regiment Armory

Seventh Regiment Armory ❿

643 Park Ave. **Stadtplan** 13 A2. 📞 *(212) 452-3067.* Ⓜ *68th St.* ◐ *Mo–Fr nach Vereinbarung.* ● *Feiertage.* ⍉ ♿ 🚻 🍴 *(212) 744-4107.*

D as Siebte Regiment war im Krieg von 1812 und in beiden Weltkriegen von großer Bedeutung. Das Elitekorps setzte sich aus »Gentleman«-Soldaten vornehmer Herkunft zusammen, und sein Arsenal ist in den Vereinigten Staaten ohne Beispiel: Das festungsartige Äußere verbirgt Räume, die reich mit viktorianischem Mobiliar, Kunstgegenständen und Regimentsandenken ausgestattet sind.

Der Entwurf Charles W. Clintons umfasste Verwaltungsräume mit Blick auf die Park Avenue und dahinter eine bis zur Lexington Avenue reichende Exerzierhalle. Der Veterans' Room und die Bibliothek von Louis Comfort Tiffany dienten als Empfangsräume. In der Exerzierhalle finden heute die Winter Antiques Show *(siehe S. 53)* und Wohltätigkeitsbälle statt.

Temple Emanu-El ⓫

1 E 65th St. **Stadtplan** 12 F2. 📞 *(212) 744-1400.* Ⓜ *68th St, 63th St.* ◐ *So–Fr 10–17 Uhr (Fr letzter Einlass 15.30 Uhr), Sa 12.30–16.45 Uhr.* ● *jüdische Feiertage.* ✡ *So–Do 17.30 Uhr, Fr 17.15 Uhr, Sa 10.30 Uhr.* 📷 ♿ 📷 🚻
www.emanuelnyc.org

D er Kalksteinbau von 1929 ist die größte Synagoge der Welt – die Haupthalle bietet Sitzplätze für mehr als 2500 Gläubige. Das Gotteshaus ist Mittelpunkt der ältesten reformjüdischen Gemeinde New Yorks.

Beeindruckende Details im Inneren sind das Bronzegitter vor dem Thora-Schrein und Darstellungen des Davidschilds und des Löwen von Juda aus Buntglas. Ein zurückgesetzter Bogen mit prächtiger Fensterrosette beherrscht die Fassade zur Fifth Avenue. Die Beth-El-Kapelle mit zwei Kuppeln ist byzantinisch beeinflusst.

Früher stand hier das Stadtpalais der legendären Mrs. William Astor. Die Gesellschaftskönigin verließ ihren Sitz in Midtown nach einem Streit mit ihrem Neffen. Mit der gehobenen Gesellschaft im Gefolge zog sie in die Upper East Side. Ihr Weinkeller und drei Marmorkamine sind in der Synagoge erhalten geblieben.

Der Tempelschrein von Emanu-El

Solomon R. Guggenheim Museum [5]

Das 1959 eröffnete Guggenheim Museum besitzt nicht nur eine der weltbesten Sammlungen zeitgenössischer Kunst, vielmehr ist das Gebäude selbst ein Glanzstück. Der Entwurf von Frank Lloyd Wright ähnelt einem großen Schneckenhaus. Man folgt der spiralförmigen Rampe von der Kuppel aus nach unten, vorbei an bedeutenden Werken des 19. bis 21. Jahrhunderts. Wegen Rissen in der Fassade muss das Museum restauriert werden. Die Arbeiten begannen im Mai 2005 und werden voraussichtlich Ende 2007 abgeschlossen sein. Das Museum bleibt währenddessen geöffnet.

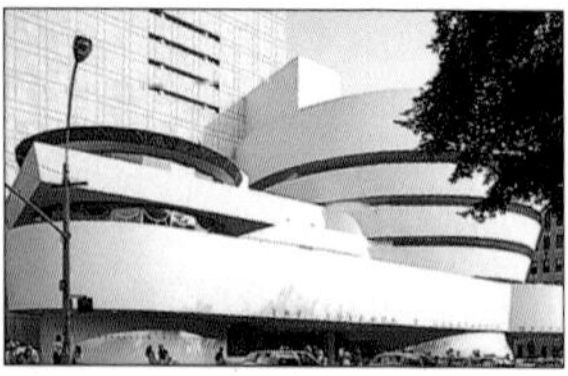

Fassade zur Fifth Avenue

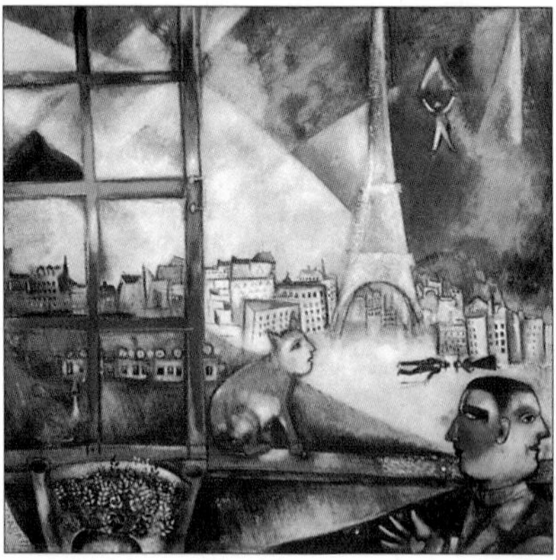

Paris durch das Fenster gesehen
Mit lebhaften Farben evoziert Marc Chagalls Meisterwerk von 1913 Vorstellungen von einer magischen, geheimnisvollen Stadt, in der nichts so ist, wie es scheint.

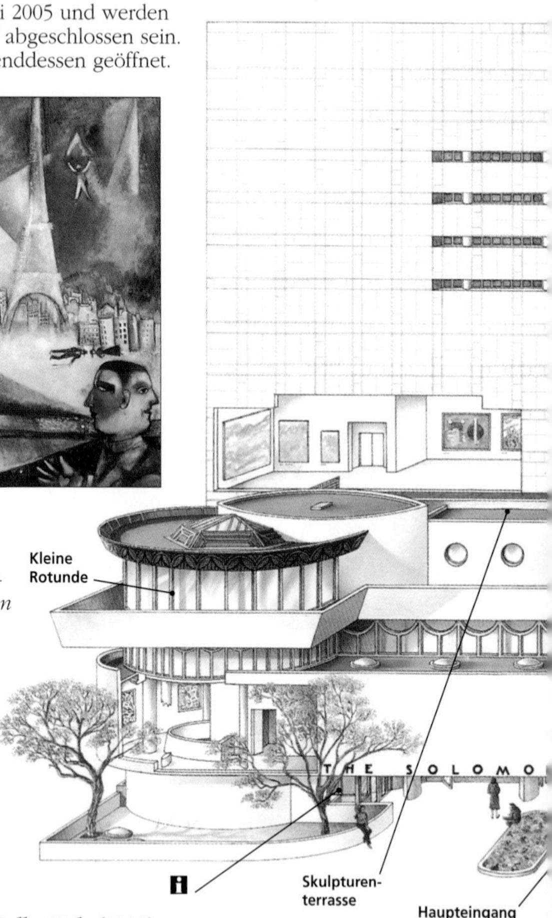
Kleine Rotunde
THE SOLOMO
ℹ
Skulpturenterrasse
Haupteingang

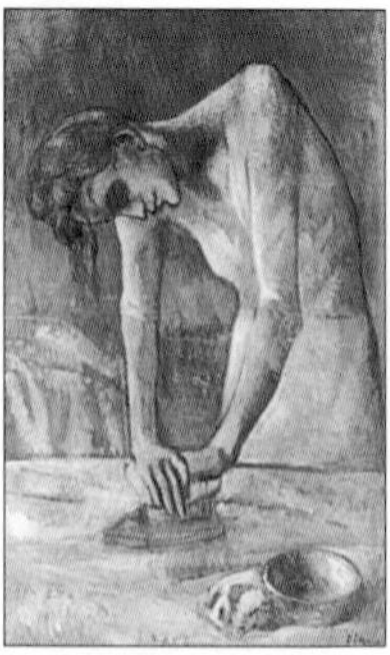

Die Büglerin *(1904)*
Picasso stellt mit diesem Werk aus seiner Blauen Periode die Mühsal der Arbeit vollendet dar.

Gelbe Kuh *(1911)*
Franz Marcs Werk ist von der Zurück-zur-Natur-Bewegung beeinflusst.

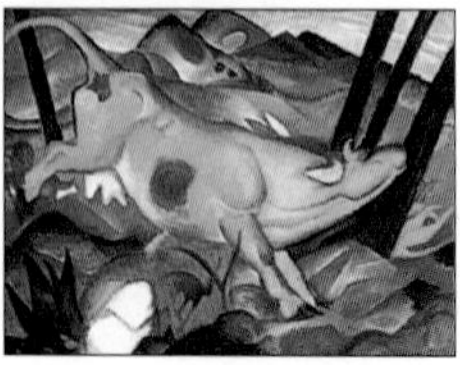

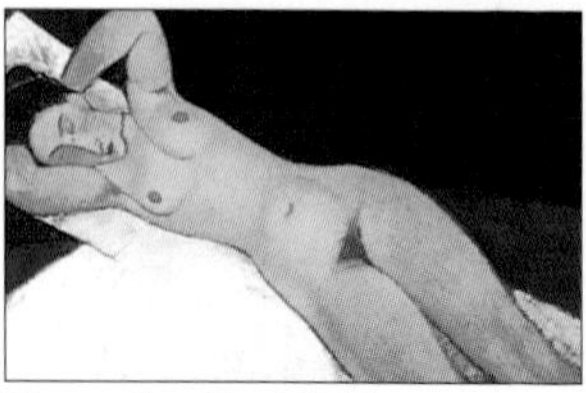

Liegender Akt *(1917)*
Die Schlafende ist charakteristisch für Amedeo Modiglianis Werk.

KURZFÜHRER

In der großen Rotunde finden die Sonderausstellungen statt, in der kleinen sind Teile der Sammlung von Impressionisten und Postimpressionisten zu sehen. Die neuen Galerien im Tower zeigen Bestandteile der Sammlung und zeitgenössische Exponate. Von der Skulpturenterrasse im vierten Stock überblickt man den Central Park. Die Sammlung ist nie komplett zu sehen.

— Tower

Große
Rotunde

NICHT VERSÄUMEN

1071 5th Ave/89th St. **Stadtplan**
16 F3. ☎ *(212) 423-3500.* Ⓜ
4, 5, 6 bis 86th St. 🚌 M1, M2,
M3, M4. ⬤ Sa–Mi 10–17.45, Fr
10–19.45 Uhr. ⬤ 1. Jan, 25. Dez.
🎟 📷 ♿ ♻ **Konzerte, Vorträge, Vorführungen.** 🖥 🛍 ⬛
www.guggenheim.org

Frau vor dem Spiegel *(1876)*
Um die Atmosphäre des 19. Jahrhunderts einzufangen, verwendete Edouard Manet oft das Motiv der Kurtisane.

Frau mit Vase
Fernand Léger hat in das Bild von 1927 kubistische Elemente eingearbeitet.

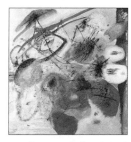

Schwarze Linien *(1913)*
Eines der frühesten Beispiele für Wassily Kandinskys abstrakte Kunst.

Frau mit gelbem Haar
(1931) Picassos sinnliche Geliebte taucht oft als Motiv in seinen Bildern auf.

FRANK LLOYD WRIGHT

Wright gilt als der große Erneuerer der amerikanischen Architektur. Charakteristisch sind seine Landhäuser im »Prairie«-Stil und die Bürobauten aus Betonplatten, Glasbausteinen und Röhren. 1942 erhielt er den Auftrag für das Guggenheim Museum. Der Bau – sein einziger in New York – wurde 1959 kurz nach seinem Tod fertiggestellt.

Innenansicht der Großen Rotunde

Metropolitan Museum of Art ❻

Die wohl umfangreichste Sammlung der westlichen Welt wurde 1870 von einer Gruppe von Künstlern und Philanthropen gegründet, die ein Pendant zu europäischen Kunstinstitutionen schaffen wollten. Die Exponate reichen von prähistorischer Zeit bis heute. Der Museumsbau wurde 1880 eröffnet. Teile des Erdgeschosses werden derzeit renoviert. 2007 werden sie mit einem römischen Hof und einer Etrusker-Sammlung wieder eröffnet.

Eingang des Metropolitan Museum of Art

★ **Gertrude Stein** *(1905/06)* *Picassos maskenhaftes Porträt der amerikanischen Schriftstellerin lässt Einflüsse afrikanischer und römischer Kunst erkennen.*

Robert Lehman Collection

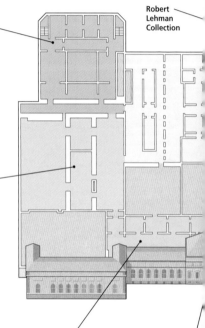

Maske aus Benin
Das Königreich Benin (heute Teil Nigerias) war für seine Kunst berühmt. Diese Maske stammt aus dem 16. Jahrhundert.

Harfenspieler
Die Statuette entstand um 3000 v. Chr. auf den Kykladen.

KURZFÜHRER

Der Großteil der Sammlungen ist auf den beiden Hauptgeschossen untergebracht. Neben Dauerausstellungen aus 19 Abteilungen gibt es spezielle Areale mit Sonderschauen. Europäische Malerei, Skulpturen und dekorative Kunst sind im Erdgeschoss und im ersten Stock an zentraler Stelle zu sehen. Das Mode-Institut ist im Basement, direkt unter der Ägyptischen Sammlung.

Die Hochzeit von Kanaa
Das Tafelbild von Juan de Flandes (16. Jh.) ist Bestandteil der Linsky Collection.

Diderot-Büste
(1773) Jean Antoine Houdon schuf die Büste für einen russischen Grafen.

★ Porträt der Prinzessin de Broglie
Das letzte Porträt, das J. A. D. Ingres malte (1853).

INFOBOX

1000 Fifth Ave. **Stadtplan** 16 F4. (212) 535-7710. M 4, 5, 6 bis 86th St. M1, M2, M3, M4. Di–Do, So 9.30–17.30, Fr, Sa 9.30–21 Uhr. 1. Jan, Thanksgiving, 25. Dez. *Konzerte, Vorlesungen, Film- und Videovorführungen.* www.metmuseum.org

Erdgeschoss

★ Byzantinische Kunst
Die Marmorplatte, die um 1250 in Griechenland oder auf dem Balkan entstanden ist, zeigt einen Greif.

NICHT VERSÄUMEN

★ Byzantinische Kunst

★ *Gertrude Stein* von Pablo Picasso

★ *Porträt der Prinzessin de Broglie* von Ingres

★ Tempel von Dendur

Treppe zum Mode-Institut

Haupteingang

LEGENDE

☐ Europäische Malerei, Skulpturen und dekorative Kunst

☐ Kunst aus Afrika, Ozeanien, Nord- und Südamerika

☐ Moderne Kunst

☐ Amerikanische Kunst

☐ Ägyptische Kunst

☐ Griechisch-römische Kunst

☐ Mittelalter/byzantinische Kunst

☐ Waffen und Rüstungen

☐ Kein Ausstellungsbereich

Englische Rüstung
Sie wurde um 1580 für Sir George Clifford angefertigt.

★ Tempel von Dendur *(15 v. Chr.)*
Der Tempel wurde im Auftrag des römischen Kaisers Augustus errichtet. Reliefs zeigen ihn bei einem Opfer.

Metropolitan Museum of Art: Obergeschoss

Marrakech
*Frank Stellas Bild
von 1964 gehört
zu seiner »marok-
kanischen« Serie:
fluoreszierende
Streifen auf
quadratischem
Format.*

Skulpturengarten
*Die modernen
Skulpturen auf dem
Dach der Modern-Art-
Abteilung werden
jährlich ausge-
wechselt.*

Die Kartenspieler *(1890)*
*Mit diesem Bild Karten spielender
Bauern wich Paul Cézanne von
seinen üblichen Sujets (Landschaften, Stillleben, Porträts) ab.*

Wird derzeit
renoviert

Erdgeschoss   Obergeschoss

★ Zypressen *(1889)*
*Vincent van Gogh malte das
Bild ein Jahr vor seinem
Tod. Die heftigen Pinsel-
striche sind für sein Spät-
werk charakteristisch.*

NICHT VERSÄUMEN

- ★ Diptychon von
  Jan van Eyck

- ★ *George Washington
  überquert den Dela-
  ware von Leutze*

- ★ *Selbstporträt* (1660)
  von Rembrandt

- ★ *Zypressen* von
  Vincent van Gogh

**Adlerköpfiges geflügeltes
Wesen bestäubt heiligen
Baum** *(ca. 900 v.Chr.)
Das Relief stammt aus
einem assyrischen Palast.*

★ Diptychon
(1425–30)
Jan van Eyck
war ein früher
Meister des Öl-
bilds. Diese
Szenen der
Kreuzigung
und des Jüngs-
ten Gerichts
weisen ihn als
Vorläufer des
Realismus aus.

★ Washington überquert den Delaware *(1851)*
E. G. Leutzes romantisierende Darstel-
lung der berühmten Flussüberquerung.

LEGENDE

☐	Europäische Malerei, Skulpturen und dekorative Kunst
☐	Kunst aus Afrika, Ozeanien, Nord- und Südamerika
☐	Orientalische und islamische Kunst
☐	Kunst des 20. Jahrhunderts
☐	Amerikanische Kunst
☐	Asiatische Kunst
☐	Griechisch-römische Kunst
☐	Musikinstrumente
☐	Zeichnungen, Drucke und Fotografie
☐	Kein Ausstellungsbereich
☐	Sonderausstellungen

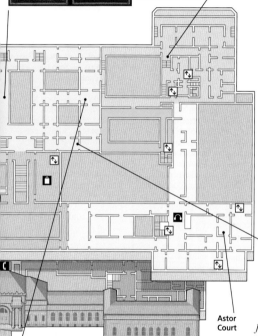

Astor Court

Der Tod des Sokrates *(1787)*
Jacques-Louis David zeigt Sokra-
tes, der lieber Gift nahm, als sei-
ner Philosophie abzuschwören.

★ Selbstporträt *(1660)*
Rembrandt malte fast
100 Selbstporträts. Das Bild
zeigt ihn mit 54 Jahren.

ASTOR COURT

Der Garten im Stil der Ming-Dynastie wurde 1979 von 27 chinesischen Handwerkern angelegt, die für die Pflege der historischen Gärten von Souzhou zuständig waren. Sie nutzten jahrhundertealte Techniken und handgefertigte, über Generationen weitervererbte Werkzeuge. Durch diesen ersten Kulturaustausch zwischen den USA und der Volksrepublik China bekam der »Garten des Meisters der Fischnetze« in Souzhou ein Gegenstück im Westen.

Überblick: Metropolitan Museum of Art

D as »Met« besitzt eine reichhaltige Sammlung amerikanischer Kunst und über 2500 Gemälde aus Europa, darunter Meisterstücke von Rembrandt und Vermeer. Werke islamischer Kunst zählen ebenso zu seinen Schätzen wie die größte Sammlung ägyptischer Kunst außerhalb Kairos.

AFRIKA, OZEANIEN, NORD- UND SÜDAMERIKA

Leutzes Monumentalbild *Washington überquert den Delaware*. Der Flügel enthält eine der bedeutendsten Sammlungen amerikanischer Malerei sowie von Skulpturen und dekorativer Kunst von der Kolonialzeit bis zur Gegenwart. Zu den Höhepunkten gehören die eleganten klassizistischen Silbergefäße von Paul Revere und die innovativen Glasarbeiten von Tiffany & Co. In der Abteilung mit Möbeln findet man Sofas, Tische, Regale, Stühle und Schreibtische aus den besten amerikanischen Werkstätten in Boston, Newport und Philadelphia.

In stilechten Räumen wird der Salon, in dem Washington seinen letzten Geburtstag feierte, ebenso vorgestellt wie das elegante Wohnzimmer des Hauses, das Frank Lloyd Wright 1912 für Francis W. Little in Wayzata, Minnesota, gestaltete.

Im Charles Engelhard Court werden Plastiken und größere Architekturelemente präsentiert, etwa die hübsche Buntglas- und Mosaik-Loggia aus Louis Comfort Tiffanys Haus auf Long Island oder Fassadenteile eines Bankgebäudes von 1824, das früher in der Wall Street stand.

Kupferkopf aus dem Nahen Osten: Die Identität des 5000 Jahre alten Werks ist unbekannt

Goldene Totenmaske aus der Nekropole Batán Grande in Peru (10.–14. Jh.)

N elson Rockefeller ließ diesen Flügel 1982 zum Gedenken an seinen Sohn Michael errichten, der auf einer Expedition in Neu-Guinea ums Leben gekommen war. Über 1600 Objekte aus Afrika, dem pazifischen Raum und Amerika sind hier zu sehen.

Bei der afrikanischen Kunst stechen Elfenbein- und Bronzeskulpturen aus dem Königreich Benin (Nigeria) sowie Holzfiguren der Dogon, Bamana und Senufo aus Mali hervor. Aus Ozeanien stammen Schnitzereien der Asmat (Neu-Guinea) sowie Schmuck und Masken (Melanesien und Polynesien). Mexiko, Mittel- und Südamerika sind mit Gold, Keramik und Plastiken aus präkolumbischer Zeit vertreten. Kunstwerke der nordamerikanischen Ureinwohner und der Inuit sind hier ebenfalls zu sehen.

AMERIKANISCHE KUNST

Z u den Glanzstücken der amerikanischen Abteilung zählen Gilbert Stuarts Porträt von George Washington, George Caleb Binghams *Pelzhändler auf dem Missouri*, John Singer Sargents Porträt der *Madame X* und Emanuel

Palast des assyrischen Königs Assurnasirpal II. bewachten. Die Ausstellung umfasst Objekte aus 8000 Jahren: persische Bronzen, anatolisches Elfenbein, sumerische Skulpturen, Silber und Gold der Achaimeniden und Sassaniden. Die angrenzende Galerie wird künftig islamische Kunst vom 7. bis 19. Jahrhundert zeigen: Glas- und Metallobjekte aus Ägypten, Syrien und Mesopotamien, Miniaturen aus Persien und Indien, Teppiche aus dem 16. und 17. Jahrhundert, ein Zimmer im Stil des 18. Jahrhunderts aus Syrien.

WAFFEN UND RÜSTUNGEN

H ier treten Ritter in voller Rüstung zum Turnier an. Die Abteilung ist bei Kindern und bei allen, die sich für die Romanzen und Machtkämpfe des Mittelalters begeistern, sehr beliebt.

Zu sehen sind Rüstungen, Degen und Säbel mit Griffen aus Gold und Edelstein, Feuerwaffen mit Elfenbein- und Perlmuttintarsien, farbenprächtige Banner und Schilde.

ORIENTALISCHE UND ISLAMISCHE KUNST

A m Eingang zur Sammlung sitzen geflügelte Kreaturen mit menschlichen Köpfen, die im 9. Jahrhundert v. Chr. den

Pistole Karls V., Kaiser des Heiligen Römischen Reichs (16. Jh.)

Zu den Highlights zählen die Rüstung des Gentleman-Piraten Sir George Clifford (eines Günstlings Königin Elizabeths I), der in den Farben des Regenbogens erstrahlende Panzer eines japanischen Shogun und Wildwest-Revolver, die früher dem Waffenfabrikanten Samuel Colt gehörten.

ASIATISCHE KUNSTGEGENSTÄNDE

Der alte Pflaumenbaum, japanischer Paravent aus der frühen Edo-Periode (um 1650)

Die Abteilung präsentiert Meisterwerke chinesischer, japanischer, koreanischer, indischer und südostasiatischer Kunst vom 2. Jahrtausend v. Chr. bis ins 20. Jahrhundert. Im Rahmen des ersten Kulturaustausches zwischen den USA und der Volksrepublik China rekonstruierten Handwerker aus Souzhou den Garten eines Gelehrten aus der Zeit der Ming-Dynastie. Weitere Attraktionen sind die Sammlung von Gemälden der Sung- und Yuan-Epoche, monumentale buddhistische Skulpturen aus China, Keramik und Jade sowie eine exquisite Ausstellung zur Kunst im alten China.

Der ganzen Spannweite japanischer Kunst sind elf chronologisch und thematisch angeordnete Räume gewidmet. Dort werden Lackarbeiten, Keramik, Gemälde, Skulpturen, Textilien und Paravents gezeigt. Aus Indien, Südostasien und Japan sind hervorragende Plastiken und andere Werke zu bewundern.

MODE-INSTITUT

Die Sammlung der modern gestalteten Abteilung umfasst 75 000 Kleidungsstücke vom 17. Jahrhundert bis heute. Sie reicht von kunstvoll bestickten Kleidern des späten 17. Jahrhunderts bis hin zu Abendkleidern von Elsa Schiaparelli in grellem Pink – samt Hüten, Schals, Handschuhen, Handtaschen und sonstigen Accessoires. Entwürfe von Worth, Quant und Balenciaga sind ebenso vertreten wie Roben aus napoleonischer und viktorianischer Zeit oder die Kostüme der *Ballets Russes*. Selbst ein paillettenbesetztes Suspensorium von David Bowie darf nicht fehlen.

Die Trachtensammlung zeigt Objekte aus Europa, Asien, Afrika sowie Nord- und Südamerika.

Das Museum verfügt über großes Know-how, was die Pflege und Restaurierung von Kleidungsstücken angeht: Die NASA erkundigte sich hier nach der sachgerechten Reinigung von Raumfahrtanzügen.

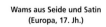

Wams aus Seide und Satin (Europa, 17. Jh.)

ZEICHNUNGEN, DRUCKE UND FOTOGRAFIEN

Das Museum besitzt eine immense Anzahl von Zeichnungen, Drucken, Radierungen und Fotografien, die in wechselnder Auswahl

Michelangelos Studien einer libyschen Sibylle für die Decke der Sixtinischen Kapelle (1508)

präsentiert werden. Italienische und französische Zeichnungen vom 15. bis zum 19. Jahrhundert sind besonders stark vertreten. Um die lichtempfindlichen Arbeiten zu schonen, werden sie im ständigen Wechsel nur phasenweise ausgestellt. Zu den Höhepunkten zählen Werke von Michelangelo, Leonardo da Vinci, Raffael, Ingres, Goya, Rubens, Rembrandt, Tiepolo und Seurat.

Die Sammlung an Drucken umfasst 1,5 Millionen Einzelblätter und an die 14000 illustrierte Bücher. Wohl alle großen Grafiker sind hier mit bedeutenden Arbeiten vertreten. Die Exponate reichen von einem alten deutschen Holzschnitt (*Jungfrau mit Kind*) über Meisterwerke Dürers bis hin zu Goyas *Riesen*.

Der Galerist Alfred Stieglitz stiftete dem Museum seine Fotosammlung, die Meisterwerke wie *The Flatiron* von Edward Steichen enthält. Sie war der Grundstock für eine Sammlung, deren Schwerpunkt heute die Fotografie der Moderne aus der Zeit zwischen den Kriegen ist. Auch Plakate und Werbeanzeigen werden hier gewürdigt.

ÄGYPTISCHE KUNST

Eine der beliebtesten Abteilungen ist der ägyptische Flügel mit Tausenden von Exponaten aus prähistorischer Zeit bis ins 8. Jahrhundert n.Chr. Die Sammlung reicht von den Bruchstücken der Jaspislippen einer Königin des 15. Jahrhunderts v.Chr. bis zum Tempel von Dendur. Daneben beeindrucken Skulpturen der Königin Hatschepsut aus dem 16. Jahrhundert v.Chr., 100 Reliefs aus der Zeit Amenophis' IV. und Grabbeigaben wie das blaue Fayence-Nilpferd, das zum Maskottchen des Museums geworden ist. Die meisten Funde stammen von Expeditionen, die das Museum Anfang des 20. Jahrhunderts finanziert hat.

Junge Frau mit Wasserkrug (1660) von Jan Vermeer

den italienischen Meistern sind Botticellis *Letztes Abendmahl des heiligen Hieronymus* und Bronzinos *Porträt eines jungen Mannes* zu sehen, bei den Holländern und Flamen Brueghels *Ernte* sowie Werke von Rubens und van Dyck, Rembrandt – und mehr Vermeers als in jedem anderen Museum. Spanische Maler wie El Greco, Velázquez und Goya sind ebenso vertreten wie die Franzosen Poussin und Watteau.

Das Museum nennt einige der schönsten Werke des Impressionismus und Postimpressionismus sein Eigen: 34 Monets, u.a. *Terrasse in Sainte-Adresse*, 18 Cézannes und van Goghs *Zypressen*. Der Kravis-Flügel und angrenzende Räume sind den Skulpturen und der dekorativen Kunst gewidmet. Unter den 60 000 Exponaten befinden sich u.a. Tullio Lombardos Statue des Adam, die Bronzefigurine eines Pferds nach einem Modell da Vincis und Werke von Degas und Rodin. Epochen-Ensembles wie der Patio eines

Büste einer ägyptischen Königin, Fragment

EUROPÄISCHE MALEREI, SKULPTUREN UND DEKORATIVE KUNST

Die imposante Sammlung mit rund 3000 Werken europäischer Maler bildet das Herzstück des Museums. Bei

spanischen Schlosses (16. Jh.) und die Wrightsman Rooms – Interieurs aus dem Frankreich des 18. Jahrhunderts – ergänzen das Bild. Im Petrie European Sculpture Court stehen französische und italienische Skulpturen in einem Park, der an Versailles erinnert.

GRIECHISCH-RÖMISCHE KUNST

Ein römischer Sarkophag aus Tarsus war der Grundstein aller Sammlungen des Met. Das 1870 gestiftete Exponat nimmt heute einen Ehrenplatz ein, neben Wandmalereien aus einer beim Vesuv-Ausbruch 79 n.Chr. verschütteten Villa, etruskischen Spiegeln, römischen Büsten, Glas- und Silberobjekten und Hunderten von griechischen Vasen. Die Statue eines Jünglings (7. Jh. v.Chr.) zeichnet den Weg zum Naturalismus in der Plastik vor. Das hellenistische Werk *Alte Marktfrau* zeigt, wie weit die Griechen die realistische Darstellung im 2. Jahrhundert v.Chr. beherrschten.

Amphore des Exekias mit Hochzeitsszene (6. Jh. v. Chr.)

ÄGYPTISCHE GRABBEIGABEN

Ein Forscher des Museums betrat 1920 einen seit 2000 Jahren verschlossenen Raum im Grab des Meketre. Der Strahl seiner Lampe fiel auf 24 Nachbildungen aus dem Alltag, die das Wohl des Toten im Jenseits sichern sollten: Haus und Garten, Flotte und Rinder, und Meketre selbst auf einem Boot, wo er den Duft einer Lotosknospe und das Harfenspiel seiner Begleiter genießt.

LEHMAN COLLECTION

Der Bankier Robert Lehman übereignete dem Museum 1969 seine großartige und vielseitige Privatsammlung, die in einer spektakulären Glaspyramide untergebracht ist. Zu ihr zählen zahlreiche alte Meister und französische Gemälde des 19. Jahrhunderts, Zeichnungen, Bronzen,

Ausschnitt aus dem Fenster *Tod der Jungfrau* aus der Kathedrale Saint-Pierre (12. Jh.) im französischen Troyes

Renaissance-Majolika, venezianisches Glas, Möbel und Email ebenso wie Gemälde von nordeuropäischen, französischen und spanischen Meistern, Postimpressionisten und den Fauvisten.

MITTELALTERLICHE KUNST

Die mittelalterliche Sammlung reicht vom 4. bis zum 16. Jahrhundert, vom Fall Roms bis zum Beginn der Renaissance. Sie ist teils im Hauptgebäude untergebracht, teils in Cloisters ausgelagert *(siehe S. 236ff)*. Im Hauptgebäude zeigt man einen Kelch, der für den Heiligen Gral gehalten wurde, sechs byzantinische Silberteller mit Szenen aus dem Leben Davids, eine Kanzel in Adlergestalt (Giovanni Pisano, 1301), monumentale Skulpturen der Jungfrau mit Kind, ein großes Chorgitter aus Spanien, Schmuck aus der Zeit der Völkerwanderung, liturgische Gefäße, Buntglas, Email, Elfenbein und Wandteppiche aus dem 14. und 15. Jahrhundert.

MUSIKINSTRUMENTE

Die umfassende, zum Teil skurrile Sammlung wartet mit dem ältesten Klavier der Welt, Gitarren von Andrés Segovia und einer Sitar in Pfauengestalt auf. Chronologisch reicht sie von prähistorischer Zeit bis in die Gegenwart, geografisch umspannt sie fünf Kontinente.

Die meist funktionstauglichen Instrumente illustrieren die Geschichte der Musik und ihrer Darbietung. Besonders hervorzuheben sind Instrumente von den europäischen Höfen des Mittelalters und der Renaissance, seltene Geigen, Spinette und Cembalos, Instrumente mit wertvollen Einlegearbeiten sowie eine komplett ausgestattete Geigenbauerwerkstatt, afrikanische Trommeln, asiatische *Pi-Pas* (Lauten) und indianische Flöten. Tonträger vermitteln einen Eindruck vom ursprünglichen Klang zahlreicher Instrumente.

Stradivari-Geige aus Cremona, Italien (1691)

MODERNE KUNST

Obwohl das Museum seit seiner Gründung 1870 auch zeitgenössische Kunst sammelt, erhielt diese erst 1987 mit dem Lila Acheson Wallace Wing ein dauerhaftes Domizil. Die Sammlung ist kleiner als die anderer New Yorker Museen, besticht aber durch ihre Exklusivität. Auf drei Ebenen werden europäische und amerikanische Arbeiten ab 1900 gezeigt, wobei Picasso, Kandinsky und Bonnard den Anfang bilden.

Den Schwerpunkt der Sammlung bildet die moderne amerikanische Kunst: Zu sehen sind die New Yorker Gruppe »The Eight« (zu der auch John Sloan gehörte), Künstler der Moderne wie Charles Demuth und Georgia O'Keeffe, der Regionalist Grant Wood, der abstrakte Expressionist Willem de Kooning und auch Vertreter des Color Field Painting wie Clyfford Still.

The Midnight Ride of Paul Revere (1931) von Grant Wood

Jugendstil- und Art-déco-Möbel und -Metallarbeiten, eine Paul-Klee-Sammlung und die Sculpture Gallery mit Plastiken und Bildern werden in eigenen Arealen gezeigt.

Zu den Highlights gehören das Porträt Gertrude Steins von Pablo Picasso, *Kapuzinerkresse* und »*Tanz 1*« von Henri Matisse, *I Saw the Figure 5 in Gold* von Demuth, *Autumn Rhythm* von Jackson Pollock und das letzte Selbstporträt Andy Warhols.

Der Cantor Roof Garden auf dem Dach ist Schauplatz einer jährlich wechselnden Ausstellung zeitgenössischer Skulpturen, die vor dem Hintergrund der New Yorker Skyline und des Central Park besonders spektakulär wirken.

Buchcover (1916) des Illustrators N.C. Wyeth

Society of Illustrators ⓬

128 E 63rd St. **Stadtplan** 13 A2. 📞
(212) 838-2560. Ⓜ *Lexington Ave.*
⏱ *Di 10–20 Uhr, Mi–Fr 10–17 Uhr,*
Sa 12–16 Uhr. ● *Feiertage.* 📷 ♿
eingeschränkt. 📷 📱
www.societyillustrators.org

D ie Gesellschaft wurde
1901 zur Förderung des
Illustrationshandwerks gegründet. Bedeutende Mitglieder waren Charles Dana Gib-
son, N. C. Wyeth und Howard
Pyle. 1981 eröffnete das Museum of American Illustration
zwei Abteilungen. Wechselausstellungen informieren
über die Geschichte der Zeit-
schriften- und Buchillustra-
tion. Jährlich werden die
besten amerikanischen Illustrationen des Jahres gezeigt.

Mount Vernon Hotel Museum ⓭

421 E 61st St. **Stadtplan** 13 C3. 📞
(212) 838-6878. Ⓜ *Lexington Ave,*
59th St. ⏱ *Di–So 11–16 Uhr (Juni,*
Juli Di 18–21 Uhr). ● *Aug, Feiertage.*
📷 📷 📱 **www.**mvhm.org

D as 1799 erbaute Mount
Vernon Hotel Museum
and Garden war einst ein
ländliches Tagungshotel für
New Yorker, die einmal aus
der lauten Stadt (die damals

nur am Südende
der Insel lag) ent-
fliehen wollten.
Das Sandsteinge-
bäude liegt auf
einem Grundstück,
das einst Abigail
Adams Smith, der
Tochter von Präsi-
dent John Adams,
gehörte.

1924 erwarben
die Colonial Dames
of America das Ge-
bäude und ließen
es zu einem Muse-
um umbauen. Kos-
tümierte Museums-
führer geleiten Be-
sucher durch die
Räume, die Kost-
barkeiten wie chi-
nesisches Porzellan,
Aubusson-Teppi-
che, Sheraton-
Truhen und ein Sofa von Duncan Phyfe enthalten. Ein Garten im Stil des 18. Jahrhunderts umgibt das Gebäude.

Henderson Place ⓮

Stadtplan 18 D3. Ⓜ *86th St.*
🚌 *M31, M86.*

**Queen-Anne-Reihenhäuser am
Henderson Place**

D ie 24 Queen-Anne-Reihenhäuser, rote Ziegelbauten
von 1882, werden längst von
modernen Apartmentblocks
überragt. Der Hutmacher John
C. Henderson hatte sie als
geschlossenes Ensemble in
Auftrag gegeben. Den eleganten Entwurf von Lamb & Rich
zieren graue Schieferdächer,
Ziergiebel, Brüstungen, Kami-
ne und Gaubenfenster, die ein
Muster bilden. Die Ecke eines
jeden Blocks wird durch ein
Türmchen markiert.

Promenade im Carl Schurz Park

Carl Schurz Park ⓯

Stadtplan 18 D3. Ⓜ *86th St.*
🚌 *M31, M86.*

D en 1891 angelegten Park
am East River durchläuft
eine weite Promenade über
dem East River Drive, die
Ausblicke auf das turbulente
Wasser am Hell Gate bietet.
Der Namensgeber Carl Schurz
war ein deutscher Einwanderer, der es in Amerika bis
zum Innenminister brachte
(1869–75). Der erste Teil der
Promenade ist nach John Fin-
lay benannt, einem Herausgeber der *New York Times*.
Der Park ist eine der ange-
nehmsten grünen Oasen der
City. Bei schönem Wetter
sonnen sich viele New Yorker
auf den Rasenflächen.

Gracie Mansion ⓰

Ecke East End Ave/88th St. **Stadtplan**
18 D3. 📞 *(212) 570-4751.* Ⓜ *86th*
St. 🚌 *M31, M86.* ⏱ *Apr–Mitte Nov*
Mi 10, 11, 13, 14 Uhr nur angemel-
dete Führungen. 📷 📷 ♿ 📱

D as elegante Landhaus ist
die offizielle Residenz
des New Yorker Bürgermeisters. Es wurde 1799 im Auftrag des Kaufmanns Archibald
Gracie errichtet und gilt als
einer der schönsten erhaltenen Federal-Style-Bauten.

1887 erwarb die Stadt das
Haus und brachte darin zeit-
weilig das Museum of the
City of New York unter. Nach
neunjähriger Amtszeit zog

Vorderansicht von Gracie Mansion

1942 Bürgermeister Fiorello LaGuardia dort ein, nachdem er zuvor einen 75-Zimmer-Palast am Riverside Drive bewohnt hatte. Der bescheidenere Bau war dem Kämpfer gegen die Korruption und Erneuerer New Yorks eigentlich auch noch zu pompös.

Church of the Holy Trinity ⑰

316 E 88th St. **Stadtplan** 17 B3. ⦗ (212) 289-4100. Ⓜ 86th St. ⦾ Mo–Fr 9–17, So 7.30–14 Uhr. ✝ Di 8.45, So 8, 9, 11, 18 Uhr. 📷 www.holytrinity-nyc.org

Torbogen der Church of the Holy Trinity

Die Kirche inmitten eines friedlichen Gartens wurde 1889 im Stil der französischen Renaissance errichtet. Der golden leuchtende Ziegel- und Terrakottabau wird von einem der schönsten Glockentürme New Yorks gekrönt (schmiedeeiserne Uhr mit Messingzeigern). Skulpturen von Heiligen und Propheten schmücken den Torbogen.

Der Komplex wurde von Serena Rhinelander zum Gedenken an ihren Vater und Großvater gestiftet. Der Grund gehörte zu einem Gut, das 100 Jahre im Besitz der Familie Rhinelander war.

Das Rhinelander Children's Center – ein Stück den Häuserblock entlang im Haus Nr. 350 – ist gleichfalls eine Stiftung und zudem Hauptsitz der Children's Aid Society.

St. Nicholas Russian Orthodox Cathedral ⑱

15 E 97th St. **Stadtplan** 16 F1. ⦗ (212) 876-2190. Ⓜ 96 St. ⦾ nach Vereinbarung. ✝ Sa 10, 18 Uhr, So 10, 17 Uhr (in Russisch). 📷 www.russianchurchusa.org

Moskau am Hudson: Die Kathedrale mit den fünf Zwiebelkuppeln und den blaugelben Fliesen auf rot-weißer Fassade scheint aus Russland hierher versetzt worden zu sein. Sie wurde 1902 im »Moskauer Barock« errichtet. Zu den ersten Gläubigen, die hier Zuflucht fanden, gehörten Immigranten aus Weißrussland – meist Intellektuelle und Adlige, die bald Teil der New Yorker Gesellschaft wurden. Später folgten weitere Flüchtlinge, darunter viele Dissidenten.

Die Kirche dient heute einer verstreuten kleinen Gemeinde. Die feierliche Messe wird russisch gelesen. Der Duft von Weihrauch erfüllt den hohen Altarraum, dessen Marmorsäulen blauweiß eingefasste Kapitelle haben. Vergoldete Holzgitter umgeben den Altar. Man mag kaum glauben, dass vor diesen Kirchenportalen Manhattan liegt.

Fassade der St. Nicholas Russian Orthodox Cathedral

Säulenportal des Museum of the City of New York

Museum of the City of New York ⑲

Ecke 1220 5th Ave/103rd St. **Stadtplan** 21 C5. ⦗ (212) 534-1672. Ⓜ 103rd St. ⦾ Di–So 10–17 Uhr. ⦿ 1. Jan, Thanksgiving, 25. Dez. 📷 ♿ 🛒 🖥 🛍 www.mcny.org

Das Museum wurde 1923 gegründet, war anfangs im Gracie Mansion untergebracht und erhielt 1932 sein Domizil in dem hübschen georgianischen Bau. Die Entwicklung der Stadt seit ihren frühesten Tagen wird anhand von Kostümen, Gemälden, Möbeln, Spielzeug und Erinnerungsstücken dokumentiert.

Berühmt ist das Museum für seine im Stil der Zeit eingerichteten Räume, darunter das Schlafzimmer John D. Rockefellers. Rotierende Ausstellungen gehen auf Themen wie die Mode- und die Theatergeschichte ein. Eine Sammlung präsentiert Spielzeug, Puppen und ein Puppenhaus aus dem 18. Jahrhundert. Jüngst renovierte Galerien widmen sich dem Handel, die Exponate illustrieren New Yorks Aufschwung zu einem Wirtschaftszentrum. Die Alexander Hamilton Gallery zeigt Möbel und Gemälde aus dem Besitz des ersten Schatzministers. Im Untergeschoss sind Gemälde, Landkarten und Drucke zu bewundern.

Whitney Museum of American Art ❼

Das Whitney ist das führende Museum für amerikanische Kunst des 20. und 21. Jahrhunderts. Die Bildhauerin Gertrude Vanderbilt Whitney gründete es 1930, nachdem das Metropolitan Museum of Art ihre Sammlung mit Bildern von Bellows, Hopper und anderen Zeitgenossen abgelehnt hatte. 1966 bezog das Museum die von Marcel Breuer gestaltete umgekehrte Pyramide. Die Whitney-Biennalen gelten als wichtiger Überblick über neue Trends in der amerikanischen Kunst.

Die überhängende Fassade des Museums

Green Coca-Cola Bottles
Andy Warhols Werk von 1962 ist eine kühle Reflexion über Massenproduktion, Überfluss und Monopole.

The White Calico Flower
(1931)
Georgia O'Keeffes stark vergrößerte Blüten haben nahezu abstrakten Charakter.

Little Big Painting
Roy Lichtensteins Bild von 1965 wirkt wie eine Persiflage auf den abstrakten Expressionismus.

Early Sunday Morning *(1930)*
Edward Hopper fing in seinen Bildern die Leere des amerikanischen Stadtlebens ein.

KURZFÜHRER
Die Leonard and Evelyn Lauder Galleries im dritten Stock zeigen Dauerausstellungen mit Werken von Calder, O'Keeffe und Hopper. Wechselausstellungen sind im ersten und zweiten Stock und im Erdgeschoss zu sehen.

Dempsey and Firpo
George Bellows hielt 1924 einen der legendärsten Boxkämpfe des Jahrhunderts fest.

Three Flags *(1958)*
Jasper Johns' Abstrahierungen vertrauter Gegenstände beeinflussten die Pop Art maßgeblich.

Owh! In San Paõ *(1951)*
Stuart Davis kombinierte hier abstrakte Formen und Schriftzüge zu einem prägnant amerikanischen Stil.

Circus *(1926–31)*
Alexander Calders fantasievolle Konstruktion ist ständig zu sehen.

Tango *(1919)*
Das tanzende Paar ist die berühmteste Holzplastik von Elie Nadelman.

Hudson River Landscape *(1951)*
Die Stahlskulptur David Smiths gilt als eines seiner einflussreichsten Werke.

Frick Collection ❽

D ie kostbare Kunstsammlung des Stahlmagnaten Henry Clay Frick (1849–1919) ist in dessen opulent ausgestattetem Stadtpalais untergebracht. Man erhält hier eine Vorstellung davon, wie die ganz Reichen in New Yorks goldenem Zeitalter lebten. Die Sammlung umfasst Gemälde alter Meister, französische Möbel, Email aus Limoges und orientalische Teppiche. Frick wollte sich mit dieser Sammlung selbst ein Denkmal setzen und vermachte das Gebäude samt Inhalt dem Staat.

Fassade der Frick Collection zur Fifth Avenue hin

Der Hafen von Dieppe *(1826)*
William Turners lichtdurchflutete Darstellung des Hafens am Ärmelkanal wurde von skeptischen Zeitgenossen kritisiert.

Kolonnaden-garten

Bibliothek

West-flügel

Der polnische Reiter
Die Identiät des Porträtierten auf diesem 1655 entstandenen Reiterbild von Rembrandt ist unbekannt. Die düstere Landschaft wirkt furchterregend und verweist auf eine Gefahr.

Salon

NICHT VERSÄUMEN

★ *Lady Meux* von James A. M. Whistler

★ *Mall in St. James's Park* von Thomas Gainsborough

★ *Sir Thomas More* von Hans Holbein

★ *Soldat und lachendes Mädchen* von Jan Vermeer

★ **Sir Thomas More** *(1527)*
Holbeins Porträt des Lordkanzlers von Henry VIII entstand acht Jahre vor Mores Hinrichtung.

KURZFÜHRER

Im hellen Westflügel hängen Bilder von Vermeer, Hals und Rembrandt, im Ostflügel Bilder van Dycks. Im Ovalen Raum ist Whistler zu sehen. Nicht versäumen: Bibliothek und Speisezimmer mit Werken englischer Meister sowie den Salon mit Bildern Tizians, Bellinis und Holbeins.

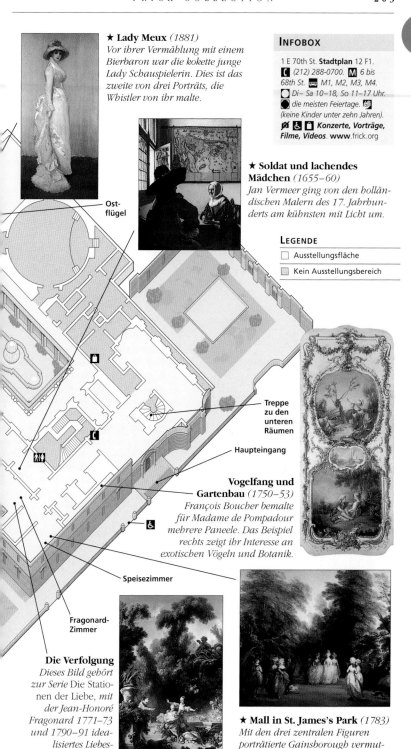

★ Lady Meux *(1881)*
Vor ihrer Vermählung mit einem Bierbaron war die kokette junge Lady Schauspielerin. Dies ist das zweite von drei Porträts, die Whistler von ihr malte.

Ost-flügel

INFOBOX

1 E 70th St. **Stadtplan** 12 F1.
📞 *(212) 288-0700.* 🅼 *6 bis 68th St.* 🚌 *M1, M2, M3, M4.*
⬤ *Di– Sa 10–18, So 11–17 Uhr.*
⬤ *die meisten Feiertage.* 📷
(keine Kinder unter zehn Jahren).
🚫 ♿ 🎁 **Konzerte, Vorträge, Filme, Videos.** www.frick.org

★ Soldat und lachendes Mädchen *(1655–60)*
Jan Vermeer ging von den holländischen Malern des 17. Jahrhunderts am kühnsten mit Licht um.

LEGENDE

☐ Ausstellungsfläche

☐ Kein Ausstellungsbereich

Treppe zu den unteren Räumen

Haupteingang

Vogelfang und Gartenbau *(1750–53)*
François Boucher bemalte für Madame de Pompadour mehrere Paneele. Das Beispiel rechts zeigt ihr Interesse an exotischen Vögeln und Botanik.

Speisezimmer

Fragonard-Zimmer

Die Verfolgung
Dieses Bild gehört zur Serie Die Stationen der Liebe, *mit der Jean-Honoré Fragonard 1771–73 und 1790–91 idealisiertes Liebeswerben darstellte.*

★ Mall in St. James's Park *(1783)*
Mit den drei zentralen Figuren porträtierte Gainsborough vermutlich die Töchter von George III.

CENTRAL PARK

Der »Hinterhof« New Yorks wurde 1858 nach Entwürfen von Frederick Law Olmsted und Calvert Vaux auf einem Areal angelegt, wo es zuvor nur Schweinefarmen, Steinbrüche, Baracken und Sümpfe gab. Die Architekten ließen zehn Millionen Wagenladungen Erde und Steine ankarren und verwandelten 340 Hektar Wildnis in eine »natürliche« Landschaft mit Hügeln, Seen, Wiesen und Felsen. Über 500 000 Bäume und Sträucher wurden angepflanzt. Es entstand ein Erholungsgebiet mit Spielplätzen, Eis- und Rollschuhbahnen und weiteren Anlagen für Sport und Spiel. Auch Konzerte und Veranstaltungen finden hier statt. Am Wochenende ist der Park für Autos gesperrt.

Statuen am Delacorte Theater *(siehe S. 208)*

SEHENSWÜRDIGKEITEN AUF EINEN BLICK

Historische Gebäude
Belvedere Castle ❸
The Dairy ❶

Monumente und Statuen
Bethesda Fountain
and Terrace ❺
Bow Bridge ❹
Strawberry Fields ❷

Seen und Gärten
Central Park Wildlife
Center ❼
Conservatory Garden ❽
Conservatory Water ❻

SIEHE AUCH

• *Stadtplan* Karten 12, 16, 21

www.centralparknyc.org

ANFAHRT

Die Subway-Linien A, B, C und D bringen Sie zu einer der Stationen an der Upper West Side (59th, 72nd, 81st, 86th, 96th und 103rd St). An der Station 59th St/Columbus Circle halten die Linien 1 und 9; 2 und 3 fahren zur 110th Street; N, R und W halten an 57th St und 5th Ave am Südende des Parks. Buslinien M1, M2, M3 und M4 fahren um die östliche Ecke des Parks; M10 im Westen, M5 im Süden.

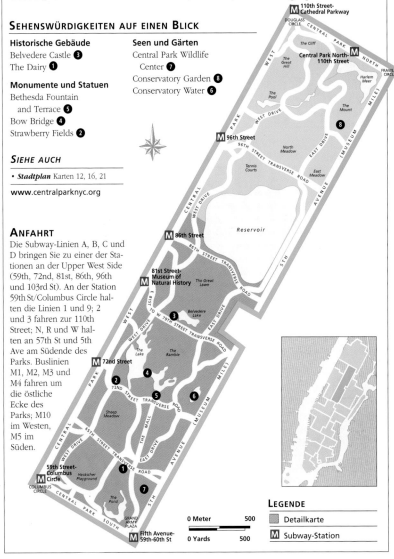

LEGENDE

▦	Detailkarte
Ⓜ	Subway-Station

0 Meter — 500
0 Yards — 500

◁ **Der Park aus der Vogelperspektive**

Rundgang durch den Central Park

Ein Spaziergang von der 59th Street zur 79th Street führt an vielen der schönsten Stellen des Central Park vorbei, vom dicht bewaldeten Ramble zu den regelmäßigen Freiflächen der Bethesda Terrace, entlang künstlicher Seen und über einige der 30 Brücken. Das Netz an Fuß- und Reitwegen sowie Kutschenstraßen beträgt 93 Kilometer. Im Sommer ist es in dieser grünen Oase immer einige Grad kühler als in den umliegenden Straßenschluchten.

★ Strawberry Fields
Der vielbesuchte, ruhige Garten wurde zum Gedenken an John Lennon angelegt, der ganz in der Nähe wohnte. ❷

★ Bethesda Fountain and Terrace
Die schön gestaltete Terrasse überblickt das mit Bäumen bestandene Ufer des Sees und den Ramble. ❺

Die Wollman-Rink, eine Eis- und Rollschuhbahn, ließ Immobilienkönig Donald Trump in den 1980er Jahren renovieren.

Central Park Wildlife Center
In drei Klimazonen leben über 130 verschiedene Tierarten. ❼

The Pond

Plaza Hotel
(siehe S. 181)

Frick Collection
(siehe S. 202f)

Hans Christian Andersens
Statue an der Westseite des Conservatory Water ist eine beliebte Sehenswürdigkeit für Kinder und im Sommer ein Treffpunkt zum Geschichtenerzählen.

★ Dairy
Der neugotische Bau beherbergt das Besucherzentrum, in dem man Informationen zu Veranstaltungen im Park erhält. ❶

Bow Bridge

Die gusseiserne Brücke verbindet Ramble und Cherry Hill. In einem eleganten Bogen erhebt sie sich 18 Meter über den See. ❹

ZUR ORIENTIERUNG
Siehe Übersichtskarte S. 14f

Alice im Wunderland und ihre Freunde sind am Nordrand des Conservatory Water in Bronze verewigt. Kindern macht es viel Vergnügen, immer wieder zu ihr auf den Pilz zu klettern und herunterzurutschen.

NICHT VERSÄUMEN

★ Belvedere Castle

★ Bethesda Fountain

★ Conservatory Water

★ The Dairy

★ Strawberry Fields

kota ilding ehe 218)

San Remo Apartments *(siehe S. 214)*

American Museum of Natural History *(siehe S. 216f)*

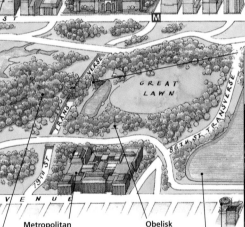

GREAT LAWN

Metropolitan Museum *(siehe S. 190–197)*

Obelisk

Der Ramble ist ein 15 Hektar großer Wald, den ein Netz von Fußwegen und Bächen durchzieht. Über 250 Vogelarten wurden hier schon gesichtet. Der Park liegt an der atlantischen Zugvogel-Flugroute.

Reservoir

Guggenheim Museum *(siehe S. 188f)*

★ **Belvedere Castle**
Von den Terrassen aus hat man eine tolle Sicht auf Park und Stadt. Im Gebäude ist das Central Park Learning Center untergebracht. ❸

★ **Conservatory Water**
Auf diesem Teich finden von März bis September jeden Samstag Modellbootrennen statt. Viele der Miniaturschiffe werden im Bootshaus am Ufer aufbewahrt. ❻

Kleines Paradies für Kinder: das Karussell im Children's District des Parks

Dairy ❶

Stadtplan 12 F2. 📞 (212) 794-6564. Ⓜ Fifth Ave. ⭕ Di–So 10–17 Uhr. **Diaschau.** 📷
www.centralparknyc.org

D as hübsche Häuschen aus Naturstein war ursprünglich als Teil des »Children's District« geplant, zu dem auch noch Spielplatz, Karussell, Kinderhütte und Stall gehörten. Um 1873 grasten auf der Wiese vor der Dairy (Molkerei, Milchfarm) Kühe und Schafe, zwischen denen Perlhühner und Pfauen herumstolzierten. Die Stadtkinder bekamen hier frische Milch und andere Erfrischungen.

Mit der Zeit verfiel das Gebäude, bis es nur noch als Lagerschuppen diente. 1979 wurde es anhand von Originalplänen und Fotografien restauriert und als Informationszentrum eingerichtet. Hier erhält man Parkpläne und Informationen zu Veranstaltungen. Wer es gern geruhsamer mag, kann sich Schachfiguren für einen der Schachtische am »Kinderberg« in der Nähe ausleihen.

Strawberry Fields ❷

Stadtplan 12 E1. Ⓜ 72nd St.

D en tränenförmigen Garten ließ Yoko Ono zum Gedenken an ihren ermordeten Ehemann John Lennon anlegen. Vom Dakota Building aus (siehe S. 218), in dem die beiden lebten, überblickt man genau diese Stelle. Aus aller Welt trafen Geschenke für den Gedenkpark ein. Das Mosaik auf dem Weg mit dem Wort Imagine (Lennons berühmtestes Lied) wurde von der Stadt Neapel gespendet.

Dieser Teil des Parks war von Vaux und Olmsted als weite Freifläche konzipiert worden. Inzwischen erstreckt sich hier ein internationaler »Garten des Friedens« mit 161 Pflanzenarten (eine aus jedem Land der Erde): u. a. Kaimastrauch, Zaubernuss, Rosen, Birken – und Erdbeeren.

Belvedere Castle ❸

Stadtplan 16 E4. 📞 (212) 772-0210. Ⓜ 81st St. ⭕ Di–So 10–17 Uhr. 📷 ♿ nur Hauptetage.

V om Dachausguck der turmbewehrten Burg auf dem Vista Rock bietet sich einer der schönsten Ausblicke auf den Park und die Stadt. Das Central Park Learning Center im Inneren klärt junge Parkbesucher in der faszinierenden Discovery Chamber über die im Park vorhandene vielfältige Tierwelt auf.

In nördlicher Richtung blickt man von der Burg direkt auf das Delacorte Theater, wo

Belvedere Castle mit Dachausguck über den Park

im Sommer Shakespeare-Stücke mit Starbesetzung bei freiem Eintritt aufgeführt werden (siehe S. 347).

Das Theater wurde von dem Verleger und Philanthropen George T. Delacorte gestiftet, der als sehr humorvoll galt und dem zahlreiche Annehmlichkeiten des Parks zu verdanken sind.

Bow Bridge ❹

Stadtplan 16 E5. Ⓜ 72nd St.

D ie Bow Bridge gilt als eine der schönsten von sieben Original-Gusseisenbrücken im Central Park. Vaux gestaltete sie als verbindendes Element zwischen den beiden großen Teilen des Sees. Im 19. Jahrhundert, als viele New Yorker auf dem See Schlittschuh liefen, signalisierte ein roter Ball auf einem Glockenturm am Vista Rock, dass das Eis trug. Von der Brücke bietet sich ein Panoramablick auf den Park und die im Osten und Westen angrenzenden Gebäude.

Idyllische Parkszenerie vor exklusiven Apartmenthäusern

Bethesda Fountain and Terrace auf einem Druck von 1864

Bethesda Fountain and Terrace ❺

Stadtplan 12 E1. **M** *72nd St.*

Die Terrasse zwischen See und Mall, ein sehr formales Element in der natürlich wirkenden Landschaft, bildet das architektonische Herz des Parks. Der Brunnen wurde 1873 eingeweiht. Die Statue *Angel of the Waters* erinnert an den Croton Aqueduct, über den die Stadt 1842 erstmals mit Frischwasser versorgt wurde. (Sein Name geht auf die Bibelerzählung von einem Engel zurück, der am Teich von Bethesda in Jerusalem erschien.) Spanisch inspirierte Details wie die frei herausgehauene Doppeltreppe sowie Fliesen und Friese sind das Werk Jacob Wrey Moulds. Hier kann man ausspannen und Leute beobachten.

Conservatory Water ❻

Stadtplan 16 F5. **M** *77th St.*

Der kleine See ist besser als Model Boat Pond bekannt: Jedes Wochenende ist er Schauplatz von Modellbootrennen.

Eine Statue von Alice im Wunderland am Nordende ist eine Attraktion für Kinder. George T. Delacorte gab die Statue zu Ehren seiner Frau in Auftrag und ließ sich selbst als »Mad Hatter« verewigen. Bei der Statue von Hans Christian Andersen am Westufer tragen Geschichtenerzähler Märchen vor. Die Figur zeigt den Schriftsteller selbst beim Vorlesen von *Das hässliche Entlein* mit der Titelfigur zu seinen Füßen. Kinder klettern gern auf den Schoß der Statue.

Das Conservatory Water weckt ebenfalls literarische Assoziationen: Hier klagt Holden Caulfield in J. D. Salingers Roman *Der Fänger im Roggen* bei den Enten über seine Pubertätsprobleme.

Central Park Wildlife Center ❼

Fifth Ave zwischen 63rd und 66th St.
Stadtplan 12 F2. **C** *(212) 439-6500.*
M *Fifth Ave.* **○** *Mo–Fr 10–17, Sa, So 10–17.30 Uhr; Nov–März: tägl. 10–16.30 Uhr (letzter Eintritt 30 Min. vor Schließung).* 🌐 🅿 ♿ 🛍 🅱
www.centralparkzoo.com

Der 1988 nach vierjährigem Umbau wiedereröffnete Zoo wurde für die fantasievolle und tiergerechte Nutzung des knappen Raums gelobt. Über 130 Tierarten verteilen sich auf drei Klimazonen: Tropen, Polarkreis und kalifornische Küste. Affen und frei fliegende Vögel tummeln sich in einem »tropischen Regenwald«; Eisbären und Pinguine bevölkern das Polargelände, das auch die Tierwelt unter Wasser zeigt.

Im Kinderzoo Tisch können die Kids Ziegen, Schafe, Kühe und Schweine aus der Nähe erleben. Beim Eingang befindet sich die Delacorte Clock, die alle halbe Stunde Kinderlieder abspielt, während bronzene Tierfiguren (z. B. eine Ziege mit Panflöte) sie umkreisen. Den Weg zum Willowdell Arch bewacht das Denkmal für Balto, den Leithund eines Husky-Gespanns, das einen Schlitten mit dringend benötigtem Diphtherie-Impfstoff quer durch Alaska zog.

Statue von Schlittenhund Balto

Conservatory Garden ❽

Stadtplan 21 B5. **M** *Central Pk N, 105th St.* **C** *(212) 860-1382.* **○** *8 Uhr bis Sonnenuntergang.* ♿

Am Vanderbilt Gate an der Fifth Avenue betritt man drei Ziergärten, die jeweils einen anderen Stil repräsentieren. Der Central Garden mit Rasen und Eibenhecke, Sträuchern und Glyzinenpergola spiegelt den italienischen Gartenstil wieder. Der South Garden mit mehrjährigen Pflanzen ist im englischen Stil angelegt; die Bronzeskulptur, die sich im Teich spiegelt, stellt Mary und Dickon aus *Der geheime Garten* von Frances Hodgson Burnett dar. Am Hang dahinter finden sich Tausende einheimischer Wildblumen, während die einjährigen Pflanzen um den *Fountain of the Three Dancing Maiden* im North Garden (französischer Stil) alljährlich im Sommer eine kurze, aber prächtige Blütenpracht bieten.

Eisbär im Central Park Wildlife Center

UPPER WEST SIDE

D er Stadtteil entwickelte sich erst ab 1870 zum Wohnviertel, nachdem es mit der Ninth-Ave-Hochbahn *(siehe S. 26f)* eine Verbindung nach Midtown gab. 1884 entstand das Dakota, New Yorks erstes Luxus-Apartmenthaus. Am Broadway und Central Park West schossen bald die

Maske im Museum of Natural History

Gebäude aus dem Boden. Die Seitenstraßen, meist um 1890 angelegt, werden von schönen Reihenhäusern gesäumt. Auch Kultureinrichtungen wie das Lincoln Center, das American Museum of Natural History und der neue Columbus-Circle-Komplex für Time Warner und CNN sind hier zu finden.

SEHENSWÜRDIGKEITEN AUF EINEN BLICK

Historische Straßen und Gebäude
Columbus Circle **7**
The Dakota **9**
The Dorilton **17**
Pomander Walk **13**
Riverside Drive and Park **14**
Twin Towers
  of Central Park West **1**

Museen und Sammlungen
American Museum of Natural History S. 216f **11**
Children's Museum
  of Manhattan **15**
Hayden Planetarium **12**
New-York Historical Society **10**

Berühmte Theater
Avery Fisher Hall **6**
Lincoln Center for the
  Performing Arts **2**
Lincoln Center
  Theater **5**
Metropolitan Opera House **4**
New York State Theater **3**

Berühmte Hotels und Restaurants
The Ansonia **16**
Hotel des Artistes **8**

ANFAHRT
Mit den Subway-Linien A, B, C, D, 1, 9 bis Columbus Circle, 1, 2, 3, 9 entlang dem Broadway, oder B und C entlang Central Park West. Busse: M10 (Central Park West), M7, M11, M104, M5, M66, M72.

0 Meter 500
0 Yards 500

SIEHE AUCH
• *Stadtplan* Karten 11–12, 15–16
• *Übernachten* S. 290f
• *Restaurants* S. 309f

LEGENDE
■ Detailkarte
M Subway-Station

◁ **Die prunkvolle Fassade des Hauses 14 Riverside Drive**

Im Detail: Lincoln Center

Das Lincoln Center verdankt seine Existenz zwei Umständen: Zum einen benötigten die Metropolitan Opera und das New York Philharmonic Orchestra neue Domizile; zum anderen bedurfte ein großer Teil der West Side dringend einer Neubelebung. Der Gedanke, einen einzigen Komplex verschiedenen darstellenden Künsten zu widmen, erscheint heute ganz normal, galt aber in den 1950er Jahren als Wagnis. Inzwischen zählt das Center jährlich fünf Millionen Besucher und hat sich längst kulturell etabliert. Viele Künstler und Kunstliebhaber wohnen in seiner Umgebung.

★**Lincoln Center for the Performing Arts**
Der Komplex wurde als Tanz-, Musik- und Theaterzentrum konzipiert. Der Platz um den Brunnen lädt zum Ausruhen und Beobachten ein. ❷

Lincoln Center Theater
Hier sind das Vivian Beaumont Theater und das Mitzi E. Newhouse Theater unter einem Dach vereint. ❺

Der Komponist Leonard Bernstein trug entscheidend zum Aufbau des großen Musikkomplexes bei. Sein berühmtes Musical *West Side Story* (nach der Geschichte von Romeo und Julia) spielt in den damals heruntergekommenen Straßen rund um das heutige Lincoln Center.

Die Guggenheim Bandshell im Damrosch Park ist Veranstaltungsort für Konzerte mit freiem Eintritt.

Das New York State Theater *dient dem New York City Ballet und einem Opernensemble als Stammhaus und bietet Platz für 2755 Besucher.* ❸

Metropolitan Opera House
Die Oper ist Zentrum des Lincoln Center. Das Café bietet einen unvergleichlichen Ausblick. ❹

Das College Board Building ist ein Art-déco-Schmuckstück, in dem sich das College Board befindet (zuständig für die Aufnahmeprüfungen der amerikanischen Studenten).

American Folk Art Museum
Stickereien und Werke der naiven Malerei zählen zu den hier gezeigten Exponaten.

Früher Quilt

James Dean bewohnte ein Einzimmer-Apartment im obersten Stockwerk von 19 68th Street.

ZUR ORIENTIERUNG
Siehe Übersichtskarte S. 14f

LEGENDE

– – – – Routenempfehlung

| 0 Meter | 100 |
| 0 Yards | 100 |

★ **Hotel des Artistes**
Hier logierten Isadora Duncan, Noël Coward und Norman Rockwell. Es gibt ein exquisites Hotelrestaurant (siehe S. 310). **8**

Zur Subway-Station 72nd Street (vier Blocks)

W 67TH STREET

65TH STREET

CENTRAL PARK WEST

Die American Broadcasting Company hat ihren Sitz in einem burgartigen ehemaligen Arsenal.

Central Park West Nr. 55: Das Art-déco-Apartmenthaus war Schauplatz im Film *Ghostbusters*.

Die Society of Ethical Culture residiert in einem der ersten Art-Nouveau-Häuser der Stadt. Zudem ist hier eine Schule untergebracht.

Zur Subway-Station 59th Street (zwei Blocks)

Central Park West ist die Adresse zahlreicher Berühmtheiten, die sich hier in exklusive Apartments zurückziehen können.

NICHT VERSÄUMEN

★ Hotel des Artistes

★ Lincoln Center

Century Apartments
Die vom Park aus sichtbaren Türme machen den Wohnkomplex zu einem Wahrzeichen New Yorks.

Das doppeltürmige Apartmenthaus San Remo entwarf Emery Roth

Twin Towers of Central Park West ❶

Stadtplan 12 D1, 12 D2, 16 D3, 16 D5. Ⓜ *59th St-Columbus Circle, 72nd St, 81st St, 86th St.* ◑ *für Besucher.*

Die vier Doppeltürme am Central Park West gehören zu den Wahrzeichen der Skyline. Die Apartmenthäuser wurden 1929–31 errichtet, ehe die Weltwirtschaftskrise dem Bau von Luxuswohnungen ein Ende setzte. Heute zählen sie zu den begehrtesten New Yorker Adressen.

Die Gebäude bestechen durch Eleganz und architektonische Raffinesse. Ihre charakteristische Form ist durch ein Gesetz inspiriert, das höhere Wohnhäuser zuließ, sofern zurückgesetzte Fassaden und Türme vorgesehen waren.

Zu den berühmten Bewohnern des San Remo (Nr. 145) zählen Dustin Hoffman, Paul Simon und Diane Keaton. Madonna wurde von der Eigentümerversammlung abgelehnt und lebt nun in 1 West 64th Street neben der New York Society for Ethical Culture. In den Türmen des Eldorado (Nr. 300), ebenfalls von Roth, wohnten u.a. Groucho Marx, Marilyn Monroe und Richard Dreyfuss. Das Majestic (Nr. 115) und das Century (Nr. 25) gelten als Klassiker des Art-déco-Designers Irwin S. Chanin.

Lincoln Center for the Performing Arts ❷

Stadtplan 11 C2. 🅒 *(212) 546-2656.* Ⓜ *66th St.* ♿ 🅒 *(212) 875-5350.* 🍴 🎭 *Siehe* **Unterhaltung** *S. 350f.* www.lincolncenter.org

Im Mai 1959 reiste Präsident Eisenhower nach New York, um eine Schaufel Erde umzudrehen. Leonard Bernstein hob den Dirigentenstab, New York Philharmonic und Juilliard Choir stimmten das *Hallelujah* an, und das wichtigste Kulturzentrum der Stadt war geboren. Der Komplex erstreckt sich über die sechs Hektar des einstigen Slums, in dem Bernsteins *West Side Story* spielte. Der Brunnen der Plaza ist ein Werk Philip Johnsons, die *Reclining Figure* schuf Henry Moore.

Die angesehene Jazz-Bühne des Lincoln ist nun Teil eines neuen Komplexes am Columbus Circle *(siehe S. 215).*

New York State Theater ❸

Lincoln Center. **Stadtplan** 11 D2. 🅒 *(212) 870-5560.* Ⓜ *66th St.* ♿ 🅒 🍴 🎭 *Siehe* **Unterhaltung** *S. 346f.* www.nycballet.com

Das 1964 eröffnete Stammhaus des angesehenen New York City Ballet entwarf Philip Johnson. Das Gebäude beherbergt auch die New York City Opera.

Gewaltige weiße Marmorskulpturen von Elie Nadelman beherrschen das immense dreistöckige Foyer. Im Theater finden 2800 Besucher Platz. Innen und außen erstrahlen Leuchter und Lüster aus Bergkristall; daher wird das Haus oft als »kleines Schatzkästchen« beschrieben.

Metropolitan Opera House ❹

Lincoln Center. **Stadtplan** 11 D2. 🅒 *(212) 362-6000.* Ⓜ *66th St.* ♿ 🅒 🍴 🎭 *Siehe* **Unterhaltung** *S. 350f.* www.metopera.org; www.abt.org

Die »Met« ist der spektakulärste Teil des Komplexes und Blickpunkt der Plaza. Die Metropolitan Opera Company und das American Ballet Theater haben hier ihr Domizil. Fünf hohe Bogenfenster geben den Blick auf das Foyer frei. Die leuchtenden Wandgemälde von Marc Chagall werden vormittags vor der Sonne geschützt und

Die Central Plaza des Lincoln Center

sind dann nicht zu sehen. Innen beeindrucken Marmortreppen, roter Plüschteppich und Kristallüster.

Open-Air-Konzert in der Guggenheim Bandshell, Damrosch Park

Alle Größen haben hier gesungen: etwa Maria Callas, Jessye Norman und Luciano Pavarotti. Die Premierenabende sind glanzvolle Ereignisse.

Die Guggenheim-Konzertmuschel im Damrosch Park neben der Met ist ein beliebtes Ziel für Musikliebhaber, die hier Opern und auch Jazzkonzerte besuchen. Höhepunkt der Saison ist das Lincoln Center Out-of-Doors Festival im August.

Lincoln Center Theater ❺

Lincoln Center. **Stadtplan** 11 C2. [(212) 362-7600 (Beaumont und Newhouse), (212) 870-1630 (Bibliothek), 800-432 7250 (Tickets). M 66th St. & 🚻 🚹 Siehe *Unterhaltung* S. 350f. www.lct.org

Der innovative Bau unterteilt sich in zwei Theater, die sich auf ausgefallene Stücke spezialisiert haben: das Vivian Beaumont Theater mit 1000 Sitzplätzen und das Mitzi E. Newhouse Theater mit 280 Plätzen.

Einige der besten modernen Dramatiker New Yorks haben im Beaumont den Durchbruch geschafft. Eingeweiht wurde es 1962 mit Arthur Millers *Nach dem Sündenfall*. Das kleinere Newhouse ist ein Werkraumtheater, macht aber hin und wieder Schlagzeilen. So wurde hier Samuel Becketts *Warten auf Godot* inszeniert, mit Robin Williams

und Steve Martin in den Hauptrollen.

In der New York Public Library for the Performing Arts werden u. a. Dokumentationen historischer Aufführungen an der Met, Libretti, Plakate und Programme gezeigt.

Avery Fisher Hall ❻

Lincoln Center. **Stadtplan** 11 C2. [(212) 875-5030. M 66th St. & 🚲 🚻 🚹 Siehe *Unterhaltung* S. 350f. www.newyorkphilharmonic.org

Die Avery Fisher Hall am nördlichen Ende der Lincoln Center Plaza ist die Heimstatt der New York Philharmonic, des ältesten amerikanischen Orchesters. Hier finden aber auch andere Veranstaltungen des Lincoln Center statt, etwa das Mostly Mozart Festival. Als die Philharmonie 1962 eröffnet wurde, gab es Kritik an der Akustik. Verschiedene bauliche Maßnahmen haben die Konzerthalle mittlerweile in ein akustisches Juwel verwandelt, das sich klanglich mit anderen weltberühmten Konzertsälen messen kann. Für einen geringen Eintritt kann man donnerstagvormittags Proben im 2738-Plätze-Auditorium miterleben.

Columbus Circle ❼

Columbus Circle. **Stadtplan** 12 D3. M 59th St. **Konzerte** [(212) 258-9800. www.jazzatlincolncenter.org

Über den Platz an der unteren Ecke des Central Park blickt die Statue von Christoph Kolumbus, die auf einer Granitsäule steht. Sie ist eines der wenigen Überbleibsel des alten Platzes, der mittlerweile zum größten Bauprojekt in der Geschichte New Yorks geworden ist. Hier wurden neue multifunktionale Hochhäuser gebaut, die nationale und inter-

nationale Unternehmen anziehen. Time Warner etwa hat hier sein Hauptquartier. Auf die 260 000 Quadratmeter des Baus verteilen sich auch Läden, Veranstaltungsräume und Restaurants. Hier findet man Geschäfte wie Hugo Boss, Williams-Sonoma und Borders Books; dinieren kann man im Per Se und im Jean-George Vongerichten's Steakhouse. Ebenso beherbergt der Komplex das sechste Hotel der Mandarin-Oriental-Kette.

Das Time Warner Center »übernahm« die Jazz-Bühnen des Lincoln Center: Die Frederic P. Rose Concert Hall und die Allen Room bilden zusammen mit einem Jazzklub und einem Unterrichtscenter den weltweit ersten Komplex, der nur dem Jazz gewidmet ist.

Am Columbus Circle stehen zudem das vom britischen Architekten Norman Foster entworfene Hearst House, das Trump International Hotel und das Maine Monument.

Hotel des Artistes ❽

1 W 67th St. **Stadtplan** 12 D2. [(212) 877-3500 (Café). M 72nd St.

Die zweigeschossigen Wohnungen im 1918 von George Mort Pollard errichteten Gebäude waren als Ateliers für bildende Künstler gedacht, zogen aber alle möglichen Bewohner an, etwa Alexander Woollcott, Norman Rockwell, Isadora Duncan, Rudolph Valentino und Noël Coward. Das Café des Artistes verdankt seine Berühmtheit den romantischen Wandgemälden von Howard Chandler Christy und der erlesenen Küche.

Zierfigur am Hotel des Artistes

American Museum of Natural History ⓫

Das Museum ist eines der grössten naturge-schichtlichen Museen der Welt. Der 1877 eröffnete Komplex von Calvert Vaux und J. Wrey Mould umfasst vier Häuserblocks und besitzt über 30 Millionen Exponate. Sehr beliebt sind die Dinosaurier-Abteilung und die frisch reno-vierte Milstein Hall of Ocean Life. Zum neuen Rose Center for Earth and Space gehört das Hayden Planetarium *(siehe S. 218).*

Eingang an der 77th Street

NICHT VERSÄUMEN

★ Barosaurier

★ Blauwal

★ Haida-Kanu

★ Star of India

★ Star of India
Der mit 563 Karat größte blaue Saphir der Welt wurde auf Sri Lanka gefunden und dem Museum 1901 durch J. P. Morgan übereignet.

KURZFÜHRER
Geht man vom Eingang Central Park West in den ersten Stock, sieht man dort den gewaltigen Baro-saurier. Hier finden sich auch Exponate zu Völkern und Tieren Afrikas, Asiens, Mittel- und Südameri-kas. Im Erdgeschoss sind Meteoriten, Mineralien und ozeanische Exponate ausgestellt. Indianische Objekte, Vögel und Reptilien finden sich im zweiten, Dinosaurier und Fossilien im dritten Stock.

★ Blauwal
Der Blauwal ist das größte Tier, das je auf der Erde lebte. Er kann mehr als 100 Tonnen wiegen. Das Expo-nat ist einem Weibchen nachge-bildet, das 1925 vor Südamerika gefangen wurde.

★ Haida-Kanu
Das 19,20 Meter lange seetüchtige Kriegskanu schufen Haida-Indianer aus einem einzigen Zedernstamm. Es steht im Foyer zur 77th Street.

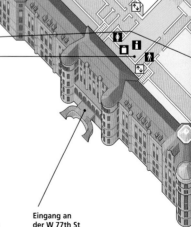

Eingang an der W 77th St

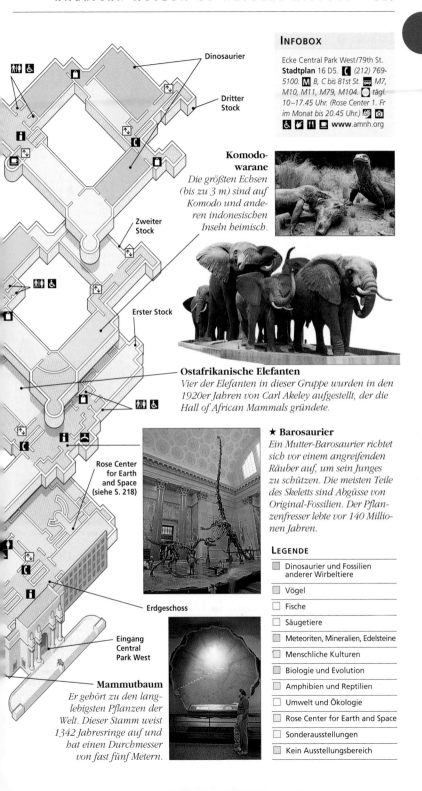

Dinosaurier

Dritter Stock

Zweiter Stock

Erster Stock

Rose Center for Earth and Space (siehe S. 218)

Erdgeschoss

Eingang Central Park West

INFOBOX

Ecke Central Park West/79th St.
Stadtplan 16 D5. (212) 769-5100. M B, C bis 81st St. M7, M10, M11, M79, M104. tägl. 10–17.45 Uhr. (Rose Center 1. Fr im Monat bis 20.45 Uhr.) www.amnh.org

Komodo-warane
Die größten Echsen (bis zu 3 m) sind auf Komodo und anderen indonesischen Inseln heimisch.

Ostafrikanische Elefanten
Vier der Elefanten in dieser Gruppe wurden in den 1920er Jahren von Carl Akeley aufgestellt, der die Hall of African Mammals gründete.

★ Barosaurier
Ein Mutter-Barosaurier richtet sich vor einem angreifenden Räuber auf, um sein Junges zu schützen. Die meisten Teile des Skeletts sind Abgüsse von Original-Fossilien. Der Pflanzenfresser lebte vor 140 Millionen Jahren.

Mammutbaum
Er gehört zu den langlebigsten Pflanzen der Welt. Dieser Stamm weist 1342 Jahresringe auf und hat einen Durchmesser von fast fünf Metern.

LEGENDE

Dinosaurier und Fossilien anderer Wirbeltiere

Vögel

Fische

Säugetiere

Meteoriten, Mineralien, Edelsteine

Menschliche Kulturen

Biologie und Evolution

Amphibien und Reptilien

Umwelt und Ökologie

Rose Center for Earth and Space

Sonderausstellungen

Kein Ausstellungsbereich

Dakota ❾

1 W 72nd St. **Stadtplan** 12 D1.
Ⓜ 72nd St. ◗ für Besucher.

Der Name Dakota deutet
darauf hin, wie weit »im
Wilden Westen« das Gebäude
lag, das der Architekt Henry J.
Hardenbergh entworfen hatte.
Das erste Luxus-Apartmenthaus New Yorks entstand von
1880 bis 1884 inmitten ärmli-
cher Hütten und weidender
Tiere. Den Auftrag hatte Edward S. Clark gegeben, der
Erbe des Singer-Nähmaschi-
nen-Vermögens.

Das Dakota Building zählt
zu den prestigeträchtigsten
Adressen der Stadt und hat es
auch zu Filmruhm gebracht,
z. B. in *Rosemary's Baby*. In
den 65 Luxussuiten wohnten
bereits Judy Garland, Lauren
Bacall, Leonard Bernstein,
Boris Karloff (der noch als
Gespenst umgehen soll) und
John Lennon. Der Ex-Beatle
wurde genau vor diesem
Haus Opfer eines Attentats;
seine Frau Yoko Ono lebt
heute noch hier.

**Indianerrelief über dem Eingang
des Dakota**

New-York
Historical Society ❿

170 Central Park West. **Stadtplan**
16 D5. Ⓒ (212) 873-3400. Ⓜ 81st
St. **Galerien** ◯ Di–Sa 10–18 Uhr.
▨ **Bibliothek** ◯ Di–Sa (Sommer
Di–Fr) 10–17 Uhr. ◗ Feiertage. Ⓟ
Ⓖ ▨ ⬚ ⬚ www.nyhistory.org

Zu den Schätzen dieser
1804 gegründeten Gesell-
schaft gehören eine exzellente Bibliothek und das älteste

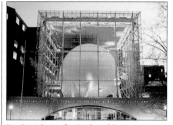

Das Rose Center for Earth and Space

New Yorker Museum. Die
Sammlung umfasst historische
Dokumente über Sklaverei
und den Bürgerkrieg, zahllose
Zeitungen des 18. Jahrhunderts
und zudem alle 435 Vogel-
bildnisse von Audubons *Birds
of America*. Auch 150 Tiffany-
Leuchten und Möbel der Fe-
deral-Style-Periode hat die
Society zusammengetragen.

American
Museum of
Natural History ⓫

Siehe S. 216f.

Hayden
Planetarium ⓬

Ecke Central Park West/81st St. **Stadtplan** 16 D4. Ⓒ (212) 769-5100, für
Space-Show-Tickets: (212) 769-5200.
Ⓜ 81st St. **www**.amnh.org/rose

Das Herzstück des von
Polshek & Partner ent-
worfenen Rose Center of
Earth and Space ist das Hayden Planetarium an der Nordseite des American Museum
of Natural History. In dem
26,5 Meter hohen Kuppelbau
sind ein technologisch anspruchsvolles Space Theater
und der Cosmic Pathway
untergebracht, eine riesige
Zeitspirale, die den Besucher
durch 13 Millionen Jahre Evolution führt. Die Hall of Planet
Earth hat im Zentrum gewaltige Felsen und ist mit der modernsten Computer- und Vi-
deotechnik ausgestattet; hier
werden der Aufbau und die
geologische Geschichte der
Erde erläutert. Ausstellungen
in der Hall of the Universe
informieren über die neuesten
Entdeckungen der modernen
Astrophysik. In vier Zonen

werden selbst zu
bedienende, inter-
aktive Exponate und
umfangreiche Lern-
programme präsen-
tiert.

Von der Straße aus
betrachtet, wirkt das
Rose Center of Earth
and Space noch
atemberaubender.

Pomander Walk ⓭

261–267 W 94th St. **Stadtplan**
15 C2. Ⓜ 96th St.

Der Blick durchs Tor offen-
bart eine Reihe kleiner
Stadthäuser von 1921. Sie
sind der Kulisse eines beliebten Schauspiels gleichen
Namens nachempfunden, die
Londoner Stallungen darstellte. Hier wohnten viele Schauspieler wie Rosalind Russell,
Humphrey Bogart und die
Gish-Schwestern.

Stadthaus am Pomander Walk

Riverside Drive
and Park ⓮

Stadtplan 15 B1–B5, 20 D1–D5.
Ⓜ 79th St, 86th St, 96th St.

Der Riverside Drive ist eine
der attraktivsten Straßen
der Stadt: breit, schattig, mit
schönen Ausblicken auf den
Hudson River. Er wird von
alten Stadtpalais und neueren
Apartmentgebäuden gesäumt.
Die sehenswerten Häuser
Nr. 40–46, 74–77, 81–89 und
105–107 entstanden Ende des
19. Jahrhunderts nach Plänen
von Clarence F. True. Ihre
geschwungenen Giebel, Erker

und Bogenfenster scheinen die Biegung der Straße und des Flusses widerzuspiegeln.

Das Haus Nr. 243 trägt den merkwürdigen Namen Cliff Dwellers' Apartments. Ein Fries zeigt denn auch »Felsen-bewohner« mit Masken und Büffelschädeln, Berglöwen und Klapperschlangen.

Der Riverside Park wurde 1880 nach Plänen von Frederick Law Olmsted angelegt, der auch den Central Park *(siehe S. 204–207)* gestaltete.

Das Soldiers' and Sailors' Monument im Riverside Park

Children's Museum of Manhattan ⓯

212 W 83rd St. **Stadtplan** 15 C4.
📞 *(212) 721-1234.* Ⓜ *79th St, 81th St, 86th St.* ⏰ *Mi–Fr 10–17, Sa, So 9–17 Uhr (Juli, Aug: Di–So 9–17 Uhr).* ● *Feiertage.* 🎫 📷 ♿ 🛍 *www.cmom.org*

D as wunderbare Museum »zum Anfassen« wurde 1973 eröffnet und gründet auf der These, dass Kinder beim Spielen am besten lernen. Das Wunder des menschlichen Körpers wird mittels »Odyssey« in einer kurzen Multimedia-Show enthüllt. Mit anderen Hightech-Systemen können Kinder in digitale Welten reisen, wo sie auch eigene Ideen ausprobieren können. Das Time Warner Media Center bietet Einblicke in ein Fernsehstudio. Kinder können dort in die Rolle von Kamera-

Eingang des Children's Museum

leuten, Nachrichtensprechern, Animatoren und Technikern schlüpfen.

An Wochenenden und in den Ferien treten im 150-sitzigen Theater Puppenspieler und Märchenerzähler auf. Samstags können Kids Bücher herstellen. Zudem gibt es Angebote für spielerische kindliche Sprachförderung.

The Ansonia ⓰

2109 Broadway. **Stadtplan** 15 C5.
Ⓜ *72nd St.* ● *für Besucher.*

D as Beaux-Arts-Juwel entstand 1899 nach Plänen des französischen Architekten Paul E. M. Duboy im Auftrag von William Earl Dodge Stokes, dem Erben des Vermögens der Phelps Dodge Company. Das frühere Luxus-Apartmenthotel ist seit 1992 ein Wohnhaus.

Seine auffälligsten Merkmale sind der Rundturm und das zweistöckige, gaubengeschmückte Mansardendach. Ursprünglich gab es einen Dachgarten (mit Dodges Menagerie: Enten, Hühner

und ein zahmer Bär) und zwei Swimmingpools.

Die dicken, lärmschluckenden Wände machten das Hotel schnell zum bevorzugten Quartier der musikalischen Prominenz: Florenz Ziegfeld, Arturo Toscanini, Enrico Caruso, Igor Strawinsky und Lily Pons gehörten einst zur Gästeschar.

Dorilton ⓱

171 W 71st St. **Stadtplan** 11 C1.
Ⓜ *72nd St.* ● *für Besucher.*

I mmenser Detailreichtum, ein imposantes, hohes Mansardendach und ein neunstöckiger Torbau zur West 71st Street charakterisieren dieses Apartmenthaus. Für heutige Begriffe wirkt es reichlich überzogen, doch 1902 rief es andere Reaktionen hervor, etwa im *Architectural Record:* »Sein Anblick

Von Skulpturen gestützter Balkon des Dorilton

lässt starke Männer fluchen und schwache Frauen erschreckt zurückweichen.«

Was die Kritiker wohl zum Alexandria Condominium einen Block weiter gesagt hätten (135 West 70th St)? Das Gebäude wurde 1927 als Pythian Temple errichtet, diente als Freimaurerloge und trägt üppige Verzierungen im ägyptischen Stil, von denen sich der heutige Name ableitet. Viele davon wurden im Lauf des Umbaus zu Luxus-Apartments entfernt, doch fehlt es auch heute nicht an Lotosblättern, Hieroglyphen, Säulen und Fabelwesen. Auf dem Dach darüber thronen in majestätischer Pracht zwei Pharaonen.

Der charakteristische Eckturm des Ansonia Hotel

MORNINGSIDE HEIGHTS
UND HARLEM

Franz von Assisi,
Museo del Barrio

Morningside Heights am Hudson River ist Sitz der Columbia University und besitzt zwei der schönsten Kirchen New Yorks. Östlich, gleich an der Grenze zu Harlem, der bekanntesten schwarzen Gemeinde der USA, liegt Hamilton Heights. Da Harlem nicht die sicherste Gegend ist, buchen Sie am besten eine Tour am Sonntagmorgen. Die Touren *(siehe S. 369)* starten in Hamilton Heights, biegen östlich zum St. Nicholas Historic District ab, machen eine Visite bei der Abyssinian Baptist Church und enden mit einem Lunch à la Southern Style bei Sylvia's, Harlems renommiertem Restaurant.

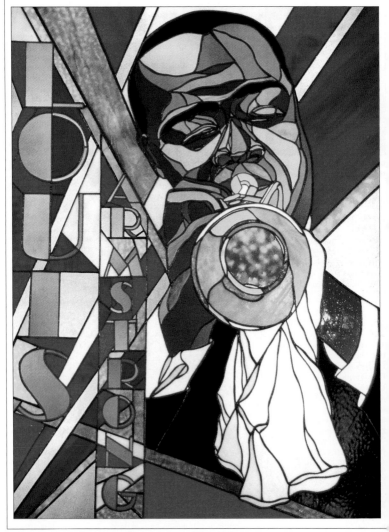

Louis Armstrong auf einem Buntglasfenster im neuen Cotton Club

SEHENSWÜRDIGKEITEN AUF EINEN BLICK

Historische Straßen und Gebäude

City College of the City
  University of New York **7**
Columbia University **1**
Grant's Tomb **6**
Hamilton Grange National
  Memorial **8**
Hamilton Heights
  Historic District **9**
Low Library **3**
Mount Morris
  Historic District **17**
St. Nicholas
  Historic District **10**

Museen und Sammlungen

Museo del Barrio **19**
Schomburg Center for Research
  in Black Culture **12**
Studio Museum in Harlem **16**

Berühmte Theater

Apollo Theater **15**
Harlem YMCA **13**

Kirchen

Abyssinian Baptist Church **11**
*Cathedral of St. John
  the Divine S. 226f* **4**
Riverside Church **5**
St. Paul's Chapel **2**

Park

Marcus Garvey Park **18**

Berühmtes Restaurant

Sylvia's **14**

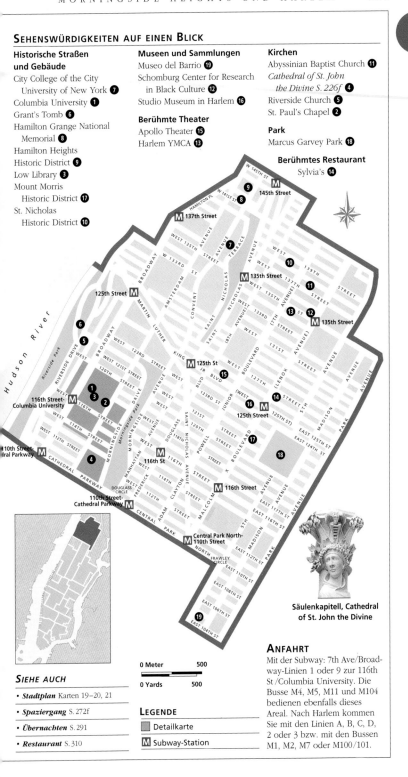

Säulenkapitell, Cathedral
of St. John the Divine

0 Meter   500

0 Yards   500

LEGENDE

▢ Detailkarte

Ⓜ Subway-Station

ANFAHRT

Mit der Subway: 7th Ave/Broad-
way-Linien 1 oder 9 zur 116th
St /Columbia University. Die
Busse M4, M5, M11 und M104
bedienen ebenfalls dieses
Areal. Nach Harlem kommen
Sie mit den Linien A, B, C, D,
2 oder 3 bzw. mit den Bussen
M1, M2, M7 oder M100/101.

Im Detail:
Columbia University

Die Alma Mater, 1903 von Daniel Chester French geschaffen, überstand während der 1968er-Studentenrevolte eine Bombenexplosion.

E ine große Universität drückt sich sowohl in den Gebäuden als auch in ihrem Geist aus. Bewundern Sie die Architektur, verweilen Sie dann etwas im Innenhof vor der Low Library, um zu beobachten, wie sich Amerikas künftige Elite zwischen den Vorlesungen tummelt. Gegenüber dem Campus, auf dem Broadway und in der Amsterdam Avenue, befinden sich Coffee Houses, in denen man sich auf philosophische Debatten einlässt, das Tagesgeschehen kommentiert oder sich nur entspannt.

Subway-Station 116th St/Columbia University (Linien 1, 9)

Die School of Journalism ist eines der von McKim, Mead & White entworfenen Universitätsgebäude. Sie wurde 1912 vom Verleger Joseph Pulitzer gegründet. Hier wird der renommierte Pulitzer-Preis vergeben.

Die Butler Library ist die Hauptbibliothek der Universität.

Low Library
Mit ihrer eindrucksvollen Fassade und der hohen Kuppel dominiert die Bibliothek den Innenhof. Sie wurde 1895–97 von McKim, Mead & White entworfen. ❸

★ **Central Quadrangle**
Die älteren Gebäude wurden alle von McKim, Mead & White konzipiert und um einen erhöhten rechteckigen Platz herum angeordnet. Hier der Blick auf die Butler Library. ❶

St. Paul's Chapel
Die Kirche von Howells & Stokes 1907) ist bekannt für ihre Schnitzereien und das prächtige Gewölbe. Der lichtdurchflutete Innenraum hat eine gute Akustik. ❷

Das Sherman Fairchild Center (1977) ist Sitz der biowissenschaftlichen Fakultäten.

ZUR ORIENTIERUNG
Siehe Übersichtskarte S. 14f

LEGENDE

– – –   Routenempfehlung

| 0 Meter | 100 |
| 0 Yards | 100 |

Studentenunruhen brachten 1968 die Columbia University in die Schlagzeilen. Die ohnehin schon aufgeheizte Atmosphäre entlud sich, als die Universität Pläne für den Bau einer Sporthalle im nahe gelegenen Morningside Park publik machte. Die Proteste zwangen sie dann, an einem anderen Ort zu bauen.

Die Église de Notre Dame wurde für eine französischsprachige Kongregation gebaut. Die Replik der Grotte von Lourdes hinter dem Altar wurde von einer Frau gestiftet, die glaubte, ihr Sohn sei dort geheilt worden.

★ Cathedral of St. John the Divine
Sollte diese neogotische Kathedrale jemals vollendet werden, wird sie die größte der Welt sein. Obwohl noch ein Drittel des Bauwerks fehlt, fasst es jetzt schon 10 000 Gläubige. ❹

Steinmetzarbeiten zieren die Fassade der Kathedrale.

NICHT VERSÄUMEN

★ Cathedral of St. John the Divine

★ Columbia University

MORNINGSIDE HEIGHTS UND HARLEM

Hudson River   Bronx

West Side

UPPER WEST SIDE   CENTRAL PARK   East Side

116TH ST

MORNINGSIDE DRIVE

Alma Mater-Statue vor der Low Library, Columbia University

Columbia University ❶

Haupteingang Ecke W 116th St/ Broadway. **Stadtplan** 20 E3. **C** *(212) 854-4900.* **M** *116th/Columbia Univ.* **⚑** *Mo–Fr 11, 14 Uhr.* **www**.columbia.edu

D ies ist bereits der dritte Standort einer der ältesten und renommiertesten Universitäten der USA. Sie wurde 1754 als Kings College gegründet, nahe dem Ort, an dem das World Trade Center stand.

Als die Universität 1814 umziehen wollte, erhielt sie von den Behörden Land zugewiesen, das 75 000 Dollar wert sein sollte. Die Universität baute jedoch nicht, sondern verpachtete den Grund und verbrachte 1857–97 in Nachbargebäuden. 1985 schließlich verkaufte sie den Grund für 400 Millionen Dollar an die Rockefeller Center Inc.

1897 begann am einstigen Standort des Bloomingdale Insane Asylum der Bau für den Campus. Architekt Charles McKim errichtete die Gebäude über Straßenniveau auf einer Terrasse. Die Rasenflächen und Plätze bilden einen reizvollen Kontrast zur hektischen Metropole.

Über 20 000 Studierende sind hier eingeschrieben. Die Columbia University ist bekannt für die juristische, medizinische und journalistische Fakultät. Unter den Alumnen gibt es über 50 Nobelpreisträger. Berühmte Absolventen sind u.a. Isaac Asimov, J.D. Salinger, James Cagney und Joan Rivers. Gegenüber liegt Barnard College, eine liberale Kunstschule für Frauen.

St. Paul's Chapel ❷

Columbia University. **Stadtplan** 20 E3. **C** *(212) 854-1487 (Konzert-Info).* **M** *116th St/Columbia Univ.* **◯** *Mo–Sa 10–23 Uhr (Semester), 10–16 Uhr (Ferien).* **✝** *So.* **📷** **♿**

Die Kuppel der St. Paul's Chapel

D as bemerkenswerteste Gebäude der Universität wurde 1904 gebaut. St. Paul's Chapel (nicht zu verwechseln mit der namensgleichen Kirche am Broadway, *siehe S. 91*) ist eine Mischung aus italienischer Renaissance, Gotik und byzantinischer Architektur. Das Guastavino-Gewölbe weist komplizierte Ziegelmuster auf; die ganze Kirche wird von Licht durchflutet. Während des Semesters finden hier Orgelkonzerte statt.

Fassade der St. Paul's Chapel

Low Library ❸

Columbia University. **Stadtplan** 20 E3. **M** *116th St/Columbia Univ.*

D er klassische Säulenbau, der sich über drei steinernen Treppenfluchten erhebt, wurde vom ehemaligen College-Präsidenten Seth Low gestiftet. Die Statue davor, die *Alma Mater* von Daniel Chester French, ist vielen noch vertraut als Hintergrund der Filmbilder von vielen Anti-Vietnam-Demonstrationen von 1968. Heute dient das Gebäude als Bürotrakt. Im Rundbau findet eine Vielzahl akademischer und offizieller Veranstaltungen statt. Der Bibliotheksbestand (an der Universität insgesamt sechs Millionen Bände) wurde 1932 in die Butler Library verlagert.

Cathedral of St. John the Divine ❹

Siehe S. 226f.

Riverside Church ❺

Ecke 490 Riverside Dr/122nd St. **Stadtplan** 20 D2. **C** *(212) 870-6700.* **M** *116th St/Columbia Univ.* **◯** *Di–So 10.30–17 Uhr.* **✝** *So 10.45 Uhr.* **📷** *mit Erlaubnis des Priors.* **♿** **🔔** *Glockenspiel* **C** *(212) 870-6784. So 12, 15 Uhr.* **Theater** **C** *(212) 864-2929.* **▢** **www**.theriversidechurchny.org

D ie Kirche, ein 21-stöckiger Stahlgerüstbau mit gotischer Fassade, ahmt die Kathedrale in Chartres nach. Sie wurde 1930 von John D. Rockefeller Jr. finanziert. Das Laura-Spelman-Rockefeller-Glockenspiel zu Ehren seiner Mutter ist mit

Hauptplatz der Columbia University mit der Low Library

74 Glocken das größte der Welt. Die Stundenglocke wiegt 20 Tonnen und ist die schwerste und größte gestimmte Glocke. Auch die Orgel mit ihren 22 000 Pfeifen ist eine der größten der Welt.

An der Rückseite der zweiten Empore befindet sich eine Gipsfigur von Jacob Epstein, *Die Herrlichkeit des Herrn*, die völlig mit Blattgold überzogen ist. Eine weitere schöne Epstein-Figur, *Madonna mit Kind*, steht im Innenhof neben dem Kreuzgang.

Die Tafeln an der Kanzel ehren acht Männer und Frauen, die die Lehren Jesu beispielhaft vorlebten. Dazu gehören Sokrates und Michelangelo ebenso wie Florence Nightingale und Booker T. Washington.

Ruhe findet man in der separaten Christ Chapel, dem Nachbau einer französischen romanischen Kirche aus dem 11. Jahrhundert. Von der zugigen Aussichtsplattform des 120 Meter hohen Glockenturms (mit dem Aufzug zum 19. Stock und dann noch 140 Stufen hoch) können Sie die Aussicht auf Upper Manhattan genießen – sofern nicht gerade die Glocken läuten!

Mosaikwand in Grant's Tomb mit Grant (rechts) und Robert E. Lee

Grant's Tomb ❻

W 122nd St und Riverside Dr.
Stadtplan 20 D2. ☎ (212) 666-1640. Ⓜ 116th St/Columbia Univ.
🚌 M5. ◯ tägl. 9–17 Uhr. ● 1. Jan, Thanksgiving, 25. Dez. 📷 ✗ ☐
www.nps.gov/gegr

Das grandiose Monument wurde zu Ehren des 18. Präsidenten Amerikas und Oberkommandierenden der Unionstruppen im amerikanischen Bürgerkrieg, Ulysses S. Grant, errichtet. Im Mausoleum stehen die Särge von General Grant und seiner Frau, gemäß seinem letzten Wunsch, gemeinsam bestattet zu werden. Nach Grants Tod im Jahr 1885 spendeten mehr als 90 000 Amerikaner insgesamt 600 000 Dollar, um eine Grabstätte zu errichten, die dem Mausoleum bei Halikarnassos, einem der sieben Weltwunder,

General Grant auf einem Feldzug im Bürgerkrieg

gleichkommen sollte. Das Grab wurde am 27. April 1897, an Grants 75. Geburtstag, eingeweiht. Die Parade mit 50 000 Menschen und einer Flotte von zehn amerikanischen und fünf europäischen Kriegsschiffen dauerte über sieben Stunden. Das Innere ist dem Grab Napoleons im Invalidendom in Paris nachempfunden. Jeder Sarkophag wiegt 8,5 Tonnen.

In zwei Räumen gibt es Ausstellungsstücke zu Grants Leben und Laufbahn. Im Norden und Süden wird das Gebäude von 17 sinusförmig gewundenen Mosaikbänken umgeben, die nicht ganz zur formalen Architektur der Grabstätte passen wollen. Sie wurden in den frühen 1970er Jahren von dem in Chile geborenen und in Brooklyn lebenden Künstler Pedro Silva entworfen und von 1200 Freiwilligen unter seiner Aufsicht gebaut. Die Bänke sind von Antonio Gaudí inspiriert; die Mosaike haben vielfältige Themen zum Gegenstand, von den Inuit über New Yorker Taxis bis zu Donald Duck.

Nördlich von Grant's Tomb findet sich ein anderes Denkmal. Eine schlichte Urne auf einem Sockel bezeichnet das Grab eines Kindes, das im 18. Jahrhundert im Fluss ertrank. Der trauernde Vater brachte eine einfache Plakette an: »Zur Erinnerung an ein liebenswertes Kind, St. Clair Pollock, gestorben am 15. Juli 1797 im fünften Lebensjahr.«

Der Blick von Norden auf die 21-stöckige Riverside Church

Cathedral of St. John the Divine ❹

Die gotische Westfront

Der 1892 begonnene Bau ist erst zu zwei Dritteln abgeschlossen. Er wird einmal die größte Kathedrale der Welt sein, 180 Meter lang und 45 Meter breit. Begonnen von Heins und LaFarge im romanischen Stil, entwarf Ralph Adams Cram, der 1911 das Projekt übernahm, das Schiff und die Westfront im gotischen Stil. Noch heute bedient man sich mittelalterlicher Konstruktionsmethoden, etwa der Verwendung von steinernen Strebepfeilern. Die Kathedrale ist auch ein Ort für Theater und Musik.

Chor
Jede der Säulen aus grauem Granit ist 17 Meter hoch.

Schiff —
Die Stütz-pfeiler des 30 Meter hohen Kirchenschiffs tragen anmutige steinerne Bogen.

★ Fensterrose
Das stilisierte Rosenmotiv wurde 1933 fertiggestellt und symbo-lisiert die vielen Facetten der christlichen Kirche.

★ Eingang an der Westfront
Die Portale der Westfront sind kunstvoll behauen. Zum Teil sind die Motive Nachschöpfungen mittelalterlicher religiöser Skulpturen, zum Teil sind sie moderner Art. Mit seiner apokalyptischen Darstellung der New Yorker Skyline scheint der Steinmetz Joe Kincannon die Ereignisse des 11. Septembers 2001 vorweggenommen zu haben (siehe S. 54).

NICHT VERSÄUMEN

★ Eingang an der Westfront

★ Fensterrose

★ Peace Fountain

★ Seitenaltäre

★ **Peace Fountain**
Diese Skulptur von Greg Wyatt soll die Natur in ihren vielfältigen Formen repräsentieren. Sie steht in einem Granitbecken südlich der Kathedrale.

INFOBOX

1047 Amsterdam Ave/W 112th St. **Stadtplan** 20 E4. ☎ *(212) 316-7540.* Ⓜ *1, 9 bis Cathedral Pkwy (110th St).* 🚌 *M4, M11, M60, M104.* 🕐 *Mo–Sa 7–18, So 7–19 Uhr.* ✝ *Andacht So 18 Uhr.* **Spende.** 📷 ♿ ✉ 🅿 **Konzerte, Theater, Ausstellungen, Gärten.** www.stjohndivine.org

Taufbecken
Das gotische Taufbecken ist französisch, spanisch und italienisch beeinflusst.

ENDGÜLTIGE GESTALT

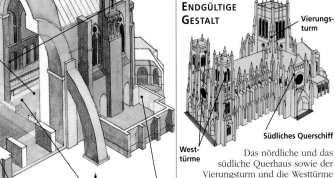

Vierungsturm

Südliches Querschiff

Westtürme

Das nördliche und das südliche Querhaus sowie der Vierungsturm und die Westtürme sind fertig gestellt. Selbst wenn das Geld für die Vollendung der Kathedrale vorhanden ist, werden die Arbeiten weitere 50 Jahre dauern.

Kanzel

★ **Seitenaltäre**
Die Altarfenster sind menschlichen Tätigkeiten gewidmet. Dieses Fenster bildet Sportdarstellungen ab.

Bischofsstuhl
Er ist eine Kopie aus der Kapelle Henrys VII in Westminster Abbey.

St. Ambrose Chapel
Die nach Bischof Ambrosius (4. Jh.) benannte Kapelle zieren Eisenarbeiten im Renaissance-Stil.

ZEITSKALA

1823 Plan für Kathedrale am Washington Square		**1909** Entwurf der Kanzel von Henry Vaughan		**2001** Ein Großfeuer zerstört Teile des Innenraums und das Dach des nödlichen Querhauses	
	1891 Wahl und Benennung des Standorts, Cathedral Parkway	**1911** Neuer Entwurf von Cram			
1800	**1850**	**1900**	**1950**		**2000**
	1873 Beurkundung	**1916** Baubeginn für Kirchenschiff	**1978–89** Dritte Bauphase. Stonemasons' Yard eröffnet und Südturm erhöht		
	1888 Heins & LaFarge gewinnen den Architektur-Wettbewerb	**1941** Einstellung der Arbeiten, Wiederaufnahme erst 1978			
	1892 Grundsteinlegung am 27. Dezember (Johannestag)				

City College of the City University of New York ❼

Haupteingang W. 138th St. Ecke Convent Ave. **Stadtplan** 19 A2. 🄲 *(212) 650-7000.* Ⓜ *137th St/ City College.* **www**.ccny.cuny.edu

D as College liegt auf einem Hügel neben Hamilton Heights. Die um einen Innenhof errichteten neugotischen Gebäude entstanden zwischen 1903 und 1906. Als Baumaterial diente Schiefer, der beim Bau der IRT-Subway in Manhattan anfiel. Später kamen moderne Gebäude hinzu.

Das College stand früher allen Einwohnern der Stadt unentgeltlich zur Verfügung, auch heute hat es noch niedrige Studiengebühren. Drei Viertel der 15 000 Studenten gehören Minderheiten an, viele von ihnen sind die Ersten in ihrer Familie, die studieren.

Shepard Archway im City College of the City University of New York

Hamilton Grange National Memorial ❽

287 Convent Ave. **Stadtplan** 19 A1. 🄲 *(212) 283-5154.* Ⓜ *137th St/ City College.* 🄾 *Fr–So 9–17 Uhr.* ⬤ *Feiertage.* 🄾 🄸 *stündlich.* **www**.nps.gov/hagr

E ingepfercht zwischen einer Kirche und Apartments steht eines der geschichtsträchtigsten Gebäude der Stadt: das Landhaus Alexander Hamiltons von 1802. Er war einer der Architekten des föderalistischen Regierungssystems, erster Finanzminister

Statue vom Alexander Hamilton in Hamilton Grange

und Gründer der National Bank. Sein Gesicht ziert den Zehn-Dollar-Schein. Hamilton starb 1804 bei einem Duell mit seinem politischen Gegner Aaron Burr.

1898 wurde das Haus von der St. Luke's Episcopal Church gekauft und um zwei Blocks versetzt. Es ist zugänglich, soll aber weiter renoviert und versetzt werden.

Hamilton Heights Historic District ❾

W 141St–W 145th St und Convent Ave. **Stadtplan** 19 A1. Ⓜ *137th St/ City College.*

I n der auch als Harlem Heights bekannten Gegend lagen ursprünglich die Landgüter der Wohlhabenden. Um 1880 wurde hier im Zusammenhang mit der Verlängerung der Hochbahn *(siehe S. 26)* viel gebaut. Die ruhige Lage auf dem Hügel über Harlem machte Hamilton Heights zu einem begehrten Wohnviertel.

In dem unter dem Namen Sugar Hill bekannten Areal versammelte sich die Elite Harlems: Thurgood Marshall, Richter am obersten Gerichtshof, Jazz-Musiker wie Count

Basie, Duke Ellington und Cab Calloway und der Box-Champion Sugar Ray Robinson, alle haben hier gewohnt.

Die zwei- und dreistöckigen Steinhäuser entstanden zwischen 1886 und 1906 in allen möglichen Baustilen mit flämischen, romanischen und Tudor-Elementen. Viele der Gebäude werden heute vom nahen City College genutzt.

Reihenhäuser in Hamilton Heights

St. Nicholas Historic District ❿

202–250 W 138th und W 139th St. **Stadtplan** 19 B2. Ⓜ *135th St (B, C).*

D ie beiden Häuserblocks im St. Nicholas Historic District, die »King Model Houses«, wurden 1891 gebaut und bilden heute einen starken Kontrast zu ihrer Umgebung.

Der Erbauer David King wählte drei führende Architekten aus, die mit ihren verschiedenen Stilen ein heterogenes, gleichwohl harmonisches Ensemble schufen. Die Architekten McKim, Mead & White, die auch die Morgan Library *(siehe S. 164f)* und die Villard Houses *(siehe S. 176)*

MORNINGSIDE HEIGHTS UND HARLEM

Adam Clayton Powell Jr. (dunkler Anzug) bei einer Bürgerrechtskampagne

entwarfen, sind für die nördliche Gruppe im Stil der italienischen Renaissance verantwortlich. Sie entschieden sich für eine solide Ziegelbauweise, ebenerdige Eingänge, schmiedeeiserne Balkongitter und dekorative Steinmetzarbeiten, etwa Medaillons, über den Fenstern.

Die südliche Gruppe im georgianischen Stil wurde von den Architekten Price und Luce entworfen und besteht aus gelbbraunen Ziegelsteinen mit weißen Steinverzierungen. Die Gebäude von James Brown Lord, ebenfalls im georgianischen Stil gehalten, muten mit ihren roten Ziegelfassaden und Sandsteinfundamenten eher viktorianisch an.

In den 1920er und 1930er Jahren zog die Gegend viele erfolgreiche Schwarze an, beispielsweise die Musiker W. C. Handy oder Eubie Blake. Nach ihnen, den Aufsteigern, wurde die Gegend auch »Strivers' Row« genannt.

Abyssinian Baptist Church ⓫

132 W 138th St). **Stadtplan** 19 C2.
((212) 862-7474. M 135th St (B, C, 2, 3). So 9, 11 Uhr. Gruppen ab 10 Personen nur mit Voranmeldung. **www**.abyssinian.org

Die älteste schwarze Kirche New Yorks (1808 gegründet) wurde durch ihren charismatischen Pastor Adam Clayton Powell Jr. (1908–1972) bekannt; er war Kongressmitglied und Bürger-

rechtler. Unter seiner Führung wurde sie die mächtigste schwarze Kirche Amerikas. In einem der Räume gibt es eine Ausstellung über ihn.

In dem neugotischen Gebäude von 1923 sind angemessen gekleidete Gäste zum Gottesdienst am Sonntag willkommen.

Schomburg Center for Research in Black Culture ⓬

515 Malcolm X Blvd. **Stadtplan** 19 C2.
M 135th St. (2, 3). ((212) 491-2200. Zeiten variieren. Mo, So, Feiertage. (212) 491-2207. www.nypl.org/research/sc

In einem neuen Gebäude von 1991 befindet sich das größte Forschungszentrum für schwarze und afrikanische Kultur in den Vereinigten Staaten. Die riesige Sammlung wurde von Arthur Schomburg zusammengetragen, einem Schwarzen puertoricanischer Herkunft, dem ein Lehrer einmal gesagt hatte, es gäbe keine »schwarze Geschichte«. Die Carnegie Corporation kaufte

Kurt Weill, Elmer Rice und Langston Hughes im Schomburg Center

die Sammlung 1926 und übergab sie der New York Public Library; Schomburg wurde dort 1932 Kurator.

In den 1920er Jahren wurde die Bücherei zum inoffiziellen Zentrum der schwarzen literarischen Renaissance, an der Leute wie W. E. B. Du Bois, Zora Neale Hurston und andere wichtige Autoren der Zeit Anteil hatten. Auch literarische Zusammenkünfte und Lesungen fanden hier statt.

Die Schomburg Library hat hervorragende Einrichtungen, in denen die Schätze des Archivs bewahrt und präpariert werden – seltene Bücher, Fotos, Kunst, Filme und Tonaufnahmen. Die Bücherei ist zudem als Kulturzentrum gedacht, und so gibt es auch ein Theater und zwei Galerien mit wechselnden Kunst- und Fotoausstellungen.

Harlem YMCA ⓭

180 W 135th St. **Stadtplan** 19 C3.
((212) 281-4100.
M 135th St (2, 3).

Der Soziologe W. E. B. Du Bois

Paul Robeson und viele andere standen hier in den 1920er Jahren zum ersten Mal auf der Bühne. W. E. B. Du Bois rief 1928 die Krigwa Players ins Leben, um der herabwürdigenden Darstellung von Schwarzen in den Broadway-Musicals jener Zeit etwas entgegenzusetzen. Das »Y« bot auch Harlemer Neuankömmlingen vorübergehend Unterkunft, etwa dem Schriftsteller Ralph Ellison.

Zum Sonntagsbrunch bei Sylvia's treten Gospelsänger auf

Sylvia's ⑭

328 Lenox Ave. **Stadtplan** 21 B1.
C (212) 996-0660. **M** 125th St
(2,3). **www**.sylviassoulfood.com

In Harlems bekanntestem Soul-Food-Restaurant gibt es diverse Südstaaten-Spezialitäten: gebratene oder geschmorte Hühnchen, Grünkohl, kandierte Yamswurzeln, Süßkartoffel-Pie und pikante

Spareribs *(siehe S. 310).* Zum Brunch am Sonntag kann man Live-Gospelmusik hören.
Nehmen Sie sich Zeit, den Markt an der Ecke von 125th Street und Lenox Avenue zu erkunden. Er erstreckt sich etwa über einen Block in beiden Richtungen und bietet afrikanische Kleidung, Schmuck und Kunst.

Apollo Theater ⑮

253 W 125th St. **Stadtplan** 21 A1.
C (212) 531-5300, (212) 531-5304
(Veranstaltungen), (212) 531-5337
(Führungen). **M** 125th St. ◌ bei
Veranstaltungen. **&** Siehe **Unterhaltung** S. 353. **www**.apollotheater.com

Das Apollo öffnete 1913 seine Türen – nur für Weiße. Sein Ruhm setzte ein, als 1934 Frank Schiffman das Theater übernahm, es auch Schwarzen zugänglich machte

und es in Harlems bekannteste Showbühne verwandelte. Legendäre schwarze Künstler wie Bessie Smith, Billie Holiday, Duke Ellington und Dinah Washington traten hier auf. Die Amateurabende mittwochs (ab 1935), bei denen

der Publikumsapplaus über den Sieg entschied, waren berühmt; es gab eine lange Warteliste. Zu denen, die auf

diese Weise ihre Karriere begannen, gehören Sarah Vaughan, Pearl Bailey, James Brown und Gladys Knight. Noch immer hoffen viele auf einen ähnlichen Durchbruch.
Während der Swing-Band-Ära war das Apollo der Vergnügungsort schlechthin; nach dem Krieg führte eine neue Musikergeneration die Tradition fort: Charlie Parker, Thelonius Monk, Dizzy Gillespie und Aretha Franklin. In den 1980er Jahren wurde das Apollo renoviert. Nach wie vor spielen hier großartige schwarze Musiker.

Studio Museum in Harlem ⑯

144 W 125th St. **Stadtplan** 21 B2.
C (212) 864-4500. **M** 125th St
(2, 3). ◌ Mi–Fr, So 12–18, Sa
10–18 Uhr. ● Feiertage. **Spende.**
Ø & ✎ **Vorträge, Kinderprogramme, Filme.** ☐ ☐
www.studiomuseum.org

Das Museum wurde 1967 im Loft eines Hauses in der Upper Fifth Avenue gegründet mit dem Ziel, die erste Adresse für Sammlungen und Ausstellungen afroamerikanischer Kunst zu werden. Die derzeitigen Räumlichkeiten, ein vierstöckiges Gebäude in Harlems Hauptgeschäftsstraße, wurden 1979 von einer Bank gestiftet. Auf zwei Ebenen befinden sich sowohl Abteilungen mit Wechselausstellungen als auch drei Galerien, die in Dauerausstellungen die Werke der wichtigsten schwarzen Künstler zeigen.
In den Fotoarchiven lagert die größte existierende Sammlung von Bildern aus der Blütezeit Harlems. Durch

Ausstellungsfläche im Studio Museum in Harlem

eine Seitentür gelangt man in einen kleinen Skulpturengarten.

Neben den ausgezeichneten Ausstellungen gibt es ein Förderprogramm für Künstler sowie regelmäßige Vorträge, Seminare, Kinderprogramme und auch Filmfestivals. In dem kleinen, zum Museum gehörenden Laden findet man Bücher und afrikanisches Kunsthandwerk.

Mount Morris Historical District ⑰

W 119th bis W 124th St. **Stadtplan** 21 B2. Ⓜ *125th St (2, 3).*

Die viktorianischen Häuser aus dem späten 19. Jahrhundert nahe dem Marcus Garvey Park müssen einmal großartig ausgesehen haben. Dies war eine Gegend, die von deutschen Juden aus der Lower East Side als neuer Wohnort bevorzugt wurde. Doch die Zeiten waren nicht gut, und das Viertel kam ziemlich herunter.

Übrig geblieben sind einige eindrucksvolle Kirchen, etwa die St. Martin's Episcopal Church. Es herrscht ein interessantes Nebeneinander diverser Glaubensrichtungen: die Mount Olivet Baptist Church (201st Lenox Avenue) war ehemals der Temple Israel, eine der größten Synago-

St. Martin's Episcopal Church in der Lenox Avenue

gen der Stadt; in der Ethiopian Hebrew Congregation (1 West 123rd Street) singt der Gospelchor samstags auf Hebräisch.

Marcus Garvey Park ⑱

120th bis 124th St. **Stadtplan** 21 B2. Ⓜ *125th St (2, 3).*

Marcus Garvey, der schwarze Nationalistenführer

Der hügelige und felsige Park ist Standort des letzten New Yorker Feuerwachturms, einer offenen, gusseisernen Konstruktion (1856) mit einer Wendeltreppe, die zur Beobachtungsplattform führt. Die Glocke darunter diente dazu, den Alarm auszulösen. Es empfiehlt sich jedoch, den Turm aus der Ferne zu betrachten – die Gegend ist nicht gerade die sicherste. Ursprünglich hieß der Platz Mount Morris Park. 1973 wurde er nach Marcus Garvey benannt. Garvey kam 1916 aus Jamaika nach New York und gründete die Universal Negro Improvement Association, die schwarze Selbsthilfe und den »black pride« förderte.

Museo del Barrio ⑲

1230 5th Ave. **Stadtplan** 21 C5.
Ⓒ *(212) 831-7272.* Ⓜ *103rd St, 110th St.* ◯ *Mi–So 11–17 Uhr (Do bis 20 Uhr).* ◯ *1. Jan, Thanksgiving, 25. Dez.* 🖼 🚫 🔇 🔖 🚻
www.elmuseo.org

Das 1969 gegründete Museum ist das einzige für lateinamerikanische Kunst in den Vereinigten Staaten; es hat sich auf die Kultur Puerto Ricos spezialisiert und stellt zeitgenössische Malerei und Skulpturen, Folklore und historisches Kunsthandwerk aus. Hauptattraktion sind 240 hölzerne Santos, geschnitzte Heiligenfiguren. Die Ausstellungen wechseln oft, doch einige Santos sind ständig zu sehen. Die präkolumbische Sammlung zeigt seltene Stücke aus der Karibik. Am Ende der Museumsmeile gelegen, versucht das Museum, die Kluft zwischen der edlen Upper East Side und El Barrio (Spanish Harlem) zu überbrücken.

Volkskunst im Museo del Barrio: einer der *Heiligen Drei Könige* (links) und *Omnipotent Hand*

ABSTECHER

Obwohl die Gemeinden außerhalb Manhattans zu New York City gehören, haben sie ein anderes Flair. Es sind Wohngebiete; Wolkenkratzer gibt es nicht. Dies wird deutlich, wenn ihre Bewohner davon reden, dass sie »in die Stadt«, also nach Manhattan, fahren. Dennoch gibt es in den Vororten viele Sehenswürdigkeiten, etwa botanische Gärten, den größten Zoo der Stadt, viele Museen und Strände. Vorschläge für einen Spaziergang durch Brooklyn finden Sie auf Seite 266f.

SEHENSWÜRDIGKEITEN AUF EINEN BLICK

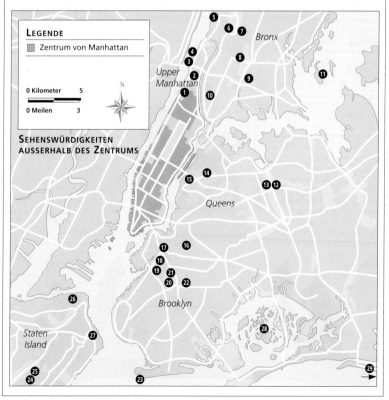

◁ Jamaica Bay

Upper Manhattan

Im 18. Jahrhundert errichteten die holländischen Siedler in Upper Manhattan ihre Farmen. Inzwischen hat die Gegend jedoch Vorstadtcharakter angenommen. Man kann hier dem Lärm von Downtown Manhattan entkommen und in Ruhe ein Museum oder andere Sehenswürdigkeiten besichtigen.

So präsentieren beispielsweise the Cloisters (siehe S. 236–239) eine wunderbare Kollektion mittelalterlicher Kunst in den jeweiligen Originalgebäuden aus Europa.

Ebenfalls sehenswert ist das Morris-Jumel Mansion: Die alte Villa diente 1776 Präsident George Washington bei der Verteidigung Manhattans als Hauptquartier.

Audubon Terrace ❶

Ecke Broadway/155th St. **M** *157th St.* **American Academy of Arts and Letters** 📞 *(212) 368-5900.* ◯ *Do–So 13–16 Uhr.* ✗ **Hispanic Society of America** 📞 *(212) 926-2234.* ◯ *Di–Sa 10–16.30, So 13–16 Uhr.* ● *Feiertage.* ***Spende.*** 📷 📱 *www.*hispanicsociety.org

Der Gebäudekomplex aus dem Jahr 1908 ist nach dem bedeutenden Naturforscher John James Audubon benannt, zu dessen Anwesen das Land einst gehörte. Audubon ist auf dem nahe gelegenen Trinity Cemetery begraben. Auf seinem Grabstein, einem keltischen Kreuz, finden Sie die symbolischen Darstellungen seiner abenteuerlichen künstlerischen Karriere: Vögel, Palette und Pinsel sowie Gewehre.

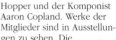

Fassade der American Academy of Arts and Letters

Der Komplex wurde vom Cousin des Architekten, dem Wohltäter Archer Milton Huntington, finanziert. Er sollte ein Zentrum für Kultur und Studien sein. Auf dem Hauptplatz stehen die Skulpturen seiner Frau, der Bildhauerin Anna Hyatt Huntington.

In Audubon Terrace gibt es zwei Fachmuseen, die einen Besuch lohnen. Die American Academy of Arts and Letters wurde zu Ehren amerikanischer Schriftsteller, Künstler und Komponisten sowie von 75 Ehrenmitgliedern aus dem Ausland gegründet. Auf ihrer illustren Mitgliederliste stehen die Schriftsteller Mark Twain und John Steinbeck, die Maler Andrew Wyeth und Edward

Hopper und der Komponist Aaron Copland. Werke der Mitglieder sind in Ausstellungen zu sehen. Die Bibliothek umfasst alte Handschriften und Erstausgaben (Anmeldung erforderlich).

Die Hispanic Society of America ist ein öffentliches Museum mit Bibliothek aus der Sammlung von Archer M. Huntington. Die Galerie im Stil der spanischen Renaissance zeigt Werke von Goya, El Greco und Velázquez. Zwischen März und Mai wechseln die Ausstellungen; an einem Sonntag Ende Oktober gibt es einen Tag der offenen Tür für das Gebäude.

In der Nähe steht die Church of Our Lady of Esperanza auf einer kleinen Anhöhe an der 624 W 156th Street. Die Kirche wurde von der Gattin des spanischen Generalkonsuls in New York, Señora de Barril, gestiftet. Sie sollte den spanischsprachigen Menschen der Stadt einen Ort der Andacht bieten. Mit Unterstützung des Eisenbahnmagnaten Archer M. Huntington wurde der Bau 1912 fertiggestellt.

Bronzetür in der Academy

El-Cid-Statue von Anna Hyatt Huntington, Audubon Terrace

Morris-Jumel Mansion ➋

Ecke W 160th St/Edgecombe Ave.
📞 *(212) 923-8008.* Ⓜ *163rd St.*
🕐 *Mi–So 10–16 Uhr.* ● *Feiertage.*
📷 ⬛ ✓ *nach Vereinbarung.* ⬛
www.morrisjumel.org

Das Stadthaus ist eines der wenigen Gebäude aus der Zeit vor der Revolution. 1765 für Lt. Col. Roger Morris gebaut, ist es heute ein Museum mit neun renovierten Räumen. Morris' einstiger Kamerad George Washington nutzte es als Hauptquartier während der Verteidigung Manhattans 1776.

1820 kauften Stephen Jumel und seine Frau Eliza das Haus und möblierten es mit den Mitbringseln ihrer Frankreichreisen. Im Boudoir stehen Elizas Bett und der angeblich von Napoleon erworbene »Delfinstuhl«. Elizas sozialer Aufstieg und ihre zahlreichen Affären lösten Skandale aus. Hinter vorgehaltener Hand munkelte man, sie habe 1832 ihren Gatten verbluten lassen, um ihn zu beerben. Später ehelichte sie den 77-jährigen Aaron Burr, um sich drei Jahre später, am Tag seines Todes, wieder scheiden zu lassen.

Das Äußere des georgianischen Hauses mit dem klassischen Portikus und dem achteckigen Flügel wurde renoviert. Im Museum sind viele Originalstücke der Jumels ausgestellt.

Die George Washington Bridge mit einer Spannweite von 1065 Metern

George Washington Bridge ➌

Ⓜ *175th St.* **www.**panynj.gov

Der französische Architekt Le Corbusier nannte sie einmal den »einzigen Ort der Anmut in dieser chaotischen Stadt«. Obwohl nicht so berühmt wie ihr Gegenstück in Brooklyn, hat diese Brücke von Othmar Ammann und seinem Architekten Cass Gilbert doch ihren eigenen Charakter und ihre Geschichte. Den Plan, Manhattan und New Jersey zu verbinden, gab es schon 60 Jahre lang, bevor die Port Authority of New York die 59 Millionen Dollar

Der Leuchtturm unter der Washington Bridge

aufbrachte, um das Projekt zu verwirklichen. Ammann wollte statt einer teuren Eisenbahn- eine Autobrücke bauen. Die Arbeiten wurden 1927 begonnen. Die Brücke, ohne die der Pendlerverkehr heute nicht mehr denkbar wäre, wurde 1931 eröffnet. Zwei junge Rollerskater aus der Bronx überquerten sie als Erste.

Cass Gilbert hatte für die beiden turmartigen Pfeiler Mauerwerk vorgesehen. Da das Geld nicht reichte, entstand eine gerüstartige Struktur, 183 Meter hoch und 1065 Meter lang.

In Ammanns Plänen war auch eine zweite Brückentrasse vorgesehen, die 1962 hinzugebaut wurde. Derzeit registriert die Brückenmautbehörde ein Verkehrsaufkommen von 50 Millionen Wagen jährlich.

Unterhalb des östlichen Turmpfeilers steht ein Leuchtturm, der 1951 wegen öffentlicher Proteste vom Abbruch verschont wurde. Weltweit schätzte man *The Little Red Lighthouse and the Great Grey Bridge* von Hildegard Hoyt Swift, die die Gute-Nacht-Geschichte um die beiden Wahrzeichen erfand.

Auf der Brücke weht auch die größte amerikanische Flagge; sie wird an hohen Feiertagen gehisst.

Morris-Jumel Mansion von 1765 mit Original-Säulenportikus

The Cloisters ➍

Siehe S. 236–239.

The Cloisters ❹

Das weltberühmte Museum für mittelalterliche Kunst hat seinen Sitz in einem 1934–38 errichteten Bau, in den mittelalterliche Kreuzgänge, Kapellen und Räume integriert wurden. Der Bildhauer George Barnard gründete es 1914; John D. Rockefeller

The Cloisters, vom Fort Tyron Park aus gesehen

Jr. finanzierte den Aufkauf durch das Metropolitan Museum of Art 1925 und stiftete das Grundstück im Fort Tyron Park und auch das in New Jersey, das The Cloisters jenseits des Hudson River direkt gegenüberliegt.

Grabbild des Jean d'Alluye
Der Kreuzritter aus dem 13. Jahrhundert ist hier verewigt.

Langon Chapel

Pontaut-Ordenshaus

Gotische Kapelle

★ Einhorn-Gobelins
Die Serie wunderbarer, in Brüssel gewebter Wandteppiche (um 1500) stellt die Suche nach dem mythischen Einhorn und seine Gefangennahme dar.

NICHT VERSÄUMEN

★ *Belles Heures* von Jean, Duc de Berry

★ Einhorn-Gobelins

★ *Verkündigungs-Triptychon* von Robert Campin

Boppard-Buntglasfenster *(1440–47)*
Unter dem Spitzbogen von St. Catherine ist das Wappen der Küfergilde zu sehen, deren Schutzpatronin die heilige Katharina ist.

Bonnefort-Kreuzgang

Glass Gallery

Trie-Kreuzgang

★ Verkündigungs-Triptychon *(um 1425)*
Im Campin-Raum steht das kleine Triptychon von Robert Campin aus Tournai, ein Beispiel der frühen flämischen Schule.

Saint-Guilhem-Kreuzgang
Sehenswert: die komplizierten Blütenmotive auf den Kapitellen.

Romanischer Saal

Obere Ebene

Untere Ebene

INFOBOX

Fort Tryon Park. (212) 923-3700. M A bis 190th St (Ausgang via Aufzug). M4. März–Okt: Di–So 9.30–17.15; Nov–Feb: Di–So 9.30–16.45 Uhr. 1. Jan, Thanksgiving, 25. Dez. **Spende.** Keine Filmkameras. im Voraus buchen. Mai–Okt: Di–So 10–16.30 Uhr. **Konzerte.** www.metmuseum.org

Fresken der Jungfrau mit Kind
Aus der katalanischen Kirche San Juan de Tredós stammt dieses Fresko (12. Jh.).

LEGENDE

☐ Ausstellungsfläche

▨ Kein Ausstellungsbereich

Cuxa-Kreuzgang
In dem rekonstruierten Kreuzgang aus dem 12. Jahrhundert sind viele romanische Details zu bewundern.

Thronende Jungfrau
Die kunstvoll geschnitzte Elfenbeinfigur wurde im späten 13. Jahrhundert in England geschaffen.

Haupteingang

KURZFÜHRER
Das Museum besitzt eine chronologische Ordnung. Es beginnt mit der Romanik (ca. 1000 n. Chr.) und schreitet fort bis zur Gotik (1150–1520). Skulpturen, Buntglasfenster, Gemälde und Garten finden Sie auf der unteren Ebene. Die Einhorn-Gobelins können Sie auf der oberen Ebene bewundern.

★ Belles Heures
Das Stundenbuch, ein Gebetsbuch des Duc de Berry, ist Teil einer rotierenden Installation illustrierter Bücher und Blätter.

Überblick: The Cloisters

The Cloisters ist vor allem für die romanischen und gotischen Architekturteile berühmt, doch es gibt auch illustrierte Handschriften, Glasmalerei, Metallarbeiten, Email, Elfenbein und Gemälde zu sehen. Unter den Exponaten befindet sich zudem die berühmte Einhorn-Serie. Der großartige mittelalterliche Komplex ist in den USA einzigartig.

Flämischer Kirschholz-Rosenkranz (16.Jh.) aus der Schatzkammer

ROMANISCHE KUNST

Ein lebensgroßes spanisches Kruzifix (12. Jh.) mit Christus als König des Himmels

Fantasietiere, Akanthusblüten und Zierrat schmücken überall in The Cloisters die Säulen. Viele von ihnen sind im romanischen Stil, dessen Blütezeit im 11. und im 12. Jahrhundert lag. Das Museum birgt eine Unzahl von Exponaten aus Kunst und Architektur dieser Zeit, etwa die mächtigen Rundbogen mit ihren filigranen Details. Stark ornamental verzierte Kapitelle und warmer, rosa Marmor charakterisieren den Cuxa-Kreuzgang aus den französischen Pyrenäen. Auf dem Narbonne-Bogen thronen ein Greif, ein Drache, ein Zentaur und ein Basilisk.

Feierlicher gibt sich die Apsis der Kirche St. Martín in Fuentidueña, Spanien, ein massives Rundgewölbe aus 30 000 Kalksteinblöcken, mit einem Fresko der Jungfrau mit Kind aus dem 12. Jahrhundert. Ein golden gekrönter Jesus ist als Triumphator über den Tod dargestellt.

Vor mehr als 800 Jahren saßen noch Benediktiner- und Zisterziensermönche auf den kalten Steinbänken des Ordenshauses von Pontaut; im 19. Jahrhundert wurde es als Stall genutzt. Sein Rippengewölbe gibt einen Vorgeschmack auf die sich ankündigende Gotik.

GOTISCHE KUNST

War die romanische Kunst sehr massiv, so erweckt die Gotik mit Spitzbogen, leuchtenden Buntglasfenstern und dreidimensionalen Skulpturen den Eindruck von Leichtigkeit. Darstellungen der Jungfrau mit Kind zeugen von großer Kunstfertigkeit.

Die Buntglasfenster der gotischen Kapelle zeigen Szenen und Gestalten aus der Bibel. Unter den lebensgroßen Grabdenkmälern findet sich das Abbild des Kreuzritters Jean d'Alluye. Um 1790 wurde sein ursprünglicher

Gewölbedecke des Pontaut-Ordenshauses

Standort, die Abtei von Clarté-Dieux in Frankreich, zerstört und das Denkmal als Brücke über einen Bach genutzt.

Im Boppard-Raum sind Heiligenlegenden auf spätgotischen Fenstern aus Deutschland dargestellt.

Im Zentrum des Campin-Raums steht Campins Altartriptychon *Mariä Verkündigung.* Der Raum ist mit Möbeln ausgestattet, die einer Familie aus dem 15. Jahrhundert gehört haben mögen.

GÄRTEN

In den Klostergärten findet man über 300 Pflanzen, die schon im Mittelalter kultiviert wurden. Im Bonnefont-Kreuzgang wachsen Heilkräuter und Gewürze. Im Trie-Kreuzgang gedeihen die Pflanzen der *Einhorn*-Wandteppiche, deren Symbolgehalt auch erklärt wird: Rosen stehen für die Jungfrau Maria, Stiefmütterchen für die Dreifaltigkeit und Gänseblümchen für das Auge Christi.

Bonnefont-Kreuzgang

WANDTEPPICHE

Die Wandteppiche sind voller Metaphern und Symbole; sie gehören zu den wertvollsten Exponaten. Die vier Gobelins mit den *Neun Helden* tragen das Wappen des Duc de Berry; er war der Bruder des französischen Königs und im Mittelalter einer der größten Förderer der Künste. Die Gobelins bilden eine von zwei Serien, die aus dem 14. Jahrhundert erhalten sind; die andere gehörte Jeans Bruder Louis, Duc d'Anjou. Abgebildet sind neun Helden – drei Heiden, drei Juden und drei Christen – mit ihrem mittelalterlichen Hofstaat: Kardinälen, Rittern, Hofdamen und Spielleuten.

Im Raum nebenan hängt die *Jagd nach dem Einhorn,* eine Serie von sieben Wandteppichen, die in Brüssel um 1500 gewebt wurden. Sie stellt die symbolische Jagd und Gefangennahme eines Einhorns durch eine Jungfrau dar. Die Gobelins wurden im 19. Jahrhundert als Kälteschutz für

Obstbäume zweckentfremdet, sie jedoch gut erhalten. Bewundernswert sind die

Julius Cäsar im Kreis von Hofmusikanten auf einem *Neun-Helden*-Wandteppich

unzähligen Details in Form minutiös dargestellter Pflanzen und Tiere. Man kann die Motive als Darstellung der höfischen Liebe deuten, aber auch als Allegorie von Tod und Auferstehung Jesu.

SCHATZKAMMER

Im Mittelalter wurden wertvolle Gegenstände in Sanktuarien verwahrt. Im Museum findet man sie in der Schatzkammer. Die Sammlung birgt illustrierte gotische Stundenbücher, die dem Adel zur Privatandacht dienten. Die *Belles Heures* etwa fertigten die Brüder Limbourg 1410 für den Duc de Berry, eine handtellergroße Version schuf Jean Pucelle um 1325 für die französische Königin.

Daneben finden sich weitere religiöse Artefakte wie die Elfenbein-Jungfrau aus dem England des 13. Jahrhunderts, ein Reliquienschrein aus Silber und Email (vermutlich aus dem Besitz Elisabeths von Ungarn) und viele Weihrauchbehälter, Kelche, Leuchter und Kruzifixe.

Zu den Kuriositäten gehören der emaillierte »Affenbecher« von einem burgundischen Hof (15. Jh.), auf dem dargestellt ist, wie Affen einen schlafenden Hausierer ausrauben, ein walnussgroßer geschnitzter Rosenkranz, ein schiffsförmiges, juwelenbesetztes Salzfässchen aus dem 13. Jahrhundert und ein vollständig erhaltenes Kartenspiel aus dem 15. Jahrhundert.

Jagddarstellungen und Jagdsymbole auf einem Kartenspiel aus dem 15. Jahrhundert

Der Westsalon des Van Cortlandt House Museum

Bronx

Einst war die Bronx ein hübscher Vorort mit einer berühmten Promenade, gesäumt von zahlreichen exklusiven Apartmenthäusern. Heute ist sie das Synonym für städtischen Verfall schlechthin. Doch es gibt hier noch die unterschiedlichsten ethnischen Gemeinschaften und einige zauberhafte Ecken, etwa Riverdale im Norden.

Zwei Highlights sind der Bronx Zoo und der New York Botanical Garden. Im Ferry Point Park gibt es einen Golfpatz; auch der Fulton Fish Market residiert jetzt hier. Dem mittlerweile 50 Jahre alten Yankee Stadium bleiben die Baseball-Fans treu.

Wave Hill ❺

W 249th St. und Independence Ave, Riverdale. ☎ (718) 549-3200. Ⓜ 231st St, dann Bus Bx7, 10. ⏰ Di–So 9–17.30 Uhr (Juni, Juli Mi bis 21 Uhr; Mitte Okt–Mitte Apr Mi bis 16.30 Uhr). 🏷 Di; Dez–Feb Sa 9–12 Uhr frei. 🏷 So 14.15 Uhr. ⬛ www.wavehill.org

Wenn Ihnen die Metropole über den Kopf wächst, sollten Sie diese elf Hektar große Oase besuchen und die Aussicht über den Hudson River auf die Palisades in New Jersey genießen. Einige Persönlichkeiten haben hier residiert: George W. Perkins (der ursprüngliche Besitzer), Theodore Roosevelt, Mark Twain und Arturo Toscanini. Perkins baute auf den

ihm ebenfalls gehörenden Nachbargrundstücken ein unterirdisches Erholungszentrum mit Bowlingbahnen und einem Verbindungstunnel zum Hauptgebäude.

Das Haus und das Grundstück sind öffentlich zugänglich und Schauplatz vieler Konzerte. Sie finden meist in der Armor Hall statt, die 1928 für Bashford Dean gebaut wurde, den damaligen Kurator der Waffensammlung des Metropolitan Museum of Art.

Die Gärten wurden von dem Wiener Landschaftsgärtner Albert Millard angelegt. Man findet dort Gewächshäuser, einen Kräutergarten und ein Wäldchen. Die Ausstellungen reichen von Skulpturen bis hin zu Gartenkultur.

Im angrenzenden Riverdale Park findet man weitere Waldflächen und hübsche Pfade entlang dem Fluss.

Innenraum der beeindruckenden Armor Hall in Wave Hill

Van Cortlandt House Museum ❻

Van Cortlandt Park. ☎ (718) 543-3344. Ⓜ 242nd St, Van Cortlandt Park. ⏰ Di–Fr 10–15, Sa, So 11–16 Uhr (letzter Einlass 30 Minuten vor Schließung). ⬤ die meisten Feiertage, 26. Nov. 🏷 Mi frei. 📷 🏷 ⬛ Siehe **Die Geschichte der Stadt** S. 20f. www.vancortlandthouse.org

Die Fassade des Van Cortlandt House

Der Landsitz im georgianischen Kolonialstil, 1748 erbaut, ist das älteste Gebäude der Bronx und war Wohnsitz Frederick Van Cortlandts, der sehr wohlhabend war und mit vielen einflussreichen Familien seiner Zeit verkehrte. Das Esszimmer diente George Washington als Hauptquartier während des Unabhängigkeitskriegs; der Grund hinter dem Gebäude war Schauplatz eines Scharmützels. Die Einrichtung besteht aus Möbeln im Stil der Zeit, einer erlesenen Sammlung Delfter Steinguts und einem kompletten holländischen Schlafzimmer (17. Jh.). Sehenswert sind auch die aus Stein gemeißelten Gesichter über den Fensterstöcken.

Woodlawn Cemetery ❼

Webster Ave und E 233rd St. ❘ *(718) 920-0500.* Ⓜ *Woodlawn.* ◯ *tägl. 8.30–17 Uhr.* ◐ *Feiertage.* ☒ ♿ ✉ www.thewoodlawncemetery.org

Auf dem Friedhof sind viele prominente und reiche New Yorker beerdigt, und der Besuch ermöglicht sozialgeschichtliche Einblicke der ganz anderen Art. Gedenk- und Grabsteine stehen in wunderschöner Umgebung. Das Mausoleum F. W. Woolworths und seiner Familie ist mindestens so verschnörkelt wie das Hochhaus, das diesen Namen trägt. Der rosa Marmor des Grabgewölbes von Fleischmagnat Herman Armour erinnert fatal an einen Schinken. Hier sind die Gräber von Bürgermeister Fiorello LaGuardia und Roland Macy, dem Kaufhausgründer, sowie die des Schriftstellers Herman Melville und des Musikers Duke Ellington.

Eingang zum Woolworth-Mausoleum

New York Botanical Garden ❽

Siehe S. 242f.

Bronx Zoo ❾

Siehe S. 244f.

Yankee Stadium ❿

Ecke E 161st St/River Ave, Highbridge. ❘ *(718) 293-6000.* Ⓜ *161st St.* ✉ *tägl. 12 Uhr (außer an Spieltagen), Anmeldung empfohlen. Siehe **Unterhaltung** S. 360f.* www.yankees.com

Hier ist das Baseballteam der New York Yankees zu Hause. Zu den Helden der Yankees gehörten zwei der größten Spieler aller Zeiten: Babe Ruth und Joe DiMaggio, der auch durch seine Ehe mit Marilyn Monroe bekannt wurde. 1921 errang der Linkshänder Babe Ruth für die Yankees gegen die Boston Red Sox den ersten *home run* des Stadions.

Das Stadion wurde 1923 von Jacob Ruppert, dem damaligen Besitzer der Mannschaft, gebaut. Es hieß auch «das Haus, das Ruth baute» – nach Babe Ruth. Mitte der 1970er Jahre wurde das Stadion einer Renovierung unterzogen; heute fasst es 54 000 Zuschauer, die hier nicht nur Sportveranstaltungen verfolgen.

Eine der größten alljährlichen Veranstaltungen ist die Versammlung der Zeugen Jehovas. 1950 kamen bei dieser Gelegenheit 123 707 Mitglieder zusammen. 1965 feierte Papst Paul VI. in diesem Stadion vor über 80 000 Gläubigen die Messe. Es war der erste Besuch eines Papstes in Nordamerika – der zweite folgte erst 1979, als Johannes Paul II. ebenfalls das Yankee Stadium beehrte.

Die Yankees sind nach wie vor eine der besten Mannschaften in der American League. Bei einem ihrer Spiele dabei zu sein, ist ein unvergessliches Erlebnis. In New York gibt es vier Yankee-Clubhouse-Läden, in denen Sie sowohl für die Führungen als auch für die Spiele Tickets kaufen können.

Joe DiMaggio 1941 in Aktion im Yankee Stadium

City Island ⓫

Ⓜ *6 bis Pelham Bay Park, dann Bx29 bis City Island.* **Museum** *190 Fordham St.* ◯ *So 13–17 Uhr.* ❘ *(718) 885-0008* www.cityislandmuseum.org

City Island ist ein nautischer Vorposten vor dem nordöstlichen Ufer der Bronx, umgeben vom Long Island Sound. Hier herrscht ein ganz anderer Lebensrhythmus. Überall sieht man Segelboote, und die Restaurants lassen das Herz von Fischliebhabern höherschlagen. In den Werften entstanden einige Siegerboote des America's Cup.

Das **City Island Museum** befindet sich in einem der ältesten Gebäude der Insel, der alten Public School 17, die auf einem früheren Indianerfriedhof steht.

City Island ist durch eine Brücke mit der Bronx verbunden. Links davon liegt auf dem Festland Orchard Beach, ein beliebtes Fleckchen weißen Sandes mit Badehütten aus den 1930er Jahren. Beste Zeit für einen Strandbesuch ist wochentags, denn am Wochenende herrscht Hochbetrieb.

Alter Schlepper an einem Pier von City Island

New York Botanical Garden ❽

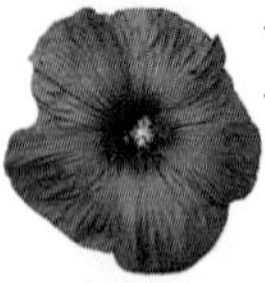

Hibiskusblüte

Ein Besuch des 101 Hektar großen New York Botanical Garden ist eine Entdeckungsreise der besonderen Art – vom herrlichen viktorianischen Glashaus bis zum Everett Children's Adventure Garden. Als einer der ältesten und größten der Welt umfasst der Botanische Garten 50 Garten- und Ausstellungsbereiche und einen 20 Hektar großen, weitgehend naturbelassenen Wald. Das berühmte Enid A. Haupt Conservatory wurde als »A World of Plants« restauriert und bietet sowohl dunstige Regenwälder als auch fantastische Wüstenareale.

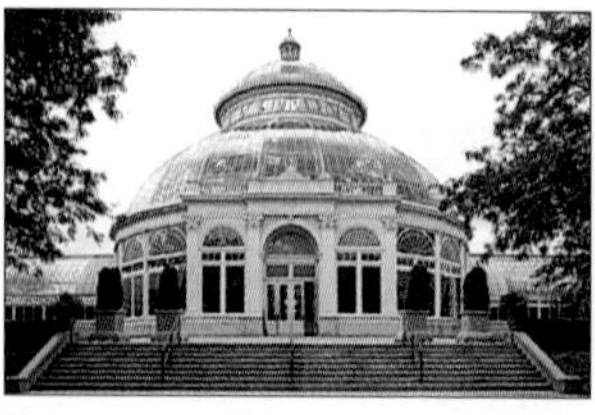

Eingang zum Enid A. Haupt Conservatory

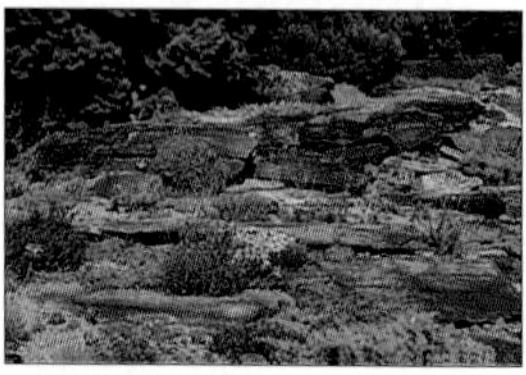

Rock Garden

Geröllblöcke, Bäche, ein Wasserfall und ein Teich bilden den alpinen Lebensraum für Gebirgspflanzen aus aller Welt. ④

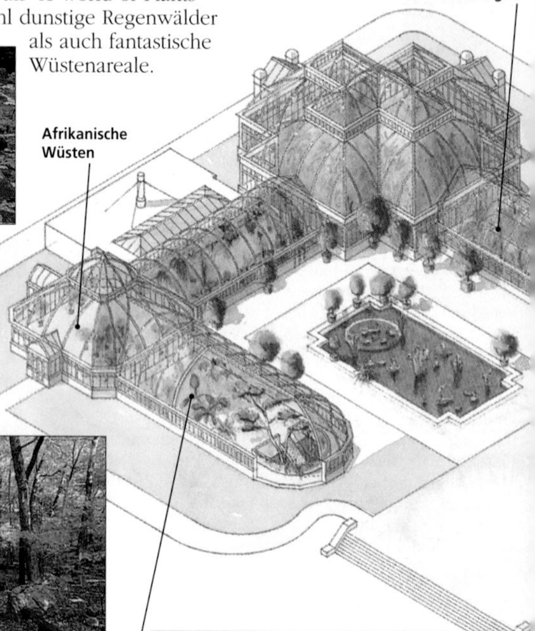
Saisonale Ausstellungen
Afrikanische Wüsten
Amerikanische Wüsten

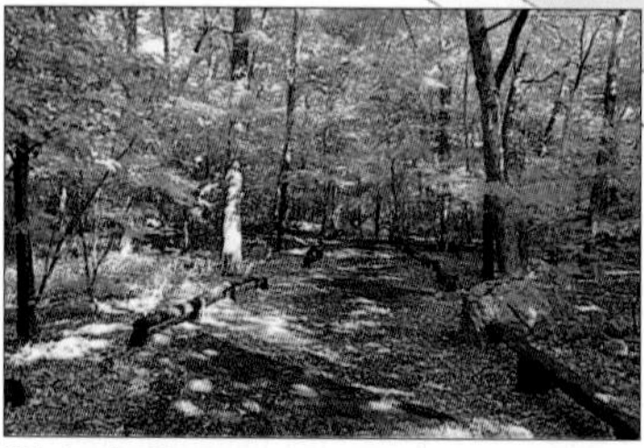

Historic Forest

In einem der letzten natürlichen Wälder New Yorks wachsen Roteichen, Weißeschen, Tulpenbäume und Birken. ⑤

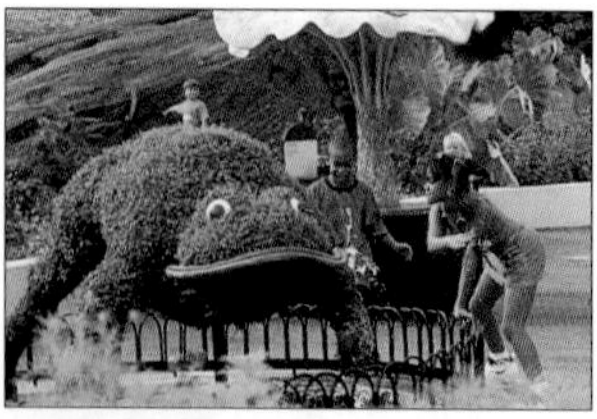

Everett Children's Adventure Garden

Kinder können hier auf ökologische und botanische Entdeckungsreise gehen. ⑧

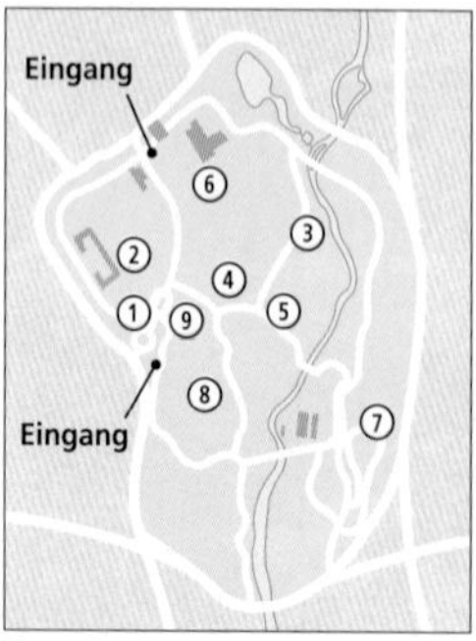
Eingang
Eingang

Zur Orientierung

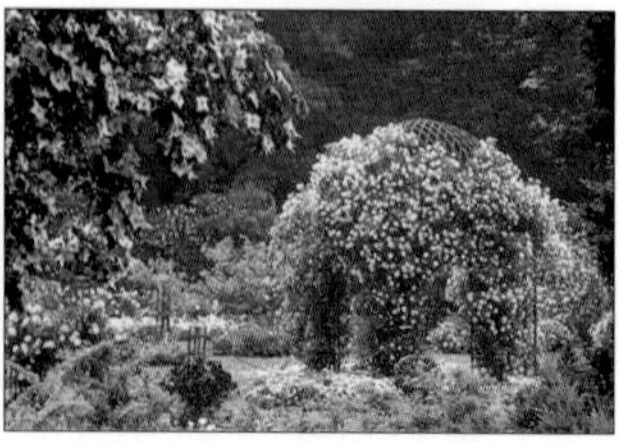

Peggy Rockefeller Rose Garden

1988 wurden hier 2700 Rosenstöcke angepflanzt – nach dem Originalentwurf von 1916. ⑦

Palms of the Americas Gallery

100 majestätische Palmen gedeihen unter der hohen Glaskuppel. Um einen Teich wachsen tropische Pflanzen.

INFOBOX

Kazimiroff Blvd, Bronx River Parkway (Ausfahrt 7W). ☎ (718) 817-8700. Ⓜ 4, D bis Bedford Park Blvd. 🚌 Bx26. ⏰ Apr–Okt: Di–So 10–18 Uhr; Nov–März: Di–So 10–17 Uhr. ● Mo, Feiertage. 🎫 Mi ganztags, Sa 10–12 Uhr frei. 📷 ♿ ✉ 🖥 ℹ **Vorträge. www.nybg.org**

Im Enid A. Haupt Conservatory, das aus elf miteinander verbundenen Arealen besteht, gibt es »A World of Plants« zu bestaunen: Regenwälder, Wüstenabschnitte, Wasserpflanzen und Pflanzen der Saison. ①

Garden Cafe

Ein angenehmer Ort, um sich zu stärken. Von der Terrasse aus überblickt man die wunderschönen Gartenanlagen. ⑥

Jane Watson Irwin Perennial Garden

Winterharte Pflanzen bilden, nach Höhe, Farbton und Blütezeit kombiniert, beeindruckende Muster. ②

Gewächshaus

Tropischer Tiefland-Regenwald

Teich

Leon Levy Visitor Center

Der moderne Pavillon wurde 2004 eröffnet; er beherbergt einen Laden und ein Café und enthält einen Übersichtsplan. ⑨

Wasser- und Kletterpflanzen

Besucherzug

Auf der halbstündigen Fahrt durch den Garten erfährt man viel über Gartenbau-, Lehr- und Forschungsprogramme. An verschiedenen Haltestellen kann man aussteigen und später wieder zusteigen. ③

Tropischer Bergregenwald

Bronx Zoo ❾

Der 1899 gegründete Bronx Zoo ist der größte städtische Tierpark der USA. Über 4000 Tiere, die etwa 500 Arten angehören, leben hier in realistisch nachgebildeten Lebensräumen. Der Zoo gilt als führend bei der Erhaltung gefährdeter Arten, etwa des Indischen Panzernashorns oder des Schneeleoparden. Auf seinen 107 Hektar Waldflächen, Bachläufen und Parkanlagen findet man – saisonal abhängig – einen Streichelzoo, einen Schmetterlingsgarten und einen Shuttle-Zug, der Besuchern die Erkundung erleichtert. Den besten Überblick bietet die – ebenfalls nur saisonal betriebene – Skyfari-Bahn.

★ **Congo Gorilla Forest**
Die preisgekrönte Nachbildung des afrikanischen Regenwalds ist das Zuhause der größten Gruppe von Westlichen Flachlandgorillas in den USA.

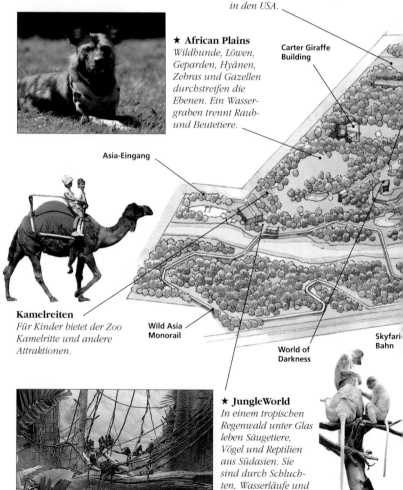

★ **African Plains**
Wildhunde, Löwen, Geparden, Hyänen, Zebras und Gazellen durchstreifen die Ebenen. Ein Wassergraben trennt Raub- und Beutetiere.

Carter Giraffe Building

Asia-Eingang

Kamelreiten
Für Kinder bietet der Zoo Kamelritte und andere Attraktionen.

Wild Asia Monorail

World of Darkness

Skyfari-Bahn

★ **JungleWorld**
In einem tropischen Regenwald unter Glas leben Säugetiere, Vögel und Reptilien aus Südasien. Sie sind durch Schluchten, Wasserläufe und Klippen von den Besuchern getrennt.

Affen in JungleWorld

Baboon Reserve
Die Besucher durchwandern eine der äthiopischen Gebirgswelt nachgebildete Umgebung.

Children's Zoo
Hier können Kinder durch einen Präriehunde-Tunnel kriechen, auf einem Spinnennetz klettern, Tiere streicheln und füttern.

INFOBOX

Fordham Rd /Bronx River Pkwy.
(718) 367-1010. **M** 2, 5 bis Pelham Pkwy. bis Station Fordham. Bx9, Bx12, Bx19, Bx22, Bx36, Bx39, Bx40, Bx42, BxM11 Expressbus, Q44. Nov–März: tägl. 10–16.30 Uhr; Apr–Okt: tägl. 10–17 Uhr (Sa, So bis 17.30 Uhr). Mi frei, Spende erbeten. Children's Zoo Apr–Okt. www.bronxzoo.com

World of Reptiles

Im Zoo Center leben Elefanten, Nashörner und Tapire.

Butterfly Garden

Madagaskar

Eingang Southern Boulevard

Aquatic Bird House

Aitken Aviary

NICHT VERSÄUMEN

★ African Plains

★ Congo Gorilla Forest

★ JungleWorld

★ Tiger Mountain

★ Wild Asia

★ World of Birds

Eingang Rainey Gate

Monkey House

★ World of Birds
Exotische Vögel fliegen in üppigem Regenwald frei herum. Ein künstlicher Wasserfall rauscht eine 15 Meter hohe Fiberglasklippe hinunter.

Doppelhornvogel

Mouse-House

Eingang Bronx Parkway

Himalayan Highlands
Hier leben bedrohte Tierarten wie Schneeleoparden und Rote Pandas.

★ Wild Asia
Von Mai bis Oktober fährt eine Bahn durch Wälder und Steppen, in denen sich Nashörner, Tiger und Mongolische Wildpferde frei bewegen.

★ Tiger Mountain
Die majestätischen Katzen sind das ganze Jahr zu sehen. Zwei Zentimeter dicke Glasscheiben trennen sie von den Besuchern.

Queens

Der stark expandierende Stadtbezirk Queens bietet eine Reihe von Attraktionen. Das Viertel besteht sowohl aus Wohnvierteln wie auch aus Geschäfts-gegenden, etwa dem Business-distrikt Long Island City, wo sich neue Museen und Restaurants angesiedelt haben.

Queens entwickelte sich rasch zu einem aufstrebenden Stadtbezirk, als der Bau der Queensboro Bridge (1909) die entsprechenden Verkehrsverbindungen schuf. Die zwei wichtigsten Flughäfen der Stadt befinden sich hier. Zudem haben sich einige ethnische Enklaven – vor allem von Griechen und Asiaten – gebildet.

Mutoskop (um 1900), Museum of the Moving Image

Flushing Meadow– Corona Park ⑫

Ⓜ *Willets Point-Shea Stadium. Siehe* **Sport und Aktivurlaub** *S. 361f*

Das Areal, auf dem die beiden Weltausstellungen New Yorks stattfanden, ist heute ein ausgedehntes, am Wasser gelegenes Picknick-gelände, das eine Fülle von Attraktionen bietet, so das 50 000 Zuschauer fassende Shea Stadium der Mets, New Yorks Baseball-Mannschaft; es ist auch ein beliebter Veranstaltungsort für Rockkonzerte.

In Flushing Meadow befindet sich zudem das US Tennis Center, in dem die renommierten US Open ausgetragen werden. Den Rest des Jahres stehen die Plätze den angehenden Agassis, Grafs und Everts offen. In den 1920er Jahren war das als Corona Dump bekannte Gelände ein Ort des Grauens mit Salzsümpfen und Bergen schwelenden Mülls. In *Der große Gatsby* bezeichnet es der Autor F. Scott Fitzgerald als *»valley of ashes«* (»Tal der Asche«). Robert Moses, zuständig für die New Yorker Parkanlagen, setzte sich engagiert für eine Umgestaltung ein. Die Müllberge wurden abgetragen, ein neues Flussbett wurde geschaffen. Die Sümpfe wurden trockengelegt, und man baute Abwasserkanäle, um das Gelände zu sanieren. 1939 war hier der Schauplatz für die Weltausstellung, bei der eine Welt am Vorabend des Krieges den vagen Anschein eines Weltfriedens vermittelte.

Die Unisphere – Wahrzeichen der Weltausstellung von 1964 – beherrscht noch den Schauplatz von dereinst. Der riesige Globus ist zwölf Stockwerke hoch und 350 Tonnen schwer.

Die Unisphere im Flushing Meadow-Corona Park

New York Hall of Science ⑬

46th Ave u. 111th St Flushing Meadow, Corona Park. Ⓒ (718) 699-0005. Ⓜ *111th St.* Ⓞ *Sep–Juni: Mo–Do 9.30–14, Fr 9.30–17, Sa, So 10–18 Uhr; Juli, Aug: Mo–Fr 9.30–17, Sa, So 10–18 Uhr.* Ⓞ *Labor Day, 25. Dez.* 🎦 Ⓞ ⓑ Ⓞ Ⓕ www.nyscience.org

Der Pavillon der Naturwissenschaften für die Weltausstellung von 1964 besteht aus Betonplatten und Buntglasfenstern. Er ist heute ein Wissenschafts- und Technikmuseum mit Ausstellungen zu Farbe, Licht und Naturphänomenen. Kinder lieben die Video- und Lasershows.

Geschwungene Betonfassade der New York Hall of Science

Museum of the Moving Image and Kaufman Astoria Studio ⑭

Ecke 35th Ave/36th St, Astoria. **Museum** Ⓒ (718) 784-0077. Ⓜ *36th St.* **Steinway Museum** Ⓞ *Mi, Do 11–17, Fr 11–20, Sa, So 11–18.30 Uhr.* **Filme** *Fr 19.30 Uhr, Sa, So nachmittags und abends.* 🎦 Ⓒ *Sa, So 14 Uhr.* Ⓞ *Memorial Day, Thanksgiving, 25. Dez.* **Studio** Ⓞ *für Besucher.* Ⓞ ⓑ Ⓕ www.movingimage.us

Auf dem Höhepunkt der New Yorker Filmproduktion drehten hier, im 1920 von Paramount Pictures eröffneten Astoria Studio, Rudolph Valentino, W. C. Fields, die Marx Brothers und Gloria Swanson. Als die Filmindustrie nach Hollywood abwanderte, übernahm die Armee das Studio und produzierte 1941–71 Lehrfilme.

Der Komplex stand leer, bis sich die Astoria Motion Picture

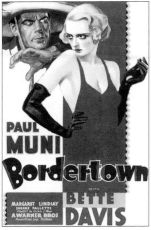

Plakat im Museum of the Moving Image

and Television Foundation 1977 seine Erhaltung zum Ziel setzte. *The Wiz*, Sidney Lumets 24 Millionen Dollar teures Musical mit Michael Jackson und Diana Ross in den Hauptrollen, wurde hier gedreht, um die Restaurierung zu finanzieren. Heute verfügen die Studios über die umfangreichste Filmausrüstung an der Ostküste.

Seit 1981 ist eines der Gebäude Sitz des American Museum of the Moving Image, das interaktive Ausstellungen zur Film- und Fernsehgeschichte zeigt und auch Kinos und Vortragsräume hat. Über 85 000 Requisiten, von den Wagen aus *Ben Hur* bis zu den Raumanzügen aus *Star Trek*, gehören zur Sammlung. Für 25 Millionen Dollar wird derzeit die Ausstellungsfläche verdoppelt. Demnächst kann man sich auch im Freien Exponate ansehen.

PS1 MoMA, Queens ⑮

22–25 Jackson Ave/Ecke 46th Ave, Long Island City. 🄲 *(718) 784-2084.* Ⓜ *E, V bis 23rd St/Ely Ave, 7 bis 45 Road/Courthouse Sq, G bis Court Sq oder 21 St/Van Alst.* 🚌 *B61, Q67.* 🄾 *Do–Mo 12–18 Uhr.* ⬤ *1. Jan, 25. Dez.* 🄳🄳🄳 www.ps1.org

Das 1971 gegründete PS1 entstand im Rahmen eines Programms für die Umwandlung leerstehender öffentlicher Gebäude in Orte für Ausstellungen, Aufführungen und Ateliers. Das PS1 ist dem Museum of Modern Art *(siehe S. 172–175)* angeschlossen und gehört zu den ältesten Kunstforen der USA, die ausschließlich moderne Kunst sponsern. Neben Wechsel- und Dauerausstellungen gibt es Interaktives und im Sommer Live-Musik im Hof.

Brooklyn

Der Musikpavillon im Prospect Park *(siehe S. 248f)*

Wäre Brooklyn eine eigenständige Stadt, wäre sie die viertgrößte Stadt der Vereinigten Staaten. Dieser Stadtteil hat eine ganz eigene Ausstrahlung. Zahlreiche Stars der Unterhaltungsbranche wie Mel Brooks, Woody Allen, Phil Silvers und Neil Simon erweisen ihrem Geburtsort voller Zärtlichkeit und Humor ihre Referenz. Brooklyn ist ein Schmelztiegel, in dem u. a. orthodoxe Juden, Russen, Italiener und Araber – um nur ein paar wenige zu nennen – Tür an Tür miteinander leben.

Inmitten dieser bunten »Neighborhoods« befinden sich die historische Wohnviertel Park Slope und Brooklyn Heights.

Brooklyn Children's Museum ⑯

145 Brooklyn Ave. 🄲 *(718) 735-4400.* Ⓜ *Kingston (C, 3).* 🄾 *Sep–Juni: Mi–Fr 13–18 Uhr; Juli, Aug Di–Fr 13–18 Uhr, Sa, So 11–18 Uhr.* ⬤ *Feiertage.* **Rooftop Theater** 🄾 *Fr 18.30–20 Uhr, Sa, So 10–17 Uhr.* ⬤ *Feiertage.* 🄳🄳🄳🄳 www.bchildmus.org

Das Brooklyn Children's Museum war das erste eigens für Kinder geschaffene Museum. Es wurde 1899 gegründet und hat seither Modellcharakter. Für mehr als 250 Kindermuseen überall in der Welt diente es als Anregung und Vorbild. Es befindet sich in einem 1976 erbauten unterirdischen High-tech-Gebäude und ist eines der fantasievollsten und fortschrittlichsten Kindermuseen.

Das Innere des Gebäudes, dessen Größe unlängst verdoppelt wurde, besteht aus einem Labyrinth miteinander verbundener Gänge, die vom Hauptgang, der »people tube«, ausgehen und wie ein riesiges Röhrensystem vier Ebenen verbinden. Hier können die Kinder nicht nur schauen – sie werden in die Thematik einbezogen und dürfen die Ausstellungsstücke anfassen. Ringsum gilt es, Kurioses zu entdecken, auszuprobieren und zu bauen. Selbst ein begehbares Klavier wie in dem Film *Big* ist vorhanden, und Kinder jeden Alters sind fasziniert davon. Durch Sonderausstellungen und Situationsdarstellungen sollen Kinder etwas über die Erde erfahren, ihre Ängste oder Probleme bewältigen lernen, Einblicke in fremde Kulturen erhalten und in die Vergangenheit eintauchen. Ihr Lachen und ihre Begeisterungsausbrüche sind Beweis für den Erfolg dieses klug konzipierten Museums.

Maske im Brooklyn Children's Museum

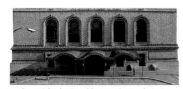

Vorderansicht der Brooklyn Academy of Music

Brooklyn Academy of Music ⑰

30 Lafayette Ave. **C** (718) 636-4100. **M** Atlantic Ave, Nevins St (M, N, Q, R, W, 2, 3, 4, 5). 🎭 🚷 ♿ 🖶 📷 Siehe **Unterhaltung** S. 350f. www.bam.org

Die Konzerthalle der Brooklyn Philharmonic, 1858 gegründet und als BAM bekannt, ist Brooklyns älteste und bekannteste Kulturstätte. Hier kommen vorwiegend Werke der Moderne und Avantgarde zur Aufführung.

Das klassizistische Gebäude wurde 1908 von Herts & Tallant entworfen und mit einer Inszenierung von Gounods Oper *Faust* eingeweiht. Star der Aufführung war Enrico Caruso. Unzählige Berühmtheiten sind hier aufgetreten, so die Schauspielerin Sarah Bernhardt, die Ballerina Anna Pawlowa, die Musiker Pablo Casals und Sergej Rachmaninow, der Dichter Carl Sandburg und der Staatsmann Winston Churchill. Zudem finden hier viele internationale Gastspiele statt, z. B. der Royal Shakespeare Company.

Das BAM Next Wave Festival präsentiert berühmte zeitgenössische Künstler, z. B. die Musiker Philip Glass und David Byrne sowie die Choreografen Pina Bausch und Mark Morris. Die BAM betreibt auch das Harvey Theater, in dem Schauspiel-, Tanz- und Musikaufführungen stattfinden. Die BAM Rose Cinemas zeigen Premieren von internationalen Independent-Filmen; die BAMcinématek bietet Klassiker, Retrospektiven, Festivals und Sneak Previews.

Grand Army Plaza ⑱

Ecke Plaza St/Flatbush Ave. **M** Grand Army Plaza (2, 3). **Torbogen** 🔲 bei gelegentlichen Ausstellungen.

Der Soldiers' and Sailors' Arch

Frederick Law Olmsted und Calvert Vaux entwarfen 1870 das große Oval als Zugang zum Prospect Park. Der Torbogen (Soldiers' and Sailors' Arch) und seine Skulpturen kamen 1892 als Tribut an die Union Army hinzu. Die Büste John F. Kennedys ist das einzige offizielle Kennedy-Denkmal in New York. Im Juni ist der Platz Austragungsort des Welcome Back to Brooklyn Festivals, das allen in Brooklyn geborenen, mehr oder weniger berühmten Leuten gilt.

Park Slope Historic District ⑲

Straßen vom Prospect Park W unterhalb Flatbush Ave bis 8th/7th/5th Ave. **M** Grand Army Plaza (2, 3), 7th Ave (F).

Relief am Montauk Club

Die schöne Enklave herrlicher viktorianischer Bürgerhäuser entstand um 1880 am Rand des Prospect Park. Hier wohnte die obere Mittelschicht, deren Bürger nach Manhattan pendeln konnten, nachdem 1883 die Brooklyn Bridge fertiggestellt war. Die schattigen Straßen werden von ein- bis vierstöckigen Häusern gesäumt, die die unterschiedlichsten Baustile aufweisen. Besonders schön sind die mit Rundportalen versehenen Gebäude im neoromanischen Stil.

Der Montauk Club (25 Eighth Avenue) fällt durch die Kombination zweier Stile auf; er lässt Anklänge an den venezianischen Ca' d'Oro Palazzo (Goldpalast) sowie Friese und Wasserspeier der Montauk-Indianer erkennen, nach denen dieser beliebte Treffpunkt des 19. Jahrhunderts benannt ist.

Prospect Park ⑳

M Grand Army Plaza, Prospect Park (B, Q). 📅 Info (718) 287-3400. 🚷 📱 www.prospectpark.org

Den Architekten Olmsted und Vaux gefiel der 1867 eröffnete Park besser als ihr zuvor geschaffener Central Park *(siehe S. 204ff)*. Die Long Meadow ist mit ihren ausgedehnten Rasenflächen und großartigen Ausblicken die größte zusammenhängende Grünanlage in New York. Olmsted war überzeugt, dass »die Besucher ein Gefühl der Erleichterung empfinden, sobald sie – den dichten und überbevölkerten Straßen der Stadt entronnen – den Park

Fassade der Brooklyn Public Library an der Grand Army Plaza

betreten«. Diese Vorstellung gilt heute noch genauso wie vor 100 Jahren. Sehenswert sind u. a. Stanford Whites kolonnadenartiger Croquet-Schuppen sowie die Teiche und Trauerweiden des Cashmere-Tals. Der Musikpavillon zeigt japanischen Einfluss; hier finden im Sommer Jazz- und Klassikkonzerte statt.

Ein Anziehungspunkt ist die Camperdown-Ulme, ein im Jahr 1872 gepflanzter, bizarr gewachsener Baum. Diese alte Ulme wird vielfach in Gedichten besungen und in Gemälden dargestellt. Der Prospect Park bietet eine vielfältige Landschaftsarchitektur, von geometrisch angelegten, mit Statuen geschmückten Gärten bis hin zu felsigen Bergschluchten mit rauschenden Bächen. Den besten Überblick gewinnt man bei einer Führung.

Belugawal im New York Aquarium auf Coney Island

Karussellpferd im Prospect Park

Brooklyn Museum ㉑

Siehe S. 250–253.

Brooklyn Botanic Garden ㉒

900 Washington Ave. ☎ (718) 623-7200. Ⓜ Prospect Pk (B, Q), Eastern Pkwy (2, 3). **Park** ◯ Apr–Sep: Di–Fr 8–18 Uhr (Sa, So, Feiertage ab 10 Uhr); Okt–März: Di–Fr 8–16.30 Uhr (Sa, So, Feiertage ab 10 Uhr). ● 1. Jan, Labor Day, Thanksgiving, 25. Dez. 🎫 März–Mitte Nov: Di ganztägig, Sa 10–12 Uhr frei; Mitte Nov–Feb: Mo–Fr Kinder unter 16 Jahren frei. 📷 👶 ♿ 🍴 🏛 www.bbg.org

Obwohl der Garten mit einer Fläche von 20 Hektar nicht sehr groß ist, bietet er viel Abwechslung. Das Areal wurde 1910 von den Brüdern Olmsted entworfen und umfasst einen elisabethanischen »Zier-Kräutergarten« und eine der größten Rosensammlungen Nordamerikas.

Hauptattraktion ist ein Japanischer Garten mit Hügeln und Teichen, Teehaus und Shinto-Schreinen. Wenn Ende April/Anfang Mai an der Promenade des Parks die Kirschblüten leuchten, findet alljährlich ein Festival statt, das japanische Kultur, Küche und Musik präsentiert.

Ein weiterer Höhepunkt ist die Magnolienblüte im April an der Magnolia Plaza, wo etwa 80 Bäume ihre cremeweißen Blüten vor dem Narzissen-Hintergrund des Boulder Hill entfalten.

Im Duftgarten mit erhöhten Beeten sind alle Namen der intensiv duftenden und aromatischen Pflanzen auch in Blindenschrift zu lesen.

Im neuen Gewächshaus befinden sich heute eine Bonsai-Sammlung und einige seltene Baumarten aus dem Regenwald, die medizinische Extrakte zur Produktion lebensrettender Medizin liefern.

Seerosenteich im Brooklyn Botanic Garden

Coney Island ㉓

Ⓜ Stillwell Ave (D, F, Q), W 8th St (F, Q). **New York Aquarium** Ecke Surf Ave/W 8th St, Coney Island. ☎ (718) 265-FISH. ◯ Mo–Fr 10–17 Uhr, Sa, So, Feiertage 10–17.30 Uhr (Juni–Aug: Mo–Fr bis 18 Uhr, Sa, So, Feiertage bis 19 Uhr; Nov–März: tägl. bis 16.30 Uhr. 🎫 letzter Einlass 45 Min. vor Schließung. 🖥 www.nyaquarium.com **Coney Island Museum** 1208 Surf Ave, nahe W 12th St. ☎ (718) 372 5159. ◯ Sa, So 12–17 Uhr. 🖥 www.coneyislandusa.com

Mitte des 19. Jahrhunderts verfasste der Dichter Walt Whitman viele seiner Werke auf Coney Island, damals ein wilder atlantischer Küstenstreifen. In den 1920er Jahren wurde er zur »größten Spielwiese der Welt«. Drei riesige Rummelplätze (Luna Park, Dreamland und Steeplechase Park) boten einen Mix aus rasanten Fahrgeschäften und Badespaß. 1920 kam die Subway, und mit dem Bau einer Strandpromenade 1921 war die Popularität auch während der Depression gesichert.

Beliebt ist das **New York Aquarium**, das auf sechs Hektar 350 Tierarten präsentiert. Das **Coney Island Museum** stellt Erinnerungsstücke und Überbleibsel alter Fahrgeschäfte aus. Von der Promenade hat man einen tollen Meerblick, die Achterbahn Cyclone bringt einen zum Kreischen. Die Mermaid Parade im Juni lockt jedes Jahr viele Zuschauer an.

Brooklyn Museum ㉔

Das Brooklyn Museum wurde 1897 eröffnet; es sollte der größte Kulturbau der Welt werden – eine Meisterleistung der New Yorker Architekten McKim, Mead & White. Obgleich es nur zu einem Sechstel fertiggestellt wurde, ist es heute eine der eindrucksvollsten Kultureinrichtungen der USA mit einer enzyklopädischen Sammlung von etwa 1,5 Millionen Exponaten auf 41 805 Quadratmetern.

Die von McKim, Mead & White entworfene Nordfassade

LEGENDE

- ☐ Kunst aus Afrika und Amerika
- ☐ Asiatische Kunst
- ☐ Drucke, Zeichnungen und Fotografien
- ☐ Williamsburg-Wandbilder
- ☐ Ägyptische und klassische Kunst
- ☐ Dekorative Kunst
- ☐ Gemälde und Skulpturen
- ☐ Sonderausstellungen
- ☐ Kein Ausstellungsbereich

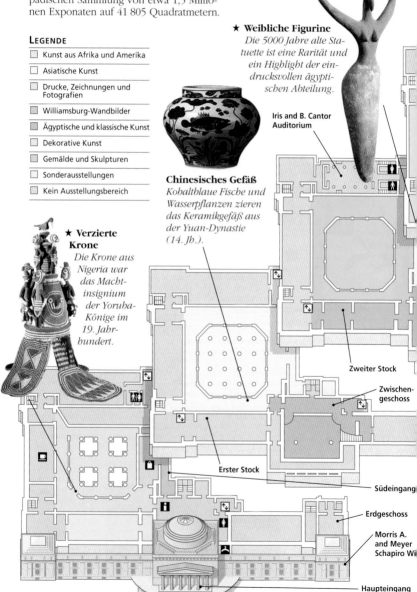

★ **Weibliche Figurine**
Die 5000 Jahre alte Statuette ist eine Rarität und ein Highlight der eindrucksvollen ägyptischen Abteilung.

Iris and B. Cantor Auditorium

Chinesisches Gefäß
Kobaltblaue Fische und Wasserpflanzen zieren das Keramikgefäß aus der Yuan-Dynastie (14. Jh.).

★ **Verzierte Krone**
Die Krone aus Nigeria war das Machtinsignium der Yoruba-Könige im 19. Jahrhundert.

Zweiter Stock

Zwischengeschoss

Erster Stock

Südeingang

Erdgeschoss

Morris A. and Meyer Schapiro Wi

Haupteingang

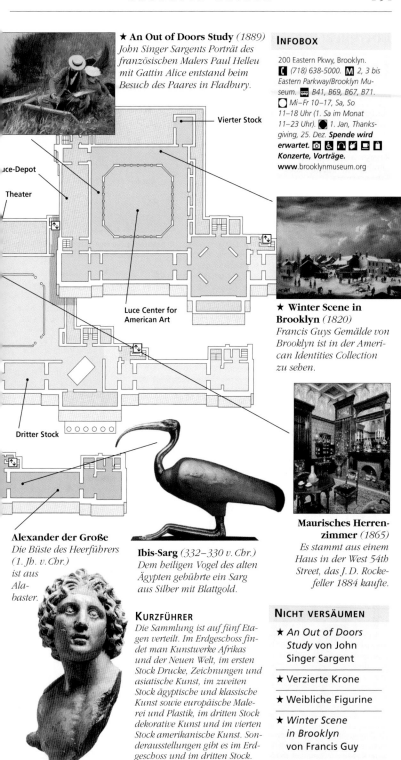

★ **An Out of Doors Study** *(1889)*
John Singer Sargents Porträt des französischen Malers Paul Helleu mit Gattin Alice entstand beim Besuch des Paares in Fladbury.

INFOBOX

200 Eastern Pkwy, Brooklyn.
📞 (718) 638-5000. Ⓜ 2, 3 bis Eastern Parkway/Brooklyn Museum. 🚌 B41, B69, B67, B71.
🕐 Mi–Fr 10–17, Sa, So 11–18 Uhr (1. Sa im Monat 11–23 Uhr). 🚫 1. Jan, Thanksgiving, 25. Dez. **Spende wird erwartet.** 📷 ♿ 🔊 🅿 🛒 🏛
Konzerte, Vorträge.
www.brooklynmuseum.org

Vierter Stock

uce-Depot

Theater

Luce Center for
American Art

★ **Winter Scene in Brooklyn** *(1820)*
Francis Guys Gemälde von Brooklyn ist in der American Identities Collection zu sehen.

Dritter Stock

Maurisches Herrenzimmer *(1865)*
Es stammt aus einem Haus in der West 54th Street, das J. D. Rockefeller 1884 kaufte.

Alexander der Große
Die Büste des Heerführers (1. Jh. v. Chr.) ist aus Alabaster.

Ibis-Sarg *(332–330 v. Chr.)*
Dem heiligen Vogel des alten Ägypten gebührte ein Sarg aus Silber mit Blattgold.

KURZFÜHRER
Die Sammlung ist auf fünf Etagen verteilt. Im Erdgeschoss findet man Kunstwerke Afrikas und der Neuen Welt, im ersten Stock Drucke, Zeichnungen und asiatische Kunst, im zweiten Stock ägyptische und klassische Kunst sowie europäische Malerei und Plastik, im dritten Stock dekorative Kunst und im vierten Stock amerikanische Kunst. Sonderausstellungen gibt es im Erdgeschoss und im dritten Stock.

NICHT VERSÄUMEN

★ *An Out of Doors Study* von John Singer Sargent

★ *Verzierte Krone*

★ *Weibliche Figurine*

★ *Winter Scene in Brooklyn* von Francis Guy

Überblick: Brooklyn Museum

Das Brooklyn Museum besitzt eine der wertvollsten Kunstsammlungen der USA. Schwerpunkte sind die Kunst der indigenen Völker aus dem Südwesten der USA, 28 mit amerikanischen Stilmöbeln eingerichtete Zimmer, alte ägyptische und islamische sowie amerikanische und europäische Kunst.

KUNST AUS AFRIKA, OZEANIEN, NORD- UND SÜDAMERIKA

Die Ausstellung afrikanischer Objekte als Kunstwerke – nicht nur als Gebrauchsgegenstände – im Brooklyn Museum 1923 markierte einen Präzedenzfall in den USA. Von da an wurde die afrikanische Kunstsammlung ständig erweitert und gewann an Bedeutung wie an Größe.

Eines der seltenen Exponate ist ein aus dem 16. Jahrhundert stammender kunstvoll geschnitzter Gong aus Elfenbein aus dem Königreich Benin (Nigeria), von dem nur fünf Exemplare existieren.

Zudem besitzt das Museum eine bedeutende Sammlung von Objekten amerikanischer Ureinwohner, etwa

Totempfähle, Textilien und Keramik. Dokumente alter amerikanischer Handwerkskunst sind Textilien aus Peru, zentralamerikanische Goldschmiedearbeiten und mexikanische Skulpturen. Eine wunderschöne, sehr gut erhaltene peruanische Tunika aus dem 6. Jahrhundert n.Chr. ist so dicht gewebt, dass die schillernden Muster wie gemalt wirken.

Die ozeanische Sammlung umfasst Skulpturen von den Salomonen-Inseln, aus Neuguinea und Neuseeland.

ASIATISCHE KUNST

Das Museum stellt seine Exponate an chinesischer, japanischer, koreanischer, indischer, südostasiatischer und islamischer Kunst in Wechselausstellungen vor. Japanische und chinesische Gemälde, indische Miniaturen und islamische Kalligrafie ergänzen die asiatischen Skulpturen, Textilien und Keramikarbeiten. Beispiele buddhistischer Kunst reichen von einer Vielzahl chinesischer, indischer und südostasiatischer Buddha-Statuen bis zu einem auf das 14. Jahrhundert zurückgehenden Tempelbanner aus Tibet mit leuchtend bunt aufgemaltem Mandala-Motiv.

In Kalkstein gehauener sitzender Buddha-Torso aus Indien (spätes 3. Jh. n.Chr.)

DEKORATIVE KUNST

Im Mittelpunkt dieser Abteilung steht eine Suite von 28 im Stil verschiedener Epochen eingerichteten Räumen.

Der älteste Raum stammt aus der holländischen Ära der Kolonialzeit (17. Jh.). Er diente als Wohn-, Ess- und Schlafstätte mit gegenüber dem Kamin eingebauten Bettkästen. Das maurische Herrenzimmer aus J. D. Rockefellers Brownstone-Wohnsitz ist ein Beispiel großzügig eleganter New Yorker Lebensart im ausgehenden 19. Jahrhundert. Den krassen Gegensatz dazu bildet ein Art-déco-Studio von 1928–30 aus einem Apartment in der Park Avenue; von der Zeit der Prohibition zeugt eine hinter Paneelen verborgene Bar *(siehe S. 30f)*. Aus-

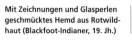

Mit Zeichnungen und Glasperlen geschmücktes Hemd aus Rotwildhaut (Blackfoot-Indianer, 19. Jh.)

Normandie, Henkelkanne aus Chrom Peter Müller-Munk (1935)

gestellt ist ferner eine große Anzahl von Möbeln und Gebrauchsgegenständen aus Keramik, Glas, Silber und Metall, einschließlich einer Kanne, die in ihrer Form den Schornsteinen des Ozeandampfers *Normandie* ähnelt.

ÄGYPTISCHE, KLASSISCHE UND ORIENTALISCHE KUNST

Zur großartigsten Abteilung gehört unbestritten die Sammlung ägyptischer Kunst. Das älteste Exponat hier ist eine Frauengestalt (3500 v. Chr.); es folgen Statuen, Skulpturen, Grabmalereien, Reliefs und Grabbeigaben. Ein außergewöhnliches Stück ist der Sarg eines Ibis, der vermutlich aus den großen Tiergrabstätten in Tuna el-Gebel in Mittelägypten stammt. Der Ibis galt als heiliger, den Gott Toth darstellender Vogel; sein Sarg besteht aus massivem Silber und mit Blattgold belegtem Holz, die Augen sind mit Bergkristall markiert. Die Abteilungen sind neu restauriert.

Unter den kunsthandwerklichen Objekten der griechischen und römischen Antike finden sich Plastiken, Keramik, Schmuck, Bronzearbeiten und Mosaike. Zu den Exponaten alter Kunst aus dem Nahen und Mittleren Osten gehören eine Keramiksammlung und zwölf Alabasterreliefs aus dem Palast des Assyrer-Königs Ashurnasirpal II. (883–859 v. Chr.). Sie stellen den König im Kampf dar, wie er den Blick auf seine Kornfelder richtet und wie er in einer regligösen Handlung den »heiligen Baum« reinigt.

MALEREI UND PLASTIK

Die Abteilung enthält Werke vom 14. Jahrhundert bis zur Gegenwart, darunter auch eine bekannte exquisite Sammlung französischer Gemälde des 19. Jahrhunderts mit Werken von Degas, Rodin, Monet, Cézanne, Matisse und Pissarro. Sie ist zudem im Besitz eines sehr großen Bestands spani-

Pierre de Wiessant (um 1886) aus der Gruppe *Die Bürger von Calais* von Auguste Rodin

scher Gemälde aus der Kolonialzeit und der bedeutendsten Sammlung nordamerikanischer Malerei, die in den Vereinigten Staaten zu finden ist. Zu den Exponaten des 20. Jahrhunderts gehört selbstverständlich das Bild *Brooklyn Bridge* von Georgia O'Keeffe.

Der Skulpturengarten präsentiert eine Sammlung architektonischer Teile aus zerstörten Gebäuden New Yorks, etwa der alten Penn Station.

DRUCKE, ZEICHNUNGEN UND FOTOGRAFIEN

Die Abteilung Drucke zeigt Werke vieler Künstler, angefangen bei Dürers Holzschnitt *Der Triumphwagen* über Piranesi bis zu einer ausgezeichneten Sammlung impressionistischer und nachimpressionistischer Malerei. Sie enthält zudem Werke von Toulouse-Lautrec und Mary Cassatt, einer der wenigen Frauen und die einzige Amerikanerin, die zum Impressionismus gezählt wird. Sehenswert sind auch James McNeill Whistlers Lithografien, Winslow Homers Stiche und eine

Rotherhide, eine Radierung von James McNeill Whistler (1860)

Auswahl von Zeichnungen (viele in Schwarz-Weiß) von Fragonard, Klee, van Gogh, Picasso und Gorky.

Des Weiteren sind Fotografien von US-Künstlern des 20. Jahrhunderts zu sehen, darunter ein Porträt von Mary Pickford, 1924 aufgenommen von Edward Steichen. Hinzu kommen Fotos von Bernice Abbott, Margaret Bourke-White und Robert Mapplethorpe. Die Exponate wechseln häufig.

Sandsteinreliefs aus dem ägyptischen Theben (um 760–656 v.Chr.) stellen den Gott Amun-Ra und seine Gemahlin Mur dar

Staten Island

Abgesehen von der berühmten Fahrt mit der Fähre sind Staten Island und seine Attraktionen wenig bekannt. Die Einwohner fühlen sich derart übergangen, dass schon eine Trennung von der City im Gespräch war. Viele Besucher sind jedoch angenehm überrascht von den weiten Hügeln, Wiesen und Seen, den großartigen Ausblicken auf den Hafen und den gut erhaltenen Gebäuden aus der Gründerzeit New Yorks. Zu den Highlights gehört eine Sammlung tibetischer Kunst in einem authentisch nachgebauten buddhistischen Tempel.

Historic Richmond Town ㉔

441 Clarke Ave. 📞 *(718) 351-1611.*
🚌 *S74 ab Fähre.* 🕐 *Sep–Juni: Mi–So 13–17 Uhr; Juli, Aug: Mi–Sa 10–17, So 13–17 Uhr.* ⬤ *1. Jan, Ostersonntag, Thanksgiving, 25. Dez.* 📷 ⬛ 📷
🖥 www.historicrichmondtown.org

Von den 29 Gebäuden in New Yorks einzigem restaurierten Dorf und Freilichtmuseum sind 14 zu besichtigen. Das nach dem heimischen Schellfisch »Cocclestown« genannte Dorf wurde im Volksmund – zum Ärger der Anwohner – zu »Cuckoldstown«. Gegen Ende des Unabhängigkeitskrieges (1775–83) erhielt es den Namen »Richmondtown«. Es war Kreishauptstadt, bis Staten Island 1898 eingemeindet wurde. Richmond Town ist ein typisches Beispiel für eine frühe Siedlung in New York.

Rumflasche, General Store

In dem vor 1696 erbauten Voorlezer House – der Name erinnert an die holländische Ära – befindet sich die älteste Grundschule des Landes. Der im Jahr 1837 eröffnete Stephens General Store diente gleichzeitig als Postamt. Er wurde detailgetreu nachgebaut.

Der 40 Hektar große Komplex umfasst Wagenschuppen, ein 1837 erbautes Herrenhaus, Bürgerhäuser, mehrere Läden und eine Schenke. Hier finden auch Workshops statt, in welchen den Besuchern traditionelle Handwerkstechniken beigebracht werden.

Die St. Andrew's Church von 1708 und ihr alter Friedhof liegen jenseits des Mill Pond Stream. Das Historical Society Museum befindet sich im County Clerk's and Surrogate's Office; besonders schön ist das Spielzeugzimmer.

Das Voorlezer House in Richmond Town

Jacques Marchais Museum of Tibetan Art ㉕

338 Lighthouse Ave. 📞 *(718) 987-3500.* 🚌 *S74 ab Fähre.* 🕐 *Mi–So 13–17 Uhr.* ⬤ *Feiertage.* 📷 ⬛ 📷
🖥 www.tibetanmuseum.org

Das vom Lärm abgeschottete Museum auf einem Hügel enthält eine der größten Privatsammlungen tibetischer Kunst außerhalb Tibets mit Werken von 15. Jahrhundert bis zur Gegenwart. Das Hauptgebäude ist ein originalgetreu nachgebildetes Bergkloster mit einem authentischen dreistöckigen Altar. Ein weiteres Gebäude dient als Bibliothek. Im Garten finden sich lebensgroße Buddha-Figuren. Das Museum wurde 1947 von der Kunsthändlerin Jacques Marchais gegründet. 1991 stattete der Dalai Lama dem Museum einen Besuch ab.

Statue im Jacques Marchais Museum of Tibetan Art

Aussichtstürmchen im Snug Harbor Cultural Center

Snug Harbor Cultural Center ㉖

1000 Richmond Terrace. 📞 *(718) 448-2500.* 🚌 *S40 ab Fähre zum Snug Harbor Gate.* **Park** 🕐 *tägl. Sonnenauf- bis -untergang.* **Kunstgalerie** 🕐 *Di–So 10–17 Uhr.* 📷 *Spende.*
Children's Museum 🕐 *Di–So 12–17 Uhr (Sommer 11–17 Uhr).* ⬤ *1. Jan, Thanksgiving, 25. Dez.* ♿ *eingeschränkt.* 📷 📷
www.snug-harbor.org

Als Bleibe für pensionierte Seeleute wurde Snug Harbor 1801 gegründet. Heute ist es ein Kulturzentrum aus 28 Gebäuden in unterschiedlichem Erhaltungszustand. Am schönsten sind die fünf 1831–80 errichteten Prachtbauten im klassizistischen Stil. Der älteste von

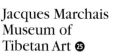

ihnen, die Main Hall, ist heute das Visitors' Center. Von hier aus gelangt man zum **Newhouse Center for Contemporary Art.**

Andere Gebäude beherbergen das vorzügliche **Staten Island Children's Museum** und die Veterans Memorial Hall. Der Staten Island Botanical Garden lockt mit einer Orchideensammlung und einem Rosengarten.

Snug Harbor ist eine Stiftung des Seemanns Robert Richard Randall, der während des Unabhängigkeitskriegs reich geworden war und sein Vermögen bedürftigen Seeleuten zukommen ließ; es war so angelegt, dass die Seeleute den geliebten Blick auf den Hafen genießen konnten.

Hier wohnte Alice Austen fast ihr ganzes Leben lang

Alice Austen House 27

2 Hylan Blvd. ((718) 816-4506. S 51 ab Fähre zum Hylan Blvd. Do–So 12–17 Uhr; Grundstück bis Sonnenuntergang. Jan, Feb, Feiertage. **Spende.** eingeschränkt. www.aliceausten.org

Das um 1690 erbaute kleine Landhaus trägt den schönen Namen Clear Comfort. Hier verbrachte die 1866 geborene Fotografin Alice Austen den größten Teil ihres Lebens. Ihre Fotos dokumentieren das Leben auf der Insel, in Manhattan, aber auch in anderen Landesteilen und in Europa. Beim Börsenkrach 1929 verlor sie ihr ganzes Vermögen, sodass sie mit 84 Jahren völlig mittellos in ein Armenhaus ziehen musste. Ein Jahr später wurde ihr fotografisches Talent vom Magazin *Life* entdeckt, das einen Artikel über sie veröffentlichte. Die Einnahmen ermöglichten ihr den Umzug ins Altenheim. Sie hinterließ 3500 Negative aus der Zeit von 1880 bis 1930. Heute organisiert der Freundeskreis »Alice Austen House« Ausstellungen ihrer Fotokunst.

Weitere Abstecher

Das Dorf Broad Channel an der Jamaica Bay

Jamaica Bay Wildlife Refuge Center 28

Cross Bay Blvd bei Broad Channel. ((718) 318-4340. M Broad Channel (A). tägl. von Sonnenauf- bis Sonnenuntergang; Besucherzentrum 8.30–17 Uhr. saisonal (vorher anrufen). www.nps.gov/gate

Die Marschen und Hochebenen des Naturschutzgebiets nehmen eine Fläche von der Größe Manhattans ein. Über 300 Vogelarten leben hier. Da es direkt an der Vogelflugroute zum Atlantik liegt, besucht man das Naturschutzgebiet am besten im Frühling oder Herbst. Das Aufsichtspersonal bietet Wanderungen für Besucher an (gutes Schuhwerk und entsprechende Kleidung sind erforderlich). Ein Zoom-Objektiv oder Fernglas sollte bei den Touren nicht fehlen. Das einzige Dorf, Broad Channel, besteht aus Pfahlbauten am Cross Bay Boulevard. Das Naturschutzgebiet und den 16 Kilometer langen Küstenstreifen erreicht man mit der Subway direkt von Manhattan aus.

Jones Beach State Park 29

Strände ganzjährig. Ende Mai– Labor Day. ((516) 785-1600. www.nysparks.state.ny.us/parks Long Island Railroad: Penn Station bis Jones Beach (Ende Mai–Labor Day). ((718) 217-5477. **Jones Beach Theater** ((516) 221-1000.

Robert Moses, der Verantwortliche für die New Yorker Parks *(siehe S. 246)*, verwandelte 1929 eine schmale Landzunge zu Jones Beach. Es ist Long Islands am besten erreichbarer und beliebtester Strand. Hier gibt es Sanddünen, Brandungswellen auf der dem Atlantik zugewandten Seite und einen geschützten Badestrand in der Bucht, des Weiteren einen Golfplatz, Swimmingpools, Restaurants und das **Jones Beach Theater,** das im Sommer zahlreiche Konzerte anbietet.

Der Robert Moses State Park befindet sich auf Fire Island, der nächstgelegenen Insel im Osten, die über 48 Kilometer lang, aber weniger als 800 Meter breit ist. Teile der Insel sind völlig naturbelassen und nicht besiedelt; die langen weißen Sanddünen eignen sich hervorragend zum Wandern und Radfahren fern aller Großstadthektik.

Unterschiedliche Menschen treffen sich hier – Singles, Familien und die Mitglieder der großen Schwulengemeinde New Yorks.

Sonnenanbeter am Jones Beach

SIEBEN SPAZIERGÄNGE

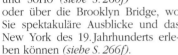

New Yorks menschliche Seite lernt man am besten auf Spaziergängen kennen. Die folgenden sieben Routen bringen Ihnen den einzigartigen Charme und Charakter des »Big Apple« näher. Sie führen Sie beispielsweise auf die Spur von Literaten und Künstlern in Greenwich Village und SoHo *(siehe S. 260f)* oder über die Brooklyn Bridge, wo Sie spektakuläre Ausblicke und das New York des 19. Jahrhunderts erleben können *(siehe S. 266f)*.

Skulptur am US Custom House, Lower Manhattan

Zu jedem der 15 Stadtteile Manhattans wird in *Die Stadtteile New Yorks*

auf einer *Detailkarte* ein kurzer Spaziergang vorgeschlagen, der an den wichtigsten Sehenswürdigkeiten vorbeiführt. Verschiedenste Organisationen bieten Touren zu Fuß an, die thematisch von der Architekturgeschichte New Yorks bis zu den Geistern am Broadway reichen. Näheres zu Veranstaltern finden Sie auf Seite 369 und im Magazin *Time Out New York*. Wie in jeder Großstadt sollten Sie bei Spaziergängen auf Ihre Wertsachen achten *(siehe S. 372f)*. Planen Sie den Weg im Voraus, und gehen Sie möglichst in Gruppen!

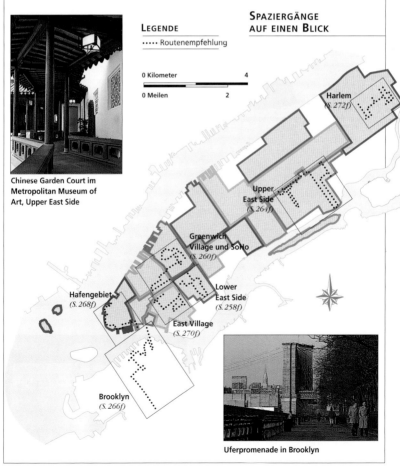

Chinese Garden Court im Metropolitan Museum of Art, Upper East Side

SPAZIERGÄNGE AUF EINEN BLICK

LEGENDE

····· Routenempfehlung

0 Kilometer 4

0 Meilen 2

Harlem *(S. 272f)*

Upper East Side *(S. 264f)*

Greenwich Village und SoHo *(S. 260f)*

Hafengebiet *(S. 268f)*

Lower East Side *(S. 258f)*

East Village *(S. 270f)*

Brooklyn *(S. 266f)*

Uferpromenade in Brooklyn

◁ Ruhepause in der Grove Street, Greenwich Village

90-minütiger Spaziergang durch die Lower East Side

Der Spaziergang führt durch alte Einwandererviertel, denen New York das einzigartige Flair verdankt. Er macht die sich stetig verändernde Zusammensetzung der Stadt deutlich, in der immer wieder Viertel »neu entdeckt« werden. Unterwegs können Sie verschiedene Kulturen und Küchen kennenlernen. Sonntag ist dafür der beste Tag. Beschreibung Lower East Side *siehe S. 92–101*.

Die Lower East Side
Ausgangspunkt ist die East Houston Street, die Grenze zwischen Lower East Side und East Village. Hier finden Sie traditionelle jüdische Küche in der Yonah Schimmel Knish Bakery ① (Nr. 137) und bei Russ & Daughters ② (Nr. 179), geführt vom Enkel des Gründers und für Räucherfisch und Kaviar berühmt. Katz's Delicatessen ③ (Nr. 205) ist seit über 100 Jahren eine Institution. Weiter geht's zur Norfolk Street und rechts zum Angel Orensanz Center ④ (Nr. 172) in New Yorks ältester Synagoge. Biegen Sie rechts in die Rivington Street ein, wo sich in einem Backsteingebäude von 1890 eine weitere Synagoge, die Shaarai Shomoyim First Romanian-American Congregation ⑤ (Nr. 89), befindet. Der Innenraum ist vernachlässigt, aber imposant.

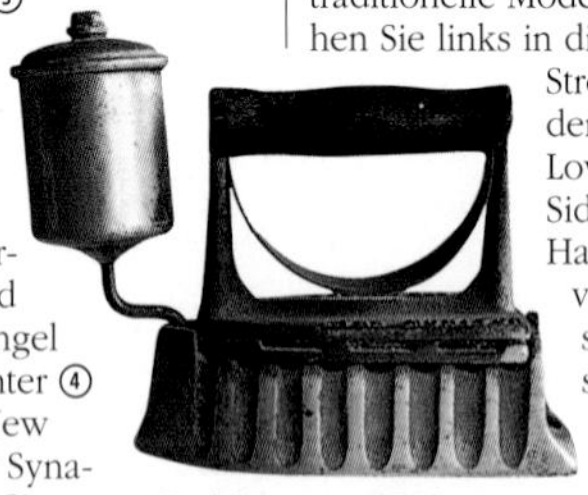

Bügeleisen von 1885 im Lower East Side Tenement Museum ⑥

Hippe junge New Yorker haben die Lower East Side für sich entdeckt und trendige Boutiquen, Klubs und Restaurants eröffnet. Die Rivington Street teilen sich coole und traditionelle Modeläden. Gehen Sie links in die Orchard Street, Zentrum der jüdischen Lower East Side. Die Handkarren von einst sind Marktständen gewichen, die zumeist billige Waren anbieten, und viele Läden führen günstige Designermode. Samstags sind sie geschlossen; sonntags ist am meisten los.

Ein Muss für Historiker ist das Lower East Side Tenement Museum ⑥ (90 Orchard St). Das restaurierte Mietshaus illustriert die Lebensweise der Immigrantenfamilien von 1874 bis in die 1930er Jahre.

Ein Abstecher in die Broome Street lohnt sich wegen Guss Pickles ⑦ (85–87), der neue Sitz eines echten Oldtimers, der 1988 die Vorlage für den Film *Crossing Delancey* (dt. Titel *Sarah und Sam*) lieferte. Noch immer stehen Kunden Schlange für Pickles aus dem Fass.

Leather
For Men

Marktstände in der Orchard Street

Zurück auf der Broome Street wenden Sie sich nach links zu Kehila Kedosha Janina Synagogue and Museum ⑧ (280 Broome St), einem kleinen, aber faszinierenden Gemeindehaus mit Museum im Obergeschoss.

Gehen Sie links die Eldridge Street entlang, über die Canal Street zur Eldridge Street Synagogue ⑨ (Nr. 12), der ersten osteuropäischen Synagoge New Yorks, die umfassend restauriert wurde.

LEGENDE
••• Routenempfehlung
Aussichtspunkt
[M] Subway-Station
KENMARE STREET
CENTRE STREET
GRAND
Canal Street
MOTT STREET
ELIZABETH STREET
HESTER
BAYARD ST
CANAL
MULBERRY ST
MOTT ST
BOWERY
DIVISION
EAST BROADWAY
0 Meter
0 Yards
500

Routeninfos

Start: *East Houston Street.*
Länge: *3,2 Kilometer.*
Anfahrt: *Subway-Linie F oder V bis Second Avenue; Ausgang East Houston bei Eldridge St. Andere Stationen: F bis Delancey St, J, M, Z bis Essex St. Bus M15 zur East Houston St oder Ecke Delancey St/Allen St. M14A und M9 fahren die Essex St entlang. Rückfahrt von Chinatown/Little Italy: Subway-Linien J, M, N, Q, R, W und 6 ab Canal Street.*
Rasten: *Little Italys Cafés sind ideal für eine Pause bei exzellentem Kaffee und guten Torten. Sättigende chinesische Gerichte bietet Sweet-n-Tart, 20 Mott St, italienische Speisen bekommen Sie in der Mulberry St bei Il-Cortile (Nr. 125) oder Il Palazzo (Nr. 151). Jüdische Delikatessen, etwa Blintzes, erhalten Sie bei Ratner's Dairy Restaurant (138 Delancey Street).*

Guss' Pickle Company ⑦

Chinatown

Gehen Sie zur Canal Street zurück, bewundern Sie von hier aus das Chrysler Building und die Skyline. Wenden Sie sich nach links, und überqueren Sie die Bowery mit den vielen Juwelierläden – Zeugen des einstigen Diamond District ⑩. Dann weichen die Läden Marktständen, die exotisches Gemüse anbieten, und Metzgereien mit gebratenen Enten in den Fenstern. In der Canal Street Nr. 200

und Kontemplation finden Sie im Eastern States Buddhist Temple ⑪ in der Mott Street.

In der Bayard Street sehen Sie links an der Wall of Democracy politische Plakate und Botschaften in Chinesisch. Kehren Sie dann um, und gehen Sie zur Mulberry Street. Die Biegung beim Columbus Park war einst die Mulberry Bend ⑫, berüchtigt für Mord und Totschlag.

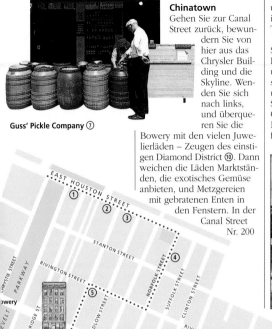

Deli in Little Italy ⑬

Little Italy

Gehen Sie die Mulberry Street in Richtung Grand Street. Unvermittelt stehen Sie in Little Italy ⑬. Es ist zwar klein, und Chinatown droht sich auch hier auszubreiten, doch bislang bieten die wenigen Blocks Alte-Welt-Restaurants, Kaffeehäuser und Läden mit Pasta, Wurst, Brot und Kuchen aus eigener Fertigung. Die italienische Gemeinde schrumpft zwar, doch eine Gruppe von Händlern bleibt standhaft und sorgt für italienisches Flair. Ihr Zentrum ist die Mulberry Street zwischen Broome und Canal Street; ein paar Läden gibt es noch in der Grand Street. Wenn Sie auf der Grand Street weitergehen, sind Sie aber gleich wieder in Chinatown.

Das größte Ereignis des Jahres in Little Italy ist das Fest von San Gennaro, dem Stadtpatron Neapels. Elf Abende im September ist die Mulberry Street voller Menschen, die den Paraden zuschauen und sich vor den langen Reihen von Wurstbuden an italienischen Köstlichkeiten laben.

Pretzel-Wagen, Orchard Street

200 Canal Street: üppige Auswahl bei Kam Man Food Products

finden Sie Kam Man Food Products, einen der größten chinesischen Märkte der Gegend; ein Bummel ist faszinierend. Biegen Sie nun von der Canal Street links in die Mott Street ein. Die chinesischen Neonschilder verraten es: Sie sind im Herzen von Chinatown, wo sogar die Banken und Telefonzellen Pagoden nachempfunden sind. Hier gibt es hunderte Restaurants – von Imbissständen bis zu feinster Chinaküche. Ruhe

90-minütiger Spaziergang durch Greenwich Village und SoHo

Ein Bummel durch Greenwich Village führt Sie in eine Gegend, in der viele berühmte New Yorker Schriftsteller und Künstler gelebt und gearbeitet haben. Nicht minder faszinierend sind die Galerien und Museen in SoHo, wo zeitgenössische Künstler ihre Arbeiten präsentieren. Sehenswürdigkeiten in Greenwich Village *siehe S. 108–115* und in SoHo *siehe S. 102–107.*

Der Schriftsteller Mark Twain wohnte in der 10th Street

West 10th Street

An der Kreuzung 8th Street und 6th Avenue ① gibt es Bücher-, Platten- und Modeläden. Gehen Sie die 6th Avenue bis zur West 9th Street hinauf; Sie finden dort (linker Hand, Nr. 425) das Jefferson Market Courthouse ②.

Biegen Sie nach rechts ab, und folgen Sie der West 10th Street ③ bis zum Alexander Onassis Center for Hellenic Studies (Nr. 58). Früher war hier der Tile Club ansässig, in dem sich die Künstler aus dem 10th Street Studio versammelten, zu dem Augustus Saint-Gaudens, John LaFarge und Winslow Homer gehörten. Mark Twain wohnte hier (24 West 10th St), ebenso Edward Albee (50 West 10th St).

Am Milligan Place ④ stehen Häuser aus dem 19. Jahrhundert. Am Patchin Place ⑤ lebten die Dichter E. E. Cummings und John Masefield. Etwas weiter entfernt finden Sie die Ninth Circle Bar ⑥. Bei der Eröffnung 1898 hieß die Bar »Regnaneschi's«. John Sloan verewigte sie auf seinem Bild *Regnaneschi's Saturday Night*. Edward Albee entdeckte hier die auf einen Spiegel gekritzelte Frage »Wer hat Angst vor Virginia Woolf?«.

ROUTENINFOS

Start: *8th St/6th Ave.*
Länge: *3,2 km.*
Anfahrt: *Subway-Linien A, B, C, D, E, F oder V zur West 4th Street, Washington Square (Ausgang 8th Street). Die Fifth-Avenue-Busse M2 und M3 halten an der 8th Street. Gehen Sie von hier einen Block westwärts zur 6th Street. Bus M5 fährt eine Schleife am Washington Square und zurück zur 6th Avenue/8th Street.*
Rasten: *The Pink Tea Cup (42 Grove Street) ist ideal fürs Mittagessen; The SoHo Kitchen & Bar, (103 Greene Street) ist bekannt für die gute Weinkarte.*

Der Eingang zum Chumley's ⑩

Greenwich Village

Gehen Sie – vorbei am Three-Lives-Buchladen (154 West 10th St), einem der Literatentreffs des Village – links zur Christopher Street und zum Northern Dispensary ⑦, einem Ambulanzzentrum. Folgen Sie der Grove Street bis zum Sheridan Square, dem Mittelpunkt des Village. Das Circle Repertory Theater ⑧, in dem die Stücke des Pulitzer-Preisträgers Lanford Wilson uraufgeführt wurden, ist nun geschlossen. Überqueren Sie die 7th Avenue, gehen Sie die Grove Street entlang. An der Ecke Bedford Street stoßen Sie auf das »Twin Peaks« ⑨ (120 Bedford St), früher ein Künstlerwohnheim. Biegen Sie in die Bedford Street ein. Nr. 86 ist Chumley's ⑩, ein ehemaliges *Speakeasy* *(siehe S. 30)*. Zu den Gästen gehörten Dylan Thomas, John Steinbeck, Ernest Hemingway, William Faulkner, J. D. Salinger und Jack Kerouac. Buchumschläge säumen die Wände.

Das Haus Nr. 75½ ist das schmalste Gebäude. Hier lebte die feministische Poetin Edna St. Vincent Millay.

Gehen Sie durch die Carmine Street zur 6th Avenue, und biegen Sie am Waverly Place rechts ab. In Nr. 116 ⑪ wohnte früher Charlotte Lynch. Bei ihr trafen sich wöchentlich u. a. Herman Melville und Edgar Allan Poe, der hier erstmals sein Gedicht *The Raven* vortrug. Links kommen Sie zur MacDougal Alley ⑫, einer kleinen Straße mit Kutschenhäuschen. Gertrude Vanderbilt Whitney hatte hier ihr Atelier, hinter dem sie 1932 das erste Whitney Museum eröffnete.

Fassade in Washington Mews ⑬

Washington Square

Wieder in der MacDougal Alley wenden Sie sich nach links zum Washington Square North, wo Sie die schönsten klassizistischen Häuser der USA besichtigen können. Der Autor Henry James ließ seinen Roman *Washington Square* im Haus Nr. 18, dem Anwesen seiner Großmutter, spielen.

Washington Square Park und Torbogen

SoHo

Wenden Sie sich nun auf der Thompson Street, einer von zahlreichen Klubs, Cafés und Läden gesäumten typischen Village-Straße, nach Süden. Biegen Sie nach links in die Houston Street ein und anschließend rechts in den West Broadway. Dort finden Sie die besten Galerien der Stadt und ein paar sehr schicke Boutiquen.

An der Spring Street gehen Sie erst links und dann nach rechts in die Green Street ⑮, deren Häuser schöne Gusseisenfassaden haben. In einigen Gebäuden sind heute Galerien ansässig.

Wenn Sie am Ende der Green Street nach links in die Canal Street einbiegen, erleben Sie, wie abrupt sich die Atmosphäre in New York verändern kann. In dieser lauten Straße gibt es zahlreiche Straßenhändler und preiswerte Elektronikläden. Wer jetzt noch Energie hat: NoLita in der Spring Street bietet die aktuellen Modetrends mit den Labels junger aufstrebender Designer.

Von der 5th Avenue bietet sich nochmals ein guter Blick auf den Washington Square Park mit dem berühmten Washington Square Arch. Gegenüber dem Gebäude 2 in der 5th Avenue stoßen Sie auf die Washington Mews ⑬, einen Komplex früherer Stallungen und späterer Kutschenhäuschen. Im Studio in Nr. 14a wohnten John Dos Passos, Edward Hopper, William Glackens und Rockwell Kent.

Nun kommen Sie zum Haus der Autorin Edith Wharton (7 Washington Square North). Wenn Sie den Park überquert haben, sehen Sie links die von Stanford White entworfene Judson Memorial Church and Tower ⑭ und das Loeb Student Center. Das Center war früher ein Wohnheim, das als »Haus der Genies« bekannt war; Theodore Dreiser schrieb in diesem Gebäude *Eine amerikanische Tragödie.*

Gusseisenfassade in SoHo ⑮

WEST 12TH ST

GREENWICH AVENUE

AVENUE OF THE AMERICAS

SEVENTH AVENUE

WEST 10TH ST

stopher Street Ⓜ

GROVE ST

CARMINE ST

ouston reet

WEST 11TH ST
WEST 10TH STREET
WAVERLY PLACE
WEST 4TH STREET

WAVERLY PLACE

WASHINGTON SQ PARK

WASHINGTON MEWS

UNIVERSITY PLACE

EAST 10TH STREET
EAST 8TH STREET

West 4th Street Ⓜ

BLEECKER STREET

WEST BROADWAY

BLEECKER STREET

BROADWAY

WEST HOUSTON ST

SULLIVAN STREET
THOMPSON STREET
WOOSTER STREET
GREENE STREET
MERCER STREET

Broadway Ⓜ

Prince Street Ⓜ

Spring Street Ⓜ

WEST BROADWAY

GRAND STREET

BROOME STREET

BROADWAY

| 0 Meter | 500 |
| 0 Yards | 500 |

LEGENDE

••• Routenempfehlung

🌿 Aussichtspunkt

Ⓜ Subway-Station

Zweistündiger Spaziergang in der Upper East Side

Ein Spaziergang die obere Fifth Avenue entlang führt Sie zu einigen der schönsten Bauten aus dem New York der Zeit um 1900. Ein kleiner Umweg durch das deutsche Viertel Yorkville bringt Sie zur Gracie Mansion, seit 1799 offizielle Residenz des Bürgermeisters von New York. Mehr über die Sehenswürdigkeiten der Upper East Side finden Sie auf den *Seiten 182–203*.

0 Meter 500
0 Yards 500
EAST 93RD
EAST 92ND ST
EAST 91ST STREET
MADISON AVENUE
PARK AVENUE
FIFTH AVENUE (MUSEUMSMEILE)
86th Street
EAST 84TH STREET
EAST 82ND STREET
LEXINGTON AVE
Central Park
MADISON AVENUE
PARK AVENUE
EAST 79TH STREET
EAST 77TH STREET
77th Street
LEXINGTON AVENUE
THIRD AVENUE
SECOND AVENUE
EAST 83RD
EAST 82ND ST
EAST 80TH ST
EAST 78TH STREET
EAST 76TH ST
EAST 77TH STREET
EAST 75TH STREET
EAST 74TH STREET
EAST 73RD STREET
EAST 72ND STREET
EAST 71ST STREET
EAST 70TH STREET
EAST 69TH STREET
EAST 75TH ST
EAST 74TH ST
EAST 73RD ST
LEGENDE
Routenempfehlung
Aussichtspunkt
Subway-Station

Von Frick zur Met

Sehen Sie sich zunächst die Frick Collection *(siehe S. 202f)* im Frick Mansion ① an, das der Kohlemagnat Henry Clay Frick 1913/14 erbauen ließ. Die reichen New Yorker überboten sich bei der Errichtung solcher Villen, die an Versailles, die Loire-Schlösser oder venezianische Palazzi erinnerten. Heute beherbergen die Gebäude oft öffentliche Einrichtungen. Gegenüber steht ein typisches Wohnhaus für die betuchten New Yorker. Richtung Osten in der 70th Street sind zwei renommierte Galerien ansässig, Knoedler & Co (Nr. 19) und Hirschl & Adler (Nr. 21) ②. Gehen Sie die Madison Avenue hinauf bis zur 72th Street zum Polo-Ralph Lauren Store ③. In dem 1898 erbauten Haus lebte Gertrude Rhinelander Waldo.

Gehen Sie an der Nordseite der 72nd Street zur Fifth Avenue zurück. Dabei passieren Sie zwei Kalksteinbauten (Ende 19. Jh.), in denen jetzt das Lycée Français de New York ④ residiert. Folgen Sie der 5th Avenue zur 73rd Street, und biegen Sie dort nach rechts. Im Haus Nr. 11 ⑤ lebte Joseph Pulitzer.

Church of the Holy Trinity ⑰

Östlich davon, zwischen Lexington und Third Avenue, stehen einige schöne Stadthäuser ⑥. Zurück auf der Fifth Avenue, gehen Sie zur 75th Street. Im Haus Nr. 1, einst Heim von Edward S. Harkness, Sohn des Mitbegründers der Standard Oil, ist nun der Commonwealth Fund ansässig ⑦.

Ukrainian Institute of America ⑩

Im Haus des Tabakmillionärs James B. Dukes (1 East 78th St) befindet sich das New York University Institute of Fine Arts ⑧, im Gebäude des Finanzmagnaten Payne Whitney (Ecke 5th Ave/79th St) die französische Botschaft ⑨. In 2 East 79th Street sitzt das Ukrainian Institute of America ⑩. Ecke 82nd Street steht das Duke-Semans House ⑪, eines der wenigen Fifth-Avenue-Palais in Privatbesitz. Die Besichtigung des Metropolitan Museum ⑫ erfordert mindestens einen Tag.

◁ Eingang zur Subway-Station im Bryant Park

Carl Schurz Park Promenade

Yorkville

In der 86th Street stoßen Sie auf die Überreste des deutschen Yorkville, z. B. Bremen House ⑬. Besuchen Sie in der 2nd Avenue das Mocca Hungarian oder M. Rohr's Cafe oder auf der rechten Seite das Heidelberg Café und das Delikatessengeschäft Schaller & Weber ⑭.

East River und Gracie Mansion

Henderson Place ⑮ an der East End Avenue wird von Backsteinhäusern im Stil der Queen-Anne-Epoche gesäumt. Der Carl Schurz Park ist nach dem berühmtesten deutschen Immigranten, dem Herausgeber von *Harper's Weekly* und *New York Post*, benannt. Oberhalb des East River Drive schaut man auf Hell Gate, wo sich Harlem River, Long Island Sound und Hafen vereinigen. Vom Gehweg aus ist Gracie Mansion ⑯, die Residenz des Bürgermeisters, zu sehen. Von Westen hat man einen schönen Blick auf das Anwesen. In der 88th Street liegt die Church of the Holy Trinity ⑰. Biegen Sie an der Lexington Avenue rechts ab bis zur 92nd Street. Dort sehen Sie links zwei der letzten Holzhäuser Manhattans ⑱.

ROUTENINFOS

Start: Frick Collection.
Länge: 4,8 Kilometer.
Anfahrt: Subway-Linie 6 zur 68th Street/Lexington Avenue, dann drei Blocks westwärts zur Fifth Avenue. Oder mit den Bussen M1, M2, M3, M4, dann entlang der Madison Avenue zur 70th Street und einen Block westwärts.
Rasten: Die Cafés im Whitney und Guggenheim Museum sind gut. Ebenso M. Rohr's Cafe (303 E85/2nd Ave), Mocca Hungarian (1588 2nd Ave/82nd) oder das Heidelberg Café (2nd Ave/86th St). Viele Restaurants gibt es in der Madison Avenue zwischen 92nd Street und 93rd Street, etwa Sarabeth's Kitchen (am Wochenende mit gutem Brunch).

Das Cooper-Hewitt Museum ⑳

Carnegie Hill

In der Fifth Avenue sehen Sie rechts das 1908 erbaute Felix Warburg Mansion, das heutige Jewish Museum ⑲. Ein Stück weiter, Ecke 91st Street, befindet sich Andrew Carnegies riesiges Anwesen, das jetzige Cooper-Hewitt Museum ⑳. Die 1902 im Stil eines englischen Herrenhauses erbaute Residenz gab der Gegend den Namen: Carnegie Hill. Nr. 7, das James Burden House ㉑, wurde 1915 für die Vanderbilt-Erbin Adele Sloan gebaut. Den Aufgang unter einem farbigen Glasdach bezeichneten Besucher als »Himmelstreppe«. Das Haus Nr. 9 im Stil der italienischen Renaissance gehörte dem Finanzmagnaten Otto Kahn. Es besitzt eine überdachte Auffahrt und einen Innenhof. Heute berherbergt es die Convent of the Sacred Heart School.

Holzhäuser in der 92nd Street ⑱

Dreistündiger Spaziergang in Brooklyn

Die Überquerung der berühmtesten Brücke New Yorks bringt Sie nach Brooklyn Heights, dem ersten Vorort der Metropole. Hier mischen sich 19. Jahrhundert und nahöstliche Kultureinflüsse. Die Flusspromenade bietet fantastische Ansichten von Manhattan. Näheres über Brooklyn *siehe S. 247–253.*

Feuerwache in der Old Fulton Street

Fulton Ferry Landing

Die rund einen Kilometer lange Brooklyn Bridge bietet eine herrliche Sicht auf die Skyline von Manhattan und reichlich Fotomotive. Nehmen Sie ein Taxi, oder gehen Sie zu Fuß über die Brücke nach Brooklyn. Folgen Sie auf der anderen Seite dem Tillary-Street-Schild nach rechts, wenden Sie sich am Fuß der Treppe abermals nach rechts, nehmen Sie den ersten Weg durch den Park über Cadman Plaza West ①, und gehen Sie unter dem Brooklyn-Queens-Expressway hindurch. Hier beginnt die Old Fulton Street.

Während Sie über die Water Street zur Anlegestelle der Fulton-Fähre ② gehen, sehen Sie rechter Hand die Brücke. Im Unabhängigkeitskrieg flohen George Washingtons Truppen von hier aus nach Manhattan. 1814 war hier das Depot für die Fähre Brooklyn–Manhattan, und aus dem bäuerlichen Brooklyn Heights wurde allmählich eine Wohngegend. Das River Café ③ rechter Hand gilt dank seiner exquisiten Küche und des Ausblicks als eines der besten Restaurants New Yorks. Über das ehemalige Eagle-Lagerhouse ④ von 1893 gehen Sie zurück.

Eagle-Lagerhaus ④

Brooklyn Heights

Wenden Sie sich von der Anlegestelle aus nach rechts, und gehen Sie durch die steile Everitt Street zur Middagh Street und die Straßen von Brooklyn Heights hinauf. Das Gebäude Nr. 24 ⑤ ist eines der ältesten (erbaut 1824).

Biegen Sie nun rechts in die Willow Street und dann links in die Cranberry Street ein; hier finden sich alte Holzhäuser, Sandsteinhäuser und Federal-Style-Gebäude aus Ziegelstein.

Viele berühmte Leute wohnten hier. Im Keller des Hauses Willow Street Nr. 70 schrieb Truman Capote *Frühstück bei Tiffany* und *Kaltblütig*. Arthur Miller war einmal Besitzer des Hauses Nr. 155. Während seiner Zeit als Herausgeber des *Brooklyn Eagle* wohnte Walt Whitman in der Cranberry Street. Seine *Leaves of Grass* gab er in der Druckerei an der Ecke in Satz. Die jetzt an dieser Stelle stehenden Stadthäuser nennt man »Whitman Close«. Biegen Sie rechts in die Hicks Street und links in die Orange Street ein, und spazieren Sie bis zur Plymouth Church ⑥, in der früher Henry Ward Beecher gegen die Sklaverei predigte. Seine Schwester Harriett Beecher Stowe schrieb *Onkel Toms Hütte.*

Eingang des River Café

Truman Capote mit gefiedertem Freund

Schlendern Sie nun durch die Henry Street und die Pineapple Street. In der Clark Street erkennen Sie noch die Namenszüge einstiger Luxushotels. Gehen Sie bis Columbia Heights Nr. 142 ⑦, wo Norman Mailer lebt. Washington Roebling, der Architekt der Brooklyn Bridge, lebte in Nr. 110.

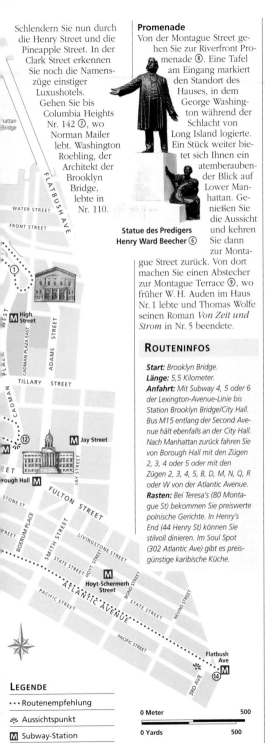

Statue des Predigers Henry Ward Beecher ⑥

Promenade

Von der Montague Street gehen Sie zur Riverfront Promenade ⑧. Eine Tafel am Eingang markiert den Standort des Hauses, in dem George Washington während der Schlacht von Long Island logierte. Ein Stück weiter bietet sich Ihnen ein atemberaubender Blick auf Lower Manhattan. Genießen Sie die Aussicht und kehren Sie dann zur Montague Street zurück. Von dort machen Sie einen Abstecher zur Montague Terrace ⑨, wo früher W. H. Auden im Haus Nr. 1 lebte und Thomas Wolfe seinen Roman *Von Zeit und Strom* in Nr. 5 beendete.

ROUTENINFOS

Start: Brooklyn Bridge.
Länge: 5,5 Kilometer.
Anfahrt: Mit Subway 4, 5 oder 6 der Lexington-Avenue-Linie bis Station Brooklyn Bridge/City Hall. Bus M15 entlang der Second Avenue hält ebenfalls an der City Hall. Nach Manhattan zurück fahren Sie von Borough Hall mit den Zügen 2, 3, 4 oder 5 oder mit den Zügen 2, 3, 4, 5, B, D, M, N, Q, R oder W von der Atlantic Avenue.
Rasten: Bei Teresa's (80 Montague St) bekommen Sie preiswerte polnische Gerichte. In Henry's End (44 Henry St) können Sie stilvoll dinieren. Im Soul Spot (302 Atlantic Ave) gibt es preisgünstige karibische Küche.

Die alte Montague-Street-Bahn

Montague Street und Clinton Street

Von der Montague Street erreichen Sie das Zentrum von Brooklyn Heights mit Cafés und Boutiquen. Das einstige Baseballteam Brooklyn Dodgers verdankte seinen Namen der Tram, die sich durch die Straße kämpft *(dodge)*. An der Ecke Montague/Clinton Street sieht man die Buntglasfenster der Church of St. Ann and the Holy Trinity ⑩ von 1834. Via Clinton Street geht's zur Pierrepont Street, wo die Brooklyn Historical Society ⑪ ansässig ist. Einen Block weiter, in der Court Street, liegen die Borough Hall ⑫ von 1849 und eine Subway-Station.

Die Brooklyn Dodgers verdankten der Tram ihren Namen

Atlantic Avenue

Als Alternative bleiben Sie auf der Clinton Street und gehen fünf Blocks zur Atlantic Avenue. Linker Hand stoßen Sie auf eine ganze Reihe orientalischer Märkte: Sahia Imports ⑬ in Nr. 187 hat eine große Lebensmittelauswahl, Rashid im Haus Nr. 191 verkauft arabische Druckerzeugnisse und Schallplatten, und die Bäckerei Damascus (Nr. 195) macht hervorragendes *Filo*-Gebäck. Einige Läden verkaufen arabische Bücher und CDs. An der Flatbush Avenue sehen Sie links die Brooklyn Academy of Music ⑭ und die Fassade der Williamsburg Savings Bank. Auch hier befindet sich eine Subway-Station.

LEGENDE

••• Routenempfehlung

❊ Aussichtspunkt

Ⓜ Subway-Station

0 Meter   500
0 Yards   500

90-minütiger Spaziergang im Hafengebiet

Auf dem Weg von der Battery Park City Esplanade mit ihrer Aussicht und den Luxuswohnungen bis zu den stattlichen Segelschiffen im South Street Seaport bringt Ihnen dieser Spaziergang auch ein Stück New Yorker Seefahrtsgeschichte näher. Die Großstadt ist hier kaum zu spüren, stattdessen erinnert die grüne Spitze des Battery Park daran, dass Manhattan eine Insel ist. Sehenswürdigkeiten in Lower Manhattan *siehe S. 64–79.*

Blick von der Uferpromenade auf die Statue of Liberty

Unzählige Fotografien im Museum of Jewish Heritage ⑤

Battery Park City

Der Spaziergang beginnt an der Esplanade ① beim Rector Place Park und westlich der Subway-Station Rector Street. Jenseits des Hudson River zeichnet sich die Skyline von New Jersey ab. Nun geht es Richtung South Cove ②, wo man, so wie 100 Millionen Immigranten zuvor, der Freiheitsstatue ansichtig wird. Der Robert F. Wagner Jr. Park ③ ist nach dem einstigen Bürgermeister der Stadt benannt. Die üppig bewachsenen Abhänge mit schattigen Linden und einladenden Pavillons gehen über in den uferseitigen Grüngürtel von Lower Manhattan. Vom erhöhten Aussichtspunkt des Wagner Park ④ überblickt man den Hudson River. Auf Informationstafeln ist die Seefahrtsgeschichte der Stadt nachzulesen.

Battery Place

Am Battery Place liegt das Museum of Jewish Heritage ⑤ *(siehe S. 77)* mit dem »Steingarten«, einem stillen, meditativen Raum mit jungen Zwergeichen, die zwischen Findlingen wachsen. Manhattan vereint zweifellos die meisten Hochhäuser weltweit – entsprechend nobel fällt die Hommage im Skyscraper Museum ⑥ aus. Hier lässt sich die Geschichte der Wolkenkratzer auf allen Kontinenten bis zur Gegenwart studieren. Dem zerstörten World Trade Center gebührt ein Ehrenplatz.

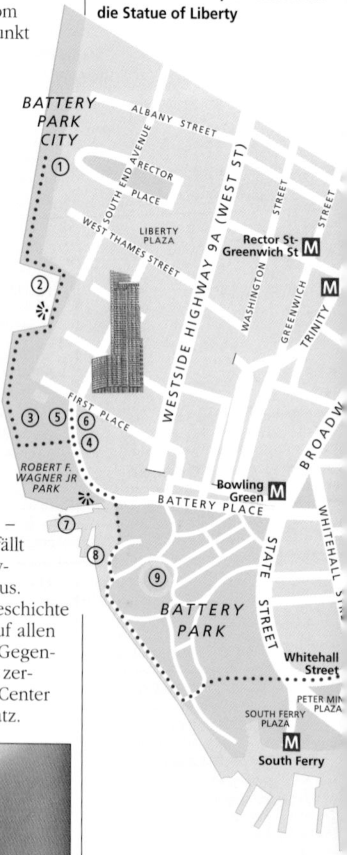

Klare Strukturen im Skyscraper Museum ⑥

Castle Clinton wurde zum Schutz des Hafens errichtet ⑨

Battery Park

Auf dem Weg zum Battery Park passiert man Pier A ⑦ mit den Überbleibseln der Feuerwache von 1886. Wichtige Persönlichkeiten, die per Schiff die Stadt ansteuerten, begrüßten die Löschschiffe mit meterhohen Wassersalven. Die Uhr des Hafenturms richtete sich nach der maritimen Zeit – acht Glockenschläge signalisierten die Wachablösung. Am Uferweg stößt man bald auf das American Merchant Mariners Memorial ⑧. Die Skulptur – sie zeigt Soldaten, die einen Kameraden aus dem Wasser ziehen – basiert auf Fotografien von einem Angriff auf ein amerikanisches Schiff währen des Zweiten Weltkriegs.

Wohlverdiente Erholungspause in einem Café, South Street Seaport ⑬

Nun geht es zum Castle Clinton Monument ⑨, einer Artilleriestellung von 1811, die später als Opernhaus und Theater genutzt wurde. Heute ist hier ein Museum untergebracht. Schlendern Sie durch den Park, wo man im Schatten von Bäumen rasten kann.

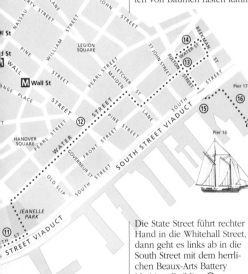

Die State Street führt rechter Hand in die Whitehall Street, dann geht es links ab in die South Street mit dem herrlichen Beaux-Arts Battery Maritime Building ⑩.

South Street Seaport

Folgen Sie der South Street mit der Brooklyn Bridge im Hintergrund. Eindrucksvoll ist die Vietnam Veterans Memorial Plaza ⑪ mit dem gläsernen Mahnmal. Darin eingeritzt sind ergreifende Worte, die Soldaten an ihre Liebsten richteten. Die Water Street in nördlicher Richtung markiert die Stelle, an der einst das Ufer war. Sie führt am Old Slip vorbei. In westlicher

Richtung verläuft hier die Wall Street ⑫ *(siehe S. 66f)*. In der Ferne erkennt man die Trinity Church *(siehe S. 68)*. Biegen Sie rechts in die Maiden Lane und gleich wieder links in die malerische Front Street, die durch den South Street Seaport ⑬ *(siehe S. 82–85)* führt. Im Hafen schwanken friedlich die Holzmasten der großen Schiffe. New Yorks Seefahrtsgeschichte lässt sich im South Street Seaport Museum studieren. Anschließend geht es durch die geschäftige Fulton Street zur Water Street. Schauen Sie bei Bowne & Co Stationers in Nr. 211 ⑭ vorbei, einem altmodischen Geschäft für alte Drucke. Schlendern Sie bis zu Pier 16, wo im Maritime Crafts Center ⑮ Maler und Handwerker an Galionsfiguren und Schnitzereien arbeiten. An Pier 17 ⑯ drängen sich Geschäfte und Cafés. Von hier hat man eine einzigartige Aussicht auf Manhattan – im Vordergrund die Masten der alten Schoner, im Hintergrund die mächtigen Wolkenkratzer. Beenden Sie den Spaziergang im Café Paris des Meyer's Hotel *(siehe S. 83)* von 1873.

90-minütiger Spaziergang im East Village

Wo heute Musiker und Künstler leben, wo spannende Bars und Ethno-Restaurants ihre Gäste bewirten, da befand sich früher die Farm oder *bouwerie* der Stuyvesant Familie. In diesem Stadtteil gelingt die Balance zwischen ruhigem Wohnviertel und kreativen Neuerungen. Im stetem Wechsel kommen und gehen neue CD-Shops, veganische Cafés, Kunsthandwerksläden und Musikklubs. Detaillierte Informationen zum East Village *siehe Seiten 116–121.*

Astor Place

Gleich neben der Subway-Station Astor Place steht ein schwarzer Würfel aus Stahl *The Alamo* ① – ein beliebter Treffpunkt für Studenten und Skateboarder. Auf dem Weg Richtung Third Avenue gehen Sie zwischen großen Gebäuden wie dem fünfstöckigen Cooper Union ② *(siehe S. 120)* entlang. Peter Cooper, trotz seiner schlechten Ausbildung ein erfolgreicher Industrieller, gründete dieses College 1859 und förderte es lebenslang. Auf der anderen Straßenseite sehen Sie das Continental ③, in dem schon Musikbands wie Iggy Pop und Guns N' Roses auftraten. Der St. Mark's Place ④ im East Village (8th Street) war früher das Zentrum der Jazzfans. Später kamen die Hippies, nun trifft man hier auf Punks. Mit seinen vielen Straßencafés und bunten Verkaufsständen gehört St. Mark's Place zu den belebtesten Plätzen in ganz Manhattan. Das St. Mark's Ale House ⑤ auf der rechten Seite, früher als The Five Spot bekannt, war Treffpunkt der Musiker und Schriftsteller der 1960er Jahre. Nur wenige Schritte weiter erwartet Sie »Trash and Vaudeville« ⑥, ein Kleiderladen

Am »Ukrainian Day« feiern nicht nur Menschen aus der Ukraine

in den Räumen des früheren Bridge Theater. Im Bridge Theater veranstaltete Yoko Ono Happenings, 1967 brannte hier eine US-Flagge aus Protest gegen den Vietnamkrieg. Im Gebäude 19–25 St. Mark's Place ⑦ trafen sich früher die Juden des Viertels, dann herrschte die italienische Mafia, bis Andy Warhol in den 1960er Jahren hier seinen skandalträchtigen Nachtklub »Electric Circus« hochzog. Auf der Bühne spielte u. a. Velvet Underground. Gleich daneben ist Kim's Video ⑧, ein Nostalgieladen für Platten und Videos.

Little Ukraine

Gehen Sie nach links auf die Second Avenue: Hier lebt die größte und älteste ukrainische Volksgruppe der USA. Nur hier gibt es ukrainische Restaurants, Bars

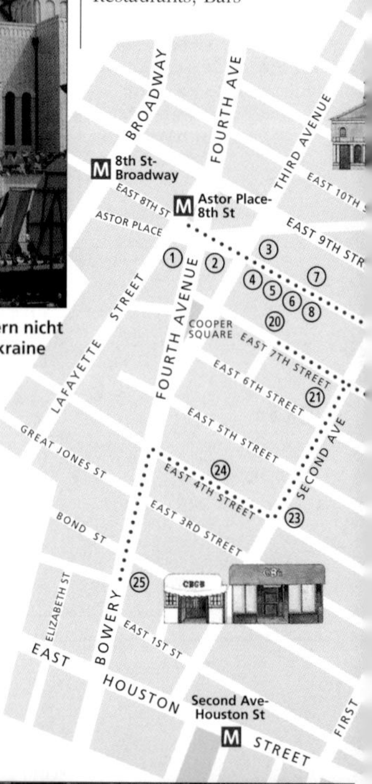

»Trash and Vaudeville«: Hier fanden früher Happenings statt ⑥

Routeninfos

Start: *The Alamo.*
Länge: *2,8 Kilometer.*
Anfahrt: *Subway-Linie 6 bis Astor Place oder Bus M101, M102 oder M103.*
Rasten: *Viele nette Möglichkeiten am St. Mark's Place. Probieren Sie Jules Bistro (französisch) zwischen 1st und 2nd Avenue oder DoJo East (preiswert) zwischen 2nd und 3rd Avenue.*

Chic aus alten Zeiten in der Konditorei Veniero's ⑬

First Avenue Ⓜ EAST 14TH STREET

EAST 13TH STREET

EAST 12TH STREET

⑬ EAST 11TH STREET

EAST 10TH STREET

⑭ EAST 9TH STREET

ST MARKS PLACE

⑮ ⑰

TOMPKINS
SQUARE

EAST 7TH STREET ⑯

⑲ ⑱

5TH STREET

**Die Ulme im Tompkins Square
Park erinnert an Hare Krishna**

LEGENDE

••• Routenempfehlung

Ⓜ Subway-Station

0 Meter — 200

0 Yards — 200

und natürlich ein Zentrum wie das Ukrainian National Home ⑨ (rechte Seite, Nr. 140). Am Eck befindet sich das preiswerte ukrainische Lokal Veselka ⑩. Weiter auf der Second Avenue kommen Sie zum bekannten Second Avenue Deli ⑪; die Top-Spezialität hier ist Leber. Schräg gegenüber steht die St. Mark's-in-the-Bowery Church ⑫ *(siehe S. 121)*. Die 1795 erbaute Kirche war die Privatkapelle des holländischen Gouverneurs Peter Stuyvesant, der hier auch bestattet wurde. Rechter Hand führt Sie die 11th Street zu Veniero's ⑬, einer sehenswerten alten italienischen Konditorei. Biegen Sie nun rechts und gleich wieder links auf die 10th Street ab, vorbei am Turkish Bath House ⑭, und Sie erreichen die Nordseite des Tompkins Square Park ⑮ *(siehe S. 121)*.

Tompkins Square Park

Im dem quadratischen Park von 1834 fanden schon viele Polit-Aktionen statt. Die Ulme im Zentrum ⑯ erinnert an die ersten Hare-Krishna-Zeremonien in den USA. Direkt am Park lebte 1950–55 der berühmte Jazzmusiker Charlie Parker ⑰. Gehen Sie zur südwestlichen Ecke des Parks zur 7th Street: Hier erwartet Sie bei 7A ⑱ ein köstliches Frühstück (24 Stunden offen). Am Ende des Häuserblocks verkauft Turntable Lab 04 ⑲ alte und neue Schallplatten sowie alles für DJs. Wer jetzt Durst hat, der sollte auf der Second Avenue weiter westlich gehen bis zu McSorley's Old Ale House ⑳. In dieser alten Bar gibt es helles und dunkles Bier. Weiter auf der Second Avenue blicken Sie nach rechts (Nr. 105) auf das alte Fillmore East Auditorium ㉑. Hier spielten u. a. The Doors, Jimi Hendrix, Janis Joplin, Pink Floyd und The Who, die ihre Rockoper *Tommy* uraufführten. Schauen Sie in der 6th Street nach links zur »Indian Restaurant Row« ㉒: Hier gibt es das beste Bengali Curry der Stadt. Weiter auf der Second Avenue sehen Sie den Fish 'n' Chips-Laden »A Salt and Battery« ㉓, in dem Joe »the Boss« Masseria in den 1920er Jahren seinen Mafia-Clan führte. Gehen Sie rechts auf die 4th Street. Rechts befindet sich der Club KGB ㉔, eine echte New Yorker Institution. Links auf der Bowery war bis 2006 der Club CBGB & OMFUG ㉕ – Country, Bluegrass, Blues & Rock, in dem die Talking Heads berühmt wurden.

»Indian Restaurant Row« – hier gibt es das beste Bengali Curry ㉒

Spaziergang in Harlem (90 Min.)

Nur wenige New Yorker Stadtteile bieten eine so reiche Geschichte wie Harlem, das Zentrum der Afro-Amerikaner. Der Spaziergang startet in Strivers' Row mit seinen schönen Häusern aus Harlems Blütezeit in den 1920er und 1930er Jahren. Der Spaziergang führt Sie zu bekannten Gospelkirchen, zu Jazz- und Blues-Klubs und endet am berühmten Apollo Theater, Harlems bedeutendster Bühne für neue Künstler. Detaillierte Informationen zu Harlem *siehe S. 220–231*.

Das Apollo Theater – wichtigste Bühne für Harlems Künstler ⑭

Strivers' Row

Die schöne Allee der 138th Street zwischen der Seventh und Eighth Avenue nennt man St. Nicholas Historic District oder Strivers' Row ①. In den 1920er und 1930er Jahren zogen erfolgreiche und aufstrebende Schwarze in diese Gegend. Die Häuser wurden von bekannten Architekten wie James Brown Lord und McKim, Mead & White entworfen. Nun ein kurzes Stück nach links auf der Seventh Avenue (Adam Clayton Powell, Jr. Boulevard), dann rechts in die 139th Street zur West 139th Street ②, wo 1932 Billie Holiday als 16-Jährige im Haus Nr. 108 lebte. Kurz darauf begann ihre Karriere als Sängerin in einem Klub der nahen »Jungle Alley«.

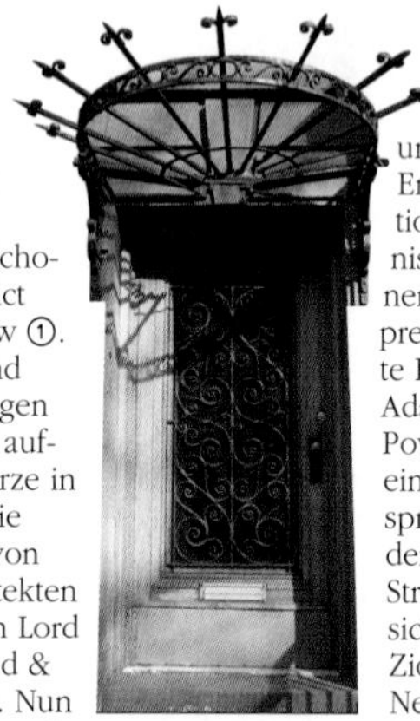

Jugendstil-Tür in Strivers' Row ①

Abyssinian Baptist Church

Auf der Lenox Avenue geht's nach rechts und gleich wieder rechts in die 138th Street zur interessanten Abyssinian Baptist Church ③ *(siehe S. 229)*. Ihr Gospelgottesdienst jeden Sonntag ist weltweit bekannt.

Diese Kirche wurde 1921 gegründet und nach der Ersten Kongregation der ostafrikanischen Amerikaner benannt. Hier predigten berühmte Pastoren wie Adam Clayton Powell, Jr. Nur einen Katzensprung entfernt in der West 137th Street befindet sich die Mother Zion Church ④, New Yorks erste Kirche für Schwarze und eine der ältesten Kirchen der gesamten USA. Der unterirdische Kirchenraum ist Teil des New Yorker U-Bahn-Tunnelsystems (und ein alter Fluchtweg für Sklaven); daher rührt auch der Spitzname der Kirche, »Freedom Church«.

Weiter geht's zur Countee Cullen Regional Library, wo Madam C.J. Walker ihre Walker School of Hair ⑤ gründete. Mit zahlreichen Kosmetikartikeln und einem System zur Haarglättung wurde Mrs. Walker die erste Self-Made-Dollar-Millionärin im ganzen Land.

Aber Mrs. Walker war nicht geizig, sondern zeigte sich als Philanthropin: Viele Stiftungen erhielten Spenden von ihr, darunter die National Association of Colored People (NAACP) und das Tuskegee Institute. Nach ihrem Tod im Jahr 1919 führte ihre Tochter A'Leila den Walker-Salon weiter als intellektuelles Zentrum für Kunst und Philanthropie. Man nannte den Salon »The Dark Tower« in Anlehnung an ein Gedicht von Countee Cullen.

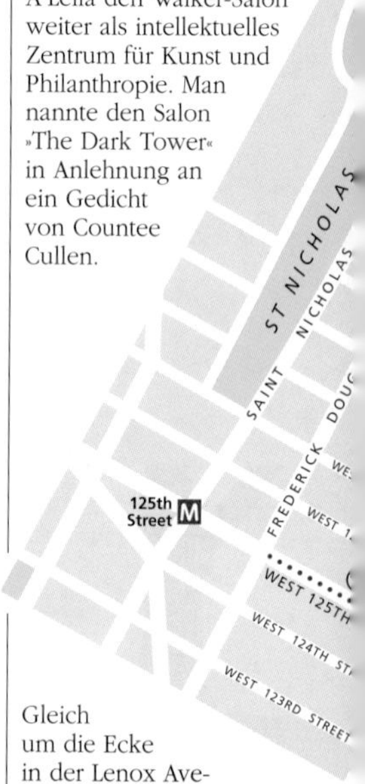

Gleich um die Ecke in der Lenox Avenue befindet sich das Schomburg Center for Research in Black Culture ⑥ *(siehe S. 229)*. Zurück auf der Seventh Avenue finden Sie an der West 136th Street Montgomery ⑦ einen skurrilen Shop für Damenmode mit witzigen Designs. Weiter unten (Nr. 267) ist »Niggerati Manor« ⑧, ein Künstler-Logierhaus. Der Name stammt von Zora Neale Hurston, die hier ihr Magazin *Fire!!* publizierte.

In Sylvia's Restaurant verwöhnt man Sie mit »Soul Food« ⑪

Gehen Sie zurück zum Adam Clayton Powell, Jr. Boulevard, folgen sie ihm bis zur sogenannten »Jungle Alley« ⑨. Hier war früher das Zentrum von Harlems Nachtleben mit Bars, Klubs, Kabaretts und *Speakeasies.* Ein Abstecher in die 131st Street bringt Sie zum Haus von Marcus Garvey ⑩ (Nr. 235), einem der Protagonisten der schwarzen Unabhängigkeitsbewegung.

Ausstellung im Schomburg Center for Research in Black Culture ⑥

Jazzsängerin Billie Holiday ②

bereits Billie Holiday, Miles Davis und John Coltrane auftraten. Der dazugehörige Jazzklub »Zebra Room« war ein Treffpunkt für James Baldwin und Malcolm X. In der Mitte des nächsten Häuserblocks ist The Studio Museum in Harlem ⑬ *(siehe S. 230f),* mit vielfältigen Veranstaltungen afrikanischer Künstler. Dazu gibt's einen netten Buchladen.

Apollo Theater
In der West 125th Street ist das berühmte Apollo Theater ⑭ *(siehe S. 230).* Seit 1934 werden hier »Stars gemacht und Legenden geboren«. Hier spielten fast alle, von Ella Fitzgerald bis zu James Brown. Seit 1987 gibt es die »Amateur Night at the Apollo«. Diese Show wird landesweit im Fernsehen ausgestrahlt und machte das Apollo Theater zur drittbeliebtesten Attraktion in ganz Manhattan.

»Jungle Alley«, wo nicht nur Billie Holiday auftrat ⑨

0 Meter   200
0 Yards   200

Zurück zum Adam Clayton Powell, Jr. Boulevard und nach links in die 127th Street: Hier befindet sich Sylvia's Restaurant ⑪ *(siehe S. 230).* Das seit 1962 familienbetriebene Restaurant nennt sich selbst »Queen of Soul Food«. Sie erhalten hier typische und allerbeste Südstaaten-Gerichte wie Brathähnchen, Wels oder BBQ Ribs (Spare Ribs). Folgen Sie der Lenox Avenue bis zur 125th Street. Hier kommt die Lenox Lounge ⑫, in der

ROUTENINFOS

Start: *Strivers' Row.*
Länge: *2,8 Kilometer.*
Anfahrt: *Subway-Linie 2 oder 3 bis 135th Str (Lenox Ave), dann Fußweg nach Norden zur 138th St und nach Westen zur Seventh Ave. Oder Bus M2, M7 oder M10 zur 135th St und Fußweg zur Seventh Ave.*
Rasten: *Sylvia's (127th Str/ Lenox) mit Soul Food. Jimbo's Hamburger Joint (125th Str/ Lenox) mit klasse Hamburgern.*

LEGENDE

••• Routenempfehlung

Ⓜ Subway-Station

Map labels:
WEST 141ST STREET
WEST 140TH STREET
WEST 139TH STREET
WEST 138TH STREET (STRIVERS' ROW)
WEST 137TH STREET
WEST 136TH STREET
WEST 135TH STREET
WEST 134TH STREET
133RD STREET
135th Street Ⓜ
WEST 135TH STREET
WEST 132ND STREET
WEST 131ST STREET
WEST 130TH STREET
WEST 129TH STREET
WEST 128TH STREET
125th Street Ⓜ
WEST 124TH STREET
WEST 123RD ST
MALCOLM X BOULEVARD (LENOX AVE)
(SEVENTH AVENUE)
POWELL
ADAM CLAYTON
AFRICAN SQUARE
MARCUS GARVEY PARK
FIFTH
AVENUE

ZU GAST IN NEW YORK

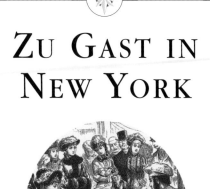

ÜBERNACHTEN

Mit über 65 000 Hotelzimmern hat New York für jeden etwas zu bieten. Spitzenhotels sind preiswerter als in Paris oder London, doch die beste Nachricht für Besucher ist die Zunahme von erschwinglichen Hotels. Zwar sind viele dieser Häuser nicht eben reizvoll, bieten aber faire Preise. Man findet auch Apartments und Privatquartiere, zudem gibt es Jugendher-

Cole Porters Flügel in der Bar des Waldorf-Astoria *(siehe S. 289)*

bergen und YMCA-Schlafplätze. Nach Besichtigung von mehr als 200 Hotels haben wir die besten in den verschiedenen Kategorien ausgewählt. Die *Hotelauswahl (siehe S. 280–291)* soll Ihnen die Suche nach einer Unterkunft erleichtern; hier finden Sie neben detaillierten Angaben zu den einzelnen Häusern auch Internet-Adressen für die Online-Buchung.

Bad im Paramount Hotel

ORIENTIERUNGSHILFE

Die East Side, also etwa die Gegend zwischen 59th und 77th Street, ist Standort der meisten Luxushotels. Aber die Renovierung etlicher eindrucksvoller Midtown-Residenzen, beispielsweise des St. Regis, und die Häuser fernöstlicher Hotelketten wie der Peninsula Group haben die Konkurrenz belebt.

Geschäftsreisende bevorzugen meistens die Midtown-Gegend, und da insbesondere die erschwinglichen Hotels in der Lexington Avenue in der Nähe des Grand Central Terminal.

Wer in Midtown-Nähe ein relativ ruhiges Plätzchen sucht, sollte sich im Viertel Murray Hill umschauen, während Theaterliebhaber die Wiederbelebung der Gegend um den Times Square registrieren sollten. Wer sein Hotel vom Theater aus zu Fuß erreichen kann, ist im Vorteil, weil gegen Ende der Vorstellungen der Andrang auf Taxis sehr groß ist.

In der Gegend um den Herald Square findet man Einkaufsmöglichkeiten sowie gute und günstige Hotels.

Kleine schicke Hotels haben sich in SoHo und im Meatpacking District niedergelassen, wo es auch viele Bars, Restaurants und Läden gibt *(siehe S. 320f)*.

New York City & Company (das Convention and Visitors Bureau) veröffentlicht kostenlos unter dem Titel *The New York Hotel Guide* ein jährlich aktualisiertes Verzeichnis, das Hotelpreise, Telefon- und Faxnummern aufführt. Buchungen nimmt das Büro allerdings nicht vor.

HOTELPREISE

Manche Hotels bieten saisonal Sonderkonditionen an. Da etwa an Wochenenden

kaum Geschäftsreisende in Hotels anzutreffen sind, offerieren selbst Luxushotels an diesen Tagen nicht selten Sonderangebote *(siehe S. 278)*.

In allen Preiskategorien gibt es Apartment-Hotels mit geräumigen Zimmern mit Kochgelegenheit und Kühlschrank. In diesen ›Suiten‹ finden bis zu vier Personen Platz, weshalb sie sich bei Familien großer Beliebtheit erfreuen.

Das Café Botanica im Essex House Hotel *(siehe S. 286)*

VERSTECKTE PREISAUFSCHLÄGE

Wenn Sie den Preis eines Hotelzimmers in New York berechnen wollen, müssen Sie in Betracht ziehen, dass die Zimmer schon seit langem mit einer Sondersteuer belegt sind. Zu den Übernachtungspreisen der Hotelliste, die vor allem Zimmer unter 100 Dollar berücksichtigt, müssen deshalb noch 17,875 Prozent Hotelsteuer plus zwei Dollar Belegsteuer dazugerechnet werden.

Telefone in der Halle zum Anrufen von Hotelgästen

Suite im Millennium *(siehe S. 286)*

In einigen Hotels ist das Frühstück im Zimmerpreis enthalten. Ansonsten kostet ein durchschnittliches »Continental Breakfast« ohne Steuern in den preiswerteren Hotels pro Person um die fünf Dollar, in manchen der Spitzenhotels bis zu 30 Dollar. Wer sparen möchte, sollte in einem Coffee Shop oder Deli frühstücken.

Die Telefongebühren sind in den Hotels meist hoch. Es ist deshalb ratsam, das öffentliche Telefon in der Halle zu benutzen, vor allem bei Gesprächen nach Übersee.

In den USA erwartet man ein Trinkgeld. Hotelangestellte, die Ihr Gepäck zum Zimmer tragen, erhalten pro Gepäckstück mindestens einen Dollar Trinkgeld – in einem Luxushotel etwas mehr. Für normale Dienstleistungen wie das Bestellen eines Taxis oder eine Restaurantreservierung durch den Portier ist kein Trinkgeld fällig, wohl aber für besondere Serviceleistungen. Wenn Sie etwas über den Zimmerservice bestellen, sollten Sie auf der Karte nachsehen, ob die Bedienung im Preis enthalten ist; wenn nicht, ist ein Trinkgeld von 20 Prozent angemessen. Beachten Sie auch, dass Einzelzimmer kaum weniger als Doppelzimmer kosten.

AUSSTATTUNG

Man könnte meinen, dass New Yorker Hotelzimmer besonders laut sind, doch die meisten sind mit Schallschutzfenstern ausgestattet. Klimaanlagen gehören fast immer zur Grundausstattung. Je nach Lage sind manche Räume ruhiger als andere – erkundigen Sie sich vor dem Buchen.

Fernseher, Radio und Telefon gibt es in fast jedem Zimmer, selbst in bescheidenen Unterkünften – die meisten haben überdies ein Bad, in den preiswerten und Mittelklasse-Hotels meist nur eine Dusche. Mittelklasse-Hotels haben inzwischen auch in jedem Zimmer ein Faxgerät und verfügen über einen Fitnessraum. Luxushotels haben in den Zimmern Minibars und bieten einen Anrufbeantworter sowie ein elektronisches Checkout-System.

Im unmittelbaren Umkreis der hier aufgeführten Hotels gibt es Läden und Restaurants. Wenige Hotels haben einen eigenen Parkplatz, manche halten einen Service *(valet)* bereit, um Ihren Wagen auf eigens für Gäste reservierten Stellplätzen in nahe gelegenen Parkhäusern zu parken. Normalerweise ist dafür eine reduzierte (gleichwohl saftige) Parkgebühr fällig. An der Rezeption erteilt man Ihnen gern Auskunft.

Die Art-déco-Lobby des Hotels Edison im Theater District

AUF EINEN BLICK

INFORMATIONEN

New York & Co
(Convention and Visitors Bureau)
810 7th Ave, NY, NY
10019. **Stadtplan** 12 E4.
📞 *(212) 484-1222.*
www.nycvisit.com

APARTMENT-HOTELS

Affinia Suite Hotels
Reservierungsnummer für alle aufgelisteten Hotels:
📞 *(212) 320-8050. 1-866-246 2203* (gebührenfrei).
www.affinia.com

Affinia Gardens
215 E 64th St.
Stadtplan 13 B2.

Beekman Tower
3 Mitchell Pl.
Stadtplan 13 C5.

The Benjamin
125 E 50th St.
Stadtplan 13 B4.

Dumont Plaza
150 E 34th St.
Stadtplan 9 A2.

Eastgate Tower
222 E 39th St.
Stadtplan 9 B1.

Plaza Fifty
155 E 50th St.
Stadtplan 13 B4.

Shelburne–Murray Hill
303 Lexington Ave.
Stadtplan 9 A2.

Southgate Tower
371 7th Ave.
Stadtplan 8 E3.

Surrey
20 E 76th St.
Stadtplan 17 A5.

FLUGHAFEN-RESERVIERUNG

A Meegan Services
JFK International Airport
📞 *1-800-441-1115.*

Accommodation Plus
JFK International Airport
📞 *1-800-733-7666.*

ZIMMER-VERMITTLUNG

Express
📞 *(303) 440-8481.*
FAX *(303) 440-0166.*
www.express-res.com

Hotel con-x-ions
📞 *(212) 840-8686.*
FAX *(212) 221-8686.*
www.hotelconxions.com

Quikbook
📞 *(212) 779 7666.*
FAX *(212) 779 7666.*
www.quikbook.com

Stadtplan *siehe Seiten 394–425*

RESERVIERUNG

Es ist ratsam, Hotels mindestens einen Monat im Voraus zu buchen. Zwar wird das Hotel kaum völlig ausgebucht sein, doch womöglich sind die besten Zimmer und die Suiten bereits vergeben, vor allem wenn gerade ein Kongress stattfindet. Am meisten ist in der Osterzeit los, während des New Yorker Marathonlaufs Anfang November, an Thanksgiving Ende November und an Weihnachten.

Reservieren Sie per Telefon, Brief, Fax oder übers Internet. Eine schriftliche Bestätigung Ihrer telefonischen Reservierung ist nötig, samt einer Vorauszahlung für den Fall Ihres Fernbleibens. Von dieser Summe werden im Fall einer Absage die entsprechenden Kosten abgezogen. Sie können mit Kreditkarte, per Banküberweisung oder mit Dollar-Reiseschecks bezahlen. Teilen Sie mit, ob Sie nach 18 Uhr eintreffen, sonst ist Ihr Zimmer vielleicht anderweitig vergeben, es sei denn, Sie haben mit Kreditkarte im Voraus gezahlt.

Sie können Ihre Reservierung auch über Ihr Reisebüro oder Ihre Fluggesellschaft vornehmen. Viele Hotels haben für Gespräche aus den USA einen gebührenfreien Telefonanschluss (allerdings nicht von Europa aus zu erreichen). Wenn das Hotel zu einer internationalen Kette gehört, probieren Sie, ob ein entsprechendes Hotel in Ihrem Land für Sie reservieren kann.

SONDERANGEBOTE

Am höchsten belegt sind die Hotels unter der Woche, wenn Geschäftsreisende in der Stadt sind. Die meisten Hotels gewähren deshalb am Wochenende Preisnachlässe, um ihre Kapazitäten besser

Lobby des St. Regis Hotel *(siehe S. 287)*

auszulasten. Man kann dann oft zum gleichen Preis von einem Standard- in ein Luxuszimmer umziehen.

Preisnachlässe erhalten häufig die Mitarbeiter großer Unternehmen. Oft gewähren die Hotelangestellten auf Nachfrage auch ohne entsprechenden Nachweis Sonderpreise.

Manche Reservierungsbüros offerieren Sonderpreise. Ein gutes Reisebüro sollte in der Lage sein, die günstigsten Preise auszuhandeln, Sie können die Preise aber auch vergleichen, indem Sie einen preisgünstigen Reservierungsdienst wie Express oder Quikbook kontaktieren *(siehe S. 277)*. Solche Dienstleister gewähren je nach Jahreszeit Preisnachlässe zwischen 20 und 50 Prozent. Sie buchen per Kreditkarte und erhalten einen Beleg, den Sie dann im Hotel vorlegen.

Bei Pauschalreisen werden vielfach Preisnachlässe gewährt. Der Preis des »Pakets« schließt häufig den Transport vom Flughafen zum Hotel ein– eine weitere Einsparung. Auch die Fluggesellschaften offerieren Sonderangebote, insbesondere außerhalb der Hauptreisezeit. Jedes gute Reisebüro kann Sie über die besten Angebote informieren, aber auch

---

AUF EINEN BLICK

BEHINDERTE REISENDE

Mayor's Office for People with Disabilities
52 Chambers St, Room 206, 10007.
☎ *(212) 788-2830.*
www.nyc.gov/mopd

PRIVATQUARTIERE

Abode Bed and Breakfast Inc.
☎ *(212) 472-2000 oder (800) 835-8880.*
www.abodenyc.com

At Home in NY
☎ *(212) 956-3125.*
FAX *(212) 247-3294.*

B & B Network in NY
130 Barrow St, Suite 508, 10014. ☎ *(212) 645-8134 oder (800) 900-8134.*

Bed & Breakfast (& Books)
35 W 92nd St, Apt 2C, NY 10025. ☎ *(212) 865-8740.*

Country Inn The City
☎ *(212) 580-4183.* www. countryinnthecity.com

Gamut Realty
☎ *(212) 879 4229.*
www.gamutrealty.com

Jim's Deli!
www.jimsdeli.com

New World B & B
☎ *(212) 675-5600 oder (800) 443-3800.*

JUGEND-HERBERGEN

Hosteling International, NY
891 Amsterdam Ave/ W 103rd St, NY, NY 10025. **Stadtplan** 20 E5.
☎ *(212) 932-2300.*
www.hinewyork.org

92nd St Y
1395 Lexington Ave, NY 10128. **Stadtplan** 17 A2.
☎ *(212) 415-5650.*
www.92y.org

YMCA-Vanderbilt
224 E 47th St, 10017.
Stadtplan 13 A5.
☎ *(212) 756-9600.*

YMCA-West Side
5 W 63rd St, 10023.
Stadtplan 12 D2.
☎ *(212) 875-4273.*
www.ymcanyc.org

STUDENTEN-WOHNHEIME

NYU Summer Housing
8 Washington Place, NY 10003. **Stadtplan** 4 E2.
☎ *(212) 998-4621.*
www.nyu.edu/summer/ housing

FLUGHAFENHOTELS
Details zu Hotels an den Flughäfen siehe S. 380f.

in vielen Zeitungen und im Internet gibt es häufig Sonderangebote.

Behinderte Reisende

Neue Hotels sind gesetzlich verpflichtet, einen behindertengerechten Service anzubieten. Auch in vielen älteren Häusern sind inzwischen die nötigen Umbauten erfolgt.

Am besten informieren die Websites der Hotels *(siehe S. 280–291)* über ihre Einrichtungen für Behinderte.

Informieren Sie das Hotel bei der Reservierung über etwaige spezielle Anforderungen. Blindenhunde sind in den meisten Hotels erlaubt, gleichwohl sollte man sich vorab erkundigen. **Mayor's Office for People With Disabilities** erteilt weitere Hotelauskünfte.

Mit Kindern reisen

Kinder sind in amerikanischen Hotels in der Regel herzlich willkommen. Kinderbetten und Adressenlisten von Babysittern stehen fast immer zur Verfügung.

Viele Hotels berechnen für Kinder, die im Zimmer ihrer Eltern übernachten, nichts oder verlangen nur einen geringen Aufpreis für ein Extrabett. In solchen Fällen sind normalerweise ein oder zwei Kinder pro Zimmer zulässig; meist dürfen Kinder ein bestimmtes Alter – oft zwölf Jahre – nicht überschritten haben. Eltern größerer Kinder müssen den vollen Preis zahlen, nur ist die Altersgrenze bisweilen auf 18 Jahre heraufgesetzt. Erkundigen Sie sich am besten bei der Reservierung nach den Konditionen.

Privatquartiere

Die Zahl der Bed-and-Breakfast-Übernachtungsmöglichkeiten hat in letzter Zeit stark zugenommen. Das Spektrum reicht vom einzelnen Zimmer bei Anwesenheit des Hauptmieters bis zum unbewohnten Apartment mit Küche und Bad.

Wer in einer Privatwohnung logiert, bekommt mehr vom New Yorker Leben mit und kann in Restaurants an der Ecke essen gehen, die meist preiswerter sind als solche im Zentrum.

Eingang des Peninsula Hotel *(siehe S. 289)*

Viele freie Vermittlungsdienste bieten Privatquartiere an. Einige Agenturen vermieten nicht unter zwei Nächten. Die Preise unbewohnter Apartments variieren zwischen 90 und 200 Dollar, für Doppelzimmer zwischen 60 und 90 Dollar pro Nacht. Luxuriöse Etablissements sind ebenso zu mieten wie eher schäbige Wohnungen. Wenn Sie außerhalb des Zentrums wohnen, steigen Ihre Taxikosten entsprechend. Erkundigen Sie sich vorab nach Standort und Infrastruktur.

Jugendherbergen und günstige Unterkünfte

Wer New York mit schmalem Budget besucht, findet in der Stadt eine Jugendherberge und zahlreiche **YMCA**-Herbergen. Das geschäftige Wohnheim **92nd Street Y** in der Upper East Side bietet Leuten, die länger in der Stadt bleiben möchten, akzeptable Zimmer zu Preisen zwischen ca. 35 und 50 Dollar pro Nacht.

Viele Luxushotels bieten einen Pool auf dem Dach

Es gibt keine Campingplätze in Manhattan. Leider sind auch Jugendherbergen in New York längst nicht so verbreitet wie in vergleichbaren europäischen Großstädten.

Preisbewusste Reisende, die mit dem Nötigsten zufrieden sind, finden immer wieder ein erstaunlich preiswertes Zimmer zu annehmbaren Bedingungen. Mitunter liegen solche Unterkünfte sogar recht günstig in der Nähe von Sehenswürdigkeiten, so zum Beispiel in Chelsea, im Garment District und in der Upper West Side sowie – seltener – in begehrten Gegenden wie Upper Midtown. Einige dieser Zimmer sind recht bequem und mit eigenem Bad oder zumindest einer Dusche ausgestattet, andere sind verhältnismäßig klein, haben keine Klimaanlage, und das Bad muss man sich zudem mit anderen Gästen teilen.

Aber auch in Hotels lässt sich so mancher Dollar sparen. Wer nicht im Hotel frühstückt, sondern in einem Café um die Ecke, kommt meist preiswerter davon. Die Getränke in der Hotelbar sind in der Regel teurer als außerhalb.

Zeichenerklärung

Die Hotels in der Liste auf den Seiten 280–291 sind nach Stadtteilen und Preiskategorien geordnet. Die Symbole bei jedem Eintrag geben Auskunft über die Ausstattung des Hotels.

🏋 Fitness-Center
🏊 Swimmingpool
🚸 Kinderfreundlich
↕ Lift
[P] Hotelparkplatz
🍴 Restaurant
💳 Kreditkarten nicht akzeptiert

Preiskategorien für eine Übernachtung im Doppelzimmer mit Bad, inklusive Steuern und Service in der Hochsaison:

$ unter 150 US-$
$$ 150–250 US-$
$$$ 250–350 US-$
$$$$ 350–450 US-$
$$$$$ über 450 US-$

Hotelauswahl

Die auf den folgenden Seiten aufgeführten Hotels aus
unterschiedlichen Preiskategorien wurden aufgrund
ihres guten Preis-Leistungs-Verhältnisses, ihrer Ausstattung
und ihrer Lage ausgewählt. Sie sind nach Stadtteilen und
nach Preiskategorien geordnet. Die Kartenverweise
beziehen sich auf den Stadtplan der Seiten 394–425.

PREISKATEGORIEN
Der Preis gilt für ein Doppelzimmer
pro Nacht, inklusive Frühstück, Service
und Steuern:

(S) unter 150 US-$
(S)(S) 150–250 US-$
(S)(S)(S) 250–350 US-$
(S)(S)(S)(S) 350–450 US-$
(S)(S)(S)(S)(S) über 450 US-$

LOWER MANHATTAN

Best Western Seaport Inn Downtown · (S)(S)

33 Peck Slip, 10038 **(** *(212) 766-6600* FAX *(212) 766-6615* **Zimmer** *72*   **Stadtplan** *2 D2*

Beim Betreten des Hotels mit Sicht auf die Brooklyn Bridge fühlt man sich an eine Seemannspinte des 19. Jahrhunderts erinnert. Gäste schätzen das erstklassige Frühstück, nachmittags das Gebäck und den Salon mit Tee und Kaffee. Der Fitnessraum steht 24 Stunden zu Verfügung. Einige Zimmer haben eine Terrasse. **www.bestwestern.com**

Embassy Suites New York · (S)(S)(S)

102 North End Ave, 10282 **(** *(212) 945-0100* FAX *(212) 945-3012* **Zimmer** *463*   **Stadtplan** *1 A2*

Das Suiten-Hotel in Nähe der Battery Park City und der Fähre zur Statue of Liberty eignet sich hervorragend für Familien. Die Zwei-Zimmer-Suiten bieten Internet-Anschluss und klappbare Schlafsofas. Hafenblick und ermäßigte Preise am Wochenende. Die Subway ist relativ weit entfernt. **www.embassysuites.com**

Holiday Inn Wall Street · (S)(S)(S)

15 Gold St, 10038 **(** *(212) 232-7800* FAX *(212) 269-9569* **Zimmer** *138*   **Stadtplan** *2 D2*

Geschäftsreisende fühlen sich in den auf ihre Bedürfnisse abgestimmten Zimmer wohl. Neben einem PC verfügt jedes Zimmer über Fax- und Kopiergerät, schnurlose Telefone und andere nützliche Büroaccessoires. Wer morgens nicht gleich aus dem Hotel muss, kann sich am Frühstücksbüfett für den Tag stärken. **www.holiday-inn.com**

Mariott New York City Financial Center · (S)(S)(S)

85 West St, 10006 **(** *(212) 385-4900* FAX *(212) 227-8136* **Zimmer** *507*   **Stadtplan** *1 B3*

Das neue Hotel im Herzen des Financial District ist modern und stattlich. Selbst ein Hallenbad fehlt nicht. Die Zimmer sind individuell ausgestattet, einige von ihnen blicken auf die Statue of Liberty und den Hafen von New York. Das vorwiegend von Geschäftsleuten gebuchte Hotel hat zum Teil gute Wochenendangebote. **www.marriott.com**

The Wall Street Inn · (S)(S)(S)

9 South William St, 10004 **(** *(212) 747-1500* FAX *(212) 747-1900* **Zimmer** *46*   **Stadtplan** *1 C3*

Am Wochenende lässt sich in diesem Geschäftshotel leicht ein Preis-Schnäppchen machen. Die Einrichtung ist alles andere als langweilig, der Service ist erstklassig. Viele Zimmer sind relativ klein, haben aber bequeme Betten. Fragen Sie nach einem Eckzimmer mit Whirlpool-Wanne. Frühstück im Preis inbegriffen. **www.thewallstreetinn.com**

Ritz Carlton Battery Park · (S)(S)(S)(S)

2 West St, 10004 **(** *(212) 344-0800* FAX *(212) 344-3801* **Zimmer** *298*   **Stadtplan** *1 B4*

Ein Teleskop in den eleganten Gästezimmern ermöglicht einzigartige Nahansichten der Freiheitsstatue und des Hafengebiets. Die riesigen Badezimmer bieten alle Ausstattungsmerkmale. Für Kinder gibt es ein spezielles Beschäftigungsprogramm. In der Hausbar wird ein Nachmittagstee serviert. **www.ritzcarlton.com**

LOWER EAST SIDE

Howard Johnson Express Inn · (S)

135 East Houston St, 10002 **(** *(212) 358-8844* FAX *(212) 473-3500* **Zimmer** *46*   **Stadtplan** *5 A3*

Das relativ neue Haus bietet kleine, saubere, preisgünstige Zimmer unweit von schicken Cafés und Geschäften. Zur Subway und zu günstigen Imbissen sind es nur wenige Schritte – für junge Reisende überzeugende Argumente. In einigen Zimmern gibt es Mikrowelle und Kühlschrank. Katz's Deli liegt nur einen Block entfernt. **www.hojo.com**

Off SoHo Suites Hotel · (S)

11 Rivington St, 10002 **(** *(212) 979-9808* FAX *(212) 979-9801* **Zimmer** *38*   **Stadtplan** *5 A3*

Inmitten eines schicken Innenstadtviertels gelegen, hat man es von diesem günstigen Hotel relativ nah nach SoHo und der Lower East Side. Für die kleinen Zimmer gibt es nur Gemeinschaftsbäder, die größeren haben ein eigenes Bad und eine Küche, weshalb sie sich vor allem für Gruppen und Familien eignen. **www.offsoho.com**

Zeichenerklärung *siehe hintere Umschlagklappe*

SoHo und TriBeCa

Cosmopolitan Hotel
$$

95 West Broadway, 10007 **(** *(212) 566-1900* FAX *(212) 566-6909* **Zimmer** *105*   **Stadtplan** *1 B1*

Eines der günstigsten Hotels Manhattans im Herzen des angesagten TriBeCa. Die Zimmer sind klein, aber hübsch ausgestattet und haben winzige, saubere Bäder. Günstige Preise, viele erstklassige Lokale in der Nähe und gute Anbindung ans öffentliche Verkehrsnetz – was will man mehr? **www.cosmohotel.com**

Holiday Inn Downtown
$$

138 Lafayette St, 10013 **(** *(212) 966-8898* FAX *(212) 966-3933* **Zimmer** *227*   **Stadtplan** *4 F5*

Das Hotel ist nichts Besonderes, aber seine Stammgäste schätzen seine großartige Lage. Chinatown, SoHo, die Lower East Side und Little Italy liegen in Gehweite genauso wie schicke Geschäfte und Restaurants. Die Zimmer sind einfach, aber komfortabel, im hauseigenen Restaurant bekommt man immer einen Happen. **www.holiday-inn.com**

SoHo Grand Hotel
$$$

310 West Broadway, 10013 **(** *(212) 965-3000* FAX *(212) 965-3200* **Zimmer** *367*   **Stadtplan** *4 E4*

Größen der Showbranche und andere Prominente halten dem Haus mitten im geschäftigen SoHo seit langem die Treue. Die Zimmer sind klein und wirken trotz der großen Fenster mit Blick auf die Innenstadt dunkel. Der Zimmerservice steht 24 Stunden bereit, und auch für das Hündchen wird gesorgt. **www.sohogrand.com**

Tribeca Grand Hotel
$$$

2 Sixth Ave, 10013 **(** *(212) 519-6600* FAX *(212) 519-6700* **Zimmer** *203*   **Stadtplan** *3 E5*

Die Eingangshalle des Hotels wirkt beeindruckend. Der hauseigene Vorführraum im Untergeschoss lockt seit langem Stars ins Haus. Die Zimmer sind funktionell, die Badezimmer mit allem Komfort ausgestattet. Die Eckzimmer und die Studios bieten am meisten Platz. **www.tribecagrand.com**

60 Thompson
$$$$

60 Thompson St, 10012 **(** *(877) 431-0400* FAX *(212) 431-0200* **Zimmer** *100*   **Stadtplan** *4 D4*

Das attraktive Haus hat mit der Eröffnung eines neuen Restaurants und der Sommer-Dachterrasse nur für Hotelgäste seinen Wert noch steigern können. Die Zimmer sind funktionell, aber bequem mit angenehmer Farbgestaltung und bieten allerlei Hightech. Die Lage ist unschlagbar. **www.60thompson.com**

The Mercer Hotel
$$$$$

147 Mercer St, 10012 **(** *(212) 966-6060* FAX *(212) 965-3838* **Zimmer** *62*   **Stadtplan** *4 E3*

Die Preise dieses diskreten kleinen Hotels bewegen sich auf höchstem Niveau. Stars, die Wert auf ihre Privatsphäre legen, steigen gerne hier ab. Die Zimmer sind als Lofts mit unverputztem Backstein und Dielenboden gestaltet. In den Badewannen finden leicht zwei Personen Platz. Kinder sind willkommen. **www.mercerhotel.com**

Greenwich Village

Abingdon Guest House
$$

13 Eighth Ave, 10014 **(** *(212) 243-5384* FAX *(212) 807-7473* **Zimmer** *9*   **Stadtplan** *3 C1*

Die liebenswerte Pension liegt in einer der schönsten Straßen des West Village mit schönen Häusern und Geschäften. Jedes Zimmer ist individuell ausgestattet und bietet allen Komfort. Die Rezeption ist nicht ständig besetzt. Es wird kein Frühstück serviert, aber es gibt eine Coffee Bar. **www.abingdonguesthouse.com**

Washington Square Hotel
$$

103 Waverly Place, 10011 **(** *(212) 777-9515* FAX *(212) 979-8373* **Zimmer** *170*   **Stadtplan** *4 D2*

Das Hotel liegt gegenüber dem kürzlich erneuerten Washington Square Park im Herzen des Universitätsviertels. Durch die Marmorlobby gelangt man zu kleinen, aber hellen Gästezimmern. Die Preise übersteigen aufgrund der zentralen Lage den Durchschnitt, doch gute Bars und Restaurants liegen wirklich in Gehweite. **www.wshotel.com**

East Village

St. Mark's Hotel
$

2 St Mark's Place, 10003 **(** *(212) 674-0100* FAX *(212) 420-0854* **Zimmer** *70*   **Stadtplan** *4 F1*

Das Personal hält dieses preiswerte Hotel sauber und gepflegt. Angesichts der Preise sind die Zimmer erstaunlich gut in Schuss. St. Mark's ist eine geschäftige Straße mit altmodischen Geschäften und Tätowierstudios, die viele junge Leute anziehen, was nachts mitunter stört. Subway-Linien liegen in der Nähe. **www.stmarkshotel.qpg.com**

Stadtplan *siehe Seiten 394–425*

Union Square Inn 🍴 [$]

209 East 14th St, 10003 ☎ *(212) 614-0500* [FAX] *(212) 614-0512* ***Zimmer*** *40* ***Stadtplan*** *4 F1*

Das Hotel bietet Standardkomfort zu vernünftigen Preisen. Die Zimmer bieten keine Aussicht und nur minimalen Service, aber die Betten sind bequem und die Bäder sauber. Das Frühstück wird im hauseigenen, nur begrenzt geöffneten Café serviert. Der geschäftige Union Square liegt in der Nähe. **www.unionsquareinn.com**

Gramercy und Flatiron District

Hotel 17 ⇅ [$]

225 East 17th St, 10003 ☎ *(212) 475-2845* [FAX] *(212) 677-8178* ***Zimmer*** *120* ***Stadtplan*** *9 B5*

Die Lage des Hotels zieht vor allem junge Reisende mit beschränktem Budget an. Die winzigen Zimmer sind schlicht und haben meist Gemeinschaftsbäder. Woody Allen hat das Haus in *Manhattan Murder Mystery* gezeigt, angeblich stieg hier auch die junge Madonna ab. Preiswerte Lokale in der Umgebung. **www.hotel17ny.com**

Hotel 31 ⇅ [$]

120 East 31st St, 10016 ☎ *(212) 685-3060* [FAX] *(212) 532-1232* ***Zimmer*** *60* ***Stadtplan*** *9 A3*

Der Ableger des Hotel 17 wurde kürzlich renoviert. Jedes der Gästezimmer ist individuell ausgestattet, die Grundrichtung ist allgemein »Blümchentapete«. Man findet Klimaanlage, Kabelfernsehen und teilweise Gemeinschaftsbäder. Nachts wird die Gegend wesentlich stiller. **www.hotel31.com**

Murray Hill Inn [$]

143 East 30th St, 10016 ☎ *(212) 683-6900* [FAX] *(212) 545-0103* ***Zimmer*** *50* ***Stadtplan*** *9 A3*

Die Preise dieses Hotels ohne Aufzug machen die kleinen und unpersönlichen Zimmer wett. Buchen Sie ein Zimmer mit eigenem Bad, obgleich die Gemeinschaftsbäder sehr sauber gehalten werden. In Murray Hill leben vor allem junge Familien, abends ist hier nicht sonderlich viel los. **www.murrayhillinn.com**

Gershwin Hotel ⇅ 🍴 [$][$]

7 East 27th St, 10016 ☎ *(212) 545-8000* [FAX] *(212) 684-5546* ***Zimmer*** *150* ***Stadtplan*** *8 F3*

Das Hotel im Andy-Warhol-Design hat postmodernes Flair mit bunten Farben. Pop-Art findet sich in jedem Stock. Die Zimmer sind hell und stilvoll eingerichtet. Zum Empire State Building sind es nur wenige Schritte. In der Umgebung findet man zahlreiche preiswerte Restaurants. **www.gershwinhotel.com**

Thirty Thirty ⇅ 🍴 [$][$]

30 East 30th St, 10016 ☎ *(212) 689-1900* [FAX] *(212) 689-0023* ***Zimmer*** *240* ***Stadtplan*** *9 A3*

Für Reisende, die eine günstige Unterkunft mit Stil suchen, ist dieses Hotel ideal. Die Zimmer, überwiegend mit zwei Betten, sind klein, aber bequem ausgestattet, einige bieten eine Kochnische. Das Restaurant und die Lounge sind weitere Pluspunkte. Schicke Restaurants und Geschäfte liegen in der Nachbarschaft. **www.thirtythirty-nyc.com**

Hotel Roger Williams ⇅ 🍸 [$][$][$]

131 Madison Ave, 10016 ☎ *(212) 448-7000* [FAX] *(212) 448-7007* ***Zimmer*** *200* ***Stadtplan*** *9 A3*

Wer etwas mehr ausgeben möchte für eine stilvolle Unterkunft, ist hier richtig. Der zusätzliche Angebotsumfang – kostenloses Frühstück, ganztägig Kaffee und Snacks in Selbstbedienung und DVD-Verleih – rechtfertigt die Preise. Helles Holz und warme Farben bestimmen die Zimmer. Saisonal gibt es Nachlass. **www.rogerwilliamshotel.com**

Hotel Giraffe ⇅ 🍴 [$][$][$][$]

365 Park Ave South, 10016 ☎ *(212) 685-7700* [FAX] *(212) 685-7771* ***Zimmer*** *73* ***Stadtplan*** *9 A4*

Das beste Hotel im Flatiron District bietet luxuriöse, schick eingerichtete Zimmer. Die großen Türen der Suiten öffnen sich auf einen romantischen Balkon. Das Restaurant serviert ausgezeichnete Gerichte, in schicker Lounge-Atmosphäre kann man Cocktails genießen. **www.hotelgiraffe.com**

Inn at Irving Place 🍴 [$][$][$][$]

56 Irving Place, 10003 ☎ *(212) 533-4600* [FAX] *(212) 533-4611* ***Zimmer*** *12* ***Stadtplan*** *9 A5*

Edith Wharton wäre stolz auf diese alten Brownstone-Gebäude, die sich heute zu einem luxuriösen Gasthof verbinden. Jedes Zimmer hat ein herrliches Bad sowie moderne Errungenschaften wie CD-Spieler. Das kostenlose Frühstück wird im Salon eingenommen, in dem auch die Teatime ihren Platz hat. **www.innatirving.com**

Chelsea und Garment District

Americana Inn ⇅ [$]

69 West 38th St, 10018 ☎ *(212) 840-6700* [FAX] *(212) 840-1830* ***Zimmer*** *50* ***Stadtplan*** *8 F1*

Der preisbewusste Reisende, dem die Mindestausstattung genügt, findet hier sein Quartier. Die Zimmer sind mit Waschbecken ausgestattet, die Badezimmer sauber. Die zentrale Lage und das freundliche Personal sind die Pluspunkte. Die Gegend ist allerdings sehr geschäftig und hektisch. **www.theamericanainn.com**

Preiskategorien *siehe Seite 280* **Zeichenerklärung** *siehe hintere Umschlagklappe*

Arlington Hotel ⬆️🔟 Ⓢ

18 West 25th St, 10010 **☎** *(212) 645-3990* FAX *(212) 633-8952* **Zimmer** *121* **Stadtplan** *8 F4*

Die bescheidene Bleibe im schicken Chelsea findet vor allem bei jungen Leuten Zuspruch. In dem Gebäude aus der Zeit um 1900 bieten die sauberen Zimmer TV und Kühlschrank. Das Restaurant und die Coffee Bar in der Lobby sind ein Treffpunkt. Der Wochenend-Flohmarkt von Chelsea liegt um die Ecke. **www.hotelarlington.com**

Broadway Plaza Hotel ⬆️🅿️ Ⓢ

1155 Broadway, 10001 **☎** *(212) 679-7665* FAX *(212) 679-7694* **Zimmer** *69* **Stadtplan** *8 F3*

2004 wurden die Zimmer des preiswerten Hotels renoviert und modernisiert. Neue Bettwäsche, Vorhänge und Teppiche verleihen den Zimmern eine luftige Atmosphäre. Auch ein Internet-Anschluss ist vorhanden. Kostenloses Frühstück. Die Gegend ist mitunter ziemlich laut. **www.broadwayplazahotel.com**

Chelsea International Hostel ⬆️ Ⓢ

251 West 20th St, 10011 **☎** *(212) 647-0010* FAX *(212) 727-7289* **Zimmer** *57* **Stadtplan** *8 D5*

Das Haus gilt als eine der besten Herbergen der Stadt. Mehrere niedrige Gebäude gruppieren sich um einen Innenhof. Es gibt sowohl Doppelzimmer als auch Schlafsäle, aber nur Gemeinschaftsbäder, außerdem zwei gut ausgestattete Küchen, Waschmaschinen und mehrere Fernseher. **www.chelseahostel.com**

Chelsea Lodge Ⓢ

318 West 20th St, 10011 **☎** *(212) 243-4499* FAX *(212) 243-7852* **Zimmer** *22* **Stadtplan** *8 D5*

Das liebevoll restaurierte Stadthaus im alten Chelsea beherbergt ein wunderbares preiswertes Hotel. In den kleinen Zimmern findet man ein Waschbecken und eine Dusche, die Toiletten teilt man mit den anderen Gästen. Ein echter Geheimtipp, um das wahre New York kennen zu lernen. **www.chelsealodge.com**

Chelsea Star Hotel Ⓢ

300 West 30th St, 10001 **☎** *(212) 244-7827* FAX *(212) 279-9018* **Zimmer** *34* **Stadtplan** *8 D3*

Mit den jüngsten Umbaumaßnahmen hat das Hotel seine Kapazität nahezu verdoppelt. Die Zimmer sind hell, wirken aber mitunter ein wenig grell; man hat die Wahl zwischen solchen im Stil eines Schlafsaals und den teuren mit Himmelbett und DVD-Spieler. **www.starhotelny.com**

Colonial House Inn Ⓢ

318 West 22nd St, 10011 **☎** *(212) 243-9669* FAX *(212) 633-1612* **Zimmer** *20* **Stadtplan** *8 D4*

Die Besitzer des reizenden Sandsteinhauses wenden sich vornehmlich an schwule Gäste, aber grundsätzlich ist jeder willkommen. Die Zimmer sind modern eingerichtet und gut in Schuss; die Hälfte hat ein eigenes Badezimmer, einige sogar einen offenen Kamin. Ermäßigungen saisonal bedingt. **www.colonialhouseinn.com**

Hotel Wolcott ⬆️📺 Ⓢ

4 West 31st St, 10001 **☎** *(212) 268-2900* FAX *(212) 563-0096* **Zimmer** *250* **Stadtplan** *8 F3*

Geräumige Zimmer, niedrige Preise und zentrale Lage: Preisbewusste Besucher werden das Hotel zu schätzen wissen. Die Zimmer sind schlicht, aber sauber. Im Fernsehzimmer gibt es auch einen Internet-Zugang. Eine Waschmaschine ist allgemein zugänglich. In der Umgebung findet man viele preiswerte Lokale. **www.wolcott.com**

Chelsea Inn Ⓢ Ⓢ

46 West 17th St, 10011 **☎** *(212) 645-8989* FAX *(212) 645-1903* **Zimmer** *26* **Stadtplan** *8 F5*

Zwei Sandsteinhäuser aus der Zeit um 1900 bergen zahlreiche Zimmer und Suiten, viele davon mit eigenem Bad. Eklektische Möbelzusammenstellungen und abgenutzte Teppiche wirken altmodisch, aber alles ist sauber. Fürs kostenlose Frühstück im Erdgeschoss-Café erhält man einen Coupon. **www.chelseainn.com**

Chelsea Savoy Hotel ⬆️ Ⓢ Ⓢ

204 West 23rd St, 10011 **☎** *(212) 929-9353* FAX *(212) 741-6309* **Zimmer** *90* **Stadtplan** *8 E4*

Das Haus gehört zu den moderneren Hotels in Chelsea und hat treue Stammgäste, die vor allem die neuen Zimmer und den beständig guten Service schätzen. Die Zimmer, obgleich wenig individuell, sind bequem. Wer die Restaurant-, Bar- und Klubszene von Chelsea schätzt, ist hier richtig. **www.chelseasavoynyc.com**

Four Points by Sheraton ⬆️🔟📶📺 Ⓢ Ⓢ

160 West 25th St, 10001 **☎** *(212) 627-1888* FAX *(212) 627-1611* **Zimmer** *158* **Stadtplan** *8 E4*

Das neue Hotel wendet sich vornehmlich an anspruchsvolle Gäste und Geschäftsleute, die gewillt sind, ein wenig mehr auszugeben. Die gut ausgestatteten Zimmer haben Internet-Zugang, einige zudem einen Balkon mit Blick auf die Stadt. Der Service ist, wie von der Kette zu erwarten, sehr gut. **www.starwoodhotels.com/fourpoints**

Holiday Inn/Martinique on Broadway ⬆️🔟📺 Ⓢ Ⓢ

49 West 32nd St, 10001 **☎** *(212) 736-3800* FAX *(212) 277-2702* **Zimmer** *532* **Stadtplan** *8 F3*

Das denkmalgeschützte Gebäude im Stil der französischen Renaissance gehört zur Holiday-Inn-Kette. Jenseits der schönen Lobby erwarten den Gast relativ schmucklose, aber gepflegte Zimmer. In der Umgebung gibt es viele günstige asiatische Restaurants. Viele Sehenswürdigkeiten lassen sich von hier gut erreichen. **www.holiday-inn.com**

Hotel Chelsea ⬆️🔟

222 West 23rd St, 10011 **☎** *(212) 243-3700* FAX *(212) 675-5531* **Zimmer** *400* **Stadtplan** *8 E4*

Der Punk-Musiker Sid Vicious brachte in diesem Hotel seine Freundin Nancy Spungen um. Auch später lebten immer wieder mehr oder weniger berühmte Menschen hier. Während die einen die geräumigen Zimmer schätzen, kommen die anderen wegen der exzentrischen alten Möbel. **www.hotelchelsea.com**

Stadtplan *siehe Seiten 394–425*

Hotel Metro $$
45 West 35th St, 10001 **(** *(212) 947-2500* FAX *(212) 279-1310* **Zimmer** *179*   **Stadtplan** *8 F2*

Das Hotel im Stil des Art déco ist das beste Midtown-Hotel in der mittleren Preisklasse. Die Zimmer sind geräumig und besser ausgestattet als vergleichbare Häuser. Das Frühstück ist im Preis inbegriffen, das Restaurant wird gern besucht. Von der Dachterrasse blickt man auf das Empire State Building. **www.hotelmetronyc.com**

Inn on 23rd $$
131 West 23rd St, 10011 **(** *(212) 463-0330* FAX *(212) 463-0302* **Zimmer** *14*   **Stadtplan** *8 F4*

Die wunderbare Pension bietet die richtige Mischung aus Bed-and-Breakfast-Charme und Hotelkomfort. Zimmer und Suiten sind individuell mit hübschen Kissen und flauschigen Handtüchern im Badezimmer ausgestattet. Morgens erhält man ein hervorragendes Frühstück. Sehr empfehlenswert. **www.innon23rd.com**

Red Roof Inn $$
6 West 32nd St, 10001 **(** *(212) 643-7100* FAX *(212) 643-7101* **Zimmer** *172*   **Stadtplan** *8 F3*

Der Ableger einer mittelamerikanischen Motelkette ist mit gut ausgestatteten Zimmern und professionellem Service auch in der Großstadt erfolgreich. Die Zimmer haben Internet-Zugang. In der nahen Umgebung gibt es preiswerte koreanische Restaurants, das Hotel liegt günstig zum Madison Square Garden. **www.redroof.com**

The Maritime $$$
363 West 16th St, 10011 **(** *(212) 242-4300* FAX *(212) 242-1188* **Zimmer** *125*   **Stadtplan** *8 D5*

Der maritime Charakter des schicken Hotels ist unübersehbar. In jedem Zimmer gibt es ein Bullauge mit Blick auf den Hudson River. Die Zimmer sind eher klein, aber gut gestaltet. Mehrere Restaurants und Bars stehen zur Auswahl. Zum Haus gehören überaus viele Flächen unter freiem Himmel. **www.themaritimehotel.com**

THEATER DISTRICT

Big Apple Hostel $
119 West 45th St, 10036 **(** *(212) 302-2603* FAX *(212) 302-2605* **Zimmer** *39*   **Stadtplan** *12 E5*

Die Herberge wendet sich an junge Gäste und bietet eine gute Lage sowie saubere Räume. Neben großen Schlafsälen gibt es auch ein paar Zimmer mit Doppelbetten. Kochmöglichkeiten sind vorhanden, im rückwärtigen Garten kann man sich von der Hektik Manhattans erholen. Rechtzeitig buchen. **www.bigapplehostel.com**

Park Savoy Hotel $
158 West 58th St, 10019 **(** *(212) 245-5755* FAX *(212) 765-0668* **Zimmer** *70*   **Stadtplan** *12 E3*

Das unscheinbare Hotel bietet höchst schlichte Zimmer, liegt aber nur einen Häuserblock vom Central Park entfernt. Die Zimmer sind sauber, wenn auch etwas verlebt. Das Personal am Empfang ist freundlich, der Service jedoch dem Preis angemessen. Versorgen Sie sich in einem der Delis der Umgebung. **www.parksavoyhotelny.com**

414 Inn $$
414 West 46th St, 10036 **(** *(212) 399-0006* FAX *(212) 957-8716* **Zimmer** *22*   **Stadtplan** *11 C5*

Das entgegenkommende Personal des kleinen, stilvollen Hotels besorgt Ihnen gerne eine Mahlzeit aus einem der Restaurants der Umgebung. Die »king-size«-Zimmer sind schöner und besser ausgestattet als die Doppelzimmer. Reservieren Sie ein Zimmer zum ruhigen Innenhof. **www.414inn.com**

Amsterdam Court Hotel $$
226 West 50th St, 10019 **(** *(212) 459-1000* FAX *(212) 265-5070* **Zimmer** *125*   **Stadtplan** *12 D4*

Das stilvolle Haus wendet sich an anspruchsvolle Gäste, die gerne ein wenig mehr ausgeben. Die Zimmer sind in warmen Farben gestrichen und mit Daunenbetten und CD-Spieler ausgestattet. Im Sommer steht die Dachterrasse offen. In der Ninth Avenue findet man zahlreiche erstklassige Restaurants. **www.nychotels.com**

Belvedere Hotel $$
319 West 48th St, 10036 **(** *(212) 245-7000* FAX *(212) 245-4455* **Zimmer** *400*   **Stadtplan** *12 D5*

Das angenehme Mittelklassehotel gehört zu den besten seiner Kategorie. Die Zimmer sind überdurchschnittlich groß und vergleichsweise attraktiv eingerichtet. Im Haus findet man ein beliebtes brasilianisches Steakhaus, daneben gibt es in der nahen Umgebung zahlreiche gute Restaurants. **www.belvederehotelnyc.com**

Best Western President Hotel $$
234 West 48th St, 10036 **(** *(212) 246-8800* FAX *(212) 974-3922* **Zimmer** *334*   **Stadtplan** *12 E5*

Für Familien eignen sich die Suiten mit ausklappbaren Sofas für die Kinder, ansonsten tun es auch die Standardzimmer. Der Ableger der Hotelkette wird gut geführt und liegt günstig. Die Zimmer sind einfach, aber sauber. In der Gegend ist immer viel los, wer also Ruhe braucht, nimmt besser ein anderes Hotel. **www.bestwestern.com**

Broadway Inn $$
264 West 46th St, 10036 **(** *(212) 997-9200* FAX *(212) 768-2807* **Zimmer** *41*   **Stadtplan** *12 D5*

Der erstklassige Service lässt das kleine Haus innerhalb seiner Preisklasse herausragen. In den Suiten wohnen Kinder umsonst, das Frühstück wird aufs Zimmer gebracht, was vor allem für Familien praktisch ist. Die Zimmer sind klein, aber geschmackvoll eingerichtet. Fragen Sie nach einem kostenlosen Parkplatz. **www.broadwayinn.com**

Preiskategorien *siehe Seite 280* **Zeichenerklärung** *siehe hintere Umschlagklappe*

Da Vinci Hotel

244 West 56th St, 10019 📞 *(212) 489-4100* ℻ *(212) 399-0434* **Zimmer** *20*   **Stadtplan** *12 D3*

Das intime Hotel im europäischen Stil preist seinen guten Service an. Die Zimmer sind eher klein, aber komfortabel eingerichtet. Die Nähe zu den Theatern bezahlt man mit einer viel besuchten Straße. Die Restaurants in der Gegend sind nicht billig, preiswerter isst man im Coffee Shop oder im Diner. **www.davincihotel.com**

Dream Hotel

210 West 55th St, 10019 📞 *(212) 320-2928* ℻ *(212) 974-0595* **Zimmer** *228*   **Stadtplan** *12 E4*

Das Beaux-Arts-Gebäude von 1904 wurde umfassend renoviert. Die Lobby wirkt ein wenig bizarr und vollgestellt. In den Zimmern dominiert blaues Licht, ein geladener iPod liegt neben dem Bett. Das Restaurant ist einladend, ebenso die Bar und die Dachterrasse. **www.dreamny.com**

Holiday Inn New York City-Midtown-57th St

440 West 57th St, 10019 📞 *(212) 581-8100* ℻ *(212) 581-7739* **Zimmer** *596*   **Stadtplan** *11 C3*

Das solide Haus der berühmten Hotelkette findet vor allem bei Familien Anklang wegen des Swimmingpools im Freien und des für Kinder kostenlosen Frühstücks. Die Zimmer entsprechen den Erwartungen: sauber, bequem und zudem mit Internet-Zugang. In der Nähe von Central Park und Theater District. **www.hi57.com**

Hotel Edison

228 West 47th St, 10036 📞 *(212) 840-5000* ℻ *(212) 596-6850* **Zimmer** *800*   **Stadtplan** *12 E5*

Das weitläufige Haus eignet sich für Besucher, die im Herzen des Theater District wohnen wollen. Die Zimmer sind angenehm eingerichtet, die größeren unter ihnen eignen sich für Familien. Seit Kurzem wird kabelloser Internet-Zugang angeboten. In der Nähe liegen zahlreiche Restaurants. **www.edisonhotelnyc.com**

Mayfair Hotel

242 West 49th St, 10019 📞 *(212) 586-0300* ℻ *(212) 307-5226* **Zimmer** *78*   **Stadtplan** *12 D5*

Obwohl die Zimmer des gut geführten Hotels sehr klein sind, wirken sie komfortabel und modern. Der Service ist freundlich, für Theaterbesucher ist die Lage erstklassig. Im französischen Bistro können Sie vor der Vorstellung einen Happen zu sich nehmen, in der Ninth Avenue isst man allerdings preiswerter. **www.mayfairnewyork.com**

Paramount Hotel

235 West 46th St, 10036 📞 *(212) 764-5500* ℻ *(212) 354-5237* **Zimmer** *610*   **Stadtplan** *12 D5*

Das ursprünglich von Ian Schrager gestaltete Hotel wurde von der spanischen Sol-Melia-Gruppe übernommen, die Zimmerpreise sanken in der Folge allmählich. Die kleinen Zimmer sind unspektakulär, lebhaft geht es in der schicken Bar zu. Im hauseigenen Lebensmittelgeschäft versorgt man sich mit Köstlichkeiten. **www.nycparamount.com**

Roosevelt Hotel

45 East 45th St, 10017 📞 *(212) 661-9600* ℻ *(212) 885-6161* **Zimmer** *1013*   **Stadtplan** *13 A5*

Das Haus von 1924 wurde zu seinem 80. Geburtstag behutsam renoviert. Die »große alte Dame der Madison Avenue« ist bis heute bei Geschäftsleuten wie Privatgästen beliebt. Die Zimmer sind bequem ausgestattet, in der Lobby fühlt man sich in die Vergangenheit zurückversetzt. **www.theroosevelthotel.com**

Skyline Hotel

725 10th Ave Ecke 49th St, 10019 📞 *(212) 586-3400* ℻ *(212) 582-4604* **Zimmer** *230*   **Stadtplan** *11 C5*

Das familienfreundliche Haus liegt bequem zum Theater District und zu vielen hervorragenden Restaurants. Die Fassade und die Lobby sind typisch für New York. Die Zimmer wurden unlängst renoviert, sie sind geräumig und komfortabel. Das Schwimmbad werden nicht nur Gäste mit Kindern schätzen. **www.skylinehotelnyc.com**

Algonquin

59 West 44th St, 10036 📞 *(212) 840-6800* ℻ *(212) 944-1419* **Zimmer** *174*   **Stadtplan** *12 F5*

In den 1920er Jahren traf sich hier die literarische Runde um Dorothy Parker. Literaturfreunde pilgern hierher, obwohl das Haus umfassend renoviert wurde. Die komfortablen Zimmer sind klein, buchen Sie deshalb wenn möglich eine Suite. Gut erhalten sind die holzgetäfelte Lobby und der legendäre Oak Room. **www.algonquinhotel.com**

Blakely Hotel

136 West 55th St, 10019 📞 *(212) 245-1800* ℻ *(212) 582-8332* **Zimmer** *115*   **Stadtplan** *12 E4*

Der Nachfolger des Gorham hat seinen Stil bewahrt und legt Wert auf guten Service. In seiner Kategorie ragt das Hotel durch sein exzellentes Preis-Leistungs-Verhältnis heraus. Die hübsch eingerichteten Zimmer bieten viele Details. Fragen Sie nach speziellen Angeboten. **www.blakelynewyork.com**

Casablanca Hotel

147 West 43rd St, 10036 📞 *(212) 869-1212* ℻ *(212) 391-7585* **Zimmer** *48*   **Stadtplan** *8 E1*

Das stilvolle Hotel mit marokkanischem Touch liegt unweit der großen Theater. Die kürzlich renovierten Zimmer sind klein, bieten aber schöne Details. Das Frühstück wird in der Lounge mit Kamin serviert. Von hier lässt sich auch das Treiben vor dem Hauptsitz des *Vogue* auf der anderen Straßenseite beobachten. **www.casablancahotel.com**

Chambers

15 West 56th St, 10019 📞 *(212) 974-5656* ℻ *(212) 974-5657* **Zimmer** *77*   **Stadtplan** *12 F3*

Im Herzen von Midtown verkörpert dieses Hotel moderne urbane Eleganz par excellence. In den kleinen Zimmern findet man zeitgenössische Kunst, Frottee-Bademäntel und Kaschmirdecken. Das Restaurant Town gehört zu den besten in Manhattan. **www.chambershotel.com**

Stadtplan *siehe Seiten 394 – 425*

Doubletree Guest Suites $$$

1568 Broadway, 10036 **(** *(212) 719-1600* FAX *(212) 921-5212* **Zimmer** *460* **Stadtplan** *12 E5*

Das Suitenhotel macht den fehlenden Charakter mit erstklassigen Einrichtungen und zentraler Lage wett. Einige Suiten sind auf Familien zugeschnitten, andere auf Geschäftsreisende. Kindern steht ein eigener Spielraum zur Verfügung, was Familien mit Kleinkindern entgegenkommt. **www.nyc.doubletreehotels.com**

Hilton Times Square $$$

234 West 42nd St, 10036 **(** *(212) 840-8222* FAX *(212) 840-5516* **Zimmer** *444* **Stadtplan** *8 E1*

Wer glaubt, inmitten der Hektik des Times Square ginge diese Oase der Ruhe unter, der irrt. Das Design des Hotels lässt den Charakter einer Hotelkette weit hinter sich mit seinen großzügigen Zimmern und modernen Details. Erst im 23. Stock beginnt der Gästezimmerbereich, so hat jeder eine erstklassige Aussicht. **www.timessquare.hilton.com**

Mansfield $$$

12 West 44th, 10036 **(** *(212) 277-8700* FAX *(212) 764-4477* **Zimmer** *124* **Stadtplan** *12 E5*

Das Hotel von 1905 hat seinen Charakter bis heute bewahren können. Die Zimmer haben Internet-Zugang. Nach einem langen Tag in der Stadt lädt die Bar zu einem entspannten Drink ein. Das Hotel liegt versteckt in einer geschäftigen Straße und eignet sich gut für Theaterbesucher. **www.mansfieldhotel.com**

Millennium Broadway $$$

145 West 44th St, 10036 **(** *(212) 768-4400* FAX *(212) 768-0847* **Zimmer** *752* **Stadtplan** *12 E5*

Geräumige Zimmer zu vernünftigen Preisen machen dieses Hotel im Theater District zu einer guten Wahl. Die Gemeinschaftsräume sind im Stil des Art déco eingerichtet, die Premier-Zimmer sind wahrhaft riesig. Vor dem Theaterbesuch nimmt man einen Drink in der schicken Hotelbar. **www.millennium-hotels.com**

Time $$$

224 West 49th St, 10019 **(** *(212) 320-2900* FAX *(212) 245-2305* **Zimmer** *200* **Stadtplan** *12 D5*

Der gefeierte Innenausstatter Adam Tihany hat das Hotel kürzlich renoviert. Mit Primärfarben schuf er ein erlebnisreiches Ambiente. Viele der Zimmer allerdings sind angesichts des Preises sehr klein. Die Bar ist immer für eine Überraschung gut. Einigen ist der Lärmpegel im Hotel mitunter zu hoch. **www.thetimeny.com**

Westin Times Square $$$

270 West 43rd St, 10036 **(** *(212) 201-2700* FAX *(212) 201-2701* **Zimmer** *863* **Stadtplan** *8 D1*

Das moderne und farbenfrohe 45-stöckige Hotel am Times Square ist derzeit sehr angesagt. Seine Architektur wurde vielfach kritisiert (»…passt eher nach South Beach…«), andere schwärmen dagegen von den großen Zimmern und den tollen Betten. In der Umgebung gibt es viele Restaurants. **www.westinny.com**

Le Parker Meridien $$$$

118 West 57th St, 10019 **(** *(212) 245-5000* FAX *(212) 307-1716* **Zimmer** *730* **Stadtplan** *12 E3*

Mit außergewöhnlich gutem Service, ausgezeichnetem Restaurant und erstklassigem Fitnessangebot zählt das Hotel zu den besten seiner Preisklasse. Nach dem Schwimmen auf der Dachterrasse kann man ohne Reue einen exquisiten Burger genießen. Die Zimmer sind geräumig und modern ausgestattet. **www.parkermeridien.com**

Michelangelo $$$$

152 West 51st St, 10019 **(** *(212) 765-0505* FAX *(212) 581-7618* **Zimmer** *178* **Stadtplan** *12 F4*

Die italienische Renaissance ist in dem mit edlen Materialien ausgestatteten Hotel allgegenwärtig. Dazu gehört natürlich auch italienischer Espresso und entsprechendes Gebäck zum Frühstück sowie Süßigkeiten zum Abend. Im Badezimmer dominiert, wie zu erwarten, italienischer Marmor – *la dolce vita*. **www.michaelangelohotel.com**

Royalton $$$$

44 West 44th St, 10036 **(** *(212) 869-4400* FAX *(212) 869-8965* **Zimmer** *205* **Stadtplan** *12 F5*

Das Hotel von Ian Schrager und Philippe Starck war seinerzeit bahnbrechend, ist aber etwas in die Jahre gekommen. Der Service ist nach wie vor erstklassig. In der Bar und im Restaurant drängen sich weiterhin gutaussehende Menschen. Die stilvollen Zimmer sind mitunter etwas klein. **www.royaltonhotel.com**

Sofitel New York $$$$

45 West 44th St, 10036 **(** *(212) 354-8844* FAX *(212) 354-2480* **Zimmer** *398* **Stadtplan** *12 F5*

Das elegante Hotel mit seiner Mischung aus Tradition und Moderne war eine willkommene Neuerung im Theater District. Das Restaurant bietet bei entsprechendem Wetter auch Tische im Freien. Die Suiten verfügen zum Teil über eine Terrasse und sind bei Geschäftsreisenden sehr beliebt. **www.sofitel.com**

W Times Square $$$$

1567 Broadway, 10036 **(** *(212) 930-7400* FAX *(212) 930-7500* **Zimmer** *507* **Stadtplan** *12 E5*

Das schicke, designbewusste Hotel der Starwood Group mit seinen ultra-modernen Zimmern findet noch immer viele Liebhaber, auch wenn manches sehr düster wirkt. Die Aussicht ist fantastisch. Lounges und Restaurants sind immer voll. Im Blue Fin bekommt man ausgezeichnetes Sushi. **www.whotels.com**

Westin Essex House on Central Park $$$$

160 Central Park South, 10019 **(** *(212) 247-0300* FAX *(212) 315-1839* **Zimmer** *501* **Stadtplan** *12 E3*

Das Art-déco-Hochhaus am Central Park zählt zu den schönsten Hotels der Stadt und hat natürlich das »himmlische Bett« der Westin-Gruppe zu bieten. Die elegante, repräsentative Lobby bietet jeden Komfort, während die Zimmer angemessen groß sind. Das Restaurant Alain Ducasse muss man sich allerdings leisten können. **www.westin.com**

Preiskategorien *siehe Seite 280* **Zeichenerklärung** *siehe hintere Umschlagklappe*

Ritz-Carlton, New York

🏨📶♨️🚻📺 $$$$$

50 Central Park South, 10019 📞 *(212) 308-9100* 📠 *(212) 207-8831* **Zimmer** *287* **Stadtplan** *12 F3*

Manche halten das Hotel für dasjenige innerhalb der Ritz-Carlton-Gruppe mit dem besten Service. Der Stil ist traditionell, die geräumigen Zimmer sind überaus komfortabel und modern ausgestattet. Das Heilbad und die Lage gegenüber dem Central Park machen es einzigartig. **www.ritzcarlton.com**

St. Regis New York

🏨🅿️📶🚻📺 $$$$$

2 East 55th St, 10022 📞 *(212) 753-4500* 📠 *(212) 787-3447* **Zimmer** *408* **Stadtplan** *12 F4*

In dem Beaux-Arts-Juwel von 1904 badet man in Luxus: Kristallleuchter, Orientteppiche, Ölgemälde und Louis-XIV-Antiquitäten. Formeller, aber einwandfreier Service. Natürlich Internet-Zugang auf den Zimmern. Bei Hochzeitsgesellschaften sehr beliebt, hat das Restaurant Lespinasse dennoch seine Pforten geschlossen. **www.stregis.com**

LOWER MIDTOWN

Hotel Grand Union

🏨🚻 $

34 East 32nd St, 10016 📞 *(212) 683-5890* 📠 *(212) 689-7397* **Zimmer** *95* **Stadtplan** *9 A3*

Das Hotel ist zu Recht bei preisbewussten Reisenden sehr beliebt. Die Zimmer sind zum Teil richtiggehend hässlich, aber allesamt sauber und bieten allen nötigen Komfort. Einige der Zimmer sind ausreichend groß, um ganze Familien aufzunehmen. **www.hotelgrandunion.com**

Courtyard New York

🏨📶🚻📺 $$

3 East 40th St, 10016 📞 *(212) 447-1500* 📠 *(212) 683-7839* **Zimmer** *189* **Stadtplan** *8 F1*

Die noble Gegend ist recht teuer, dafür bietet dieses Hotel ein sehr gutes Preis-Leistungs-Verhältnis. Es wurde unlängst von der Marriott-Kette übernommen und grundlegend renoviert. Familien schätzen das ruhig gelegene Haus aufgrund seiner Nähe zur New York Public Library und dem Theater District. **www.courtyard.com**

70 Park

🏨📶🚻📺 $$$

70 Park Ave, 10016 📞 *(212) 973 2400* 📠 *(212) 973-2401* **Zimmer** *205* **Stadtplan** *9 A1*

Der elegante Neuling der angesehenen Kimpton-Gruppe in der Mittelklasse bietet viel Stil und guten Service. Haustiere sind erlaubt und bekommen auf Wunsch entsprechende Zuwendung. Geschäftsleute dagegen schätzen die kostenlosen Extras wie den kabellosen Internet-Zugang. **www.70parkavenuehotel.com**

Affinia Dumont

🏨🚻📺 $$$

150 East 34th St, 10016 📞 *(212) 481 7600* 📠 *(212) 889-8856* **Zimmer** *248* **Stadtplan** *9 A2*

Das Suitenhotel ist für Reisende ideal, die es nach Platz und modernem Design verlangt. Die Suiten haben eine eingerichtete Küche mit Mikrowelle, das hilfsbereite Personal kauft sogar für Sie ein. Die Heileinrichtungen sind gerade für gestresste Besucher ein Segen. **www.affinia.com**

Courtyard by Marriott Midtown East

🏨📺 $$$

866 Third Ave, 10022 📞 *(212) 644-1300* 📠 *(212) 317-7940* **Zimmer** *299* **Stadtplan** *13 B4*

Aufgrund der geräumigen Zimmer eignet sich das Hotel vor allem für Familien, die in der Gegend wohnen wollen. Die Zimmer sind modern, haben eine eigene Kaffeemaschine und Internet-Zugang. Kabellos surfen kann man in einer speziellen Lounge. Nachts ist die Gegend überraschend ruhig. **www.marriott.com**

Dylan

🏨📺 $$$

52 East 41th St, 10017 📞 *(212) 338-0500* 📠 *(212) 338-0569* **Zimmer** *197* **Stadtplan** *9 A1*

Das Beaux-Arts-Gebäude von 1903 war einst Heimat des Chemists Club. Die Lobby wirkt ein wenig unpersönlich, die Zimmer sind dagegen sehr geräumig und komfortabel. Das exzellente Restaurant ist angesichts der wenigen Alternativen in der Umgebung ein Segen. **www.dylanhotel.com**

Library Hotel

🏨 $$$

299 Madison Ave, 10017 📞 *(212) 983-4500* 📠 *(212) 499-9099* **Zimmer** *60* **Stadtplan** *9 A1*

Seit seiner Eröffnung hat das relativ neue Hotel seine Fans. Jedes der Zimmer hat ein eigenes literarisches Thema vom Märchen bis zur erotischen Erzählung, die Zimmerwahl wird also vom literarischen Geschmack bestimmt. Die Dachterrasse und die Snacks zu jeder Tageszeit sind weitere Pluspunkte. **www.libraryhotel.com**

Morgans

🏨📺 $$$

237 Madison Ave, 10016 📞 *(212) 686-0300* 📠 *(212) 779-8352* **Zimmer** *154* **Stadtplan** *9 A2*

Das Haus, das den Trend des »boutique hotel« begründete, zieht noch immer illustre Gäste an. Sie finden sich mit vergleichsweise kleinen Zimmern und durchschnittlichem Service ab. In der Lobby tobt allerdings das Leben. Von der Bar aus kann man das Treiben gut beobachten. **www.morganshotel.com**

Fitzpatrick Grand Central Hotel

🏨🚻 $$$$

141 East 44th St, 10017 📞 *(212) 351-6800* 📠 *(212) 818-1747* **Zimmer** *155* **Stadtplan** *13 A5*

Das elegante Hotel mit freundlichem Service liegt nur wenige Schritte vom Grand Central Terminal entfernt. Die Zimmer übertreffen den üblichen Standard mit sinnlichen Farben und herrlichen Betten. Ein authentisches Pub serviert auch zu später Stunde einen Drink. **www.fitzpatrickhotels.com**

Stadtplan *siehe Seiten 394–425*

W The Court / W The Tuscany $$$$
120–130 East 39th St, 10016 ☎ *(212) 686-1600* FAX *(212) 779-8352* **Zimmer** *320*   **Stadtplan** *9 A1*

Dieses klubartige Hotelpaar bietet außergewöhnlich guten Service. Die Zimmer sind mit modernster Technik ausgestattet, in einigen kann man Filme kostenlos herunterladen. Im Court trifft sich eher die schicke Lounge-Szene, während es im Tuscany entspannter zugeht. Empfehlenswert sind beide. **www.whotels.com**

Bryant Park $$$$$
40 West 40th St, 10018 ☎ *(212) 869-0100* FAX *(212) 869-4446* **Zimmer** *128*   **Stadtplan** *8 F1*

Das wunderbare Anwesen und die erstklassige Lage in Midtown machen den großen Reiz des Hotels aus. Im American Radiator Building gegenüber vom Bryant Park hat man sich auf minimalistischen Luxus konzentriert. Die Cellar Bar ist Anlaufstelle von Modeleuten; es gibt zudem ein Kino (70 Plätze). **www.bryantparkhotel.com**

Kitano $$$$$
66 Park Ave, 10016 ☎ *(212) 885-7000* FAX *(212) 885-7100* **Zimmer** *149*   **Stadtplan** *9 A2*

Der Service ist japanisch-zurückhaltend in diesem eleganten Midtown-Hotel, das sich vornehmlich an Geschäftsleute wendet. Die Zimmer sind Oasen der Ruhe mit stets frischem grünem Tee. Das ausgezeichnete Restaurant ist immer voll. In diesem Teil der Park Avenue geht es mitunter erstaunlich ruhig zu. **www.kitano.com**

UPPER MIDTOWN

Hotel 57 $
130 East 57th St, 10022 ☎ *(212) 753-8841* FAX *(212) 869-9605* **Zimmer** *220*   **Stadtplan** *13 A3*

Das Hotel verbindet gutes Design mit niedrigen Zimmerpreisen. Die Zimmer sind mitunter sehr klein, das gemeinschaftliche Badezimmer liegt meist auf dem Gang. Die Preise allerdings sind unschlagbar angesichts der Lage in Midtown unweit der Einkaufsstraßen. Klasse Aussicht von der Bar im 17. Stock. **www.hotel57.com**

Pickwick Arms $
230 East 51st St, 10022 ☎ *(212) 355-0300* FAX *(212) 755-5029* **Zimmer** *320*   **Stadtplan** *13 B4*

Selbst nach der Neumöblierung und trotz der erstklassigen Lage bleiben die Preise im Pickwick unten. Bestehen Sie bei der Buchung auf einem einigermaßen großen Zimmer mit eigenem Badezimmer, denn es gibt hier gehörige Unterschiede, wenn auch alle Räume sauber und gut in Schuss sind. **www.pickwickarms.com**

Doubletree Metropolitan Hotel $$$
569 Lexington Ave, 10022 ☎ *(212) 752-7000* FAX *(212) 758-6311* **Zimmer** *722*   **Stadtplan** *13 A4*

Das ehemalige Loews-Hotel gehört nun zur Doubletree-Gruppe, die mit gutem Service und Familienfreundlichkeit wirbt. Die Preise sind vernünftig, die Zimmer bisweilen etwas klein geraten, aber in gutem Zustand. Man hat die Auswahl zwischen mehreren Restaurants. **www.metropolitanhotelnyc.com**

Kimberly Hotel $$$
145 East 50th St, 10022 ☎ *(212) 755-0400* FAX *(212) 486-6915* **Zimmer** *185*   **Stadtplan** *13 A5*

Wer geräumige Zimmer und viel Komfort sucht, trifft mit dem Kimberly eine gute Wahl. Die Ein- und Zweibett-Apartments sind vollständig mit Küche und funktionalen Möbeln ausgestattet. Trotz der günstigen Lage findet man auch Ruhe und Entspannung. **www.kimberlyhotel.com**

Roger Smith $$$
501 Lexington Ave, 10022 ☎ *(212) 755-1400* FAX *(212) 758-4061* **Zimmer** *130*   **Stadtplan** *13 A5*

Das angenehme Haus verbindet modernen Komfort mit künstlerischen Elementen. Es wird von Geschäftsleuten wie von Kreativen gleichermaßen geschätzt. Die Zimmer sind größer als gewöhnlich und individuell ausgestattet. Das Frühstück ist im Preis inbegriffen. **www.rogersmith.com**

Swissotel New York - The Drake $$$
440 Park Ave, 10022 ☎ *(212) 421-0900* FAX *(212) 371-4190* **Zimmer** *495*   **Stadtplan** *13 A3*

Europäisches Flair und aufmerksamer Service sorgen für eine treue Stammkundschaft. Von den Zimmern mit Terrasse hat man eine tolle Aussicht auf Midtown. Das Hotel liegt in der Nähe der hochpreisigen Geschäfte und der Theater. Die Park Avenue wird abends sehr ruhig. **www.swissotel.com**

Benjamin $$$$
125 East 50th St, 10022 ☎ *(212) 715-2500* FAX *(212) 715-2525* **Zimmer** *209*   **Stadtplan** *13 A4*

In den modernen Zimmern des freundlichen Hotels ist alles auf Komfort angelegt. Den PC begrüßen vor allem Geschäftsleute. Auch eine Kochnische gehört zur Ausstattung. Das Restaurant und der kleine Bereich mit Kureinrichtungen sind weitere Pluspunkte. **www.thebenjamin.com**

Omni Berkshire Place $$$$
21 East 52nd St, 10022 ☎ *(212) 753-5800* FAX *(212) 754-5018* **Zimmer** *396*   **Stadtplan** *12 F4*

Das Hotel besticht durch viel unaufdringlichen Komfort. Der Service verdient Bestnoten. Geschäftsreisende wissen das auf sie zugeschnittene Angebot zu schätzen, aber auch Familien sind willkommen, was sich vor allem in günstigen Wochenendtarifen bemerkbar macht. **www.omnihotels.com**

Preiskategorien *siehe Seite 280* **Zeichenerklärung** *siehe hintere Umschlagklappe*

Waldorf=Astoria / Waldorf Towers 🖥️🏃🍴 $$$$

301 Park Ave, 10022 **☎** *(212) 355-3000* 📠 *(212) 872-7272* **Zimmer** *1242* **Stadtplan 13 A5**

Die New Yorker Legende ist heute so großartig wie eh und je, trotz mancher Beschwerden über arrogantes Personal. Das Haus ist sich seiner enormen Größe bewusst, was sich mitunter in überraschend günstigen Preisangeboten niederschlägt. Die Zimmer sind geräumig und wurden kürzlich überholt. **www.waldorfastoria.com**

Four Seasons New York 🖥️🅿️🍴🏃🍴 $$$$$

57 East 57th St, 10022 **☎** *(212) 758-5700* 📠 *(212) 758-5711* **Zimmer** *364* **Stadtplan 13 A3**

Eines der besten Häuser der Four-Seasons-Kette ist dieses von I. M. Pei gestaltete 52-stöckige Hochhaus mitten in Manhattan. Die Lobby strotzt vor New Yorker Kraft und Eleganz. Die Zimmer sind riesig, bieten jeden erdenklichen Komfort und vor allem eine einmalige Aussicht auf den Central Park. **www.fourseasons.com**

New York Palace 🖥️🍴🏃🍴 $$$$$

455 Madison Ave, 10022 **☎** *(212) 888-7000* 📠 *(212) 303-6000* **Zimmer** *896* **Stadtplan 13 A4**

Mit der Schließung des legendären Restaurants Le Cirque im Jahr 2000 verlor das opulente Anwesen einiges von seinem Glanz. Das Hotel in dem Haus von 1882 ist gleichwohl ein verschwenderischer Luxustempel mit perfektem Service und viel, viel Stil – für viele die einzig akzeptable Bleibe in der Stadt. **www.newyorkpalace.com**

Peninsula New York 🖥️🚇🏃🍴 $$$$$

700 Fifth Ave, 10019 **☎** *(212) 956-2888* 📠 *(212) 903-3949* **Zimmer** *239* **Stadtplan 12 F4**

Der Service der asiatischen Peninsula-Hotelkette ist legendär. Die Zimmer bieten allen erdenklichen Komfort und neueste Technik. Die Kureinrichtungen gehören zu den besten der Stadt. Auf der Dachterrasse mit Bar lässt sich der Sonnenuntergang wunderbar genießen. Sehr empfehlenswert. **www.peninsula.com**

UPPER EAST SIDE

Bentley Hotel 🖥️🍴🏃 $$

500 East 62nd St, 10021 **☎** *(212) 644-6000* 📠 *(212) 207-4800* **Zimmer** *197* **Stadtplan 13 B4**

Das Design-Hotel liegt etwas abseits. Die komfortablen Zimmer sind ein wenig klein, die Eckzimmer sind in der Regel geräumiger. Im Badezimmer dominiert Marmor. Wer in einem authentischen New Yorker Viertel wohnen möchte, ist hier richtig. Die Cappuccino Bar hat 24 Stunden geöffnet. **www.bentleyhotelnewyork.com**

Franklin 🖥️ $$$

164 East 87th St, 10128 **☎** *(212) 369-1000* 📠 *(212) 369-8000* **Zimmer** *48* **Stadtplan 17 A3**

Die Zimmer des modernen Hotels könnten größer sein, sind aber sehr gut ausgestattet. Aufgrund der geringen Größe eignen sie sich vor allem für Kurzaufenthalte und Gäste mit wenig Gepäck. Das Frühstück ist im Preis inbegriffen. Die Preise schwanken je nach Jahreszeit. **www.franklinhotel.com**

Hotel Wales 🖥️🍴🏃🍴 $$$$

1295 Madison Ave, 10028 **☎** *(212) 876-6000* 📠 *(212) 860-7000* **Zimmer** *86* **Stadtplan 17 B2**

Ein gemütliches, einladendes Haus in günstiger Lage zur Museumsmeile. In der Lobby und den Zimmern fallen hübsche Details ins Auge: Mahagoni-Möbel, belgisches Leinen auf den Betten und frische Blumen. Die Aussicht von der Dachterrasse ist eine Freude. **www.waleshotel.com**

Surrey Hotel 🖥️🍴🏃 $$$$

20 East 76th St, 10021 **☎** *(212) 288-3700* 📠 *(212) 628-1549* **Zimmer** *130* **Stadtplan 17 A5**

Wer für deutlich mehr Platz auch etwas mehr auszugeben bereit ist, sollte im Surrey buchen. Jede Suite hat eine vollständig ausgestattete Küche, wobei die Versuchung durch das bekannte Café Boulud sehr groß ist. Preiswertere Diners und Pizzerien gibt es in der nahen Umgebung. **www.affinia.com**

Carlyle 🖥️🍴🏃🍴 $$$$$

35 East 76th St, 10021 **☎** *(212) 744-1600* 📠 *(212) 717-4682* **Zimmer** *180* **Stadtplan 17 A5**

In den eleganten Zimmern des legendären Hotels fühlt man sich schnell wie ein echter Upper Eastsider. Den phänomenalen Service schätzen auch Staatsmänner und Filmstars. Zum Nachmittagstee kommen New Yorker Gesellschaftsgrößen. Hier findet man wahren New Yorker Glanz und Glamour. **www.thecarlyle.com**

Sherry-Netherland 🖥️🍴🏃🍴 $$$$$

781 Fifth Ave, 10022 **☎** *(212) 355-2800* 📠 *(212) 319-4306* **Zimmer** *77* **Stadtplan 12 F3**

Weniger bieder als The Pierre nebenan, hat dieses altmodische Hotel in New York City Maßstäbe gesetzt. Die Suiten sind von beachtlicher Größe, der Service ist perfekt. Frühstück im Cipriani's ist im Preis inbegriffen, allerdings sorgen die Broker der Wallstreet hier für viel morgendliche Hektik. **www.sherrynetherland.com**

The Pierre 🖥️🍴🏃🍴 $$$$$

2 East 61st St, 10021 **☎** *(212) 838-8000* 📠 *(212) 940-8109* **Zimmer** *203* **Stadtplan 12 F3**

Das freundliche Personal des Four-Seasons-Hotels lässt das elegante Haus nicht allzu abweisend wirken. Die Inneneinrichtung ist großartig, die Zimmer wirken dagegen fast gemütlich. Das livrierte Personal kommt beim Adel natürlich sehr gut an. Bar und Restaurant sind gleichermaßen empfehlenswert. **www.fourseasons.com**

Stadtplan *siehe Seiten 394–425*

Upper West Side

Amsterdam Inn $

340 Amsterdam Ave, 10024 ☎ *(212) 579-7500* [FAX] *(212) 545-0103* ***Zimmer*** *25* ***Stadtplan*** *15 C5*

Alle Zimmer des preiswerten Hotels sind in gutem Zustand, manche sind jedoch ziemlich klein. Man hat die Wahl zwischen eigenem Bad und Gemeinschaftsbad. Manche Doppelzimmer bestehen aus einem schmalen Bett und einem Klappbett, fragen Sie deshalb vorher nach der Ausstattung. **www.amsterdaminn.com**

Hayden Hall Hotel ⇅ $

117 West 79th St, 10024 ☎ *(212) 787-4900* [FAX] *(212) 496-3975* ***Zimmer*** *106* ***Stadtplan*** *15 C5*

Das intime Hotel liegt in einer hübschen Straße unweit des Central Park und der großen Museen der Upper West Side. Die gut erhaltenen Zimmer haben Mahagonimöbel. Die Badezimmer sind für die Preiskategorie überaus reizend, so wie das Hotel an sich in seiner Klasse herausragt. **www.haydenhall.com**

Hostelling International – New York ⇅ $

891 Amsterdam Ave, 10025 ☎ *(212) 932-2300* [FAX] *(212) 932-2574* ***Zimmer*** *628* ***Stadtplan*** *20 E5*

Wer das gigantische Haus betritt, fühlt sich sofort in seine Schulzeit zurückversetzt, und tatsächlich wirkt hier alles wie in einem Studentenwohnheim. Dazu gehören freilich auch die vielen Annehmlichkeiten: Cafeteria, Spielraum, Wäscherei, Internet-Zugang und Picknicktische. **www.hinewyork.org**

Hotel Newton ⇅ 👪 $

2528 Broadway, 10025 ☎ *(212) 678-6500* [FAX] *(212) 932-2574* ***Zimmer*** *110* ***Stadtplan*** *15 C2*

Das gut geführte Hotel bietet mit sauberen, hübschen Zimmern und tadellosen Bädern ein ausgezeichnetes Preis-Leistungs-Verhältnis. Es gibt einige Vier-Bett-Zimmer. Der Service ist freundlich und professionell. Entlang dem Broadway gibt es zahllose Restaurants. **www.thehotelnewton.com**

Jazz on the Park $

36 West 106th St, 10025 ☎ *(212) 932-1600* [FAX] *(212) 932-1700* ***Zimmer*** *220* ***Stadtplan*** *21 A5*

Hier tobt das Leben in der ansonsten eher verhaltenen Upper West Side. Im geschäftigen Café gibt es oft Live-Musik. Die Gästezimmer und Bäder des Hotels sind sehr schlicht gehalten. Das Publikum ist international. Die Gegend wird von Jahr zu Jahr schicker und voller. **www.jazzonthepark.com**

Malibu Hotel ⇅ $

2688 Broadway, 10025 ☎ *(212) 222-2954* [FAX] *(212) 678-6842* ***Zimmer*** *150* ***Stadtplan*** *20 E5*

Wer in der Upper West Side und gleichzeitig preiswert übernachten will und zudem die Nähe zu Columbia University, Grant's Tomb und Riverside Park sucht, ist im Malibu richtig. Die Lobby ist schick, während die Zimmer nur das Nötigste bieten. Günstige Restaurants gibt es überall in der Umgebung. **www.malibuhotelnyc.com**

Riverside Inn ⇅ $

319 West 94th St, 10025 ☎ *(212) 316-0656* [FAX] *(212) 678-0874* ***Zimmer*** *80* ***Stadtplan*** *15 B2*

Wer aufs Geld achten muss, wird sich an den extrem einfachen Zimmern und dem begrenzten Service kaum stören. Die sauberen Zimmer haben Gemeinschaftsbäder und keine Klimaanlage. Die Umgebung ist deutlich sicherer geworden, was vor allem die Studenten hier zu schätzen wissen. **www.riversideinn-ny.com**

West End Studios ⇅ $

850 West End Ave, 10025 ☎ *(212) 749-7104* [FAX] *(212) 865-5130* ***Zimmer*** *100* ***Stadtplan*** *15 B1*

Nur ein paar Blocks vom Riverside Park entfernt liegt das preiswerte Hotel in einer Wohngegend, zu den wichtigen Subway-Linien ist es allerdings ein gutes Stück. Die teilweise sehr kleinen Zimmer mit Gemeinschaftsbädern sind schlicht gehalten. Im Familienzimmer stehen zwei Betten und ein Stockbett. **www.westendstudios.com**

Belleclaire Hotel ⇅ 👪 🍸 $$

250 West 77th St, 10024 ☎ *(212) 362-7700* [FAX] *(212) 362-1004* ***Zimmer*** *180* ***Stadtplan*** *15 C5*

Die Zimmer des renovierten Hotels sind einfach, aber angemessen eingerichtet. Die Bäder sind klein, die preiswerteren Zimmer teilen sich das Bad. Für Familien steht eine Suite zu Verfügung. Seine Lage unweit der wichtigen Subway-Linien macht das Belleclaire zur guten Ausgangsbasis. **www.hotelbelleclaire.com**

Hotel Beacon ⇅ 👪 $$

2130 Broadway, 10023 ☎ *(212) 787-1100* [FAX] *(212) 724-0839* ***Zimmer*** *236* ***Stadtplan*** *15 C5*

Die extra-großen Zimmer und die Waschmöglichkeiten des preisgünstigen Hotels schätzen besonders Familien. Die Zimmer zählen sicher nicht zu den besten der Stadt, bieten aber eine Kochecke und meist Platz für bis zu vier Personen. Für größere Gruppen stehen Suiten mit Badezimmer zur Verfügung. **www.beaconhotel.com**

Lucerne ⇅ 👪 🍸 $$

201 West 79th St, 10024 ☎ *(212) 875-1000* [FAX] *(212) 579-2408* ***Zimmer*** *250* ***Stadtplan*** *15 C4*

In dem eleganten Gebäude von 1903 ist eines der besten Mittelklassehotels der Stadt beheimatet. Die Zimmer sind überaus gut erhalten und mit Americana-Möbeln ausgestattet. Der Zimmerpreis umfasst ein üppiges Frühstück. In der stilvollen Bar ist Live-Jazz und -Blues zu hören. **www.newyorkhotel.com**

Preiskategorien *siehe Seite 280* **Zeichenerklärung** *siehe hintere Umschlagklappe*

Milburn ⬛♿📺 $$

242 West 76th St, 10023 📞 *(212) 362-1006* 📠 *(212) 721-5476* **Zimmer** *114* **Stadtplan** *15 C5*

In dem günstigen Suitenhotel muss man auf gewohnte häusliche Annehmlichkeiten nicht verzichten. Die großen Zimmer machen fehlenden Stil durch eine gut ausgestattete Kochnische und hübsche Badezimmer wett. Das Personal ist hilfsbereit. Im Haus kann man auch waschen. **www.milburnhotel.com**

West Park Hotel 📺 $$

6 Columbus Circle, 10019 📞 *(212) 445-0200* 📠 *(212) 246-3131* **Zimmer** *90* **Stadtplan** *12 D3*

Das Hotel arbeitet hart an seinem Boutique-Charakter. Für Alleinreisende zählt vor allem das gute Preis-Leistungs-Verhältnis. Die Zimmer sind klein und hübsch möbliert, etwas weniger Plüsch wäre besser. Auch die Bäder sind klein, aber komfortabel ausgestattet. Im Time Warner Center kann man gut einkaufen. **www.westparkhotel.com**

On the Ave 📺 $$$

2178 Broadway, 10024 📞 *(212) 362-1100* 📠 *(212) 787-9521* **Zimmer** *251* **Stadtplan** *15 C5*

Stil ist alles in diesem modernen Mittelklassehotel. Die Zimmer sind mit Modul-Möbeln in hellen Farben ausgestattet. Vom Dach überblickt man die Stadt. Abgesehen von den De-luxe-Suiten sind manche Zimmer sehr klein. Am Broadway findet man unzählige gute Lokale und Restaurants. **www.ontheave-nyc.com**

Inn New York City $$$$

266 West 71st St, 10023 📞 *(212) 580-1900* 📠 *(212) 580-4437* **Zimmer** *4* **Stadtplan** *11 C1*

Luxus der Extraklasse erwartet den Gast in diesem intimen, überaus stilvollen Haus. Das renovierte Stadthaus des 19. Jahrhunderts hat nur vier Gästezimmer, denen jeweils ein Thema zugeordnet wurde: Opera, Library, Vermont und Spa. Das köstliche Frühstück wird in der Suite serviert. **www.innnewyorkcity.com**

Mandarin Oriental New York 📺🍴♿📺 $$$$$

80 Columbus Circle, 10023 📞 *(212) 805-8800* 📠 *(212) 805-8888* **Zimmer** *251* **Stadtplan** *12 D3*

Asiatische Pracht hat ihren Preis in diesem spektakulären Hotel. Die Zimmer sind modern ausgestattet, weiter oben bieten sie eine herrliche Aussicht auf Central Park und Hudson River. Die Kureinrichtungen sind hervorragend, aber teuer. Bar und Restaurants bieten ebenfalls eine tolle Aussicht. **www.mandarinoriental.com**

Trump International Hotel & Tower 📺🍴♿📺 $$$$$

1 Central Park West, 10023 📞 *(212) 299-1000* 📠 *(212) 299-1150* **Zimmer** *167* **Stadtplan** *12 D3*

Das moderne Luxushotel wirbt mit seiner Exklusivität, Diskretion und Stilsicherheit. Die kürzlich renovierten Zimmer sind in warmen Farben gehalten und bieten die neuesten Techniken. Größte Pluspunkte sind die einmalige Aussicht auf den Central Park und das Restaurant Jean George. **www.trumpintl.com**

MORNINGSIDE HEIGHTS UND HARLEM

Morningside Inn Hotel 📺 $

235 West 107th St, 10025 📞 *(212) 864-9234* 📠 *(212) 864-9155* **Zimmer** *96* **Stadtplan** *20 E5*

Das Hotel ist zwar relativ neu und gut in Schuss, wirkt aber ein wenig wie ein Studentenwohnheim. Tatsächlich eignet es sich für Studenten und junge Reisende. Wer ein teureres De-luxe-Doppelzimmer ergattert, kann sich über ein eigenes Bad und Klimaanlage freuen. Alle Zimmer sind sehr sauber. **www.morningsideinn-ny.com**

Astor on the Park 📺 $$

465 Central Park West, 10025 📞 *(212) 866-1880* 📠 *(212) 316-9555* **Zimmer** *80* **Stadtplan** *21 A5*

Die günstige Lage am Central Park West auf der Höhe der 107th Street macht die kleinen, einfach ausgestatteten Zimmer wett. Ideal für alle, die sich in New York sowieso nicht allzu lange im Hotelzimmer aufhalten wollen. Die Bäder sind sauber, das Personal ist freundlich. Frühstück ist im Preis inbegriffen. **www.nychotels.com/astor.html**

ABSTECHER: BROOKLYN

Best Western Gregory Hotel Brooklyn 📺 $$

8315 4th Ave, 11209 📞 *(718) 238-3737* 📠 *(718) 680-0827* **Zimmer** *70*

Das Hotel liegt etwas abseits, doch wer in Brooklyn zu tun hat, trifft mit ihm eine gute Wahl. Die Subway-Station liegt nur wenige Blocks entfernt. Die Zimmer sind zum Teil klein, aber alle in gutem Zustand. Probleme mit dem Service scheinen durch einen Wechsel in der Führung ausgeräumt zu sein. **www.bestwestern.com**

Marriott Brooklyn Bridge 📺 P 🍴 📺 $$

333 Adams St, 11201 📞 *(718) 246-7000* 📠 *(718) 246-0563* **Zimmer** *355*

Das einzige Hotel in Brooklyn mit komplettem Service bietet sich für Reisende an, die das Viertel interessiert, zugleich aber in der Nähe des Financial District wohnen wollen. Neun große Subway-Linien verkehren in der Nähe. Die Zimmer sind hübsch eingerichtet. Ein großer Fitnessraum mit Pool ist vorhanden. **www.marriott.com**

Stadtplan *siehe Seiten 394–425*

RESTAURANTS, CAFÉS UND BARS

New Yorker lieben es, gut zu essen. Über 25 000 Lokale in fünf Stadtbezirken stehen ihnen dafür zur Verfügung. Restaurantkritiken in Magazinen wie *New York* und *Where* werden eifrig studiert und überaus ernst genommen. In-Restaurants und Küchenstile wechseln häufig, wobei einige Lokale durchgängig beliebt sind. Die im Folgenden

Der klassische Manhattan-Cocktail

aufgeführten Restaurants gehören zu den besten der Stadt, die Liste auf den Seiten 296–311 erleichtert Ihnen dabei die Entscheidung. Auf den Seiten 312–314 finden Sie die besten Lokale für einen kleinen Imbiss. *New Yorker Bars* auf den Seiten 315–317 stellt Ihnen einige der schillerndsten und bekanntesten Bars der Metropole vor.

SPEISENFOLGE

In den meisten Restaurants besteht das Essen aus drei Gängen: Vorspeise *(appetizer/starter)*, Hauptgericht *(entrée/main course)* und Dessert. Außer in Fastfood-Lokalen gehört es praktisch in allen New Yorker Restaurants zum Service, dass Brötchen und Butter gereicht werden, sobald man Platz genommen hat.

Mitunter wird auch unaufgefordert eine kleine Vorspeise serviert, etwa ein Klecks

Hot-Dog-Verkäufer

Mousse oder ein winziges Stück Quiche. In Nobelrestaurants sind die Vorspeisen meist besonders raffiniert, sodass viele Gäste zwei Vorspeisen und kein Hauptgericht bestellen. Italienische Speisekarten bieten als Zwischengang Pasta an, doch die meisten Amerikaner, die nicht italienischer Abstammung sind, bestellen sie als Hauptgericht. Nach dem Essen wird in allen besseren Lokalen unaufgefordert Kaffee serviert – und zumeist auch unbegrenzt nachgeschenkt.

Käse zum Abschluss einer Mahlzeit gibt es lediglich in einigen französischen Spitzenrestaurants.

PREISE

Man findet immer ein Lokal in New York, das zum Budget passt. In Imbisslokalen und bei Fastfood-Ketten bekommt man schon für zehn Dollar eine sättigende Mahlzeit. Zudem gibt es unzählige – mitunter erstklassige – Restaurants, wo man in netter Atmosphäre für etwa 25 Dollar pro Person (ohne Getränke) gut essen kann. In den Spitzenlokalen der New American Cuisine hingegen zahlt man pro Person allein fürs Essen 70 bis 100 Dollar oder mehr. Viele Restaurants der gehobenen Preisklasse bieten allerdings auch Tagesmenüs zu einem Festpreis an – allgemein *prix fixe menu* genannt –, die viel billiger sind als ein Menü à la carte. Mittags *(lunch)* ist das Essen in solchen Lokalen meist preiswerter als abends *(dinner)*. Da viele Gäste auf Geschäftskosten essen gehen, herrscht mittags auch der größte Betrieb.

STEUERN UND TRINKGELD

Zu den auf den Speisekarten ausgewiesenen Preisen kommen noch die Umsatzsteuer von 8,625 Prozent und ein Trinkgeld hinzu: in einem Coffee Shop etwa zehn Prozent, in Edellokalen schon mal bis zu 20 Prozent (im Durchschnitt 15 Prozent). Viele New Yorker verdoppeln den Umsatz-

Typisches New York Deli *(siehe S. 312)*

steuerbetrag und passen die Summe dann dem gebotenen Service an.

Die Rechnung heißt *check*. Visa, MasterCard und American Express werden am häufigsten akzeptiert, ebenso Dollar-Reiseschecks. In Imbisslokalen und Coffee Shops zahlt man bar.

PREISWERT ESSEN

Abgesehen von Geschäftsessen für 200 Dollar pro Person oder mehr kann man in New York durchaus preiswert essen.

Bestellen Sie weniger Gänge als üblich: Die Portionen sind häufig riesig, eine Vorspeise reicht oft als leichte Hauptmahlzeit. Vergleichen Sie bei Tagesgerichten *(dishes of the day)* die Preise: Häufig sind sie teurer als die Gerichte der Speisekarte.

Fragen Sie den Kellner, ob es ein verbilligtes *prix fixe menu* gibt; viele teure Restaurants haben sie zum Lunch und Dinner auf der Karte – am frühen Abend heißen sie oft *pretheater menu*. Reichhaltige und günstige Lunch-Büfetts gibt es oft in indischen Lokalen.

McSorley's Old Ale House

Eine schnelle, schmackhafte und sättigende Mahlzeit bieten auch preisgünstige chinesische, thailändische und mexikanische Restaurants an sowie einige jüdische Delis. Pizzerien und Bistros sowie die kleinen Imbisse mit Fish and Chips, gegrillten Hamburgern oder belegten Sandwiches sind weitere Möglichkeiten, den Hunger relativ preiswert zu stillen.

Gehen Sie in eine Bar mit Happy Hour – das ist eine bestimmte Zeit, zu der verbilligte Preise gelten. Häufig gibt es dort Vorspeisen, etwa spanische *tapas*, die praktisch eine Mahlzeit ersetzen. In gute Restaurants geht man am besten zum Lunch: Dann ist es erheblich preiswerter als abends. Wer Luxuslokale nicht nur von außen sehen möchte, nehme dort einfach einen Drink. Die Atmosphäre spielt ohnehin eine größere Rolle als das Essen.

Frühstücken Sie nicht im hoteleigenen Coffee Shop: Er ist teurer als derjenige um die Ecke oder ein Imbisslokal.

Die stilvolle Oyster Bar im Grand Central Terminal *(siehe S. 306)*

DRESSCODE

In besseren Restaurants wird erwartet, dass Männer ein Jackett tragen, in Luxusrestaurants herrscht außerdem Krawattenzwang. Ansonsten reicht meist gepflegte Straßenbzw. Geschäftskleidung.

Viele Frauen ziehen sich für ein Abendessen in teuren Restaurants besonders schick an. Welche Kleidung erwünscht ist, kann man durchaus bei der Reservierung erfragen.

TISCHRESERVIERUNG

Mit Ausnahme von Imbiss- und Fastfood-Lokalen ist eine Reservierung empfehlenswert, vor allem am Wochenende. Einige Restaurants, in denen sich die Promis treffen, nehmen nur Reservierungen zwei Monate im Voraus an. In Midtown ist eine Reservierung zum Lunch unerlässlich – und selbst dann sitzt man oft wartend an der Bar.

RAUCHEN

Rauchen ist in Bars und Restaurants untersagt. Ausnahmen gelten für familiengeführte Lokale, die spezielle Räumlichkeiten für Raucher haben.

KINDER

Wer mit Kindern essen geht, sollte nach einer speziellen Speisekarte oder verbilligten Kinderportionen fragen. Kinder mit gutem Benehmen sind in fast allen Restaurants willkommen.

Mit lebhaften Kindern geht man besser nach Chinatown oder in italienische Lokale, in Burger Bars, Delis, Cafés, Fastfood- oder Imbisslokale. Einige Restaurants der gehobenen Preisklasse sind auch auf Kleinkinder eingerichtet. Luxusrestaurants eignen sich in der Regel nicht für ein Essen mit der ganzen Familie.

ROLLSTUHLZUGANG

Viele Restaurants haben Tische, die sich auch für Gäste im Rollstuhl eignen, doch empfiehlt es sich, dies bereits bei der Reservierung abzuklären. In Imbisslokalen können Rollstuhlfahrer aus Platzmangel zumeist nicht bewirtet werden.

ZEICHENERKLÄRUNG

Legende der Symbole für die Restaurantauswahl von S. 296–311.

🔲 Tische im Freien
🔲 Kinderfreundlich
🔲 Korrekte Kleidung
🔲 Behindertengerecht
🔲 Live-Musik
🔲 Kreditkarten nicht akzeptiert

Preiskategorien für ein Drei-Gänge-Menü mit einem Glas Hauswein, inklusive aller Steuern:

Ⓢ unter 25 US-$
ⓈⓈ 25–40 US-$
ⓈⓈⓈ 40–60 US-$
ⓈⓈⓈⓈ 60–80 US-$
ⓈⓈⓈⓈⓈ über 80 US-$

Am Pool des Four Seasons *(siehe S. 307)*

ESSENSZEITEN

Frühstückszeit ist gewöhnlich von 7 Uhr bis etwa 10.30 oder 11 Uhr. Sonntags ist Brunch beliebt; in den meisten besseren Restaurants wird von etwa 11 bis 15 Uhr serviert. Lunch gibt es meist von 11.30 oder 12 Uhr bis 14.30 Uhr, wobei der Hauptandrang gegen 13 Uhr vorherrscht. Dinner wird meist ab 17.30 oder 18 Uhr serviert. Die Hauptessenszeit beginnt zwischen 19.30 und 20 Uhr.

Wochentags schließen viele Restaurants um 22 Uhr, freitags und samstags um 23 Uhr. Einige sind von 11.30 bis 22 Uhr geöffnet, Imbisslokale oft von 7 bis 24 Uhr; Letztere haben dann eine spezielle Spätkarte.

New Yorks kulinarische Vielfalt

Wenige Metropolen bieten eine solche Auswahl an unterschiedlichen Restaurants wie New York. Das kulinarische Angebot der Stadt ist ebenso vielfältig wie ihr kulturelles und ethnisches Erscheinungsbild: von der Haute Cuisine Frankreichs bis zum frischesten Sushi außerhalb Tokios. Dazwischen liegen karibische, mexikanische, thailändische, vietnamesische, koreanische, griechische, indische und italienische Restaurants. Die Qualität der Spitzen-Gourmettempel ist unübertroffen. Angesichts der vielen Nationalitäten stellt sich die Frage: Welche ist eigentlich die ursprüngliche Küche New Yorks?

Dim Sum

Frische regionale Produkte auf einem Gemüsemarkt

ESSEN IM DELI

Die große jüdische Gemeinde New Yorks hat einige Spezialitäten beigetragen, die heute alle mögen. Dazu gehören nahrhaftes Corned Beef und Pastrami-Sandwiches, Mixed Pickles, Heringe, Blintzes und Bagels mit Frischkäse und Räucher-

lachs. Der Bagel, das jüdische Hefegebäck in Ringform, wird heute in ganz Amerika gegessen, aber im Vergleich zum wahren New Yorker Bagel sind das nur brotartige Imitate aus der Provinz. Bagels werden mit der Hand geformt, der Teig wird kurz in kochendes Wasser getaucht, bevor er in den Ofen kommt, woraus seine einzigartige Konsistenz resultiert. Ein Verwandter und ebenfalls New Yorker Spezia-

lität ist Bialy, eine flache Rolle mit einer Einkerbung, die mit gerösteten Zwiebeln gefüllt ist. Das beste Gebäck bekommt man in den koscheren Bäckereien der Lower East Side *(siehe S. 92–101)*.

GEMÜSEMÄRKTE

Auf den Gemüsemärkten der Stadt trifft man nicht selten den Küchenchef eines bekannten Restaurants persönlich. Unter freiem Him-

Blintzes

Pastrami im Roggenbrot

Gurken

Bagels mit Räucherlachs und Frischkäse

Eingelegte Heringe

Auswahl typischer Gerichte in einem New Yorker Deli

NEW YORKER SPEZIALITÄTEN

Obwohl in New Yorks Speiselokalen internationaler als in jeder anderen Stadt gekocht wird, gibt es doch einige Gerichte, die die Metropole für sich beansprucht. Manhattan Clam Chowder, die Muschelsuppe mit Tomaten statt mit Sahne, ist seit ihrer Einführung an den Stränden von Coney Island in den 1880er Jahren beliebt. Das gefragteste Gericht in den Steakhäusern der Stadt ist das New York Strip Steak, ein besonders zartes Lendensteak vom Rind. Der gehaltvolle, cremig-zarte New York Cheesecake wird mit Frischkäse statt mit Ricotta hergestellt. Da die traditionellen, mit Holz beheizten Öfen in New York unpraktisch waren, haben die italienischen Einwanderer Kohleöfen verwendet. Sie sind heute selten, Puristen jedoch essen nur eine solchermaßen zubereitete Pizza.

Brezeln

Manhattan Clam Chowder
Die Muschelsuppe wird mit Tomaten zubereitet und mit Crackern garniert.

Hot-Dog-Wagen an einer Straßenecke in Manhattan

mel bieten Landwirte aus dem Umland frisches Gemüse und Obst an, aber auch Fleisch, Geflügel und Milcherzeugnisse. Mehr als hundert Restaurants der Stadt kaufen hier ein. Auf dem größten dieser Märkte am Union Square *(siehe S. 129)* verkaufen 70 Händler montags, mittwochs, freitags und samstags ihre Waren .

STREET FOOD

Street Food ist für die schnelllebige Stadt das typischste Essen. Ein Hot Dog in die Hand oder eine große weiche *pretzel*, die man dann im Gehen isst, sind in New York am beliebtesten. Es gibt erstaunlich gute Spezialitäten wie Falafel, Suppen, Gegrilltes oder Chili. Im Winter verkaufen fliegende Händler heiße geröstete Maronen.

SOUL FOOD

In Harlem lebt die größte afro-amerikanische Gemeinde der USA. Die hiesige Küche hat ihre Ursprünge im tiefen Süden des Landes, z.B. Schweinerippchen, Hähn-

Lebensmittelgeschäft mit Produkten aus Fernost

chen, Wildkohl und Süßkartoffeln. Ein beliebtes Gericht in Harlem, gebratenes Huhn mit Waffeln, aßen angeblich die Musiker der Jazzklubs zwischen zwei Sets.

ASIATISCHE KÜCHE

Chinesische Restaurants waren lange Zeit in der ganzen Stadt zu finden, in den letzten Jahren haben sie durch thailändische und vietnamesische Restaurants Konkurrenz bekommen. Am meisten haben die Sushi-Bars und japanischen Restaurants vom Siegeszug der asiatischen Küche profitiert.

TRADITIONELLE DELIKATESSEN

Babkas Leicht gesüßtes Hefegebäck.

Blintzes Eierkuchen, gefüllt mit gesüßtem Frischkäse und/oder Früchten.

Gehackte Leber Hühnerleber mit gehackten Zwiebeln, hart gekochten Eiern und *schmaltz* (Hühnerfett).

Gefilte Fish Klöße aus gehacktem weißem Fischfleisch, in Fischbrühe gegart.

Knishes Teigblätter, gefüllt mit Zwiebeln und Tomaten.

Latkes Puffer aus Kartoffeln, Zwiebeln und Mazzemehl.

Rugelach Gebäck mit Frischkäse, gefüllt mit gehackten Nüssen und Rosinen.

Pizza nach New Yorker Art *Ob mit dickem oder dünnem Teig: Diese Pizza muss im Kohleofen gebacken werden.*

New York Strip Steak *Das zarte Steak wird mit Rahmspinat, Pommes frites oder Kartoffelpuffer serviert.*

New York Cheesecake *Das Rezept für diesen köstlichen Käsekuchen ist jüdischen Ursprungs.*

Restaurantauswahl

D ie Restaurants wurden wegen ihres außergewöhnlichen Essens und des guten Preis-Leistungs-Verhältnisses ausgewählt. Die Einträge sind nach Stadtteil, Preis-
niveau und alphabetisch geordnet. Adressen für kleine
Mahlzeiten finden Sie auf den Seiten 312–314, einige
von New Yorks besten Bars auf den Seiten 315–317.

PREISKATEGORIEN
Der Preis gilt für ein drei-Gänge-Menü
für eine Person, inklusive einem Glas
Hauswein und Steuern:

$ unter 25 US-$
$$ 25–40 US-$
$$$ 40–60 US-$
$$$$ 60–80 US-$
$$$$$ über 80 US-$

LOWER MANHATTAN

Les Halles

$$

15 John St zwischen Broadway und Nassau St, 10038 **(** (212) 285-8585 **Stadtplan 1 C2**

Eine auf Paris gestylte Brasserie im Börsenviertel. Das Schwesterlokal des Les Halles in der Park Avenue ist vor allem
wegen der Persönlichkeit seines Chefs Anthony Bourdain bekannt. Sehr gut zubereitete, einfache Gerichte
wie Muscheln mit Pommes. Ein Eldorado für Steakliebhaber.

Fraunces Tavern

$$$

54 Pearl St, Ecke Broad Street, 10004 **(** (212) 968-1776 **Stadtplan 1 C4**

Die historische Taverne bewirtet seit 1762 Gäste. Hier verabschiedete sich George Washington am Abend vor seiner
Pensionierung 1783 von seinen Offizieren. Auf der Karte stehen klassische Steaks und Fischgerichte, deftige Braten
und Suppen. Im Winter kann man sich in der gemütlichen Lounge aufwärmen.

Battery Gardens

$$$

Südwestecke des Battery Park, 10004 **(** (212) 809-5508 **Stadtplan 1 C4**

Das früher als American Park at the Battery bekannte Restaurant bietet einen fantastischen Blick über den Hafen,
aber der hat seinen Preis. Es gibt hauptsächlich Fisch und Meeresfrüchte, auf mediterrane oder asiatische Art zu-
bereitet. Wenn es warm ist, sollten Sie unbedingt draußen sitzen.

Bayard's

$$$$

1 Hanover Sq, 10004 **(** (212) 514-9454 **Stadtplan 1 C3**

Französisch-amerikanische Saisonküche in einem liebevoll restaurierten alten Wohnsitz. Die gepflegte Weinkarte
und der exzellente Service sind exakt auf das hier verkehrende Publikum zugeschnitten: Finanzmogule und
Spesenritter.

SEAPORT UND CIVIC CENTER

Quartino

$$

21–23 Peck Slip, 10038 **(** (212) 349-4433 **Stadtplan 2 D2**

Viele Rezepte für die leichte, feine Küche in diesem italienischen Restaurant stammen aus Ligurien, der Akzent liegt
auf Fisch und vegetarischen Gerichten. Hierher kommen viele New Yorker, nicht zuletzt wegen der ausgezeichneten
Pizza. Das Ambiente wirkt gemütlich-leger, der Service ist freundlich, aber nicht immer schnell.

Bridge Café

$$$

279 Water St/Dover St, 10038 **(** (212) 227-3344 **Stadtplan 2 D2**

Das uralte, charmante Restaurant gleich unter der Brooklyn Bridge sollten Sie unbedingt besuchen, wenn Sie in der
Gegend sind. Wer sich was traut, sollte das Büffelsteak mit Gnocchi probieren. Für die Zurückhaltenden gibt es
aber auch einiges – vom Hummer über gegrilltes Gemüse bis zur Platte von Ziegenkäse.

LOWER EAST SIDE

Grand Sichuan

$

125 Canal St bei der Bowery, 10002 **(** (212) 625-9212 **Stadtplan 4 E5**

Das »Grand« im Namen scheint sich auf die schier endlose Speisekarte zu beziehen: Sichuan, Hunang und »Ameri-
kanisches Chinafood«, dazu alle Arten heißer (und scharfer!) oder kalter Nudel- und Reisgerichte. Viele vegetarische
Speisen. Der nachlässige Service und die spartanische Einrichtung sind die Gründe für die niedrigen Preise.

Zeichenerklärung *siehe hintere Umschlagklappe*

Katz's Delicatessen ✦ ♿ ⓢ

205 East Houston St, 10002 📞 *(212) 254-2246* **Stadtplan** 5 A3

Ein Klassiker in New York City ist dieser jüdische Delikatessenladen, der die besten Pastrami- und Corned Beef-Sandwiches serviert. Was am Service und der Dekoration gespart wird, schlägt sich in der hohen Fleischqualität und den günstigen Preisen nieder.

San Loco Mexico ▤ ✦ ⓢ

11 Stanton St, 10002 📞 *(212) 253-7580* **Stadtplan** 5 A3

In diesem Mexikaner findet man kaum ein Gericht über zehn Dollar – preisbewusste New Yorker wissen das zu schätzen und kommen gern hierher. Alle mexikanischen Klassiker sind zu haben, die hausgemachten Saucen dazu kann man in vier Schärfegraden wählen: *mild*, *hot*, *serious* und *stupid*. Es gibt auch gute Desserts.

Teany Café ✦ ♿ ⓢ

90 Rivington St, 10002 📞 *(212) 475-9190* **Stadtplan** 5 A3

Das bekannte Café bietet lauter vegane und vegetarische Sandwiches, Salate und andere Snacks. Die Desserts sind berühmt, etwa die *chocolate peanut butter bomb* oder der warme Rhabarberkuchen. Auch der »afternoon tea service« ist einen Versuch wert. Der Service ist bisweilen etwas unbeholfen.

Il Palazzo ✦ ▦ ⓢⓢ

151 Mulberry St, 10013 📞 *(212) 343-7000* **Stadtplan** 4 F4

Dies ist einer der wenigen guten Italiener in Little Italy – vor allem, wenn es um den Service geht. Der neue Wintergarten hat das Lokal noch interessanter gemacht. Die hausgemachten Nudeln und Risotti sind immer eine gute – und preiswerte – Wahl. Unter den Desserts finden sich die Standards wie *cannoli* und *tiramisu*.

Joe's Shanghai ▤ ✦ ⓢⓢ

9 Pell St, 10013 📞 *(212) 233-8888* **Stadtplan** 4 F5

In diesem bekannten Restaurant sollte man keinesfalls die Suppenklößchen mit Krabben und Schweinefleisch versäumen. Diese Spezialität führt an Wochenenden manchmal zu langen Warteschlangen. Der Rest auf der Karte ist weniger interessant, aber immer noch sein Geld wert.

71 Clinton Fresh Food ⓢⓢⓢ

71 Clinton St, 10002 📞 *(212) 614-6960* **Stadtplan** 5 B3

Eines der ersten Restaurants in der Clinton Street – und obwohl Küchenchef Wylie Dufresne nicht mehr dabei ist, läuft der Laden noch. Die Küche lebt vor allem von der Frische der verwendeten Zutaten. Zum Degustationsmenü kann man sich in der gepflegten Weinkarte umsehen. Wenig Plätze, daher vorbestellen!

Canton ▤ ✦ ♿ ⓢⓢⓢ

45 Division St, 10002 📞 *(212) 226-4441* **Stadtplan** 5 A5

»Chinese fine dining« bedeutet überdurchschnittliche Preise für überdurchschnittliches Essen. Die kantonesischen Gerichte basieren auf fantasievoll eingesetzten frischen Zutaten. Fragen Sie nach den Tagesgerichten und versuchen Sie die mit Taube gefüllten Salatrollen oder die gegrillte Ente.

Sammy's Roumanian ✦ ⓢⓢⓢ

157 Chrystie St, 10002 📞 *(212) 673-0330* **Stadtplan** 5 A4

Als eines der ersten »Themen«-Restaurants der Stadt bietet Sammy's jüdisch inspirierte Küche, traditionelle Gerichte wie *latkes*, gehackte Leber mit *schmaltz* (Hühnerfett) und eine große Auswahl an Fleischgerichten. Probieren Sie die Knoblauchwurst mit eisgekühltem Wodka.

The Tasting Room ⓢⓢⓢⓢ

72 East 1st St, 10003 📞 *(212) 358-7831* **Stadtplan** 5 A3

Die Karte dieses kleinen, romantischen Etablissements bietet fantasievolle, Tapas-ähnliche Kleingerichte. Lokale und exotische Zutaten werden gern miteinander kombiniert: zu Kaninchenterrine, Carpaccio von der Flunder, Forelle mit Äpfeln oder Taube mit Walnüssen. Große Karte mit amerikanischen Weinen.

WD-50 ✦ ♿ ⓢⓢⓢⓢ

50 Clinton St, 10002 📞 *(212) 477-2900* **Stadtplan** 5 B3

Der gefeierte Koch Wylie Dufresne betreibt hier Avantgarde-Cuisine. Die freundlichen und kenntnisreichen Kellner helfen bei der Wahl zwischen Gebackener Mayonnaise mit Rinderzunge und *foie gras* mit Basilikum-Grapefruit-Streuseln oder *nori* (Seetang-)Karamell. Neungängiges Degustationsmenü.

SoHo und TriBeCa

New Pasteur ▤ ✦ ⓢ

85 Baxter St, 10013 📞 *(212) 608-3656* **Stadtplan** 4 F5

Kuscheliges Restaurant im Herzen von Chinatown mit preiswerten, schnellen Nudelgerichten. Eine Empfehlung sind die vietnamesischen Frühlingsrollen mit Salatblättern und Reisnudeln. Die scharfen Gerichte sollten nur wirklich Unerschrockene ordern. Große Auswahl an asiatischen Getränken.

Stadtplan siehe Seiten 394–425

Peanut Butter & Co.   🏃   Ⓢ
240 Sullivan St, 10012 📞 *(212) 677-3995*   *Stadtplan 4 D2*

In diesem Sandwichlokal sieht man, was man alles mit Erdnussbutter anstellen kann. Die Auswahl ist unglaublich, man findet sogar ein Elvis-Presley-Sandwich. Dazu gibt es Michshakes und üppig-süße Desserts. Laden Sie Freunde ein, bringen Sie Ihre Kinder mit – bei diesen Preisen fällt's kaum auf.

Lombardi's   📋🏃   ⓈⓈ
32 Spring St, 10012 📞 *(212) 941-7994*   *Stadtplan 4 F4*

Das Lombardi's zählt zu den besten Pizzerien der Stadt: Der Holzofen sorgt für knusprig-dünne Fladen, obendrauf ruht bester Mozzarella. Die Karte ist überschaubar, essen Sie sich also an der Pizza satt und erwarten Sie kein Dessert. Nach dem jüngsten Umbau kommt das Essen deutlich schneller auf den Tisch als früher.

Aquagrill   🏃🍴   ⓈⓈⓈ
210 Spring St, 10012 📞 *(212) 274-0505*   *Stadtplan 4 D4*

Gelbe Wände, muschelförmige Lampen und bequeme Sitzgelegenheiten bilden den Rahmen für das trendige SoHo-Seafood-Restaurant mit der großen Bar mit rohen Meeresfrüchten (die Austern werden täglich frisch eingeflogen). Der Fisch ist fangfrisch; der warme Oktopussalat ist ein Klassiker.

L' Ecole   ♿🍴   ⓈⓈⓈ
462 Broadway, 10012 📞 *(212) 219-3300*   *Stadtplan 4 E4*

In diesem kleinen Restaurant in SoHo machen die Studenten des French Culinary Institute ihre Praxisstudien. Es gibt hier unterschiedlichste Menüs; die Zeche ist nicht hoch, bringt man die Qualität der Zutaten und die Freundlichkeit des Service in Anschlag. Laden Sie Ihre Freunde hierher ein!

Le Jardin Bistrot   🏃♿🍴   ⓈⓈⓈ
25 Cleveland Place, 10012 📞 *(212) 343-9599*   *Stadtplan 4 F4*

Bei warmem Wetter ist es eine Freude, unter einem Sonnenschirm in diesem SoHo-Garten zu speisen. Das erschwingliche Angebot an französischen Klassikern wie *Bouillabaisse, Coq au vin* oder Muscheln enttäuscht nie. Das Personal ist freundlich, das Ambiente des kleinen Cafés ist ähnlich angenehm wie der Garten.

Lupa   🏃♿🍴   ⓈⓈⓈ
170 Thompson St, 10012 📞 *(212) 982-5089*   *Stadtplan 4 F3*

Informell und viel günstiger als Mario Batalis anderes Restaurant, das Babbo. Die rustikale römische Trattoria serviert elegante Gerichte zu erschwinglichen Preisen: Vorspeisen wie Prosciutto mit Feigen und Pasta wie Tintenfisch-Tagliarini mit Calamari. Vielleicht müssen Sie auf einen Tisch warten – Sie werden es dennoch nicht bereuen.

Odeon   🏃🍴   ⓈⓈⓈ
145 West Broadway, 10013 📞 *(212) 233-0507*   *Stadtplan 1 B1*

Das Lokal war eines der ersten, die in den 1980er Jahren in TriBeCa eröffnet haben. Das »faux-bistro« serviert gute französisch-amerikanische Gerichte. Das Steak tartare ist ein Muss, aber auch die Burger sind ihr Geld wert. Die Einrichtung ist unprätentiös, und der Laden ist immer gesteckt voll.

Provence   🏃   ⓈⓈⓈ
38 MacDougal St, 10012 📞 *(212) 475-7500*   *Stadtplan 4 D3*

Das romantische französische Café in SoHo ist für provençalische Atmosphäre, den Garten und vernünftige Preise bekannt. Auf der Karte stehen traditionelle Gerichte wie Bouillabaisse sowie modernere Kreationen. Fleischesser kommen genauso auf ihre Kosten wie Vegetarier.

Public   🏃   ⓈⓈⓈ
210 Elizabeth St, 10012 📞 *(212) 343-7011*   *Stadtplan 4 F3*

Modernes Down-Under-Food mit wirklich innovativen Kreationen: Es gibt Tasmanische Forelle mit Zitronenmarinade oder Neuseeland-Snapper mit *bok choy* und Sesam-Ingwer-Brühe. Versuchen Sie eines der australischen Biere, die hier ausgeschenkt werden.

The Harrison   🏃🍴   ⓈⓈⓈ
355 Greenwich St, 10013 📞 *(212) 274-9310*   *Stadtplan 4 D5*

Das Haus im Neu-England-Stil mitten in TriBeCa bietet sorgfältig veredelte Amerikanische Küche wie Biscuits mit *chorizo* und Muscheln oder knuspriges Hähnchen mit Walnussfüllung. Das Lokal ist bei den 30-jährigen des Viertels angesagt – weshalb man mit einer langen Schlange vor dem Lokal zu rechnen hat.

Danube   ♿🍴   ⓈⓈⓈⓈ
30 Hudson St, 10013 📞 *(212) 791-3771*   *Stadtplan 1 B1*

David Bouleys ungewöhnliches TriBeCa-Restaurant bietet leichte »neue österreichische« Küche in landestypischem, jedoch modernem Ambiente. Hier stimmt einfach alles, und das Wiener Schnitzel oder die Spätzle waren nie besser. Nicht ganz billig!

Kittichai   ♿🍴   ⓈⓈⓈⓈ
60 Thompson St, 10012 📞 *(212) 219-2000*   *Stadtplan 4 D4*

Hochklassiges Thai-Restaurant in einem wunderbaren Raum des 60 Thompson Hotel. *Der* Ort, um gesehen zu werden. Die Karte verlangt die – teure – Wahl zwischen »Thai tapas« wie Crevetten mit Koriandermarinade und traditionellen Speisen wie Suppen, Currys und allen Arten von Seafood.

Preiskategorien *siehe Seite 296* **Zeichenerklärung** *siehe hintere Umschlagklappe*

Montrachet
🚹♿🍸 $$$$
239 West Broadway, 10013 (*(212) 219-2777* **Stadtplan** *4 E5*

Die erste Filiale von Drew Nieporents Restaurant-Imperium ist seit 20 Jahren eines der besten Lokale der Stadt und für gemütliche Einrichtung, Nouvelle Cuisine und eine umfangreiche Weinkarte bekannt. Die Tages- und Probiermenüs lohnen sich: gegrillter Hummer, Langustinen, Entenbrust und andere Köstlichkeiten.

Nobu
♿🍸 $$$$
105 Hudson St, 10013 (*(212) 219-0500* **Stadtplan** *4 D5*

Chefkoch Nobu Matsuhisa bietet ein fantastisches Dinner – für die, die es sich leisten können und einen Tisch ergattert haben. Auf der Karte stehen Thunfischtartar, diverse Tempuras und eine große Auswahl an Sushi. Der illustre Treffpunkt zieht Celebrities und Normalsterbliche gleichermaßen an.

Bouley
♿🍸 $$$$$
120 West Broadway, 10013 (*(212) 964-2525* **Stadtplan** *1 B1*

Der gefeierte Küchenchef David Bouley bietet hier inspirierte, zeitgenössische Cuisine. Tadelloser Service und kenntnisreiche Sommeliers sorgen für einen perfekten Abend. Zu den Highlights zählen Wildlachs mit Estragonsauce und Hummer mit Tamarindenmarinade und Kokossauce.

Chanterelle
♿🍸 $$$$$
2 Harrison St, 10013 (*(212) 966-6960* **Stadtplan** *4 D5*

Seit über 20 Jahren ein Klassiker – und noch immer steht das unprätentiöse Lokal wegen der Nouvelle Cuisine und des hervorragenden Service hoch im Kurs. Ideal für besondere Anlässe oder wenn man sich nach einem unvergesslichen Drei-Stunden-Menü sehnt …

Megu
🚹♿🍸 $$$$$
62 Thomas St, 10013 (*(212) 964-7777* **Stadtplan** *1 B1*

Der letzte Schrei, wenn es um angesagte Japaner geht: Das Megu bietet eindrucksvoll dekorierte Speisen – und das in einer großen Auswahl. Die Zusammenstellung der vorbereiteten Zutaten erfolgt schnell – und gerät oft zu einer echten Show. Vor allem an Wochenenden kann es sehr laut werden.

GREENWICH VILLAGE

A Salt & Battery
🚹♿ $
112 Greenwich Ave, 10011 (*(212) 691-2713* **Stadtplan** *3 B1*

Die besten Fish-and-chips auf dieser Seite des großen Teichs – zu Schnäppchenpreisen. Die große Auswahl an Fischgerichten und frei wählbaren Zutaten lohnt den Besuch. Ein Schwesterrestaurant hat in East Village in der 80 Second Avenue eröffnet.

Corner Bistro
🍽🚹 $
331 West 4th St, 10014 (*(212) 242-9502* **Stadtplan** *3 C1*

Es mag nicht jedermanns Geschmack sein, aber das Corner ist Kult: Hier huldigt man den saftigsten, fettesten und dicksten Burgern und dem billigsten Bier der Stadt. Die Warteschlange an der Theke geht manchmal bis auf die Straße hinaus. Das Essen wird auf Papptellern serviert, bündelweise Papierservietten sind gratis.

Cowgirl Hall of Fame
🚹🎬 $$
519 Hudson St, 10014 (*(212) 633-1133* **Stadtplan** *3 C2*

Purer Südstaaten-Kitsch für alle, die Sehnsucht nach Texas oder Alabama haben. Erwarten Sie keinen großartigen Service, aber freuen Sie sich über billige amerikanische Regionalküche: Grillhähnchen, Apfelkuchen und große Steaks. Ein paar Margaritas helfen die großen Portionen verdauen.

Florent
🍽🚹🎬 $$
69 Gansevoort St, 10014 (*(212) 989-5779* **Stadtplan** *3 B1*

Ein echter Pionier im Meatpacking District: Hier verkehrten die Drag Queens und andere Nachtschwärmer lange bevor *Sex and the City* die Gegend bekannt – und kaputt – machte. Aber im Florent gibt es immer noch gutes Französisches Essen zu unschlagbaren Preisen. Bis 2 Uhr nachts geöffnet.

ino
🍽🚹 $$
21 Bedford St, 10014 (*(212) 989-5769* **Stadtplan** *4 D3*

Ein kuscheliges, um nicht zu sagen kleines Panini-Café für ein zwangloses Abendessen. Sogar die Modeszene verirrt sich gern hierher – immerhin ist der Laden extrem preiswert. Es gibt auch eine Weinbar mit guten italienischen Tropfen. Der Service könnte allerdings besser sein.

Moustache
🍽🚹 $$
90 Bedford St, 10014 (*(212) 229-2220* **Stadtplan** *3 C2*

Orientalische Küche zu Basarpreisen: Es gibt türkische Pizza, Lammfleischgerichte und die einschlägig bekannten Vorspeisen. Das Lokal ist klein, meist sehr voll, und daher kann es mit der Bestellung manchmal dauern. Das Schwesterlokal in der 265 East 19th Street hat einen kleinen Innenhof und deshalb etwas mehr Platz.

Stadtplan *siehe Seiten 394–425*

Westville 🧒 [T] $$

210 West 10th St, 10014 ☎ *(212) 741-7971* **Stadtplan** *3 C2*

Kleines Lokal ohne große Ansprüche, dafür mit preiswerten Gerichten aus der amerikanischen Regionalküche wie Kabeljaufilets, Cheeseburgern, Steaks und Ähnlichem. Die niedrigen Preise führen zu großem Andrang, vermeiden Sie also die Stoßzeiten. Das Schwesterlokal in East Village heißt sinnigerweise Eastville.

Blue Ribbon 🧒 ♿ $$$

97 Sullivan St, 10012 ☎ *(212) 274-0404* **Stadtplan** *4 D3*

Eine gute Adresse für anständiges französisches Essen wie *beef marrow* und Ochsenschwanzchutney, Spareribs und Schnecken. Dazu kommen Paella, Lammgerichte und perfekte Brathähnchen. Bei Öffnungszeiten bis 4 Uhr morgens wird auch noch der späteste Hunger gestillt. Gute Bar.

Blue Ribbon Bakery 🧒 $$$

33 Downing Street, 10014 ☎ *(212) 337-0404* **Stadtplan** *4 D3*

Ein ausgefallenes Tapas-ähnliches Menü aus Käse, kaltem Aufschnitt und fantastischem Brot wird durch Suppen, Salate und *filet mignon,* Entenconfit oder Burger komplettiert. Die gute Weinkarte macht das Lokal zum idealen Ort, um einen gemütlichen Abend mit Freunden zu verbringen.

Le Gigot 🧒 [T] $$$

18 Cornelia St, 10014 ☎ *(212) 627-3737* **Stadtplan** *4 D4*

Das Restaurant präsentiert sich gemütlich im Stil eines französischen Bistros. In romantischer Atmosphäre werden französische Spezialitäten serviert, die authentisch-sorgfältige Küche bietet angenehme Überraschungen. Delikate Desserts und sehr aufmerksamer Service. Gute französische Weine.

Markt 🧒 ♿ 🍴 $$$

401 West 14th St, 10014 ☎ *(212) 727-3314* **Stadtplan** *3 B1*

Die große, lebhafte belgische Brasserie bietet traditionelles wie Miesmuscheln mit Fritten, dazu eine Auswahl an Sandwiches, Salaten, Suppen und eine einfache Bar. Auch die verschiedenen belgischen Biere im Ausschank finden ihr Publikum.

Otto 🧒 ♿ $$$

1 Fifth Ave, 10003 ☎ *(212) 995-9559* **Stadtplan** *4 E1*

Eine schicke – und teure – Pizzeria des Küchenchefs Mario Batali. Die exzellente Weinkarte und die überwältigende Auswahl an Antipasti treiben die Rechnung schnell in die Höhe. Ein Renner ist die Lardo-Pizza, wo mit Kräutern aromatisierter Speck eine hauchdünne Teigkruste überzieht. Zum Nachtisch: Olivenöleis!

Pastis 🧒 🍴 $$$

9 Ninth Ave, 10014 ☎ *(212) 929-4844* **Stadtplan** *3 B1*

Das waschechte Pariser Bistro – einer der Gastro-Pioniere im Meatpacking District, bietet französische Qualitätsküche in großen Portionen. Am Wochenende, wenn die Celebrities zum Schaulaufen kommen, kann es recht laut werden. Guter Wochenendbrunch. Wenn Sie einen Tisch kriegen können: zugreifen!

The Spotted Pig 🧒 $$$

314 West 11th St, 10014 ☎ *(212) 620-0393* **Stadtplan** *3 B2*

Im italienisch angehauchten Pub des Briten April Bloomfield wird sich jeder Engländer zu Hause fühlen. Der gemütliche Laden wird abends rasch voll, Sie sollten also rechtzeitig einlaufen. Das Fassbier der Brooklyn Brewery passt hervorragend zum *shepherd's pie.*

Annisa ♿ $$$$

13 Barrow St, 10014 ☎ *(212) 741-6699* **Stadtplan** *3 C2*

Die innovative Küche mit frischen Zutaten, das intime Ambiente und der aufmerksame Service rechtfertigen die hohen Preise. Die Fisch- und Fleischgerichte haben einen asiatischen Touch: mit Miso marinierter Saibling in Bonitobrühe oder Schweinebäckchen mit Karamellkruste und Lotuswurzeln.

Babbo 🧒 $$$$

110 Waverly Place, 10011 ☎ *(212) 777-0303* **Stadtplan** *4 D2*

Die Lage in einem 100-jährigen Greenwich-Village-Doppelhaus mit großer Treppe und Oberlicht sowie die einfallsreiche, herzhaft-italienische Küche des herausragenden Küchenchefs Mario Batali machen Babbo zu einem der beliebtesten Italiener der Stadt; reservieren Sie weit im Voraus. Auf der oberen Etage geht es ruhiger zu.

Blue Hill 🧒 ♿ 🍴 $$$$

75 Washington Place, 10011 ☎ *(212) 539-1776* **Stadtplan** *4 E4*

Das gemütliche Greenwich-Village-Restaurant ist für einfallsreiche modern-amerikanische Küche bekannt, die frische Produkte der Saison verwendet. Die beiden Küchenchefs lernten bei David Bouley. Die Preise sind durchaus gerechtfertigt. Probieren Sie pochierte *foie gras* oder Berkshire-Schwein mit Kastanien.

Da Silvano 🧒 ♿ 🍴 $$$$

260 Sixth Ave, 10014 ☎ *(212) 982-2343* **Stadtplan** *4 D3*

Das toskanische Restaurant ist in der Hauptsache wegen der hier verkehrenden Celebrities bekannt. Die Karte bietet eine große Auswahl an Antipasti, Fisch, Salaten und traditionellen Gerichten wie Lammragout und Kaninchen. Im Sommer kann man wunderbar draußen sitzen.

Preiskategorien *siehe Seite 296* **Zeichenerklärung** *siehe hintere Umschlagklappe*

One if by Land, Two if by Sea
♿♫⚟ $$$$

17 Barrow St, 10014 ☎ *(212) 228-0822*
Stadtplan 3 C3

Das zauberhafte Greenwich-Village-Haus verströmt Romantik pur. Die elegante moderne Küche wird bei Kerzen-schein, Blumen und Pianomusik serviert. Wenn Sie etwas zu feiern haben oder einen Heiratsantrag machen möchten, sind Sie hier richtig.

Spice Market
♿ $$$$

403 West 13th St, 10014 ☎ *(212) 675-2322*
Stadtplan 3 B1

Küchenchef Jean Georges Vongerichten bietet in seinem wunderschönen Lokal asiatisch inspiriertes »street food« an. In gediegener Klubatmosphäre entspannen sich die Reichen und die Schönen (auch das Personal scheint nach diesen Kriterien ausgesucht) und schlürfen Cocktails. Die Auswahl von der Karte ist ein Glücksspiel.

Gotham Bar & Grill
♿⚟ $$$$$

12 East 12th Street, 10003 ☎ *(212) 620-4020*
Stadtplan 4 E1

Chefkoch Alfred Portale ist bekannt für seine »vertikale Küche«: kunstvolle Schichten köstlicher, moderner Gerichte. Der luftige Raum mit Säulen schafft eine Stimmung, die elegant und leger zugleich ist. Das dreigängige Tagesmenü zu 25 Dollar ist in den meisten Fällen ein guter Griff.

EAST VILLAGE

Blue 9 Burger
✉⛵♿ $

92 Third Ave, 10003 ☎ *(212) 979-0053*
Stadtplan 4 F1

Köstlich gegrillte Hamburger – zu günstigen Preisen – gibt es in East Village auch ohne dass man einen dieser gesichtslosen Kettenläden aufsucht. Zu den Fritten gibt es überdies eine Mango-Chili-Sauce. Das Ganze kann man dann im nahen Park verzehren und dabei den New Yorkern beim Flanieren zusehen.

Caracas Arepa Bar
⛵ $

91 East 7th St, 10009 ☎ *(212) 228-5062*
Stadtplan 5 A2

Ein mit Kitsch angefülltes Restaurant, exzellentes venezuelanisches Fastfood und lahmer Service – auch ein Erfolgs-rezept. *Arepas* (Maisfladen mit verschiedenen Füllungen), Sandwiches und *tamales* machen satt und das Porte-monnaie nicht leer. Die Räumlichkeiten sind winzig.

Dumpling Man
✉⛵ $

100 St Mark's Place, 10009 ☎ *(212) 505-2121*
Stadtplan 5 A1

Die kleine, angesagte Bar in East Village bietet Klöße in jeder denkbaren Variante. Sowohl der Barkeeper mit seinen Flaschen als auch der Koch mit seinen gedämpften und frittierten Schätzen liefern eine perfekte Show. So viel Essen und Unterhaltung kriegen Sie sonst nirgends zu diesem Preis.

Minca
✉⛵ $

536 East 5th St, 10009 ☎ *(212) 505-8001*
Stadtplan 5 B2

Der letzte Schrei in East Village sind Nudelbars. Im Minca gibt es japanisch inspirierte Schnellgerichte, die in keinster Weise an die Fünf-Minuten-Terrine aus der Mikrowelle erinnern. Die Riesenauswahl an Nudeln mit Rind, Schwein oder vegetarisch wärmt einen nach einem Boutiquenbummel durch East Village zuverlässig wieder auf.

Counter
⛵ $$

105 First Ave, 10003 ☎ *(212) 982-5870*
Stadtplan 5 A2

Die moderne vegetarische Küche lohnt den Besuch auch für Fleischesser. Der Speiseraum ist äußerst geschmackvoll, die Musik gut, das Essen biologisch und die Weinkarte gut sortiert. Der Service ist bemüht, aufmerksam zu sein, aber nicht aufdringlich.

Great Jones Café
⛵ $$

54 Great Jones St, 10012 ☎ *(212) 674-9304*
Stadtplan 4 F2

Familienfreundliches, kleines, preiwertes Lokal mit New-Orleans-Küche. Zu den Rennern gehören Shrimps »po'boys«, *andouille*-Wurst und *jambalaya*. Die Wände sind mit einer ganzen Reihe scharfer Saucen aus aller Welt gesäumt – also drüber damit übers Essen! Ein Bier hinterher löscht den Brand.

Il Bagatto
⛵ $$

192 East 2nd St, 10009 ☎ *(212) 228-0977*
Stadtplan 5 B2

Sogar »Uptowners« begeben sich ins East Village, um hier gute italienische Küche zu akzeptablen Preisen zu genießen. Machen Sie sich auf Wartezeiten und hektischen Service gefasst, aber beim Warten kann man gut mit Leuten aus der Gegend ins Gespräch kommen.

Lil' Frankies
✉⛵⚁ $$

19–21 First Ave, 10003 ☎ *(212) 420-4900*
Stadtplan 5 A2

Der Pizzaofen hier ist angeblich aus Lavagestein vom Vesuv erbaut. Ob es wahr ist oder nicht – die Pizza ist jeden-falls gut und billig, was viele junge Leute anzieht. Im Hinterhof gibt es einen kleinen Garten, der Service ist freund-lich, wenn auch ein wenig langsam.

Stadtplan *siehe Seiten 394–425*

Zum Schneider
▤ 🧒 ♿ ☂ $$

107 Avenue C, 10009 ☎ *(212) 598-1098* **Stadtplan** *5 B2*

In diesem Biergarten ist das ganze Jahr Oktoberfest. Hier können Sie auch in New York Lederhosen tragen und bei prima Bratwurst entspannen. Am Wochenende kann es sehr voll werden, worunter der Service etwas leidet. Natürlich gibt es eine große Auswahl an Bieren aus aller Welt.

Casimir
🧒 ☂ $$$

103–105 Avenue B, 10009 ☎ *(212) 358-9683* **Stadtplan** *5 B2*

Gut besuchtes Bistro im hippen Stadtteil Alphabet City. Authentische französische Küche mit Zwiebelsuppe, Steak und Tartare. Versuchen Sie einen der netten Tische im kleinen Garten zu bekommen, und machen Sie sich auf einen bisweilen etwas langsamen Service gefasst. Nur Bargeld oder American Express.

La Palapa
🧒 ☂ $$$

77 St Marks Place, 10003 ☎ *(212) 777-2537* **Stadtplan** *5 A1*

Ein richtig guter Mexikaner: Originale Gerichte und geschmackvolles Dekor machen das Abendessen zur Fiesta. Für das, was geboten wird, ist das Lokal recht preiswert, und großartige Margaritas gibt's auch. Empfehlenswert: Kabeljaufilet »Zihuatanejo style« oder Ente in *black mole sauce*.

Le Tableau
🧒 $$$

511 East 5th St, 10009 ☎ *(212) 260-1333* **Stadtplan** *5 B2*

Freundliches französisches Restaurant mit hochwertigen Gerichten und bodenständigen Preisen. Das intime Interieur und die Kerzen auf den Tischen lassen Frauenherzen schon vor dem Essen schmelzen. Es gibt auf spezielle Weine abgestimmte Menüs. Das Lamm ist immer eine gute Wahl.

The Elephant
🧒 ☂ $$$

58 East 1st St, 10003 ☎ *(212) 505-7739* **Stadtplan** *5 A3*

Eine thailändisch-französische Melange mit nettem Publikum und ebensolchen Kellnern. Die Thai-Cocktails sind ausgefallen und alle wunderbar, die Wokgerichte sind exzellent. Probieren Sie Reis mit Huhn und Schwein oder Entenbrust mit Orangenconfit und Zimt.

The Mermaid Inn
🧒 $$$

96 Second Ave, 10003 ☎ *(212) 674-5870* **Stadtplan** *5 A2*

Angesagtes Seafood-Restaurant der Inhaber des Harrison in TriBeCa und des Red Cat in Chelsea. Die Bar zieht viel Jungvolk an, die Küche serviert New-England-Gerichte wie Hummersandwiches und Muschelsuppe. Da keine Reservierungen angenommen werden, kann es zu langen Schlangen kommen.

Hearth
$$$$

403 East 12th St, 10009 ☎ *(212) 602-1300* **Stadtplan** *5 A1*

Ein toskanisch-amerikanisches Restaurant mit Qualitätsküche und dörflich-romantischem Ambiente. Küchenchef Marco Canora bietet interessante Gerichte wie *ribollita* (Bohnen-Gemüse-Suppe), Rehfleisch und Olivenölkuchen. Empfehlenswertes Degustationsmenü.

Jewel Bako
[T] $$$$

239 East 5th St, 10003 ☎ *(212) 979-1012* **Stadtplan** *4 F2*

In der Schlacht um New Yorks beste Sushi hat dieses japanische Nobelrestaurant eine neue Runde eröffnet: fangfrischer Fisch, wunderschön arrangiert. Der mitunter launische Service und die extrem kleine Auswahl trüben das Bild etwas. Gleich um die Ecke gibt es ein etwas weniger anspruchsvolles Sushi-Restaurant.

Gramercy und Flatiron District

Wichcraft
🧒 ♿ $

49 East 19th St, 10003 ☎ *(212) 780-0577* **Stadtplan** *9 A5*

Der kleine Laden verkauft ausgefallene Sandwichkreationen aus verschiedenen Brotsorten. Zu den Favoriten gehört Hähnchensalat mit Rösttomaten in Vollkornbrot oder gegrillter Fontina mit Pilzen und Trüffeln auf Baguette. Auch Frühstück wird angeboten.

Chat 'n' Chew
🧒 $$

10 East 16th St, 10003 ☎ *(212) 243-1616* **Stadtplan** *8 F5*

Ein preiswerter Imbiss mit hochklassig-kitschigem Ambiente in der Gegend des Union Square. Es gibt Cheeseburger, ein Erntedankdinner (das ganze Jahr über) mit gebratenem Truthahn und Hackbraten. Dazu gibt es leckeren Kartoffelbrei und wechselnde Kuchen zum Dessert. Gut zum Brunchen.

Blue Smoke
🧒 $$$

116 East 27th St, 10016 ☎ *(212) 447-7733* **Stadtplan** *9 A3*

Danny Meyer bietet in seinem angesagten Etablissement Südstaaten-Barbecue: Dazu gehören Schweinebauchsandwiches, Spareribs und Vollkornmuffins. Hier ist auch ein Jazzklub zu Hause. An der riesigen Bar – ein gemütlicher Treffpunkt für große Gruppen – wird Bier aus den ganzen USA ausgeschenkt.

Preiskategorien *siehe Seite 296* **Zeichenerklärung** *siehe hintere Umschlagklappe*

Devi ♿ $$$

8 East 18th St, 10003 ☎ *(212) 691-1300* **Stadtplan** *8 F5*

Angesagter Neuling in der Restaurantszene. Die Küchenchefs Suvi Saran und Hemant Mathur servieren authentische indische Regionalküche in einem Lokal voller Stoffe und Schnitzereien. Es gibt Lammschnitzel aus dem Tandoori mit Pfirsichchutney oder scharfe Shrimps. Vegetarier: Der Blumenkohl ist delikat!

I Trulli 🌳 🍷 $$$

122 East 27th St, 10010 ☎ *(212) 481-7372* **Stadtplan** *9 A3*

Kritiker überschlagen sich mit Lobeshymnen auf dieses Gramercy-Restaurant. Speisen der süditalienischen Region Puglia und eine beachtliche Weinkarte (die Enoteca I Trulli nebenan hat noch mehr Weine). Im Winter gibt es Kaminfeuer, im Sommer Tische im Garten. Man kann die Weine vor der Bestellung probieren.

Pure Food and Wine 🧒 🌳 $$$

54 Irving Place, 10003 ☎ *(212) 477-1010* **Stadtplan** *9 A5*

New Yorks erstes Restaurant, das sich der veganischen Rohkost verschrieben hat – kein Gericht wird auf mehr als 48 °Celsius erhitzt. Alles wird mit ausgesuchter Sorgfalt behandelt und zubereitet. Unter anderem gibt es Kokonuss-Nudeln, Samosas mit Blumenkohl und eine Amaranth-Pizza mit Auberginenmus.

Tamarind ♿ $$$

41–43 East 22nd St, 10010 ☎ *(212) 674-7400* **Stadtplan** *8 F4*

Modernes indisches Restaurant mit minimalistischer Ausstattung, wertvollem Porzellan und freundlichem Service. Das Ganze mag teurer sein als bei anderen Indern, aber die Qualität der verwendeten Zutaten und die herrlichen Gewürze versetzen Sie direkt auf den Subkontinent. Die Kellner helfen bei der Weinauswahl.

Craft 🧒 ♿ $$$$

43 East 19th St, 10003 ☎ *(212) 780-0880* **Stadtplan** *9 A5*

Küchentalent Tom Colicchio aus der Gramercy Tavern legt Wert auf höchste Qualität, absolut frische Zutaten von kleinen, spezialisierten Bauern und Lieferanten. Das Resultat lässt die Kritiker jubeln. Wer sich die Mühe macht, kann sich sein Menü aus den vorbereiteten Zutaten individuell zusammenstellen lassen.

Fleur de Sel $$$$

5 East 20th Street, 10003 ☎ *(212) 460-9100* **Stadtplan** *8 F4*

Charmantes modernes französisches Restaurant unter Küchenchef Cyril Renaud, der früher das Bouley leitete. Die kleine Karte verrät außerordentliche Sorgfalt bei Auswahl und Zusammenstellung, der Service setzt das Ganze perfekt um. Ideal für einen wirklich gepflegt-romantischen Abend.

Mesa Grill 🧒 ♿ $$$$

102 Fifth Ave, 10011 ☎ *(212) 807-7400* **Stadtplan** *8 F5*

Starkoch Bobby Flay ist ein Meister der Südweststaatenküche, seine kreativen Gerichte wie gebratener Kürbis und Chilisuppe oder Hühnchen mit Kümmelkruste locken seit 1991 die Gäste hierher. Auch die Maismuffins sind ein Genuss. In der oberen Etage geht es ruhiger zu.

Tabla $$$$

11 Madison Ave, 10010 ☎ *(212) 889-0667* **Stadtplan** *9 A4*

Erstklassiges indisches Restaurant mit zeitgemäßem amerikanischem Einschlag, geführt von Küchenchef Floyd Cardoz. Ein eleganter Speiseraum schafft das passende Ambiente für das üppige Festpreismenü. Unter den Gerichten findet man knusprige Shrimps mit gegrillter Ananas, Kohlrabi und Lamm mit Kichererbsenspätzle und Aprikosen.

Tocqueville ♿ $$$$

15 East 15th St, 10003 ☎ *(212) 647-1515* **Stadtplan** *8 F5*

Dieses gut versteckte gastronomische Juwel am Union Square bietet französische Küche mit japanischem Einschlag, das Ganze in einfachen, aber eleganten und intimen Räumlichkeiten. Küchenchef Marco Moreira verwendet erstklassige Zutaten. Ein großartiges Erlebnis, für das man nicht unbedingt einen Kredit aufnehmen muss.

Union Square Café ♿ $$$$

21 East 16th Street, 10003 ☎ *(212) 243-4020* **Stadtplan** *9 A5*

Das erste Restaurant des Gastronomen Danny Meyer gehört seit 1985 zu New Yorks beliebtesten – wegen der delikaten Gerichte, des komfortablen, legeren Ambientes und des freundlichen Personals. Michael Romano interpretiert amerikanische Standards neu und verwendet dazu frischeste Zutaten vom Union-Square-Markt.

Gramercy Tavern ♿ $$$$$

42 East 20th St, 10003 ☎ *(212) 477-0777* **Stadtplan** *9 A5*

New Yorks unprätentiösestes Nobelrestaurant mit Balken, Antiquitäten und dem rustikalen Ambiente eines Landgasthofs. Freundliches, kenntnisreiches Personal serviert die einfallsreiche, hochgepriesene amerikanische Küche von Tom Colicchio. Für den preisgünstigeren Tavern Room ist keine Reservierung nötig.

Veritas ♿ $$$$$

43 East 20th St, 10010 ☎ *(212) 353-3700* **Stadtplan** *9 A5*

Kleines, auf Wein spezialisiertes Restaurant im Flatiron District. Die Sommeliers beraten bei der Auswahl aus den über 2700 angebotenen Kreszenzen. Die Küche von Scott Bryan ist dem Keller ebenbürtig: Es gibt *foie gras* mit Armagnacsauce und geschmortes Kalb mit Steinpilzen. Nur Festpreismenüs.

CHELSEA UND GARMENT DISTRICT

Empire Diner $$

210 Tenth Ave, 10011 **(** *(212) 243-2736*   **Stadtplan 7 C4**

Ein ansprechendes Art-déco-Restaurant mit Essen von gehobenem Standard rund um die Uhr. Hier bekommen die nachtaktiven Raver auch noch um 4 Uhr morgens ihre Kalorienbomben. In den Sommermonaten empfiehlt es sich, seinen Kaffee an den Tischen am Trottoir zu nehmen. Beliebter Brunch.

Bottino $$$

246 Tenth Ave, 10001 **(** *(212) 206-6766*   **Stadtplan 7 C4**

Ein 100 Jahre alter Eisenwarenladen inmitten der Galerieszene Chelseas wurde in ein modern-minimalistisches Lokal mit Möbeln von Eames, Knoll und Bertoia verwandelt. Bottino zieht eine stilvolle Gästeschar an, die hier norditalienische Küche und das Essen im Garten (im Winter überdacht) genießt.

Sueños $$$

311 West 17th St, 10011 **(** *(212) 243-1333*   **Stadtplan 8 D5**

Traditionelle mexikanische Regionalküche in einem bunten, mittelgroßen Lokal. An der Bar wird man mit allen Sorten Tequila und Margarita versorgt, die fantasievolle Küche sorgt für die nötige Grundlage. Die Preise liegen etwas über dem Durchschnitt, aber das Ergebnis ist es wert.

The Red Cat $$$

227 Tenth Ave, 10011 **(** *(212) 242-1122*   **Stadtplan 7 C4**

Rote Bänke und rote Teller geben dem modernen Restaurant ein gemütliches Flair. Das Lokal ist stilvoll, freundlich und bietet erstklassige New-England-Küche. Probieren Sie auf jeden Fall die knusprig gebratenen Austern, den Barsch in Weißweinbutter und den exzellenten Risotto mit Blaubeeren.

Biltmore Room $$$$

290 Eighth Ave, 10001 **(** *(212) 807-0111*   **Stadtplan 8 D4**

Das Biltmore ist der üppige Speisesaal des früheren gleichnamigen Hotels: Roter und weißer Carrara-Marmor erinnert an den Glanz der 1930er Jahre. Küchenchef Gary Robins bietet innovative amerikanische Gerichte mit asiatischem Touch. Auch die angesagte Bar im ersten Stock lohnt einen Besuch.

Matsuri $$$$

369 West 16th St, 10011 **(** *(212) 243-6400*   **Stadtplan 8 D5**

Im riesigen – und lauten – Speisesaal des Maritime Hotel bietet Chefkoch Tadashi Ono japanische Gerichte erster Qualität wie Kobe-Rind und süße Shrimps. Dazu kommen eine große Sake-Weinkarte und eine gigantische *yuzu crème brûlée* mit Zitronengeschmack. Hohe Dichte von Manolo-Blahnik-Schuhen!

THEATER DISTRICT

Carve Unique Sandwiches $

760 Eighth Ave, 10036 **(** *(212) 730-4949*   **Stadtplan 12 D5**

Ein relativ neuer, kleiner Laden, der zu niedrigen Preisen alle Sandwich-Träume wahr werden lässt. Auf der Karte gibt es sogar einen Bereich für Anhänger der Low-Carb-Diät – ohne Brot, Nudeln, Reis. Während der Mittagszeit kommt es zu langen Warteschlangen.

Pam Real Thai Food $

404 West 49th St, 10019 **(** *(212) 333-7500*   **Stadtplan 11 C5**

Wenn Sie auf der Suche nach einem guten, preiswerten Thailänder in der Gegend sind und sich um das Ambiente nicht groß scheren, dann sind Sie hier richtig. Es gibt das übliche Angebot an Currys, Suppen und Nudelgerichten, alles in verschiedenen Schärfegraden. In Stoßzeiten lange Wartezeiten.

Virgil's Real Barbecue $$

152 West 44th St, 10036 **(** *(212) 921-9494*   **Stadtplan 12 E5**

Das große Restaurant bietet in Sachen Barbecue-Stile eine Reise durch den Süden der USA, von Memphis über Carolina bis Texas. Es gibt zehn veschiedene Platten mit Rind-, Schweine- und Geflügelfleisch und entsprechenden Saucen. Dazu isst man lockere Buttermilch-Biscuits mit Honigbutter, Kohl und andere Südstaaten-Standards.

Beacon $$$

25 West 56th St, 10019 **(** *(212) 332-0500*   **Stadtplan 12 E3**

Das Flair ändert sich mit den Stockwerken: turbulent in der Bar unten, ruhig und gediegen oben und gemütlich in der Nähe der offenen Küche. Die moderne amerikanische Küche, vor allem die Gerichte aus dem Holzofen, ist exzellent: Shrimpcocktail mit gerösteten Jalapeño-Peperoni, Lammsteak mit schwarzen Oliven und Zitrone.

Preiskategorien *siehe Seite 296* **Zeichenerklärung** *siehe hintere Umschlagklappe*

Becco
355 West 46th St, 10036 (212) 397-7597

Stadtplan 11 D5

Küchenchefin Lidia Bastianich ist Miteigentümerin dieser *trattoria*, die eine gute Auswahl an Antipasti, Salaten, Pasta und Hauptgerichten – darunter auch leichte »Vor-dem-Theater-Menüs« – bietet. Die 25-$-Weine auf der Karte bieten ordentlich was fürs Geld; wer Besseres will, kann sein Budget auch stärker belasten.

Jezebel
630 Ninth Ave, 10036 (212) 582-1045

Stadtplan 12 D5

Hollywoodschaukeln, Antiquitäten und Palmen machen die Atmosphäre des Südens greifbar. Probieren Sie Soul Food wie Catfish, Hähnchen, *grit* und Okras – und lassen Sie noch Platz für einen der hausgemachten Pies. Donnerstag bis Samstag gibt es abends Livemusik.

Marseille
630 Ninth Ave, 10036 (212) 333-3410

Stadtplan 12 D5

Entgegen aller Unkenrufe kann man im Theater District auch gut essen: in diesem romantischen mediterranen Restaurant. Und das mit modernem Einschlag: Tiramisu von Erdnussbutter gefällig? Viele vegetarische Optionen; sehr freundliche Bedienung. Im Keller gibt es eine Bar, das Kemia.

Molyvos
871 Seventh Ave, 10019 (212) 582-7500

Stadtplan 12 E4

John Livanos stammt aus dem Fischerdorf Molyvos, und er dürfte mit diesem Restaurant im Theater District seine Heimat stolz gemacht haben. Hier wird erstklassige griechische Küche zur Haute Cuisine. Die Preise liegen etwas über dem Durchschnitt, es gibt aber ein durchaus erschwingliches Menü.

Osteria al Doge
142 West 44th St, 10036 (212) 944-3643

Stadtplan 12 E5

Geschäftsleute zur Mittagszeit und Theaterbesucher am Abend schätzen die venezianische Küche in einem rustikalen Speisesaal. Der Service ist kompetent und herzlich. Die Karte bietet Pizza, Salate, Carpaccio und frische Pasta – alles in höherer Qualität als sonst in diesem Viertel.

Blue Fin
1567 Broadway, 10036 (212) 918-1400

Stadtplan 12 E5

Das Fischrestaurant mit seiner einfachen Sushi-Bar gehört zu den angesagtesten Adressen in der Gegend. Das zweigeschossige Lokal ist immer voll – und damit laut, was zum Teil auch auf die Live-Musik zurückzuführen ist. Wenn Sie Ihr Spesenkonto leeren müssen: nur hereinspaziert.

db Bistro Moderne
55 West 44th St, 10036 (212) 391-2400

Stadtplan 8 F1

In diesem belebten Midtown-Restaurant greift man gern zu *foie gras* oder – für 29 Dollar – zum Burger, gefüllt mit in Wein geschmortem Sirloin-Rind. Küchenchef Daniel Boulud steht für experimentierfreudige *haute cuisine* – und dafür sind die Preise sogar halbwegs angemessen.

Esca
402 West 43rd St, 10036 (212) 564-7272

Stadtplan 8 D1

Chefkoch Mario Batali hat mit diesem Seafood-Restaurant einen Riesenerfolg. Er bereitet köstliche Meeresfrüchte mit süditalienischer Note zu – und alles aus besten Zutaten. Bei schönem Wetter sitzt man im Patio. Das einzige Problem ist die Tischreservierung …

Osteria del Circo
120 West 55th St, 10019 (212) 265-3636

Stadtplan 12 E4

Die Söhne Sirio Maccionis, des Besitzers von Le Cirque, schufen hier ihren eigenen Zirkus mit Fahnen, Jongleuren und frechen Affen. Sie bieten leckere toskanische Gerichte nach Mutter Egidianas Rezepten. Lassen Sie Platz für die Desserts; die Profiteroles sind exzellent!

Alain Ducasse at the Essex House
155 West 58th St, 10019 (212) 265-7300

Stadtplan 12 F3

Der französische Meisterkoch hat hier ein Imperium – mit allerdings nur 65 Sitzplätzen – errichtet. Die Tische werden pro Abend nur einmal besetzt. Niemand zweifelt die Qualität der Gerichte an, aber die Preise – auch wenn es in New York *noch* teurer geht – sind zu astronomisch, als dass sie gerechtfertigt wären.

Aquavit
65 East 55th St, 10022 (212) 307-7311

Stadtplan 13 A4

Ein Midtown-Stadthaus mit moderner schwedischer Kunst: Hier ist New Yorks skandinavisches Top-Restaurant, in dem von Küchenchef Marcus Samuelsson schwedisch inspirierte Gerichte serviert werden. Lecker: Heringsplatte und arktischer Saibling. Auch einer der exzellenten Aquavits ist unerlässlich!

Le Bernardin
155 West 51st St, 10019 (212) 554-1515

Stadtplan 12 E4

Nirgendwo bekommt man besseres Seafood als in diesem luxuriösen französischen Restaurant, das die Art der Fischzubereitung in New York revolutionierte und als eines der besten Restaurants der USA gilt. Küchenchef Eric Lipert scheint keine Kritiker zu haben. Die Perfektion hat ihren Preis, doch das Essen wird Ihnen in Erinnerung bleiben.

Stadtplan *siehe Seiten 394 – 425*

Lower Midtown

Grand Central Oyster Bar 🧒♿ [$][$][$]

Grand Central, Untergeschoss, 42nd St, 10017 ☎ *(212) 490-6650* **Stadtplan** *9 A1*

Im höhlenartigen Untergeschoss des Grand Central gehen Sie auf eine Reise in die Vergangenheit. Der frische Fisch ist recht preiswert, und die Speisekarte listet über ein Dutzend verschiedene Austerngerichte auf. Das Ambiente ist ganz leger, also lassen Sie die Abendgarderobe daheim und bringen Sie ordentlich Hunger mit.

Artisanal 🧒♿ [$][$][$][$]

2 Park Ave, 10016 ☎ *(212) 725-8585* **Stadtplan** *9 A2*

Käse spielt die unumstrittene Hauptrolle in diesem französischen Bistro – eine ganze Palette kann im Urzustand oder in Fondueform probiert werden. Weniger innige Käsefreunde können zwischen etlichen käsefreien Gerichten wählen. Der Service ist bisweilen etwas unzulänglich.

Asia de Cuba ♿🍸 [$][$][$][$]

237 Madison Ave, 10016 ☎ *(212) 726-7755* **Stadtplan** *9 A2*

Vom Balkon aus können Sie Leute beobachten, unten sitzen Sie an riesigen Tischen für 36 Personen. Auf jeden Fall können Sie Philippe Starcks ultramodernes Interieur bewundern. Wie der Name sagt: Es gibt asiatisch-karibische Kombinationen wie Hummer Mai tai und Kabeljau mit Miso.

Michael Jordan's The Steakhouse NYC 🧒♿ [$][$][$][$]

Grand Central, North Balcony, 10017 ☎ *(212) 655-2300* **Stadtplan** *9 A1*

Das angesagte Steakhouse liegt im wunderschön renovierten Zwischengeschoss des Grand Central Terminal. Sie können bestes, gut abgehangenes Fleisch erwarten – allerdings zu tierischen Preisen. Im Sommer wird es recht heiß, da es keine Klimaanlage gibt. Schadenfrohe genießen den Blick auf hektische Zugpassagiere.

Pampano 🧒🌳 [$][$][$][$]

209 East 49th St, 10017 ☎ *(212) 751-4545* **Stadtplan** *13 B2*

Charmantes modernes mexikanisches Restaurant von Küchenchef Richard Sandoval und Opernsänger Placido Domingo. Die einfallsreiche und frische Küche und das schicke Ambiente des Speiseraums verdienen beste Kritiken. Probieren: Geräucherten Schwertfisch und den Heilbutt »Pampano«. Schöne Terrasse.

Upper Midtown

Burger Joint im Le Parker Meridien 💳🧒♿ [$]

119 West 56th St, 10019 ☎ *(212) 708-7444* **Stadtplan** *12 E3*

Das herrlich kitschige Lokal im Hotel Le Parker Meridien serviert frische Burger, Fritten, Milchshakes, Bier und mehr – und alles ist unschlagbar billig. An dem hinter den Vorhängen der Hotellobby versteckten Restaurant gibt es kaum etwas zu kritisieren – aber auch nichts hervorzuheben.

La Bonne Soupe 🧒♿ [$]

48 West 55th St, 10019 ☎ *(212) 586-7650* **Stadtplan** *12 F4*

Das gemütliche Midtown-Lokal für Leute mit weniger Geld verströmt altmodischen französischen Charme. Neben sättigenden Suppen, darunter natürlich die klassische Zwiebelsuppe, gibt es Fondues, Quiches, Omeletts und »plats du jour«, vom Steak mit Pommes frites bis zum Hühnchen. Langsame Bedienung, schöne Terrasse.

Carnegie Deli 💳🧒 [$][$]

854 Seventh Ave, 10019 ☎ *(212) 757-2245* **Stadtplan** *12 E4*

Man muss oft Schlange stehen, um eines der gargantuesk großen Sandwiches oder herrlichen Käsekuchen des Carnegie Deli zu ergattern. Das Warten lohnt sich, und bei den angebotenen Portionen muss man sich ja auch nicht sofort wieder hinten anstellen.

Norma's 🧒 [$][$]

118 West 57th St, 10019 ☎ *(212) 708-7460* **Stadtplan** *12 E3*

Eine gute Adresse für Frühstück oder Brunch ist das Norma's im Parker Meridien Hotel. Die umfangreiche und kreative Speisekarte erfüllt alle Begierden. Nicht billig, aber dafür hält das Ganze für eine Weile vor. An Wochenenden können die Schlangen am Büfett recht lang sein.

Dawat 🧒♿ [$][$][$]

210 East 58th St, 10022 ☎ *(212) 355-7555* **Stadtplan** *13 B3*

Chefkoch Madhur Jaffrey garantiert den hohen Standard in diesem indischen Restaurant. Auf der Karte steht zum Beispiel mit Korianderchutney marinierter Lachs, der im Bananenblatt gegart wird. Eine Auswahl kleiner Snacks wird auf einem Wägelchen an Ihren Tisch gefahren. Hilfreiches, kompetentes Personal.

Riingo

🏃♿ $$$

205 East 45th St, 10017 ☎ *(212) 867-4200* **Stadtplan 13 B5**

Superschickes Restaurant im Alex Hotel. Marcus Samuelsson und *chef de cuisine* Johan Svensson bieten eine Synthese von japanischer und schwedischer Küche in beeindruckendem Foodstyling. Probieren Sie die *nigiri-sashimi* mit warmer *foie gras* oder das Kobe-Rind.

Rosa Mexicano

🏃♿ $$$

61 Columbus Ave, 10023 ☎ *(212) 977-7700* **Stadtplan 12 D2**

Angesagter Nobel-Mexikaner, der mit bestem Dinner die gute Gesellschaft um das Lincoln Center herum anlockt. Berühmt sind die Granatapfel-Margaritas und die Guacamole. Auch die *cochinita pibil tacos* (mit geschnetzeltem Schwein in Bananenblättern gegart) oder der Veracruz-Fisch in Tomatensauce sind einen Versuch wert.

Rue 57

🏃♿📶 $$$

60 West 57th St, 10019 ☎ *(212) 307-5656* **Stadtplan 12 F3**

Die Fusionswelle von japanischer mit französischer Küche rollte auch über das Rue 57, eine Mischung aus Sushi-Bar und Bistro. Das Preis-Leistungs-Verhältnis ist in Ordnung, das Frühstück ist von guter Qualität. Die Tische am Gehsteig sind im Sommer heiß begehrt.

Shun Lee Palace

🏃♿ $$$

155 East 55th St, 10022 ☎ *(212) 371-8844* **Stadtplan 13 A4**

Seit Jahrzehnten gilt das schöne Restaurant als das beste chinesische Lokal New Yorks. Das Angebot mit Speisen der Küchen von Kanton und Sechuan enttäuscht niemand. Spezialitäten des Hauses sind die Kasserolen-Gerichte, Peking-Ente und knusprige Garnelen mit Passionsfrucht. Ableger in der 43 West 65th Street.

Brasserie LCB Rachou

♿ $$$$

60 West 55th St, 10019 ☎ *(212) 688-6525* **Stadtplan 12 F3**

Aus dem früheren Fresstempel La Cote Basque wurde diese etwas preiswertere und weniger opulent auftretende Brasserie. In einem wundervollen Ambiente genießt man jetzt französische Klassiker wie *filet mignon* mit Sauce Bearnaise oder regionale Spezialitäten wie *choucroute alsacienne*.

Guastavino's Restaurant and Club

♿ $$$$

409 East 59th St, 10022 ☎ *(212) 980-2455* **Stadtplan 13 C3**

Unter der Leitung des Londoners Terence Conran entwickelte sich das Restaurant unter der 59th Street Bridge zu einem Glanzpunkt der New Yorker Szene. Oben, unter den Guastavino-Kacheln, speist man formell, unten in der Brasserie geht es lockerer zu.

Inagiku

♿🍽 $$$$

111 East 49th St, 10017 ☎ *(212) 355-0440* **Stadtplan 13 A5**

Die Spezialitäten des formellen japanischen Restaurants im Waldorf-Astoria sind Tempura und traditionelles Kaiseki (ein Menü aus etwa zwölf Gerichten, die in einer bestimmten Abfolge serviert werden). Frische Zutaten kommen täglich aus Japan. Charmantes Ambiente, ganz im Gegensatz zu dem hektischen Hotel.

L'Impero

♿📶🍽 $$$$

45 Tudor City Place, 10017 ☎ *(212) 599-5045* **Stadtplan 9 B1**

Küchenchef Scott Conant bietet klassisch Italienisches mit modernem Einschlag, eine fantastische Weinkarte und einen exzellenten Service. Unbedingt probieren: die hausgemachte Pasta und die ausgefallen bestückte Käseplatte. Auch ein Degustationsmenü ist erhältlich.

Vong

♿🍽 $$$$

200 East 54th St, 10022 ☎ *(212) 486-9592* **Stadtplan 13 B4**

Gut eingeführtes französisch-thailändisches Lokal von Küchenchef Jean Georges Vongerichten. Im schönen Speisesaal wird ausgefallene Fusionsküche wie pochierte *foie gras* mit Ingwer und Mango oder Hummer mit Thai-Basilikum serviert. Lassen Sie Platz für den Nachtisch, am besten für das Passionsfruchtsoufflé.

BLT Steak

🏃♿ $$$$$

106 East 57th St, 10022 ☎ *(212) 752-7470* **Stadtplan 13 A3**

Das Bistro Laurent Tourondel (BLT) bietet gepflegte Steaks mit besten Zutaten und einer großen Auswahl an Saucen. Im aufwändig gestylten Speiseraum finden sich kaffeefarbene Sitzecken, eine metallene Bar und andere Sehenswürdigkeiten. Das Publikum ist entsprechend hip.

Felidia

🍽 $$$$$

243 East 58th St, 10022 ☎ *(212) 758-1479* **Stadtplan 13 B3**

Ziegelwände, Holzvertäfelungen und extravagante Blumen schaffen in diesem East-Side-Stadthaus ein gemütliches Ambiente für die norditalienische Küche der bekannten Fernsehköchin Lidia Bastianich. Auf der umfangreichen Karte stehen kreative Pasta- und Risottogerichte, Seafood und Fleischiges. Dazu gibt es mehr als 1000 Weine.

Four Seasons

♿ $$$$$

99 East 52nd St, 10022 ☎ *(212) 754-9494* **Stadtplan 13 A4**

Restaurants kommen und gehen, doch diese wunderbare New Yorker Institution mit Dekorationen von Philip Johnson ist schon seit langem unter den Top-Restaurants mit amerikanischer Küche. Der Grill Room ist nach wie vor der Treffpunkt für Geschäftsessen, der Pool Room ist das ideale Ambiente für besondere Abendessen.

Stadtplan *siehe Seiten 394–425*

La Grenouille ♿ [T] $$$$$
3 East 52nd St, 10022 ☎ *(212) 752-1495* **Stadtplan** *12 F4*

Eines der wenigen noch existierenden klassischen französischen Restaurants der Stadt mit außergewöhnlicher Küche. Die Wände des Speisesaals sind mit Seide und Samt verkleidet, herrliche Bouquets duften – ein Abendessen im Grenouille wird man nicht vergessen. Ein Ort für besondere Gelegenheiten.

Lever House ♿ $$$$$
390 Park Ave, 10022 ☎ *(212) 888-2700* **Stadtplan** *13 A4*

New Yorks neues Mekka für exklusive Geschäftsessen hat entsprechendes Publikum. Im modernen Speisesaal wird ein Menü je nach Jahreszeit serviert, z. B. Hummer-Gazpacho und Küken auf Estragonjus. Die Gäste legen augenscheinlich gesteigerten Wert auf ihre Kleidung.

Milos Estiatorio 👶 ♿ $$$$$
125 West 55th St, 10019 ☎ *(212) 245-7400* **Stadtplan** *12 E4*

Ein erstklassiger Grieche mit frischesten Meeresfrüchten und Fisch, die in einem spartanisch eingerichteten Lokal serviert werden. Man kann sich seinen Fisch selbst aussuchen. Die Tagesgerichte sind abhängig davon, was die Fischer in ihren Netzen finden. Allerdings gehört das Lokal zu den teuersten der Stadt.

Oceana [T] $$$$$
55 East 54th St, 10022 ☎ *(212) 759-5941* **Stadtplan** *13 A4*

Frischestes Seafood kommt hier auf den Tisch. Das zweistöckige Restaurant erinnert an eine Privatyacht. Alles ist wunderbar gestaltet, der Service ist tadellos. Küchenchef Cornelius Gallagher ist höchst kreativ, versuchen Sie den Heilbutt mit Piquilloschoten und schwarzem Tahini. Es gibt ausschließlich Menüs.

Upper East Side

Brother Jimmy's BBQ 👶 $$
1485 Second Ave, 10021 ☎ *(212) 288-0999* **Stadtplan** *17 B5*

Das Hauptlokal der Kette Brother Jimmy's verspricht einen hemdsärmeligen Abend mit Rippchen »zum Fingerlecken« und Spezialitäten aus dem Süden. Man ist gut beraten, das All-you-can-eat-Angebot zu nehmen. Wer Fleisch mag, ist hier richtig, Vegetarier finden ein paar wenige Gerichte. Ruhigere Tische gibt es im hinteren Teil des Lokals.

Shanghai Pavilion 👶 $$
1378 Third Ave, 10021 ☎ *(212) 585-3388* **Stadtplan** *17 B5*

Das neue Restaurant bereitet seine Shanghai-Gerichte so authentisch wie nur eben möglich zu. Die umfangreiche Speisekarte weist gute Preise auf. Der Service ist freundlich und kompetent. Großartige Dim-Sums, Nudelgerichte und Spezialitäten wie Meeresbrasse oder Hummer *tropicana*.

Via Quadronno 👶 $$
25 East 73rd St, 10021 ☎ *(212) 650-9880* **Stadtplan** *12 F1*

Die nette »bar paninoteca« nach italienischem Vorbild bietet zahlreiche köstliche Sandwiches und Salate mit besten Zutaten – nach der Museumsmeile die optimale Stärkung. Das kleine Lokal ist nach dem Vorbild der Mailänder *paninotecas* gestaltet, die Schlange an der Eingangstür zur Mittagszeit ist obligatorisch.

Aureole ⛱ [T] $$$
34 East 61st St, 10021 ☎ *(212) 319-1600* **Stadtplan** *13 A3*

Der bejublete Chef Charlie Palmer zaubert in seinem adrett ausgestatteten Lokal edle neue amerikanische Küche. Versuchen Sie das Käsegratin oder das mit Pancetta überbackene Kalb. Die Weinkarte ist so umfangreich, dass die Beratung durch den Sommelier durchaus hilfreich sein kann.

Maya 👶 ♿ $$$
1191 First Ave, 10021 ☎ *(212) 585-1818* **Stadtplan** *13 C2*

Richard Sandoval serviert elegante, köstliche Hauptgerichte in diesem hochwertigen mexikanischen Restaurant. Der Genuss wird allerdings durch den Lärmpegel deutlich eingeschränkt; wer früh kommt, hat noch etwas Ruhe. Vor allem die Meeresfrüchte-Tacos, die Margaritas und die Guacamole sind verführerisch.

Café Boulud ♿ [T] $$$$
20 East 76th St, 10021 ☎ *(212) 772-2600* **Stadtplan** *16 F5*

Daniel Boulud glänzt in dem unformellen Restaurant des Hotels Surrey mit einer grundsoliden Küche. Ein interessantes Menüangebot macht ein Abendessen zum Fest: »Le Tradition« (klassisch französisch), »Le Voyager« (international), »Le Potager« (vegetarisch) und »La Saison« (Spezialitäten der Saison).

Orsay 👶 ♿ $$$$
1057 Lexington Ave, 10021 ☎ *(212) 517-6400* **Stadtplan** *17 A5*

Das geräumige moderne französische Café mit gehobener Atmosphäre ist sehr beliebt, was sich vor allem abends auf den Lärmpegel auswirkt. Derzeit wollen eben alle die exotischen Kreationen wie Margarita-Tartar und die knusprig gebackene Ente mit Knoblauch-*beignet* probieren. Dazu sollten Sie unbedingt ein Gläschen Wein trinken.

Preiskategorien *siehe Seite 296* **Zeichenerklärung** *siehe hintere Umschlagklappe*

Daniel ♿ 👔 $$$$$

60 East 65th St, 10021 ☎ *(212) 288-0033* **Stadtplan** *13 A2*

Daniel Bouluds Spitzenrestaurant mit dem der venezianischen Renaissance nachempfundenen Speiseraum gehört zu den herrlichsten Lokalitäten der Stadt. Die umjubelten Kreationen eignen sich für besondere Anlässe. Sie sollten aber zuvor einen Blick auf die Preise werfen … Der Service ist mitunter grottenschlecht.

David Burke & Donatella 👔 $$$$$

133 East 61st St, 10021 ☎ *(212) 813-2121* **Stadtplan** *13 A3*

Die kreative neue amerikanische Küche verdankt sich David Burke und der früheren Bellini-Gastgeberin Donatella Arpaia. Allein die Innenausstattung auf mehreren Ebenen ist sehenswert. Nach dem Hauptgang sollte noch etwas Platz sein für das Cheesecake-Dessert »Lollipop«.

Upper West Side

Wholefoods Market Café 🧒 ♿ $

Time Warner Center, 10 Columbus Circle, 10019 ☎ *(212) 823-9600* **Stadtplan** *12 D3*

Der riesige Supermarkt birgt eine beeindruckende Lebenmittelabteilung, in der man auch gleich essen kann: Von Pizza bis Sushi ist alles vertreten. Hier kann man sich zudem mit allen Zutaten für ein Picknick im Central Park ausstatten – sofern Sie sich nicht bereits an den Ständen satt essen. In den Hauptzeiten wird es sehr voll.

Gennaro 🥗 🧒 ♿ $$

665 Amsterdam Ave, 10025 ☎ *(212) 665-5348* **Stadtplan** *15 C2*

Das preiswerte kleine Café serviert konstant gute italienische Gerichte in großen Portionen. In den Hauptzeiten entsteht immer eine Schlange vor dem Café, Reservierung ist nicht möglich. Täglich frische Pasta-Spezialitäten und eine Weinkarte mit gutem Preis-Leistungs-Verhältnis entschädigt fürs lange Warten.

Boathouse Restaurant Central Park 🧒 ♿ 🌳 $$$

Central Park, East 72nd St & Park Drive North, 10023 ☎ *(212) 517-2233* **Stadtplan** *12 E1*

Die Lage am See des Central Park ist der große Pluspunkt des Bootshauses. Ganzjährig kann man hier frühstücken und zu Mittag essen, von April bis Oktober ist hier ein romantisches Abendessen möglich. Die Preise sind allerdings happig, und die Gerichte könnten manchmal auch besser sein.

Café Fiorello 🧒 $$$

1900 Broadway, 10023 ☎ *(212) 595-5330* **Stadtplan** *12 D2*

Das laute italienische Restaurant beansprucht für sich den Titel der »Broadway-Show mit der längsten Spielzeit«. Die Auswahl an Antipasti ist riesig und reicht für eine vollständige Mahlzeit, bevor man sich ins Lincoln Center aufmacht. Das Menü umfasst Pizza und italienische Standards. Die Tische im Freien sind im Sommer heiß begehrt.

Café Luxembourg 🧒 $$$

200 West 70th St, 10023 ☎ *(212) 873-7411* **Stadtplan** *11 C1*

Das Café ist wie ein klassisches Pariser Art-déco-Bistro eingerichtet. Umgeben von hohen Spiegeln sitzt eine treue schicke Klientel und genießt die Gerichte der Wochenkarte, die von französischen Standards bestimmt wird. Das illustre Publikum und das Ambiente eignen sich gut als Hintergrund für ein Geschäftsessen.

Calle Ocho 🧒 ♿ $$$

446 Columbus Ave, 10024 ☎ *(212) 873-5025* **Stadtplan** *16 D4*

In dem lauten kubanischen Restaurant scheint eine nie enden wollende Party von schönen Leuten um Mitte zwanzig stattzufinden. Die Gerichte vereinen das Beste der lateinamerikanischen Küche – allerdings mit wechselndem Erfolg. Auch an Kindergerichte wird gedacht – schließlich liegt das American Museum of Natural History um die Ecke.

Pampa 🥗 🧒 🌳 $$$

768 Amsterdam Ave, 10025 ☎ *(212) 865-2929* **Stadtplan** *15 C1*

Das argentinische Grill-Restaurant ist schick und bietet riesige Steaks und köstliche Pommes frites für den großen Hunger und eine schmale Geldbörse. Versäumen Sie nicht die *humita*-Empanadas und das Panqueques-Dessert mit *dulce de leche*. Das Personal ist überaus ansprechend, das peruanische Bier ist süffig.

Pasha 🧒 $$$

70 West 71st St, 10023 ☎ *(212) 579-8751* **Stadtplan** *12 D1*

Das ruhige, geräumige türkische Restaurant mit freundlichem Service eignet sich für ein wortreiches Abendessen in Verbindung mit guter Küche. Die Lamm-Vorspeisen sind exzellent, die Hauptgerichte auf Auberginen-Basis sollten Sie unbedingt versuchen, etwa das deftige *patlican salatasi* mit Knoblauch, Olivenöl und Zitrone.

Aix 🧒 $$$$

2398 Broadway, 10024 ☎ *(212) 874-7400* **Stadtplan** *15 C3*

Die kreative, moderne französische Küche von Didier Virot genießt man in romantischer Umgebung und bei hervorragendem Service. Das Aix hat endlich frischen Wind in diese Gegend gebracht. Lassen Sie ein wenig Platz für die köstlichen Dessert-Kreationen des mit Preisen ausgezeichneten Jehangir Mehta.

Stadtplan *siehe Seiten 394–425*

Café des Artistes
🆃 $$$$

1 West 67th St, 10023 📞 *(212) 877-3500*   **Stadtplan** *12 D2*

Das romantische Bistro serviert klassische französische Gerichte in einem herrlichen Raum, den die berühmten Nymphen-Wandgemälde von Howard Christy Chandler zieren. Die Speisen sind weniger fantasievoll, aber solide. Das Café entwickelt sich immer mehr zum Promi-Treff.

Café Gray
🆔🆃 $$$$

Time Warner Center, 10 Columbus Circle, 10019 📞 *(212) 823-6338*   **Stadtplan** *12 D3*

Gray Kunz vom L'Espinasse hat diese neue französische Brasserie mit asiatischem Touch im Time Warner Center eröffnet. Der Speisesaal ist wundervoll eingerichtet, aber laut. Die hochwertige Küche zaubert köstliche Ochsenschwanzsuppe mit *foie gras* und exzellente Fleischgerichte.

Ouest
🆑🆔 $$$$

2315 Broadway, 10024 📞 *(212) 580-8700*   **Stadtplan** *15 C4*

Tom Valentis Version der neuen amerikanische Küche findet sich in einem eleganten, gleichwohl gemütlichen Restaurant. Das Abendkarte bietet Spezialitäten wie traditionellem Hackbraten, aber auch Stubenküken mit *foie gras agnoloti* an. Die ausgezeichnete Weinkarte lässt keine Wünsche offen.

Asiate
🆔🆃 $$$$$

80 Columbus Circle, 35th Floor, 10019 📞 *(212) 805-8881*   **Stadtplan** *12 D3*

Das asiatisch beeinflusste Restaurant im Hotel Mandarin bietet eine tolle Aussicht auf den Central Park. Zu den kulinarischen Höhepunkten gehört die *foie gras* auf Seeigel und Tamarindensauce und das Wagyu-Rind mit Ochsenschwanzsauce. An der Bar werden interessante Cocktail-Kreationen gezaubert.

Jean Georges
🆔🆃 $$$$$

1 Central Park West at Columbus Circle/West 60th St, 10023 📞 *(212) 299-3900*   **Stadtplan** *12 D3*

Jean Georges Tempel verbindet moderne französische Küche mit asiatischen Einflüssen. Der ruhige elegante Speisesaal wurde von Adam Tihany gestaltet und ist die angemessene Umgebung für die delikaten Gerichte, die das hervorragend geschulte Personal serviert. Ohne Zweifel eines der besten Lokale in New York.

Masa
🆔🆃 $$$$$

Time Warner Center, 10 Columbus Circle, 10019 📞 *(212) 823-9800*   **Stadtplan** *12 D3*

Masayoshi Takayama vom berühmten LA Ginza sushi-ko kam nach New York, um hier den Rekord des weltweit teuersten Menüs zu brechen. Es besteht aus der scheinbar niemals enden wollenden Speiseabfolge des *kaiseki* mit seinen unglaublich frischen Zutaten. Von der Sushi-Bar kann man das Geschehen gut verfolgen.

Per Se
🆔🆃 $$$$$

Time Warner Center, 10 Columbus Circle, 10019 📞 *(212) 823-9335*   **Stadtplan** *12 D3*

Zwei Monate im Voraus sollte man einen Tisch im Per Se reservieren. Die Kritik überhäuft das Restaurant von Thomas Keller mit überschwänglichem Lob. Die köstlichen Gerichte wechseln täglich, viele halten die vegetarischen Speisen für die Krönung der Küche. Der Blick auf den Central Park ist fantastisch.

Picholine
🆃 $$$$$

35 West 64th St, 10023 📞 *(212) 724-8585*   **Stadtplan** *12 D2*

Terrance Brennans elegantes französisch-mediterranes Restaurant liegt nur wenige Schritte vom Lincoln Center entfernt. Neben einigen Gerichten *a la carte* gibt es ein Menü mit Kreationen wie John Dory mit Trauben, Pfifferlingen und Trüffel-Vinaigrette. Die Käseauswahl sollten Sie sich nicht entgehen lassen.

MORNINGSIDE HEIGHTS UND HARLEM

Sylvia's
🆑🎵 $$

328 Lenox Ave, 10027 📞 *(212) 996-0660*   **Stadtplan** *21 B1*

Seit 1962 werden tradtionelle schmackhafte Gerichte zubereitet, die man in einem kitschigen Speisesaal bei gelegentlicher Live-Musik genießt. Mit dem Erfolg kamen auch viele Urlauber hierher, die Einheimischen genießen nichtsdestotrotz das preiswerte Essen: gebratenes Huhn und Bohnengerichte. Sonntagmittag wird es sehr voll.

ABSTECHER: BROOKLYN

Grimaldi's
🆔🆑 $

19 Old Fulton St, 11201 📞 *(718) 858-4300*

Die unglaublich guten Pizzen aus dem Kohle-Ofen sind mit feinstem Mozzarella und frischesten Peperoni belegt. Der Ausflug nach Brooklyn lohnt sich allein wegen dieses Restaurants. Kommen Sie mit der ganzen Familie, auch wenn Sie anstehen müssen. Sie werden es nicht bereuen.

Preiskategorien *siehe Seite 296* **Zeichenerklärung** *siehe hintere Umschlagklappe*

Pacifico
🌿 🚸 🌳 $

269 Pacific St, 11201 ☎ *(718) 935-9090*

Das mexikanische Restaurant bietet einfache, aber schmackhafte Gerichte wie Fajitas und Chorizo-Spieße. Das Pacifico eignet sich bestens für größere Gruppen, in den Sommermonaten steht ein weitläufiger Garten zur Verfügung. Man kann nicht im Voraus reservieren, was mitunter zu einer größeren Warteschlange führt.

Chip Shop/Curry Shop
🌿 🚸 $$

383 Fifth Ave, 11215 ☎ *(718) 832-7701*

Dieser Außenposten britischer Küchenkultur ist preiswert und bietet unvermeidbare Fish and Chips, Würste und Brei, Bohnen sowie Currygerichte in einem kitschigen Speisesaal. Hier sitzt man äußerst gemütlich mit Freunden zusammen und genießt das frische Bier. Auch Familien sind immer willkommen.

Planet Thailand
🌿 🚸 $$

133 North 7th St, 11211 ☎ *(718) 599-5758*

Ein renoviertes Lagerhaus dient als Kulisse für die außergewöhnlichen thailändischen Gerichte. Versuchen Sie das Rind und die Brokkoli-Nudeln. Weniger erfolgreich ist die Sushi-Bar. Das Lokal ist vor allem bei größeren Gruppen beliebt, weshalb man rechtzeitig reservieren sollte.

Patois
🚸 🌳 $$$

255 Smith St, 11231 ☎ *(718) 855-1535*

Mit der Eröffnung des französischen Bistros begann die Restaurant-Revolution in der Smith Street. Für die preiswerten Gerichte werden Zutaten je nach Jahreszeit verwendet. Die Kalbfleischbällchen in einer Kapern-Sahnesauce und das vegetarische Cassoulet mit geräuchertem Gouda sind exzellent.

Peter Luger Steakhouse
🌿 ♿ $$$$

178 Broadway, 11211 ☎ *(718) 387-7400*

Die Institution seit 1887 für den »anspruchsvollen Steak-Connoisseur«. Versuchen Sie die einmaligen Fleischgerichte. Das Ambiente erinnert zwar eher an eine Pinte, das Personal könnte auch freundlicher sein – es lohnt sich trotzdem. Reservierung wird empfohlen, warten muss man aber trotzdem fast immer.

The Grocery
🌳 $$$$

288 Smith St, 11231 ☎ *(718) 596-3335*

Das charmante Restaurant mit 30 Plätzen in Carrol Gardens bietet köstliche Gerichte nach Jahreszeit, darunter ein ganzer Truthahn mit Spätzle und Spargel sowie gebratene Entenbrust mit Bulgur, Mangold und karamellisierter Rotweinsauce. Ein romantisches Plätzchen mit Sommergarten.

River Café
♿ 👔 $$$$$

One Water St, 11201 ☎ *(718) 522-5200*

Die Lage des hochwertigen Lokals in Brooklyn mit dieser tollen Aussicht auf Manhattan ist unschlagbar. Serviert wird ein dreigängiges Menü der neuen amerikanischen Küche. Auch auch kleines Menü zum Probieren ist im Angebot. Versuchen Sie zum Abschluss das Schokoladendessert »Brooklyn Bridge«.

Abstecher: Queens

Jackson Diner
🌿 🚸 👔 $$

37–47 74th St, 11372 ☎ *(718) 672-1232*

Das geräumige indische Restaurant im Stil einer Cafeteria setzt alle Hebel in Bewegung und serviert erstklassige, scharfe nordindische Gerichte zu niedrigen Preisen. Wenn Sie in der Gegend der Jackson Heights sind, sollte Sie vorbeischauen. Die Lammgerichte sind köstlich, ebenso die Samosas und natürlich das *lassi* zum Runterspülen.

Elias Corner
🌿 🚸 🌳 $$$

24–02 31st St, 11102 ☎ *(718) 932-1510*

Eines der bekannesten griechischen Restaurants mit einer treuen Anhängerschaft und entsprechend langer Warteschlange. Die einfach zubereiteten Fischgerichte gehören zu den frischesten in der ganzen Stadt. Ein großer Garten ist ein weiterer Pluspunkt. Am Wochenende muss man lange warten.

S'Agapo
🚸 $$$

34–21 34th Ave, 11106 ☎ *(718) 626-0303*

Der griechische Name der Taverne bedeutet »Ich liebe dich«. In angenehmer Atmosphäre wird gegrillter Fisch als Spezialität serviert. Am Wochenende gibt es Live-Musik, im Sommer ist die Terrasse ein romantisches Plätzchen für ein Tete-à-Tete. Das Restaurant liegt in der Nähe des American Museum of the Moving Image.

Trattoria L'incontro
🚸 ♿ $$$

21–76 31st St at Ditmars Blvd, 11105 ☎ *(718) 721-3532*

Das italienische Restaurant lockt mit wohlduftenden, großen Portionen bei günstiger Preisgestaltung. Die Einrichtung ist schlicht, aber der gegrillte Schwertfisch oder das Rind mit Zitronen und Kapern sind ein Gedicht. Reservieren Sie rechtzeitig einen Platz in dem beliebten Lokal im Astoria und rechnen Sie mit beengten Sitzverhältnissen.

Stadtplan *siehe Seiten 394–425*

Kleine Mahlzeiten und Snacks

Fast überall in Manhattan bekommt man jederzeit einen Snack. Die New Yorker scheinen ständig zu essen – an Straßenecken, in Bars, Imbissstuben, Delis, vor und nach der Arbeit und mitten in der Nacht. Man verzehrt Brezeln, Blätterteiggebäck, Pizza, Sandwiches von einem Deli oder Sandwich-Shop, heiße Maronen, griechische *Pita* mit *Gyros*, einen Snack vor dem Theater in einem Café oder etwas Herzhaftes nach einer durchzechten Nacht im Coffee Shop. Auch wenn Straßenstände und Snack-Bars im Allgemeinen billig sind, unterscheiden sie sich in Sachen Qualität erheblich.

DELIS

Delis sind eine New Yorker Institution. Hier bekommt man riesige Sandwiches zum Lunch. Probieren Sie diejenigen mit Corned Beef und Pastrami, die es im berühmten **Carnegie Delicatessen** gibt, für viele das beste Deli in New York. Einige Delis, etwa **Katz's Deli**, bedienen ein älteres Publikum, das traditionelle Speisen mag. Das größte Geschäft machen Delis mit dem Straßenverkauf. Die Sandwiches sind hier noch verhältnismäßig billig, aber das Personal ist oft ungeduldig. Unhöflichkeit ist ein fester Bestandteil des **Stage Deli**, das heute eher ein Touristenstopp und nicht mehr der beliebte Showbiz-Treff von früher ist.

Snacks nach jüdischer Art gibt es im **Second Avenue Delicatessen**, bekannt für seine hausgemachten Suppen, Pickles, Corned-Beef-Sandwiches, gehackte Leber und andere koschere Speisen. Beliebt bei den Yuppies sind die Gerichte zum Mitnehmen (Räucherfisch, Pickles und Salate) bei **Zabar's**. Die besten Pastrami-Sandwiches soll es bei **Pastrami Queen** in Manhattan geben.

CAFÉS, BISTROS UND BRASSERIEN

Cafés, Bistros und Brasserien sind angesagt. Versuchen Sie mal die ausgefallenen Snacks im **Balthazar**, Spring Street. Das **Café Centro** über der Grand Central Station ist vor allem mittags von Geschäftsleuten gut besucht. Zur provenzalischen/mediterranen Küche gehören Fischsuppen ebenso wie üppige Desserts.

Die **Brasserie**, ein beliebter Imbiss in der East 53rd Street, serviert solide französische Küche und ist rund um die Uhr geöffnet. Im **Bistro du Nord** an der Madison Avenue bekommt der hungrige Gast innovative leckere französisch-amerikanische Speisen. Downtown ist das **Odeon** mit seinem Brasserie-Angebot vor allem spätabends voll.

Raoul's in SoHo ist ein französisches Bistro mit entspanntem Ambiente, in dem meist Künstler die soliden Speisen genießen. **Elephant and Castle** ist ein minimal dekoriertes Café in Greenwich Village. Hier trifft man sich zum Lunch, um Suppe, Salat und Omelett oder andere Snacks zu essen. Hervorragend ist das Brunch-Frühstück, das in großen Portionen und zu günstigen Preisen serviert wird.

Chez Jacqueline ist eine beliebte Bar in Greenwich Village. Im französischen Bistro trifft sich alles, was jung und »hip« ist.

Im Theater District liegt das kubanische **Victor's Café 52**. In dem großen, lebendigen Lokal wird authentische kubanische Küche zu angemessenen Preisen serviert. **Chez Josephine's** ist ein ausgelassenes Bistro-Cabaret mit Live-Jazz und Klaviermusik.

Im kleinen **La Boite en Bois** nahe beim Lincoln Center wird köstliche französische Bistro-Küche serviert. In der Nähe befindet sich das **Vince and Eddie's**, bekannt für seine solide, oft exzellente amerikanische Küche.

Sarabeth's in der Upper West Side entzieht sich jeglicher Kategorisierung, lasst sich aber am ehesten als Café bezeichnen. Am besten geht man zum Frühstück hin oder zum Brunch am Wochenende, wenn hier ganze Familien Waffeln, Omeletts und Pfannkuchen verdrücken. (Es gibt zwei weitere Filialen.)

Im **Les Halles** im Gramercy District steigt der Geräuschpegel am späten Abend stark an, doch die *frites* und Fleischgerichte sind den Lärm und den großen Andrang wert.

PIZZERIAS

Auf Pizza stösst man in New York überall – an Straßenständen, in Fastfood-Lokalen oder in traditionellen Pizzerias.

Einige Pizzerias bieten noch etwas mehr. In **Arturo's Pizzeria** kommen die knusprigen Pizzaböden aus einem Steinbackofen; zudem gibt's Live-Jazz. **Mezzogiorno** hat eine toskanische Speisekarte und Pizzas mit ungewöhnlichem Belag. Auch **Mezzaluna** hat sich auf Pizzas aus dem Steinbackofen spezialisiert, ebenso wie **John's Pizzeria**, deren Stammgäste (unter ihnen auch Woody Allen) sie für die beste Manhattans halten.

In Brooklyn ist die **Totonno Pizzeria** auf Coney Island einen Ausflug wert. Die **Trattoria Dante** in Greenwich Village schätzen vor allem Studenten, die bei warmem Wetter die Tische im Freien in Beschlag nehmen.

Pizzerias sind der richtige Platz für eine einfache, preiswerte Mahlzeit, gerade mit Kindern. Die meisten Pizzerias nehmen keine Tischreservierungen vor, und in den besonders beliebten Lokalen gibt es zu den Hauptessenszeiten lange Warteschlangen.

HAMBURGER

Billige Burger- und Hot-Dog-Bars findet man gewöhnlich, wenn man einfach der Nase nach geht. Aber es gibt auch viele Orte in New York, wo man Burger von besserer Qualität bekommt – dabei kann ein sehr guter Burger aus reinem Rindfleisch (125–250 Gramm) bis zu zehn Dollar kosten.

Der New Yorker Restaurant-Betreiber Danny Meyer hat den Burger im **Shake Shack** im Madison Square salonfähig gemacht. Von April bis November bekommt man hier leckere und preiswerte Hamburger. Im stilvollen Hotel Le Parker Meridien in Midtown hat sich **Burger Joint** angesiedelt, das wie ein Truck Stop aussieht und erstklassige Burger zubereitet.

Die fünf Filialen von **Jackson Hole** servieren saftige Burger, bei denen sich Kinder wie auf einer Ranch vorkommen. Erwachsene werden durch die niedrigen Preise für die lieblose Einrichtung entschädigt. Probieren Sie hier auch einmal das New Yorker Lokalgetränk *egg cream*.

Ein Treffpunkt für Geschäftsleute ist die **Beer Bar at Café Centro** im MetLife Building. Neben außergewöhnlichen Bieren gibt es auch köstliche Burger.

Die vermutlich besten Burger von New York gibt es im **Corner Bistro** in Greenwich Village. Die Preise sind angemessen, und auch die Auswahl an Bieren ist gut. Wenn einen nachts der Hunger überkommt – das Lokal hat bis 4 Uhr morgens geöffnet.

IMBISSLOKALE (DINERS, LUNCHEONETTES)

Imbisslokale, die in den USA »Diners«, »Sandwich Shops«, »Luncheonettes« oder »Coffee Shops« heißen, findet man überall. Das Essen ist mittelmäßig, aber reichlich und billig. Trotz der Bezeichnung »Luncheonette« haben solche Lokale in der Regel von morgens bis spätabends geöffnet, und man bekommt zu jeder Zeit Kaffee und etwas Einfaches zu essen.

Bei den Diners, Nachbildungen von Eisenbahnwaggons, gibt es seit kurzem einige Neuauflagen von den alten, billigen Diners aus den 1930er Jahren. Einer dieser »Retro-

Diners« ist der schicke **Empire Diner** *(siehe S. 138)*. Der **Market Diner** im Theater District stammt aus den 1960er Jahren. Er bietet ein gutes Frühstück, zu dem Pommes frites und selbst gemachtes Corned-Beef-Haschee mit pochierten Eiern gehören.

Jerry's zieht mit einfallsreichen Sandwiches, Salaten und Desserts eine Künstlerklientel an. Ein ähnliches Publikum findet sich bei **Florent** ein, wo rund um die Uhr französische Küche serviert wird.

Big Nick's bietet die besten Pizzas, Hamburger und hervorragendes Frühstück an der Upper West Side; **The Coffee Shop** serviert die ganze Nacht über brasilianisch-amerikanische Küche.

In Eli Zabars **E.A.T.** in der Upper East Side kann man superbe jüdische Spezialitäten probieren, die jedoch nicht ganz günstig sind.

Stammgäste schwören auf **Viand** in der East Side, das großzügiges American Breakfast, gute Burger und *egg creams* serviert. Die Truthahnsandwiches sollen die besten New Yorks sein. **Veselka** ist kein gewöhnlicher Sandwich Shop; man bekommt hier polnische und ukrainische Speisen zu Tiefstpreisen.

TEESALONS (TEA ROOMS)

Frischen Tee bekommt man eigentlich nur in den teureren New Yorker Hotels, wo zwischen 15 und 17 Uhr zum Nachmittagstee gebeten wird.

Wer seinen Tee auf Chippendale-Möbeln einnehmen möchte, geht ins **Carlyle Hotel**. Das **Hotel Pierre** bietet einen der besten Nachmittagstees zum Fixpreis an. Zum Tee im **Waldorf-Astoria** gibt es Sahne aus Devonshire. Elegant ist auch der Teesalon im **Stanhope** in der Fith Avenue. Das gereichte Gebäck ist so üppig, dass man leicht aufs Abendessen verzichten kann.

Abwechslung beim Teetrinken verspricht **Saint' Alp**, eine Kette von Teesalons. In hübschen Räumlichkeiten (51 Mott Street oder beim Times Square) werden duftende, farbenfrohe Tee-Drinks mit zerstoßenem Eis serviert.

Tee nach japanischer Art kann man in **The Tea Box** im Luxuskaufhaus Takashiyama genießen.

KAFFEE UND KUCHEN

Eine gute Tasse Kaffee bekommt man oft schon für 75 Cent. In den meisten Diners, Coffee Shops und Luncheonettes wird endlos nachgeschenkt. Ein neuer Trend sind Coffee Bars, die diverse Kaffeevarianten wie Cappuccino oder Caffè latte anbieten. Auch einige Eisdielen und Konditoreien servieren guten Kaffee, köstliche Kuchen und Gebäck.

Vor der **Magnolia Bakery** stehen die Leute Schlange, um in den Genuss der köstlichen Kuchen zu kommen.

Bei **Joe** steht angeblich die beste Espresso-Maschine der Welt. Das **Caffè Ferrara** (seit 1892) hat italienisches Gebäck, Kaffee und Tische im Freien bei günstigen Preisen. **Vesuvio Bakery** ist ein altmodisches italienisches Café, das frisch gebackenes Brot aus dem Kohleofen verkauft. **DT-UT** mit Filialen in Downtown und in Uptown ist angenehm und kinderfreundlich.

Das **Seaport Café** im South Street Seaport bietet guten Kaffee plus Aussicht auf die Passanten. Der **Hungarian Pastry Shop** serviert österreichisch-ungarische Köstlichkeiten mit Blick auf St. John the Divine. Im **Café Edison** im Hotel Edison genießt man Süßes im Jugenstil-Ambiente.

Sant' Ambroeus ist ein Abkömmling der Mailänder *Pasticceria*, mit dekadenten Süßspeisen und Espresso-Bar. **Dessert Delivery** ist das Nonplusultra der Dessert-Welt. Beliebt ist auch **Serendipity 3**, bekannt für sein viktorianisches Ambiente, die kunstvollen Eisbecher und Nachmittags-Snacks. Im **Barnes & Noble Café** des gleichnamigen Buchladens können Sie sich Kaffee und Gebäck zwischen Büchern schmecken lassen. **Mudspot** heißt die Location eines Paars, das früher Kaffee aus einem orangen Van verkaufte. Und um **Starbucks** mit seinen vielen Filialen kommt man sowieso nicht herum.

Auf einen Blick

Lower Manhattan

Pastis
9 9th Avenue.
Stadtplan 3 B1.

Lower East Side

Caffè Ferrara
195 Grand St.
Stadtplan 4 F4.

Katz's Deli
205 E Houston St.
Stadtplan 5 A3.

Saint's Alp
51 Mott St.
Stadtplan 4 F4.

Seaport Café
89 South St.
Stadtplan 2 E2.

SoHo und TriBeCa

Jerry's
101 Prince St.
Stadtplan 4 D3.

Mezzogiorno
195 Spring St.
Stadtplan 4 D4.

Odeon
145 W Broadway.
Stadtplan 1 B1.

Raoul's
180 Prince St.
Stadtplan 4 D3.

Vesuvio Bakery
160 Prince St.
Stadtplan 4 D3.

Greenwich Village

Arturo's Pizzeria
106 W Houston St.
Stadtplan 4 E3.

Balthazar
80 Spring St.
Stadtplan 4 E4.

Chez Jacqueline
72 MacDougal St.
Stadtplan 4 D2.

Corner Bistro
331 W 4th St.
Stadtplan 3 C1.

Elephant and Castle
68 Greenwich Ave.
Stadtplan 3 C1.

Florent
69 Gansevoort St.
Stadtplan 3 B1.

Joe
141 Waverly Place.
Stadtplan 3 C1.

Magnolia Bakery
401 Bleecker St.
Stadtplan 3 C2.

Sant' Ambroeus
259 W 4th St.
Stadtplan 3 C1.

Trattoria Dante
79 MacDougal St.
Stadtplan 4 D3.

East Village

DT-UT
41 Ave B. **Stadtplan** 5 B2.

Mudspot
307 E 9th St. **Stadtplan** 4 F1.

Second Avenue Delicatessen
156 2nd Ave.
Stadtplan 4 F1.

Veselka
144 2nd Ave.
Stadtplan 4 F1.

Gramercy und Flatiron District

The Coffee Shop
29 Union Square West.
Stadtplan 9 A5.

Les Halles
411 Park Ave South.
Stadtplan 9 A3.

Chelsea und Garment District

Empire Diner
210 10th Ave.
Stadtplan 7 C4.

Theater District

Café Edison
Edison Hotel, 228 W 47th St.
Stadtplan 12 D5.

Carnegie Delicatessen
854 7th Ave.
Stadtplan 12 E4.

Market Diner
572 11th Ave.
Stadtplan 7 B1.

Chez Josephine
414 W 42nd St.
Stadtplan 7 B1.

Stage Deli
834 7th Ave.
Stadtplan 12 E4.

Victor's Café
236 W 52nd St.
Stadtplan 11 B4.

East Side Midtown

Beer Bar at Café Centro
MetLife Building, 200 Park Ave. **Stadtplan** 9 A2.

Upper Midtown

Barnes & Noble Café
Citicorp Building, 160 E 54th St. **Stadtplan** 13 A4.

Brasserie
100 E 53rd St.
Stadtplan 13 A4.

Burger Joint
Le Parker Meridien Hotel,
118 W 57th St.
Stadtplan 12 E3.

The Tea Box
Takashimaya, 693 5th Ave.
Stadtplan 12 F2.

Waldorf-Astoria
301 Park Ave.
Stadtplan 13 A5.

Upper East Side

Bistro du Nord
1312 Madison Ave.
Stadtplan 17 A2.

Carlyle
35 E 76th St.
Stadtplan 17 A5.

Dessert Delivery
350 E 55th St.
Stadtplan 13 B4.

DT-UT
1626 2nd Ave.
Stadtplan 17 B4.

E.A.T.
1064 Madison Ave.
Stadtplan 17 A4.

Hotel Pierre
2 E 61st St. **Stadtplan** 12 F3.

Jackson Hole
232 E 64th St.
Stadtplan 13 B2.

John's Pizzeria
408 E 64th St.
Stadtplan 13 C2.

Mezzaluna
1295 3rd Ave.
Stadtplan 17 B5.

Pastrami Queen
1269 Lexington Ave.
Stadtplan 17 A3.

Payard Patisserie
1032 Lexington Ave.
Stadtplan 13 A1.

Serendipity 3
225 E 60th St.
Stadtplan 13 B3.

Shake Shack
Madison Square Park.
Stadtplan 8 F4.

Stanhope
995 5th Ave.
Stadtplan 17 A4.

Viand
1011 Madison Ave.
Stadtplan 17 A5.

Upper West Side

Big Nick's
2175 Broadway at 77th St.
Stadtplan 15 C5.

La Boite en Bois
75 W 68th St.
Stadtplan 11 C1.

Sarabeth's
423 Amsterdam Ave.
Stadtplan 15 C4.

Whitney Museum
945 Madison Ave.
Stadtplan 17 A5.

Vince and Eddie's
70 W 68th St.
Stadtplan 11 C1.

Zabar's
2245 Broadway.
Stadtplan 15 C2.

Morningside Heights und Harlem

The Hungarian Pastry Shop
Amsterdam & 109th St.
Stadtplan 20 E4.

Brooklyn

Totonno Pizzeria
1524 Neptune Ave.
Stadtplan 7 C5.

Stadtplan siehe Seiten 394–425

New Yorker Bars

New Yorker Bars spielen eine große Rolle in der Stadtkultur. Für New Yorker ist es normal, den Abend in verschiedenen Bars zu verbringen, denn jede bietet mehr als nur Alkohol – beispielsweise erstklassiges Essen, Tanz oder Live-Musik. Eine andere Attraktion kann importiertes oder amerikanisches Bier aus kleinen Brauereien sein. Bars gibt es in großer Zahl und für jeden Geldbeutel. In New York wird jeder seine Lieblingsbar finden.

PRAKTISCHE HINWEISE

Bars haben von etwa 11 Uhr bis Mitternacht geöffnet. Manche schließen auch erst um 2 Uhr oder um 4 Uhr, zur gesetzlichen Sperrstunde.

In vielen Bars gibt es zwischen 17 und 19 Uhr eine »Happy Hour«, dann werden *twofers* (zwei Drinks zum Preis von einem) und kostenlose Snacks angeboten. Barkeeper können es ablehnen, an jemanden auszuschenken, von dem sie den Eindruck haben, dass er schon angetrunken ist. In New Yorker Bars herrscht Rauchverbot, außer in speziell belüfteten Räumen.

Mindestalter für den Genuss von Alkohol ist 21 Jahre; hält der Barkeeper Sie für jünger, müssen Sie sich ausweisen. Kinder haben in New Yorker Bars nichts zu suchen.

Üblicherweise werden die Getränke aufgeschrieben, und man bezahlt alles zusammen, bevor man geht. Ein Trinkgeld für den Barkeeper wird erwartet – zehn Prozent des Betrags oder etwa 50 Cents für einen einzelnen Drink. Die Drinks werden nicht abgemessen, wenn Sie also etwas mehr im Glas haben wollen, schadet es nicht, dem Barkeeper ein ordentliches Trinkgeld zu geben. Wenn man am Tisch bedient wird, sind die Getränke teurer.

Es kommt erheblich billiger, statt mehrerer Gläser Bier einen ganzen Krug (2,25 Liter) zu bestellen.

GETRÄNKE

In New Yorker Bars ist fast jedes alkoholische Getränk zu haben. Am beliebtesten ist kaltes Bier. Die meisten Bars führen Biere großer Brauereien (Budweiser, Coors und Miller) und bekannte europäische Biere wie Beck's, Heineken und Guinness. In alten Pubs und schicken neuen Bars gibt es eine größere Auswahl: importierte, aber auch amerikanische Biere aus kleinen Brauereien, etwa Samuel Adams, Sierra Nevada und Anchor Steam, sowie New Yorker Biere wie das berühmte Brooklyn Lager. Ein neuer Trend sind *microbreweries*, die gute Biere nach europäischer Tradition brauen.

Beliebte Bar-Getränke während der »Happy Hour« sind Cocktails: Cola-Rum, trockener Martini, Scotch oder Bourbon, *straight up* (ohne Eis), *on the rocks* (mit Eis) oder mit Soda; Wodka-Tonic und Gin-Tonic. Wein gibt es ebenfalls in vielen Bars. Reine Weinlokale feiern derzeit eine Renaissance in New York.

ESSEN

Die meisten Bars bieten den ganzen Tag über etwas zu essen an, meist Burger, Pommes, Salate, Sandwiches oder kleine Snacks. In der »Happy Hour« kann man sich in edleren Bars kostenlos an Snacks und scharfen Vorspeisen satt essen. Die Küche vieler Bars schließt kurz vor Mitternacht.

BELIEBTE BARS

Vermutlich müssen Sie anstehen, um einen Blick auf die Schönen und Gelangweilten in der **B-Bar** (vormals Bowery Bar), einer derzeit sehr angesagten (und überbewerteten) Bar, zu werfen. **Bungalow 8** steht nur Mitgliedern offen. Hot Spots sind auch **Lot 61** und **Boudoir**.

Die Nachteulen im West Village versorgt die **Bar Six** mit *Microbrewery*-Bieren und marokkanisch angehauchter Küche. Das klubartige Lokal von Rapper Jay-Z ist bei VIPs beliebt, auf Flachbildschirmen laufen Sport-Events. Im **Odeon** trifft sich die schicke Szene von SoHo und TriBeCa.

In der Upper East Side kann man in der Bar bei **Swifty's** erleben, was man heute unter High-Society versteht – ohne maßlose Preise für das wenig bemerkenswerte Essen bezahlen zu müssen.

BARS MIT AUSBLICK

Fahren Sie mit dem Aufzug zum 26. Stock des im Art-déco-Stil errichteten **Beekman Tower**. Der einmalige Blick wird hier von Klavierspiel untermalt. Spektakulär ist auch der Blick von der **Pentop Bar and Terrace** im Peninsula Hotel, von der **Stone Rose Lounge** und dem **Rise** im Ritz-Carlton am Battery Park.

Bei warmem Wetter ist das **BP Café** in Midtown ein beliebter Szene-Treff. Die **Tavern on the Green** mit herrlicher Aussicht auf den Central Park wartet mit glitzerndem Ambiente und hübscher Gartenterrasse auf.

HISTORISCHE UND LITERATEN-BARS

Wer nur eine einzige Bar aufsuchen möchte, sollte in **McSorley's Old Alehouse** gehen, einen alten irischen Saloon, der seit 1854 am selben Ort befindet und zu den ältesten Bars in New York gehört.

Die Historie des **Ear Inn** reicht bis ins Jahr 1812 zurück, als an dieser Stelle erstmals eine Taverne eröffnete. Heute ist das gemütliche Lokal mit dem langen Holztresen ein Treffpunkt von Poeten und Schriftstellern.

In Greenwich Village befinden sich einige der ältesten Bars, etwa das **Chumley's** mit dem Ambiente einer illegalen Bar aus der Prohibitionszeit. Im Winter brennt im Kamin ein Feuer.

Die unprätentiöse Lieblings-kneipe von Dylan Thomas, die **White Horse Tavern**, ist noch immer voller Literaten und College-Typen. Im Sommer kann man auch draußen sitzen. Im **Peculier Pub** hat man die Wahl unter mehr als 360 Biersorten aus aller Welt.

Eine nette, aber stark von Urlaubern bevölkerte Kneipe im Finanzviertel ist **Fraunces Tavern** *(siehe S. 76)*. **Pete's Tavern** gibt es seit 1864. Sie ist bis 2 Uhr geöffnet und für ihr viktorianisches Ambiente, ihr hauseigenes Bier der Marke Pete's Ale und die vielen anderen Fassbiere bekannt.

Die **Old Town Bar**, ein typisch irisches Pub (seit 1892), ist bei Leuten aus der Werbebranche beliebt.

Statt der Berühmtheiten von einst finden sich heute bei **Sardi's** die Reporter der *New York Times* ein, die die großzügig eingeschenkten Drinks schätzen. Nach der Arbeit trifft man sich bei **P. J. Clarke's**, dem Saloon mit irischen Barkeepern und unglaublich viel Betrieb. **Elaine's**, ebenfalls in der East Side, ist ein Treffpunkt von New Yorker und ausländischen Literaten.

In der Nähe der Carnegie Hall liegt **P. J. Carney's**, seit 1927 ein Treffpunkt von Musikern und Künstlern. Es gibt irisches Ale und einen guten »Shepherd's Pie«.

KNEIPEN FÜR JUNGE LEUTE

Brauereiausschank ist vor allem bei den bis 30-Jährigen beliebt, ebenso die Bars mit einer umfangreichen Bierauswahl.

Vom geräumigen Pub der **Chelsea Brewing Company** im Chelsea-Piers-Sportkomplex blickt man über den Hudson River. Im nahen Gramercy befindet sich die geschäftige **Heartland Brewery**, die viele für die beste Brauerei-Bar halten. Fünf Biersorten werden hier ausgeschenkt, darunter auch das hervorragende India Pale Ale und verschiedene saisonale Fruchtbiere wie Blaubeer- oder Kürbisbier.

Uptown in der **Westside Brewing Company** treffen sich vor allem junge Leute der

Umgebung und genießen die hauseigenen Ales und Fruchtbiere. Ein bisschen teurer ist **Burp Castle**, doch die 170 belgischen Fass- und Flaschenbiere sind ihr Geld wert. **Manchester's** weckt bei heimwehgeplagten Briten nostalgische Erinnerungen. Es ist ein gemütliches Pub mit englischen Bieren, die man in New York nur selten findet. 18 Biersorten gibt es vom Fass, weitere 40 Sorten sind in Flaschen erhältlich.

Im **d.b.a.** im East Village ist immer was los. Je nachdem, wen Sie fragen, bedeuten die drei Buchstaben »*don't bother to ask*« (trau dich zu fragen) oder »*draft beer available*« (Fassbierausschank). 14 Biere vom Fass und 50 Whiskeysorten machen die Wahl schwer.

Bei **Brother Jimmy's BBQ** versammeln sich Leute im College-Alter, um hier ihr Bier zu trinken und einige traditionelle Grillgerichte aus dem Süden zu verdrücken.

Das **Park Slope Ale House** in Brooklyn wird von jungen Leuten wegen ihrer zwölf Biersorten und der saisonalen Bierkreationen geschätzt.

SINGLE-BARS

Die beliebten Single-Bars bieten die Möglichkeit, Leute kennenzulernen. Sie befinden sich hauptsächlich im östlichen Midtown. Hier sollte man auf die Preise achten, denn ein Bier kann leicht drei Dollar und mehr kosten.

Die **Beer Bar** im Art-déco-Stil bietet eine interessante Bierkarte und mit Bier verfeinerte Gerichte. Im **Live Bait** verkehren mitunter auch Fotomodelle; es bietet eine passable Südstaatenküche.

SCHWULEN- UND LESBENBARS

Schwulenbars findet man in Greenwich Village, SoHo, East Village, Chelsea und Murray Hill sowie, in geringerem Maße, in Upper East und West Side. Bars für Lesben befinden sich vor allem in Greenwich Village und East Village. Weitere Adressen findet man in den Zeitschriften *HX* (www.hx.com) und *Next*.

HOTELBARS

Das im Zentrum gelegene **Algonquin Hotel** *(siehe S. 145)* war in den 1920er und den frühen 1930er Jahren ein beliebter Literatentreff. Heute kann man in der Lobby Bar und der Blue Bar vor dem Dinner oder dem Theater seinen Drink nehmen.

Ganz in der Nähe befindet sich das **Royalton Hotel** mit seiner einladenden Bar, wo man den ganzen Abend über die Theaterszene beobachten kann. Hier trifft man auch auf Redakteure von Condé-Nast. Die **Whiskey Bar** im Paramount Hotel mit ihren Fenstern, die vom Boden bis zur Decke reichen, ist bei Mode- und Theaterleuten beliebt.

In Upper Midtown kann man in den bequemen Sesseln der **Villard Bar & Lounge** wunderbar entspannen.

Bull and Bear im Waldorf-Astoria, eine geschichtsträchtige Bar aus der Prohibitionszeit, strahlt Behaglichkeit aus, bietet exotische Drinks und Bull and Bear Ale vom Fass.

Der elegante **King Cole Room** im St. Regis Hotel ist nach dem Wandbild von Maxfield Parrish benannt, das dem Raum Farbe verleiht.

Heimwehkranken Briten und anglophilen New Yorkern bietet **Journeys** im Essex House Hotel ein Klubambiente in dunkler Mahagonivertäfelung.

Bei sanften Klängen kann man in der neu angesagten, trendigen **Grand Bar** bestens relaxen und einen Blick auf die Gäste des Soho Grand werfen.

Die **Maritime Lobby Bar** des Maritime Hotel in Chelsea und Garment District ist kitschig-nautisch dekoriert. Hier verkehrt ein junges schickes Publikum, das sich im Winter um ein Feuer und im Sommer auf der großen Freiterrasse versammelt.

Die **Lobby Bar** in Ian Shragers trendigem Hudson Hotel hat Glaswände und ist nun schon seit längerem total angesagt. Für Fans von *Sex and the City*: Einige Szenen spielten in Rande Gerbers **Whiskey Blue Bar** in einem der W-Hotels.

AUF EINEN BLICK

LOWER MANHATTAN

Fraunces Tavern
54 Pearl St.
Stadtplan 1 C4.

Rise
2 W St.
Stadtplan 1 B4.

SOHO UND TRIBECA

The Ear Inn
326 Spring St.
Stadtplan 3 C4.

The Grand Bar
Soho Grand,
310 W Broadway.
Stadtplan 4 E4.

The Odeon
145 W Broadway.
Stadtplan 1 B1.

GREENWICH VILLAGE

Bar Six
502 6th Ave.
Stadtplan 4 D1.

Chumley's
86 Bedford St.
Stadtplan 3 C2.

Peculier Pub
145 Bleecker St.
Stadtplan 4 D3.

White Horse Tavern
567 Hudson St.
Stadtplan 3 C1.

EAST VILLAGE

B-Bar
40 E 4th St.
Stadtplan 4 F2.

Burp Castle
41 E 7th St.
Stadtplan 4 F2.

d.b.a.
41 1st Ave.
Stadtplan 5 A1.

McSorley's Old Ale House
15 E 7th St.
Stadtplan 4 F2.

GRAMERCY

Heartland Brewery
35 Union Square W.
Stadtplan 9 A5.

Live Bait
14 E 23rd St.
Stadtplan 8 F4.

Old Town Bar
45 E 18th St.
Stadtplan 8 F5.

Pete's Tavern
129 E 18th St.
Stadtplan 9 A5.

CHELSEA UND GARMENT DISTRICT

Boudoir
127 8th Ave.
Stadtplan 8 D5.

Bungalow 8
515 W 27th St.
Stadtplan 7 C3.

Chelsea Brewing Company
Pier 59, 11th Ave.
Stadtplan 7 B5.

Lot 61
550 W 21st St.
Stadtplan 7 C4.

Lobby Bar
Maritime Hotel,
363 W 16th St.
Stadtplan 8 D5.

THEATER DISTRICT

BP Café
Bryant Park.
Stadtplan 8 F1.

P. J. Carney's
906 7th Ave.
Stadtplan 12 E3.

Lobby Bar
Hudson Hotel,
356 W 58th St.
Stadtplan 12 D3.

Royalton Hotel
44 W 44th St.
Stadtplan 12 F5.

Sardi's
234 W 44th St.
Stadtplan 12 F5.

Whiskey Bar
Paramount Hotel,
235 W 46th St.
Stadtplan 12 E5.

LOWER MIDTOWN

Beer Bar
Café Centro,
200 Park Ave.
Stadtplan 9 A2.

The Cigar Room at Trumpets
Grand Hyatt Hotel,
Grand Central Station,
E 42nd St.
Stadtplan 13 A5.

UPPER MIDTOWN

Bar and Books
889 1st Ave.
Stadtplan 13 C2.

Beekman Tower
3 Mitchell Place.
Stadtplan 13 C5.

Bull and Bear
Erdgeschoss,
Waldorf-Astoria Hotel,
Lexington Ave/E 49th St.
Stadtplan 13 A5.

Journeys
Essex House Hotel,
160 Central Park S.
Stadtplan 12 E3.

King Cole Room
St. Regis Hotel,
2 E 55th St.
Stadtplan 12 F5.

Manchester
920 2nd Ave.
Stadtplan 13 B5.

Pentop Bar and Terrace
Peninsula Hotel,
700 5th Ave.
Stadtplan 12 F5.

P. J. Clarke's
915 3rd Ave.
Stadtplan 13 B4.

Stone Rose Lounge
10 Columbus Circle,
4th Floor.
Stadtplan 12 D3.

Villard Bar & Lounge
New York Palace Hotel,
455 Madison Ave.
Stadtplan 13 A4.

UPPER EAST SIDE

Brother Jimmy's BBQ
1485 2nd Ave.
Stadtplan 17 B5.

Elaine's
1703 2nd Ave.
Stadtplan 17 B4.

Swifty's
1007 Lexington Ave.
Stadtplan 17 A5.

UPPER WEST SIDE

Tavern on the Green
Central Park,
W 67th St.
Stadtplan 12 D2.

Westside Brewing Company
340 Amsterdam Ave.
Stadtplan 15 C2.

BROOKLYN

Park Slope Ale House
356 6th Ave at 5th St.

Stadtplan *siehe Seiten 394–425*

SHOPPING

Zweifellos gehört zu jeder New-York-Reise auch ein Einkaufsbummel. Die Stadt ist das Konsumzentrum der Welt: ein Einkaufsparadies mit einem überwältigenden Angebot. Hier gibt es einfach alles – von der neuesten Mode über seltene Kinderbücher und die letzten Elektroniknovitäten bis hin zu einer verlockenden **Tiffany-Uhr** Vielfalt exotischer Nahrungsmittel. Wer unbedingt sein eigenes Hovercraft, eine Nachtlesebrille, ein Designerbett für seine Wüstenspringmaus oder eine Wurlitzer-Jukebox haben muss, für den ist New York die Stadt seiner Träume. Und ob man 50 000 oder nur fünf Dollar hat – hier ist der richtige Ort, um sie auszugeben.

SCHNÄPPCHEN

New York ist das Eldorado für die Jagd nach Sonderangeboten, denn mit etwas Glück findet man hier alles – von Haushaltswaren bis zur Designermode – zu Discountpreisen. Einige der besten Läden findet man in Orchard Street und Grand Street in der

Kaufhaus Henri Bendel *(siehe S. 319)*

Lower East Side. Man bekommt hier Kleidung aller Art, aber auch Geschirr, Schuhe, Einrichtungsgegenstände und Elektronikwaren mit etwa 20 bis 50 Prozent Preisnachlass. Die Läden des Viertels sind am Samstag – dem jüdischen Sabbat – geschlossen, haben aber meist sonntags geöffnet.

Mode zu Niedrigpreisen gibt es im Garment District, der sich zwischen der Sixth und der Eighth Avenue von der 30th bis zur 40th Street erstreckt. Viele Designer und Hersteller haben hier Ausstellungsräume, von denen einige der Öffentlichkeit zugänglich sind. Sonderverkäufe von Musterstücken werden überall in dieser Gegend durch Werbeplakate angekündigt. Die besten Angebote gibt es meist kurz vor Feiertagen, die mit Geschenken verbunden sind.

AUSVERKAUF

Ein Wort, auf das man in New York ständig stößt, ist »Sale«. Es lohnt sich also, erst einmal nach Sonderangeboten Ausschau zu halten. Die besten Angebote gibt es im Sommerschlussverkauf, Mitte Juni bis Ende Juli, und im Winterschlussverkauf vom 26. Dezember bis Februar. Einzelheiten finden Sie in der lokalen Presse. Vorsicht ist bei Billigläden in der Fifth Avenue geboten, die mit Schildern wie »Lost Our Lease« einen Totalausverkauf wegen Geschäftsaufgabe anzeigen. Oft hängen diese Schilder schon seit Jahren in den Fenstern.

Halten Sie die Augen offen für »Sample Sales«. Hier verkaufen Top-Designer ihre Musterkleider, die sie für eine Vorführung vor Großeinkäufern kreiert haben. Solche Verkäufe finden an unterschiedlichen Orten statt und werden in der Regel nicht vorab inseriert. In der Fifth Avenue und am Broadway hat man die besten Chancen.

Bulgari-Eingang im Hotel Pierre *(siehe S. 289)*

ÖFFNUNGSZEITEN

Die meisten Geschäfte haben Montag bis Samstag von 10 bis 18 Uhr geöffnet, viele Kaufhäuser auch am Sonntag sowie an mindestens zwei Abenden bis 21 Uhr. Mittags (12–14.30 Uhr), Samstagvormittag, im Schlussverkauf und in den Schulferien ist der Andrang am größten.

BEZAHLEN

Die meisten Läden akzeptieren Kreditkarten, oft gibt es eine Mindestsumme. Wer mit Reiseschecks bezahlen will, muss sich ausweisen. Einige Geschäfte nehmen allerdings nur Bargeld, vor allem während der Schlussverkäufe.

Reduzierte Designermode im New Yorker Ausverkauf

STEUERN

Während einer Woche des Jahres entfällt die Verkaufssteuer von 8,625 Prozent für Kleidung und Schuhe bei einem Betrag unter 110 Dollar. Bei Versenden der Waren ins Ausland entfällt die Steuer.

EINKAUFSTOUREN

Wer nicht allein einkaufen will, kann sich einer Shopping-Tour anschließen. Neben bekannten Warenhäusern stehen u. a. der Besuch von Showrooms, Auktionshäusern und Modeschauen auf dem Programm. Einige Anbieter organisieren auch individuelle Touren.

KAUFHÄUSER

Die meisten namhaften Kaufhäuser befinden sich in Midtown Manhattan. Auf-

Schaufenster bei Bloomingdale's *(siehe S. 181)*

grund ihrer Größe und des riesigen Warenangebots erfordert ein Bummel viel Zeit. Die Preise sind oft recht hoch, doch im Ausverkauf gibt es interessante Sonderangebote.

Department Stores wie Saks Fifth Avenue, Bloomingdale's und Macy's bieten eine Reihe zusätzlicher Dienstleistungen an und besorgen sogar den kompletten Einkauf für Sie.

Eines der größten Einkaufszentren in Manhattan ist **Shops at Columbus Circle** im Time Warner Center. Vertreten sind u. a. Williams-Sonoma, Coach und Hugo Boss.

Barney's New York ist vor allem bei jungen New Yorker Geschäftsleuten beliebt. Es hat sich auf erstklassige, teure Designermode spezialisiert; im World Financial Center gibt es eine Herrenabteilung.

Bergdorf Goodman strahlt Luxus, Eleganz und Understatement aus. Das Geschäft ist auf ausgesuchte europäische Designer spezialisiert. Das Herrengeschäft liegt genau gegenüber.

Bloomingdale's *(siehe S. 181)* steht bei fast allen New-York-Reisenden auf dem Programm. »Bloomies« ist der Hollywood-Star unter den Kaufhäusern, mit vielen außergewöhnlichen Schaufensterauslagen und einem verlockenden Warenangebot. Die Atmosphäre erinnert ein bisschen an einen orientalischen Luxusbasar, in dem die wohlhabende, tadellos gekleidete New Yorker auf der Suche nach dem neuesten Modetrend sind. Bloomingdale's ist außerdem für seine hervorragende Delikatessenabteilung bekannt, darunter ein Shop, der ausschließlich Kaviar verkauft. Zum Kaufhaus gehört auch das Restaurant Le Train Bleu mit Blick auf Queensboro Bridge. Bloomingdale's hat in SoHo am Broadway eine Zweigstelle, die freilich viel kleiner ist.

Bei **Henri Bendel** werden alle Artikel – vom Art-déco-Schmuckstück bis hin zu handgefertigten Schuhen – wie kostbare Kunstwerke ausgestellt. Das exklusive Kaufhaus im Stil der 1920er Jahre bietet eine gute Auswahl an moderner Damenmode.

Lord & Taylor ist bekannt für seine klassische, eher konservative Damen- und Herrenkleidung, wobei der Schwerpunkt auf der Mode von US-Designern liegt.

Macy's bezeichnet sich als größtes Kaufhaus der Welt *(siehe S. 134f)* und erstreckt sich über acht Etagen. Sie finden hier alles, was Sie sich vorstellen können – vom Dosenöffner bis zur Antiquität.

Schönes Angebot an Dekorationsobjekten

Saks Fifth Avenue steht für Stil und Eleganz. Es gilt als eines der besten Kaufhäuser der Stadt. Hier wird umwerfende Designermode für Frauen, Männer und Kinder geführt.

ADRESSEN

Highlights: Shopping

Designerschuhe von der Madison Avenue

Am besten übernimmt man in New York, einer Stadt, in der man rund um die Uhr einkaufen kann, die Gewohnheit der Einheimischen. Sie tätigen ihre Einkäufe zumeist in speziellen Vierteln, von denen jedes einen eigenen Charakter und typische Warenangebote hat. Im Folgenden werden die besten Shopping-Gegenden vorgestellt. Wer nur wenig Zeit hat, sollte in eines der großen Kaufhäuser gehen (siehe S. 319) oder sich für die Fifth Avenue entscheiden. Preiswerter allerdings kann man in der Lower East Side einkaufen.

Greenwich, East Village und Meatpacking District

Kurioses, Eklektisches und Antiquitäten findet man im Village. Gourmets schätzen die unzähligen Lebensmittelgeschäfte. Ausgefallene Mode findet man im Meatpacking District (siehe S. 112f).

SoHo

Das Areal zwischen Sixth Avenue, Lafayette, Houston und Canal Street ist voller Galerien und Läden mit Antiquitäten, Kunsthandwerk und Mode. Am Wochenende ist ein Galerienbummel zur Brunch-Zeit sehr beliebt. Ausgefallene Mode gibt es jenseits des Broadway in NoLIta (siehe S. 104f).

East Side und Lower East Side

Suchen Sie rund um St. Mark's Place nach Schuhen und preiswerter Kleidung. Sonntags strömen die New Yorker in Canal, Orchard und Essex Street auf der Suche nach Schnäppchen (siehe S. 94f).

South Street Seaport

Wer hier einen Bummel macht, findet Kunsthandwerk, Geschenkartikel, Spielwaren, Souvenirs, neue und antiquarische Bücher sowie Antiquitäten mit maritimem Charakter (siehe S. 82f).

Greenwich Village

SoHo und TriBeCa

Lower Manhattan

Seaport und Civic Center

Lower East S...

HUDSON RIVER

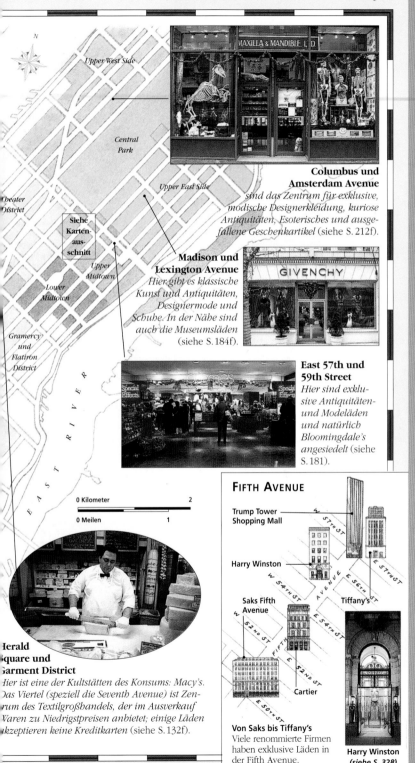

N

Upper West Side

Central Park

Theater District

Upper East Side

Siehe Karten- aus- schnitt

Upper Midtown

Lower Midtown

Gramercy und Flatiron District

EAST RIVER

Columbus und Amsterdam Avenue

sind das Zentrum für exklusive, modische Designerkleidung, kuriose Antiquitäten, Esoterisches und ausge- fallene Geschenkartikel (siehe S. 212f).

Madison und Lexington Avenue

Hier gibt es klassische Kunst und Antiquitäten, Designermode und Schuhe. In der Nähe sind auch die Museumsläden (siehe S. 184f).

East 57th und 59th Street

Hier sind exklu- sive Antiquitäten- und Modeläden und natürlich Bloomingdale's angesiedelt (siehe S. 181).

0 Kilometer 2

0 Meilen 1

Herald Square und Garment District

Hier ist eine der Kultstätten des Konsums: Macy's. Das Viertel (speziell die Seventh Avenue) ist Zen- trum des Textilgroßhandels, der im Ausverkauf Waren zu Niedrigstpreisen anbietet; einige Läden akzeptieren keine Kreditkarten (siehe S. 132f).

FIFTH AVENUE

Trump Tower Shopping Mall

Harry Winston

Saks Fifth Avenue

Tiffany's

Cartier

W 57TH ST
E 57TH ST
E 56TH ST
W 54TH ST
AVENUE
E 54TH ST
W 52ND ST
FIFTH
E 52ND ST
E 50TH ST

Von Saks bis Tiffany's

Viele renommierte Firmen haben exklusive Läden in der Fifth Avenue.

Harry Winston *(siehe S. 328)*

New Yorker Specials

N ew York ist eine Stadt, in der sich wohl jeder Wunsch – und sei er noch so ausgefallen – erfüllen lässt. Dutzende kleiner Shops haben sich auf ausgefallene Waren spezialisiert, die von Schmetterlingen und Gebeinen bis zu tibetischen Kunstschätzen und Kleeblättern aus Irland reichen. In versteckten Winkeln auf solche Läden zu stoßen und in ihnen zu stöbern, macht Shopping in New York zum wirklichen Vergnügen.

FACHGESCHÄFTE

H errliche Schachbretter aus Messing, Onyx und Zinn sowie die Gelegenheit zu einer Schachpartie bietet der **Chess Shop**. Alle Arten von Stiften, u.a. Marken wie Montblanc und Schaeffer, gibt es bei **Arthur Brown & Bros**.

Big City Kite Co. führt Drachen in den verrücktesten und schönsten Formen – vom furchterregenden Lindwurm bis zum knuddeligen Teddybären – sowie alles, was man sonst noch für das Herbstvergnügen braucht. Für alle, die etwas mehr Energie aufbringen, verkauft und verleiht **Blades Board & Skate** Rollschuhe, Skateboards und das erforderliche Zubehör.

Wer Knöpfe liebt, für den ist **Tender Buttons** ein absolutes Muss. Ob es Knöpfe aus Email, Holz oder Navajo-Silber sein sollen (oder auch daraus angefertigte Ohrringe) – unter den Millionen von Knöpfen, die das Geschäft auf Lager hat, finden Sie sicher genau das, was Sie suchen.

Sollten Sie Briefbeschwerer sammeln, ist **Leo Kaplan Ltd** der richtige Platz zum Stöbern. **Rita Ford's Music Boxes**, ein Laden im Stil des 19. Jahrhunderts, führt wohlklingende Spieldosen.

New York Firefighter's Friend verkauft Artikel, die mit der Brandbekämpfung in Zusammenhang stehen, etwa Spielzeug-Feuerwehrautos, Feuerwehrjacken, Abzeichen, nachgebildete Uniformen für Kinder, Dalmatiner (Maskottchen der Feuerwehr) aus Plüsch und T-Shirts.

Romantisch veranlagte Naturen finden bei **Only Hearts** alles in Herzform – einschließlich Seife, Schmuck und Kissen. Künstlerbedarf in großer Auswahl bekommen Sie bei **Pearl Paint Co**. **The Pop Shop** ist eine Fundgrube für große und kleine Werke des 1990 verstorbenen Künstlers Keith Haring.

Ins Weltraumzeitalter gelangt man bei **Star Magic**, wo es Himmelskarten, Hologramme, Prismen und technisches Spielzeug gibt. **Forbidden Planet** ist ein Science-Fiction-Megastore, der Comics und jede Menge SF-Modelle führt.

Das speziell für Präsident George Washington hergestellte Kölnisch Wasser und die offizielle Seife für das Weiße Haus in der Eisenhower-Ära gehören zu den vielen Artikeln, die es bei **Caswell-Massey Ltd.**, der ältesten Apotheke der Stadt, gibt.

Gitarren-Freaks sollten den Gitarrenladen **Rudy's** nicht versäumen – oder aber den von Manny oder Sam Ash. Hier gibt es eine riesige Auswahl an Instrumenten – und man begegnet womöglich Eric Clapton oder Lou Reed, die ihre Gitarren in dieser Gegend anfertigen lassen.

Für Bücherfreunde ist der **New York Public Library Shop** *(siehe S. 146)* von höchstem Interesse. Die Steinlöwen, die den Haupteingang flankieren, kann man in Form von Buchstützen mit nach Hause nehmen. Der **Morgan Library Shop** *(siehe S. 164f)* verkauft u.a. Lesezeichen und Briefpapier.

In den Geschenkboutiquen von **The Yale Club** und **The Princeton Club** findet man allen möglichen Schnickschnack mit Universitätsabzeichen und in College-Farben.

Weisburg Religious Articles bietet mit die größte Auswahl an rituellen jüdischen Gegenständen in New York an. **The Cathedral Shop** der Cathedral of St. John the Divine führt religiöse Bücher, Schmuck, Kunst und Devotionalien.

MEMORABILIEN

D er **Metropolitan Opera Shop** im Lincoln Center hat Schallplatten, Libretti, Operngläser und viele andere Geschenkartikel, die mit der Oper in Zusammenhang stehen. Der **Performing Arts Shop** im Untergeschoss ist eine Fundgrube für Memorabilien aus den Bereichen Theater, Oper, Ballett und Musik. Theaterfans erfreuen sich an den Skripten, den Aufnahmen und den CDs von **One Shubert Alley**. Tausende alter und seltener Standfotos sowie Filmplakate gibt es in **Jerry Ohlinger's Movie Material Store** in 242 W 14th Street.

Der **Carnegie Hall Shop** führt Karten, T-Shirts, Spiele, Poster und Tragetaschen – alles mit musikalischen Motiven. Originelles und typisch Amerikanisches findet man bei **Lost City Arts** und **Urban Archaeology** in SoHo. Zwischen diesen beiden Läden werden Sie auf alle möglichen Relikte der amerikanischen Vergangenheit stoßen, angefangen bei Barbiepuppen-Zubehör bis hin zur Ausstattung alter Eisdielen.

SPIELWAREN UND SCHNICKSCHNACK

D er bekannteste Spielwarenladen von New York ist zweifellos **F.A.O. Schwarz**. Das riesige Geschäft ist bis unter die Decke mit extravaganten Spielzeugautos, übergroßen Plüschtieren und jedem nur erdenklichen elektronischen Spielzeug angefüllt. **Children's General Store** ist einer der neuesten – und intelligentesten – Spielwarenläden New Yorks.

Penny Whistle Toys führt eine riesige Auswahl erstklassiger Spielsachen. Spiele für Erwachsene und Kinder – von Monopoly bis zum neuesten Yuppie-Spiel – gibt es bei **Game Show**. Ein Paradies für Fans von Modelleisenbahnen ist **Red Caboose**. Der Hauptladen der Kette **Toys 'R' Us** am Broadway ist das größte Spielwarengeschäft der Welt mit einem 20 Meter hohen Riesenrad.

Dinosaur Hill in der Second Avenue bietet handgefertigte Puppen und Spielsachen, Mobiles sowie hübsche und ausgefallene Kinderkleidung, die ihren Preis wert ist.

Seit 1848 versteht sich **Hammacher Schlemmer** darauf, seinen Kunden Gerätschaften und Spielereien fürs Heim oder fürs Büro zu verkaufen, deren praktischer Sinn sich nicht unbedingt auf den ersten Blick erschließt.

MUSEUMSLÄDEN

Einige der besten Souvenirs sind in den zahlreichen Museumsläden der Stadt erhältlich. Neben dem üblichen Angebot an Büchern, Plakaten und Karten gibt es dort auch Reproduktionen von Ausstellungsstücken wie Schmuck und Skulpturen. Das **Museum of Arts & Design** *(siehe S. 171)* bietet eine ausgezeichnete Auswahl amerikanischen Kunsthandwerks. Das **American Museum of Natural History** *(siehe S. 216f)* verkauft Dinosauriermodelle, Gummitiere, Mineralien und Steine, die verschiedensten Recyclingprodukte, Geschenke für Umweltbewusste,

Poster, Taschen, T-Shirts und indianisches Kunsthandwerk. Es gibt auch eine Abteilung für Kinder, die Spielsachen, Magnete und Ähnliches führt.

Der **Asia Society Bookstore and Gift Shop** *(siehe S. 187)* hat eine große Auswahl an fernöstlichen Drucken, Postern, Kunstbüchern, Schmuck und Spielwaren. Das **Cooper-Hewitt Museum** *(siehe S. 186)* bietet einiges zum Thema Innenarchitektur.

Eine reiche Auswahl an jüdischen Kultgegenständen, Büchern und Schmuck findet man im Laden des **Jewish Museum** *(siehe S. 186)*.

Wenn Sie sich für Reproduktionen berühmter Gemälde interessieren, sollten Sie unbedingt den Laden des **Metropolitan Museum of Art** *(siehe S. 190–197)* aufsuchen. Hier gibt es auch eine große Buchabteilung und Geschenke für Kinder.

Das **American Folk Art Museum** *(siehe S. 171)* ist bekannt für sein amerikanisches Kunsthandwerk, zu dem u.a. Holzspielzeug, Quilts und Wetterfahnen gehören. Zudem werden auch Originalarbeiten der ausstellenden Künstler verkauft.

Das **Museum of the City of New York** *(siehe S. 199)* ist auf Abbildungen des alten New York spezialisiert.

Der **Museum of Modern Art/ MoMA Design Store** *(siehe S. 172–175)* bietet innovative Einrichtungsgegenstände, Spielsachen und Küchenutensilien, die durch international bekannte Designer und Architekten wie Frank Lloyd Wright und Le Corbusier inspiriert sind. Hinzu kommt eine hervorragende Auswahl an Büchern.

Ein großes Angebot an nautischen Artikeln (Seekarten, Schiffsmodelle, Muschelarbeiten) erwartet einen in den **South Street Seaport Museum Shops** *(siehe S. 82–85)*.

Der **Whitney Museum's Store Next Door** *(siehe S. 200f)* führt Artikel amerikanischer Herkunft (Schmuck, Holzspielzeug, Bücher, Poster und vieles mehr).

Im **Museum of Jewish Heritage** *(siehe S. 77)* befindet sich eine Boutique, die ungewöhnliche Geschenke, Souvenirs und lehrreiches Material rund um die jüdische Kultur anbietet. Zugang haben allerdings nur Besucher des Museums.

WAREN AUS ALLER WELT

New York ist ein riesiger Schmelztiegel unterschiedlicher Nationalitäten, Kulturen und ethnischer Gruppen. Die meisten haben die Stadtkultur beeinflusst, und alle sind durch Läden vertreten, die typische Erzeugnisse der jeweiligen Bevölkerungsgruppe verkaufen. Zu den besonders interessanten Geschäften zählen **Alaska on Madison** mit einer großen Auswahl an Inuit-Kunst sowie die exquisite **Chinese Porcelain Company**, die Möbel und dekorative Kunst aus China führt.

Pearl River Mart verkauft seit über 30 Jahren asiatische Waren, **Himalayan Crafts and Tours** führt tibetisches Kunsthandwerk wie Bilder und Teppiche.

Sweet Life in der Lower East Side ist ein kleiner, hübsch altmodischer Süßwarenladen mit Spezialitäten aus aller Welt. **Things Japanese** bietet gut verarbeitetes Kunsthandwerk und außergewöhnliche Bücher aus Japan an.

Surma ist ein ukrainischer Laden, der handbemalte Eier und Stoffwaren verkauft. Bei **Common Ground** bekommt man indianische Korb-, Webund Schmuckwaren. **Astro Gems** führt eine große Auswahl von Juwelen und Mineralien aus Afrika und Asien.

ADRESSEN

Alaska on Madison
937 Madison Ave.
Stadtplan 17 A1.
(212) 879-1782.

Astro Gems
185 Madison Ave. Stadtplan 9 A2.
(212) 889-9000.

Chinese Porcelain Company
475 Park Ave. **Stadtplan** 13 A3.
(212) 838-7744.

Common Ground
55 W 16th St. **Stadtplan** 8 F5.
(212) 989-4178.

Himalayan Crafts and Tours
2007 Broadway. **Stadtplan** 11 C1.
(212) 787-8500.

Pearl River Mart
477 Broadway. **Stadtplan** 4 E4.
(212) 431-4770.

Sweet Life
63 Hester St. **Stadtplan** 5 B4.
(212) 598-0092.

Surma
11 E 7th St. **Stadtplan** 4 F2.
(212) 477-0729.

Things Japanese
127 E 60th St. **Stadtplan** 13 A3.
(212) 371-4661.

Stadtplan siehe Seiten 394–425

Auf einen Blick

Fachgeschäfte

Arthur Brown & Bros.
2 W 46th St. **Stadtplan** 12 F5. (212) 575-5555.

Big City Kite Co.
1210 Lexington Ave.
Stadtplan 17 A4.
(212) 472-2623.

Blades Board & Skate
120 W 72nd St.
Stadtplan 12 D1.
(212) 787-3911.

Caswell-Massey Ltd.
518 Lexington Ave.
Stadtplan 13 A5.
(212) 755-2254.

The Cathedral Shop
Cathedral of St. John the Divine, 1047 Amsterdam Ave. **Stadtplan** 20 E4.
(212) 222-7200.

The Chess Shop
230 Thompson St.
Stadtplan 4 D3.
(212) 475-9580.

Leo Kaplan Ltd.
114 E 57th St.
Stadtplan 13 A3.
(212) 355-7122.

Morgan Library Shop
Madison Ave/36th St.
Stadtplan 9 A2.
(212) 685-0610.

New York Firefighter's Friend
263 Lafayette St.
Stadtplan 4 F3.
(212) 226-3142.

New York Public Library Shop
5th Ave/42nd St.
Stadtplan 8 F1.
(212) 930-0869.

Only Hearts
386 Columbus Ave.
Stadtplan 15 D5.
(212) 724-5608.

Pearl Paint Co
308 Canal St.
Stadtplan 4 E5.
(212) 431-7932.

The Pop Shop
292 Lafayette St.
Stadtplan 4 F3.
(212) 219-2784.

The Princeton Club
15 W 43rd St. **Stadtplan** 8 F1. (212) 596-1200.

Rita Ford's Music Boxes
19 E 65th St.
Stadtplan 12 F2.
(212) 535-6717.

Rudy's
169 W 48th St.
Stadtplan 12 E5.
(212) 391-1699.

Star Magic
745 Broadway. **Stadtplan** 4 E2. (212) 228-7770.

Tender Buttons
143 E 62nd St.
Stadtplan 13 A2.
(212) 758-7004.

Weisburg Religious Articles
45 Essex St. **Stadtplan** 5 B4. (212) 674-1770.

The Yale Club
50 Vanderbilt Ave.
Stadtplan 13 A5.
(212) 661-2070.

Memorabilien

One Shubert Alley
1 Shubert Alley.
Stadtplan 12 E5.
(212) 944-4133.

The Carnegie Hall Shop
881 7th Ave.
Stadtplan 12 E3.
(212) 903-9610.

Forbidden Planet
840 Broadway.
Stadtplan 4 E1.
(212) 473-1576.

Jerry Ohlinger's Movie Material Store
253 W 35th St.
Stadtplan 8 D2.
(212) 989-0869.

Lost City Arts
18 Cooper Square.
Stadtplan 4 F2.
(212) 375-0500.

Metropolitan Opera Shop
Metropolitan Opera House, Lincoln Center, 136 W 65th St.
Stadtplan 11 C2.
(212) 580-4090.

Performing Arts Shop
Metropolitan Opera House, Lincoln Center, 136 W 65th St.
Stadtplan 11 C2.
(917) 441-1195.

Urban Archaeology
143 Franklin St.
Stadtplan 4 D5.
(212) 431-4646.

Spielwaren und Schnickschnack

The Children's General Store
Grand Central Station.
Stadtplan 9 A1.
(212) 682-0004.

Dinosaur Hill
306 E 9th St, 2nd Ave.
Stadtplan 4 F1.
(212) 473-5850.

F. A. O. Schwarz
767 5th Ave.
Stadtplan 12 F3.
(212) 644-9400.

Game Show
1240 Lexington Ave.
Stadtplan 17 A4.
(212) 472-8011.

Hammacher Schlemmer
147 E 57th St.
Stadtplan 13 A3.
(212) 421-9000.

Penny Whistle Toys
448 Columbus Ave.
Stadtplan 16 D4.
(212) 873-9090.

Red Caboose
23 W 45th St.
Stadtplan 12 F5.
(212) 575-0155.

Toys 'R' Us
1514 Broadway, Times Square.
Stadtplan 8 E2.
(646) 366-8800.

Museumsläden

Museum of Arts & Design
40 W 53rd St.
Stadtplan 12 F4.
(212) 956-3535.

American Folk Art Museum
45 W 53rd St.
Stadtplan 12 F4.
(212) 265-1040.

American Museum of Natural History
W 79th St/Central Park W.
Stadtplan 16 D5.
(212) 769-5100.

Asia Society Bookstore and Gift Shop
725 Park Ave.
Stadtplan 13 A1.
(212) 288-6400.

Cooper-Hewitt
2 E 91st St.
Stadtplan 16 F2.
(212) 849-8400.

Jewish Museum
1109 5th Ave.
Stadtplan 16 F2.
(212) 423-3200.

Metropolitan Museum of Art
5th Ave/82nd St.
Stadtplan 16 F4.
(212) 535-7710.

Museum of the City of New York
5th Ave/103rd St.
Stadtplan 21 C5.
(212) 534-1672.

Museum of Jewish Heritage
18 1st Place, Battery Park City.
Stadtplan 1 B4.
(646) 437-4200.

Museum of Modern Art/MOMA Design Store
44 W 53rd St.
Stadtplan 12 F4.
(212) 767-1050.

South St. Seaport Museum Shops
12 Fulton St.
Stadtplan 2 D2.
(212) 748-8600.

The Whitney Museum's Store Next Door
943 Madison Ave.
Stadtplan 13 A1.
(212) 570-3676.

Stadtplan siehe Seiten 394–425

Mode

Ganz egal was Sie suchen – sei es eine Levi's 501 im Sonderangebot oder ein Abendkleid, wie es Ivana Trump tragen würde – in New York finden Sie es. Die Stadt ist das Modezentrum Amerikas. Hier arbeiten die meisten Designer und Manufakturen. Wie die Gastronomie spiegeln unzählige Modegeschäfte die verschiedenen Stile und Kulturen einzelner Stadtbezirke wider. Aus Zeitgründen konzentriert man sich am besten auf ein bestimmtes Viertel. Sie können auch eines der großen Kaufhäuser aufsuchen, die eine ausgezeichnete Auswahl an Bekleidung bieten.

AMERIKANISCHE MODESCHÖPFER

Viele US-Designer verkaufen ihre Kreationen innerhalb der großen Kaufhäuser in Extra-Shops oder unterhalten eigene exklusive Läden. Zu den berühmtesten gehört Geoffrey Beene, der für das anspruchsvolle Design seiner bequemen Mode bekannt ist.

Bill Blass ist der König der amerikanischen Modebranche. Er verwendet viele verschiedene Farben, wilde Muster und innovative Formen. Er hat eine Menge Esprit, was sich als überaus erfolgreich erwiesen hat. Die Entwürfe von Liz Claiborne zeichnen sich durch schlichte Eleganz und vernünftige Preise aus. Ihre Kollektion ist breit gefächert und reicht vom Tenniskleid bis zum eleganten Bürokostüm.

Marc Jacobs, bekannt für Sportbekleidung, hat sein eigenes Label und einen Laden in Greenwich Village. James Galanos entwirft exklusive Einzelstücke zu astronomischen Preisen für eine reiche Klientel. Betsey Johnson ist auf superschlanke extrovertierte Kundinnen abonniert, die wilde Partys und hautenge Garderobe lieben.

Der Name Donna Karan tauchte in den letzten zehn Jahren überall auf. Ihre Kollektion bietet Mode für Karrierefrauen ebenso wie preiswertere Sportbekleidung. Calvin Klein ist für bequeme, sinnliche und gut sitzende Unterwäsche, Jeans, Kleider, Mäntel und Sonnenbrillen bekannt. Ralph Lauren hat sich einen Namen mit seiner aristokratischen und teuren Mode gemacht – ein Look,

den die exklusive Gesellschaft der pferdebegeisterten Universitätselite bevorzugt. Das Metier von Joan Vass sind aufregende, farbenfrohe und innovative Strickwaren mittlerer Preislage.

DESIGNERMODE ZU NIEDRIGPREISEN

Reduzierte Designermode in großer Auswahl gibt's bei Designer Resale, Encore und Michael's. Oscar de la Renta, Ungaro und Armani sind nur einige der Modeschöpfer, deren Kreationen in diesen Läden angeboten werden. In den Verkauf kommen ausschließlich fehlerlose (oder beinahe fehlerlose) Stücke, von denen die meisten noch niemals getragen wurden.

Das Kaufhaus Century 21 in Lower Manhattan gehört zu New Yorks Geheimtipps. Das Discountgeschäft für europäische und amerikanische Designermode bietet bis zu 75 Prozent Preisnachlass.

Filene's Basement, einer der ältesten Discountläden Manhattans, führt Designermode, Schuhe und Accessoires.

HERRENMODE

Im Zentrum von Midtown findet man zwei der renommiertesten Herrenausstatter: Brooks Brothers und Paul Stuart. Brooks Brothers ist bekannt für elegante, klassische Herrenbekleidung und führt auch eine konservative Modelinie für Damen. Paul Stuart präsentiert sich betont britisch und verkauft erlesene Herrenbekleidung.

Bei Bergdorf Goodman Men, einem führenden Modehaus,

findet man außergewöhnlich schöne Hemden von Turnbull & Asser sowie Anzüge von Gianfranco Ferré und Hugo Boss. Barney's New York hat eine der größten Herrenabteilungen der USA, mit einer riesigen Auswahl an Bekleidung und Accessoires. Der Herrenausstatter Polo/Ralph Lauren führt ein reichhaltiges Angebot schlichter, zeitloser Mode und viele Accessoires.

Rothman's hat internationale Marken; hier gibt es ab und zu Schnäppchen. The Custom Shop Shirtmakers ist auf maßgeschneiderte Anzüge und Hemden aus herrlichen Stoffen spezialisiert. Die klassischen britischen Trenchcoats gibt's bei Burberry Limited. J. Press verkauft klassische, konservative Herrenbekleidung. John Varvatos ist für luxuriöse Sportmode mit eleganten Details bekannt.

In Uptown gibt es elegante europäische Designermode bei Beau Brummel. Auch der Shop von Thomas Pink, bei dem die Promis kaufen, bietet hier Mode aus farbenfrohen, edlen Stoffen.

Viele der genannten Herrenausstatter haben auch faszinierende Damenabteilungen. Ein Besuch im neuen Hickey-Freemann-Laden in der Fifth Avenue, der eine große Auswahl traditioneller Herren- und Damenbekleidung führt, lohnt sich immer.

KINDERMODE

Neben dem ausgezeichneten Angebot der großen Kaufhäuser gibt es in New York auch einige Kinderbekleidungsgeschäfte. Mode für die Kleinen mit dem gewissen französischen Charme findet man bei Bonpoint.

GapKids und BabyGap, die man meist in den Gap-Läden findet, bieten strapazierfähige Baumwoll-Overalls, Hosen, Jeansjacken, hübsche Sweatshirts und Leggings. Peanut Butter & Jane verkauft modisches, bequemes Kinderoutfit. Space Kiddets hat alles, von Babylätzchen und Gummistiefeln bis hin zu Kinderkleidung im Western-Look.

DAMENMODE

Die New Yorker Damenmode ist mehr statusorientiert als trendsetzend, wobei der Schwerpunkt auf Designerkleidung liegt. Die exquisiten Modeboutiquen findet man vor allem um Madison Avenue und Fifth Avenue. Hierzu gehören auch einige der namhaften Kaufhäuser, die Labels verschiedener US-Designer, etwa Donna Karan, Ralph Lauren und Bill Blass, führen.

Internationale Modehäuser wie **Chanel**, **Fendi** und **Valentino** haben in der Stadt ihre Niederlassungen; gleiches gilt für den herausragenden amerikanischen Modeschöpfer **Geoffrey Beene**. Darüber hinaus gibt es eine Reihe von beliebten Konfektionsgeschäften wie **Ann Taylor**.

Mitten in diesem »Mode-Areal« erhebt sich der Trump Tower, der zahlreiche exklusive Läden beherbergt.

In der Madison Avenue findet man Haute-Couture-Ableger in großer Zahl, etwa **Givenchy** mit atemberaubenden Kleidern zu Höchstpreisen, **Valentino** mit klassischer italienischer Mode und **Emanuel Ungaro**, ein vergleichsweise unscheinbarer Laden, der für jeden Geschmack und jede Figur etwas zu bieten hat – von erstklassig verarbeiteten Jacken bis zu Kleidern in kühn gemusterten Stoffen für eher korpulente Damen. **Missoni** ist bekannt für reich strukturierte, farbenfrohe Pullover. **Yves St Laurent Rive Gauche** hat Abendkleider, Modelljacken, extravagante Blusen und herrlich geschnittene Hosenanzüge.

Raffinierten Chic aus Italien bieten die großen Namen des Landes: **Giorgio Armani** und **Gianni Versace**. Auch **Dolce & Gabbana** verkauft einzigartige italienische Designermode, die natürlich ihren Preis hat. **Gucci**, eines der ältesten italienischen Modelabels in den USA, zieht hauptsächlich Kunden aus der oberen Gesellschaftsschicht an.

In der Upper West Side erregen viele Geschäfte durch ihre außergewöhnlichen Kreationen Aufmerksamkeit,

darunter auch **Betsey Johnson** mit ihren schrillen, relativ preiswerten Modellen. Ein **Calvin-Klein**-Laden hat in der East Side eröffnet; angeboten wird ultramodisches, sportliches Design.

French Connection ist für erschwingliche Freizeit- und Bürokleidung bekannt. Wenn es um das »kleine Schwarze« geht, ist **Scoop** die richtige Adresse.

Wer Second-Hand- oder Rock-'n'-Roll-Mode der 1950er Jahre sucht, sollte sich besonders im East Village, aber auch in Greenwich Village umsehen. Hier sind auch zahlreiche Läden junger Designer. Auf der Suche nach erschwinglicher, gut geschnittener, klassisch-lässiger Kleidung wird man möglicherweise bei **APC** fündig.

Cheap Jack's hat eine riesige Auswahl an gebrauchten Levi's sowie Jeans- und Lederjacken auf Lager. Bei **Loehmann's** findet man die allerneuesten Modetrends – manchmal zu fast unglaublich günstigen Preisen.

Genau das richtige »kleine Schwarze« kann man sich bei **Big Drop** unter zahllosen Modellen aussuchen. **Screaming Mimi's** dagegen bietet die ausgestellten Samthosen oder die Go Go-Stiefel, von denen Sie schon immer geträumt haben.

Alltäglicher ist das Angebot bei **The Gap**, einer Ladenkette, die bequeme Kleidung für die ganze Familie führt.

In Sachen Boutiquen mit interessanter Designerkleidung hat sich SoHo in jüngster Zeit zu einem ernsthaften Konkurrenten der Madison Avenue entwickelt, wobei die Klamotten in SoHo um einiges avantgardistischer sind. Neben anderen ausgefallenen Läden findet man hier **Yohji Yamamoto**. Japanischen Chic für Minimalisten verkauft **Comme des Garçons**.

Cynthia Rowley ist eine prominente New Yorker Designerin, die sexy Damenmode macht und verkauft. **What Comes Around Goes Around** ist der Laden für edle Vintage-Jeans.

KONFEKTIONSGRÖSSEN

Kinderkleidung

Amerikanisch (Größe)	2–3	4–5	6–6x	7–8	10	12	14	16
Deutsch (Alter)	2–3	4–5	6–7	8–9	10–11	12	14	14+

Kinderschuhe

Amerikanisch	7½	8½	9½	10½	11½	12½	13½	1½	2½
Deutsch	24	25½	27	28	29	30	32	33	34

Damenmode

Amerikanisch	8	10	12	14	16	18	20
Deutsch	34	36	38	40	42	44	46

Damenschuhe

Amerikanisch	5	6	7	8	9	10	11
Deutsch	36	37	38	39	40	41	44

Herrenanzüge

Amerikanisch	34	36	38	40	42	44	46	48
Deutsch	44	46	48	50	52	54	56	58

Oberhemden

Amerikanisch	14	15	15½	16	16½	17	17½	18
Deutsch	36	38	39	41	42	43	44	45

Herrenschuhe

Amerikanisch	7	7½	8	8½	9½	10½	11	11½
Deutsch	39	40	41	42	43	44	45	46

AUF EINEN BLICK

DESIGNERMODE ZU NIEDRIGPREISEN

Century 21 Department Store
22 Cortland St.
Stadtplan 1 C2.
((212) 227-9092.

Designer Resale
324 E 81st St.
Stadtplan 17 B4.
((212) 734-3639.

Encore
1132 Madison Ave.
Stadtplan 17 A4.
((212) 879-2850.

Filene's Basement
4 Union Square South.
Stadtplan 9 A5.
((212) 358-0169.
Mehrere Filialen.

Michael's
1041 Madison Ave.
Stadtplan 17 A5.
((212) 737-7273.

HERRENMODE

Barney's New York
660 Madison Ave.
Stadtplan 13 A3.
((212) 826-8900.

Beau Brummel
421 W Broadway.
Stadtplan 4 E3.
((212) 219-2666.
Mehrere Filialen.

Bergdorf Goodman Men
754 5th Ave.
Stadtplan 12 F3.
((212) 753-7300.

Brooks Brothers
346 Madison Ave.
Stadtplan 9 A1.
((212) 682-8800.

Burberry Limited
9 E 57th St.
Stadtplan 12 F3.
((212) 757-3700.

The Custom Shop Shirtmakers
618 5th Ave.
Stadtplan 12 F4.
((212) 245-2499.
Mehrere Filialen.

J. Press
7 E 44th St.
Stadtplan 12 F5.
((212) 687-7642.

John Varvatos
149 Mercer St.
Stadtplan 4 E3.
((212) 965-0700.

Paul Stuart
350 Madison Ave.
Stadtplan 13 A5.
((212) 682-0320.

Polo/Ralph Lauren
Madison Ave/72nd St.
Stadtplan 13 A1.
((212) 606-2100.

Rothman's
200 Park Ave South.
Stadtplan 9 A5.
((212) 777-7400.

Thomas Pink
520 Madison Ave.
Stadtplan 13 A4.
((212) 838-1928.

KINDERMODE

Bonpoint
1269 Madison Ave.
Stadtplan 17 A3.
((212) 722-7720.

GapKids
60 W 34th St.
Stadtplan 8 F2.
((212) 760-1268.
Mehrere Filialen.

Peanut Butter & Jane
617 Hudson St.
Stadtplan 3 B1.
((212) 620-7952.

Space Kiddets
46 E 21st St.
Stadtplan 8 F4.
((212) 420-9878.

DAMENMODE

Ann Taylor
645 Madison Ave.
Stadtplan 13 A3.
((212) 832-2010.
Mehrere Filialen.

APC
131 Mercer St.
Stadtplan 4 E3.
((212) 966-9685.

Betsey Johnson
248 Columbus Ave.
Stadtplan 16 D4.
((212) 362-3364.
Mehrere Filialen.

Big Drop
174 Spring St.
Stadtplan 3 C4.
((212) 966-4299.

Calvin Klein
654 Madison Ave.
Stadtplan 13 A3.
((212) 292-9000.

Chanel
15 E 57th St.
Stadtplan 12 F3.
((212) 355-5050.

Cheap Jack's
841 Broadway.
Stadtplan 4 E1.
((212) 777-9564.

Comme des Garçons
520 W 22nd St.
Stadtplan 8 F3.
((212) 604-9200.

Cynthia Rowley
112 Wooster St.
Stadtplan 4 E4.
((212) 334-1144.

Dolce & Gabbana
434 W Broadway.
Stadtplan 4 E3.
((212) 965-8000.

Emanuel Ungaro
792 Madison Ave.
Stadtplan 13 A2.
((212) 249-4090.

Fendi
720 5th Ave.
Stadtplan 12 F3.
((212) 767-0100.

French Connection
700 Broadway.
Stadtplan 4 E2.
((212) 473-4486.
Mehrere Filialen.

The Gap
250 W 57th St.
Stadtplan 12 D3.
((212) 315-2250.
Mehrere Filialen.

Geoffrey Beene
309 5th Ave.
Stadtplan 8 F3.
((212) 725-9647.

Gianni Versace
815 Madison Ave.
Stadtplan 13 A2.
((212) 744-6868.

Giorgio Armani
760 Madison Ave.
Stadtplan 13 A2.
((212) 988-9191.

Givenchy
710 Madison Ave.
Stadtplan 13 A1.
((212) 688-4338.

Gucci
685 5th Ave.
Stadtplan 12 F4.
((212) 826-2600.

Loehmann's
101 7th Ave.
Stadtplan 8 E1.
((212) 352-0856.

Missoni
1009 Madison Ave.
Stadtplan 13 A1.
((212) 517-9339.

Saks Fifth Avenue
611 5th Ave.
Stadtplan 12 F4.
((212) 753-4000.

Scoop
532 Broadway
(bei Spring St).
Stadtplan 4 E4.
((212) 925-2886.
Zwei Filialen.

Screaming Mimi's
382 Lafayette St.
Stadtplan 4 F2.
((212) 677-6464.

Valentino
747 Madison Ave.
Stadtplan 13 A2.
((212) 772-6969.

What Comes Around Goes Around
351 W Broadway.
Stadtplan 4 E4.
((212) 343-9303.

Yohji Yamamoto
103 Grand St.
Stadtplan 4 E4.
((212) 966-9066.

Yves St Laurent Rive Gauche
855 Madison Ave.
Stadtplan 13 A1.
((212) 517-7400.

Stadtplan siehe Seiten 394–425

Accessoires

N eben den hier aufgeführten Läden haben alle großen Kaufhäuser in Manhattan ein vielfältiges Angebot an Accessoires wie Hüte, Handschuhe, Handtaschen, Schmuck, Uhren, Schals, Schuhe und Schirme.

SCHMUCK

M idtown Fifth Avenue ist die Adresse exklusiver Juweliere. Tagsüber glitzern die Juwelen aus aller Welt in den Schaufenstern, nachts sind die Auslagen leer; die kostbaren Stücke sind sicher in den Safes verwahrt. Die beeindruckendsten Geschäfte liegen nahe beieinander, darunter **Harry Winston**, wo Schmuckstücke aus aller Welt wie in einem Museum ausgestellt sind. **Buccellati** steht für innovative italienische Goldschmiedekunst. **Bulgari** führt eine Kollektion mit Stücken in Preislagen von einigen hundert bis weit über eine Million Dollar.

Cartier, der in einer Art Renaissance-Palazzo residiert, ist ein Schmuckkästchen für sich und verkauft seine Edelsteine zu Preisen jenseits aller Vorstellung. **Tiffany & Co.** erstreckt sich über zehn Etagen, wo Diamanten und andere Juwelen darauf warten, den Besitzer zu wechseln.

Die Diamond Row, ein Häuserblock in der 47th Street (zwischen Fifth und Sixth Avenue; *siehe S. 144*), besteht aus lauter Geschäften, die wertvolle Diamanten, Goldschmuck und Perlen aus aller Herren Länder verkaufen. Nicht versäumen sollte man die **Jewelry Exchange**, einen Gebäudekomplex, in dem 60 verschiedene Goldschmiede ihre Kollektionen anbieten. Ausgiebiges Feilschen gehört hier mit zum Ritual.

HÜTE

D er älteste New Yorker Hutmacher mit der größten Auswahl in der ganzen Stadt ist **Worth & Worth**. Man bekommt hier jede Art von Kopfbedeckung, angefangen bei australischen Buschhelmen bis hin zu Seidenzylindern und wogenden romantischen Kreationen.

Einzigartige Hüte findet man auch bei **Larisa Hats**. Die Lieblings-Hutmacherin von Promis wie Whoopi Goldberg und Ivana Trump ist **Suzanne Millinery**.

SCHIRME

S obald es in New York zu regnen beginnt, scheinen Hunderte von Schirmverkäufern wie Pilze aus dem Boden zu sprießen. Ihre Schirme, die nur ein paar Dollar kosten, sind wohl die billigsten in der Stadt, halten allerdings meist auch nicht länger als einen Regenguss.

Schirme guter Qualität findet man bei **Worth & Worth**, die ein reichhaltiges Angebot von Briggs of London führen. **Barney's New York** bietet Schirme in modischem Design sowie mit traditionellem Schotten- und Streifenmuster. Auch **Macy's** (*siehe S. 319*) führt den Regenschutz in ungewöhnlichen Mustern und Formen. Bei **Gucci** gibt es passende Regenschirme zu den angebotenen Krawatten. Schirme rund ums Thema Subway findet man im **NY Transit Museum Store**. Große Portiersschirme in schlichtem Schwarz oder in den traditionellen Universitätsfarben Schwarz und Orange hat **The Princeton Club**.

LEDERWAREN

Z weimal im Jahr, während des Schlussverkaufs im Januar und im August, stehen an der Ecke 48th Street und Madison Avenue die Kunden Schlange, um bei **Crouch & Fitzgerald** eingelassen zu werden. Das alteingesessene New Yorker Geschäft verkauft Handtaschen, Aktentaschen und Koffer renommierter Marken wie Judith Leiber, Ghurka, Cooney & Bourke und Louis Vuitton sowie eine eigene Lederwarenkollektion. Andere exklusive Läden sind

Bottega Veneta und **Prada**, wo Handtaschen wie Kunstwerke ausgestellt sind.

Zu den neueren modischeren Geschäften gehören **Furla** mit italienischen Modellen und das elegante **Il Bisonte**. Wildledertaschen des Top-Designers Rafé Totengco gibt es bei **TG 170** und **Big Drop**. **The Coach Store** ist für seine klassisch amerikanischen Handtaschen aus festem Leder bekannt.

Die stilvollen und gleichzeitig praktischen rechteckigen Handtaschen von **Kate Spade's**, sind längst schon Designklassiker. Sie sind in einer Vielzahl von Farben und Druckmotiven erhältlich.

Designerhandtaschen zu reduzierten Preisen bekommt man bei **Fine & Klein**. Und wer Aktenkoffer zu günstigen Preisen sucht, sollte unbedingt der **Altman Luggage Company** einen Besuch abstatten.

SCHUHE

D ie Schuhgeschäfte von Manhattan sind bekannt für ihre Auswahl an Schuhen und Stiefeln, und man findet fast immer, was man sucht, zu erschwinglichen Preisen.

Auch die meisten großen Kaufhäuser haben Schuhabteilungen, in denen neben ihren eigenen Schuhmarken auch Designermodelle angeboten werden. **Bloomingdale's** (*siehe S. 181*) unterhält eine riesige, gut sortierte Abteilung für Damenschuhe, **Brooks Brothers** hat mit das beste Angebot an klassischen Herrenschuhen.

Besonders exklusive Schuhläden gibt es in Midtown. **Martinez Valero** führt Elegantes in Wild- und Glattleder. **Ferragamo** verkauft klassische Schuhmodelle aus Florenz.

Ausgefallene Schuhmode findet man bei **Botticelli**. Modisches Schuhwerk zu angemessenen Preisen kann man bei **Sigerson Morrison** in Little Italy erstehen.

Cowboy-Stiefel kauft man bei **Billy Martin's**, wo es eine riesige Auswahl handgefertigter Stiefel gibt – von einfachen *Ropers* ohne Fransen bis hin zu Stiefeln aus Krokodilleder für einige tausend Dollar. Bei **Billy Martin's** können Sie sich von Kopf bis Fuß mit Westernkleidung und -zubehör eindecken. Wunderschöne maßgefertigte Stiefel sind bei **Buffalo Chips Bootery** erhältlich.

Modische Kinderschuhe bester Qualität kauft man bei **East Side Kids**. **Little Eric** bietet eher ausgefallene Kinderschuhe. **Shoofly** führt Importware jeden Stils, während bei **Harry's** einzig und allein die gute Passform zählt.

Die Boutique **Jimmy Choo** führt unzählige High Heels,

von stilvoll bis sexy. Eine Klasse für sich sind die wunderschönen Schuhe von **Manolo Blahnik**. Spaniens bekannteste Schuhmarke **Camper** hat in SoHo eine geräumige Filiale mit Damen- und Herrenschuhen.

Schuhe zu Discountpreisen findet man vor allem in der West 34th Street und in der West 8th Street zwischen Fifth und Sixth Avenue sowie in der Orchard Street in der Lower East Side. Der Schuhdiscounter **DSW** führt in schier endlosen Reihen Markenschuhe und -stiefel zu einem Bruchteil des regulären Preises.

DESSOUS

Teure und exquisite handgefertigte Seidenunterwäsche aus Europa in allen Stilrichtungen bekommt man bei **La Petite Coquette**.

Preiswerter ist **Victoria's Secret** in der 57th Street, wo auf zwei Stockwerken Unterwäsche aus Satin, Seide und anderen reizvollen Materialien angeboten wird.

Henri Bendels Dessous-Abteilung führt edle Wäsche für jeden Anlass und jede Größe. Verführerisch par excellence sind die hochwertig verarbeiteten Produkte von **La Perla**.

AUF EINEN BLICK

SCHMUCK

Buccellati
46 E 57th Ave. **Stadtplan**
12 F3. ☎ (212) 308-2900.

Bulgari
730 5th Ave. **Stadtplan**
12 F3. ☎ (212) 315-9000.

Cartier
653 5th Ave. **Stadtplan**
12 F4. ☎ (212) 753-0111.

Harry Winston
718 5th Ave. **Stadtplan**
12 F3. ☎ (212) 245-2000.

Jewelry Exchange
15 W 47th St.
Stadtplan 12 F5.

Tiffany & Co.
5th Ave an der 57th Street.
Stadtplan 12 F3.
☎ (212) 755-8000.

HÜTE

Larisa Hats
342 7th Ave. **Stadtplan**
8 E3. ☎ (212) 695-8989.

Suzanne Millinery
27 E 61st St. **Stadtplan**
13 A3. ☎ (212) 593-3232.

Worth & Worth
101 W 55th St, Suite 3N.
Stadtplan 12 E4.
☎ (212) 265-2887.

SCHIRME

Barney's New York
Siehe S. 319.

Gucci
Siehe S. 327.

NY Transit Museum Store
Grand Central Terminal.
Stadtplan 9 A1.
☎ (212) 878-0106.

The Princeton Club
Siehe S. 324.

LEDERWAREN

Altman Luggage Company
135 Orchard St. **Stadtplan**
5 A3. ☎ (212) 254-7275.

Big Drop
Siehe S. 327.

Il Bisonte
120 Sullivan St.
Stadtplan 4 D4.
☎ (212) 966-8773.

Bottega Veneta
635 Madison Ave.
Stadtplan 13 A3.
☎ (212) 371-5511.

The Coach Store
595 Madison Ave.
Stadtplan 13 A3.
☎ (212) 754-0041.

Crouch & Fitzgerald
400 Madison Ave.
Stadtplan 13 A5.
☎ (212) 755-5888.

Fine & Klein
119 Orchard St. **Stadtplan**
5 A3. ☎ (212) 674-6720.

Furla
727 Madison Ave.
Stadtplan 13 A3.
☎ (212) 755-8986.
Zwei Filialen.

Kate Spade
454 Broome St.
Stadtplan 4 E4.
☎ (212) 274-1991.

Prada
49 E 57th St. **Stadtplan**
12 F3. ☎ (212) 308-2332.

TG-170
170 Ludlow St. **Stadtplan**
5 A3. ☎ (212) 995-8660.

SCHUHE

Billy Martin's
220 E 60th St.
Stadtplan 13 B3.
☎ (212) 861-3100.

Botticelli
620 5th Ave. **Stadtplan**
12 F4. ☎ (212) 582-6313.

Bloomingdale's
Siehe S. 319.

Brooks Brothers
Siehe S. 327.

Buffalo Chips Bootery
355 W Broadway.
Stadtplan 4 E4.
☎ (212) 625-8400.

Camper
125 Prince St. **Stadtplan** 4
E3. ☎ (212) 358-1842.

DSW
40 E 14th St, 3rd Floor.
Stadtplan 9 A5.
☎ (212) 674-2146.

East Side Kids
1298 Madison Ave.
Stadtplan 17 A2.
☎ (212) 360-5000.

Ferragamo
655 5th Ave. **Stadtplan**
12 F3. ☎ (212) 759-3822.

Harry's
2299 Broadway. **Stadtplan**
15 C2. ☎ (212) 874-2035.

Jimmy Choo
645 5th Ave. **Stadtplan**
12 F4. ☎ (212) 593-0800.

Little Eric
1333 3rd Ave. **Stadtplan**
17 B5. ☎ (212) 288-8987.

Manolo Blahnik
31 W 54th St. **Stadtplan**
12 F4. ☎ (212) 582-3007.

Martinez Valero
1029 3rd Ave. **Stadtplan**
13 B3. ☎ (212) 753-1822.

Shoofly
42 Hudson St. **Stadtplan**
1 B1. ☎ (212) 406-3270.

Sigerson Morrison
28 Prince St. **Stadtplan** 4
F3. ☎ (212) 219-3893.

DESSOUS

Henri Bendel
Siehe S. 319.

La Perla
93 Greene St. **Stadtplan**
4 E3. ☎ (212) 219-0999.

La Petite Coquette
51 University Place.
Stadtplan 4 E1.
☎ (212) 473-2478.

Victoria's Secret
34 E 57th St. **Stadtplan**
12 F3. ☎ (212) 758-5592.

Stadtplan *siehe Seiten 394–425*

Beauty und Hair Salons

Es ist nicht schwer, in New York bis zur völligen Erschöpfung zu shoppen. Irgendwann sollten Sie sich wirklich Erholung gönnen, und die ist in der Metropole nicht weit. Es gibt zahlreiche gut ausgestattete Schönheitssalons und Friseure sowie Spezialisten für Maniküre und Pediküre. Die Dienstleister haben sich auf den engen Zeitplan der New Yorker Geschäftsleute eingestellt und bieten Termine noch am selben Tag an. Zwischen Einkauf und Museum lässt sich also durchaus ein Termin beim Friseur arrangieren. Frisch gestylt kann man anschließend die nächsten Einkaufscenter und Galerien in Angriff nehmen.

KOSMETIK

Das französische Kosmetik-Kaufhaus **Sephora** bietet seinen Kunden zahllose Schönheitsprodukte, von der Hautreinigung bis zu Kosmetika und Parfüms. Das Personal hält sich erfreulicherweise im Hintergrund.

Naturbelassene Essenzen und Naturprodukte gibt es bei **Erbe**, einer Oase der Ruhe mit zahllosen allergiegetesteten Produkten, ausschließlich aus frischen Kräutern zubereitet und frei von Mineralölen, Wachsen, synthetischen Duftstoffen und tierischen Stoffen. Die milde Feuchtigkeitscreme mit hochwertigem Gelee Royal und die schützende Pennywort-Nachtcreme sind zwei von vielen Verkaufsschlagern.

Im **Shiseido Studio** kann man mehr über »ergänzende« Kosmetika lernen. Besuchen Sie eines der kostenlosen Hautpflege-Seminare, wo Sie auch viele Shiseido-Proben umsonst erhalten. Hier soll nicht verkauft, sondern aufgeklärt werden. Im nahegelegenen **MAC Cosmetics** mit seiner hohen Gewölbedecke dagegen lassen sich die Produkte auch gleich kaufen. Die Gesichtspuder, vor allem die der Produktlinie Studio Fix, sind einmalig. Ein Teil der Einnahmen von MAC Cosmetics fließt übrigens in den MAC Aids Fund.

Zarte schwedische Haut zu einem günstigen Preis verspricht **FACE Stockholm** seinen Kundinnen. Verkauft werden den natürliche pflanzliche Hautprodukte sowie Lippenstifte und Nagellack in allen Farben. Seit 1851 produziert **Kiehl's** Cremes, Masken und Puder zum Reinigen, Tönen, und Pflegen. Man verzichtet dabei auf aufwendige Verpackung, schließlich »sprechen die Produkte für sich«.

Fresh verkauft parfümierte Hautcremes und frische Parfüms. Makeup in bester Qualität und von großer Dauerhaftigkeit erhält man bei **Make Up for Ever** in SoHo.

Natürlich geht es auch bei **Origins** zu. Ihre Feuchtigkeitscreme enthält grünen Tee, die milden Körperlotionen könnten auch Babyhaut pflegen. Einen Besuch wert ist auch **Shu Uemura** mit einem großen Kosmetika-Angebot.

Die meisten der großen New Yorker Kaufhäuser wie **Bloomingdale's**, **Lord & Taylor**, **Saks Fifth Avenue**, **Barney's New York** und **Macy's** haben eine umfangreiche Kosmetik-Abteilung.

MANIKÜRE UND PEDIKÜRE

Das ruhige und wohlduftende **Lush Essential Hand & Foot Spa** ist der perfekte Ort, um seinen Händen und Füßen Pflege angedeihen zu lassen. Eine Maniküre kostet hier zehn Dollar, eine Pediküre schlägt mit 15 Dollar zu Buche. Kaum zu widerstehen ist der aufwendigen Hand- und Fußtherapie mit milchigen Lotionen und nach Zitrus duftenden Dämpfen. Hier liegen die Preise zwischen 26 (Hände) und 48 Dollar (Füße). Etwas langweilig und institutionsmäßig wirkt auf den ersten Blick **Eve's**, aber der Schein trügt. Die langwierigen Maniküren und Pediküren haben es in sich. **Dashing Diva Nail Spa & Boutique** bietet nicht nur exzellente Maniküre und Pediküre zum Einstiegspreis von gerade mal zehn Dollar. Donnerstags und freitags werden den Cosmopolitans gemixt und die Musikboxen laut gedreht, von Sonntag bis Mittwoch kann man an Mimosas nippen, während die Spezialisten sich über Hände und Füße hermachen.

Die ultimative Hand- und Nagelpflege erhält man bei **Sweet Lily Natural Nail Spa & Boutique**. Die Hände werden in einer betörenden Mischung aus warmer Milch und Mandelöl zu neuem Leben erweckt, dazu gibt es eine belebende Maske aus Honig und Walnussöl. Zur Maniküre mit heißer Lavendelcreme kommt eine Behandlung der Nagelhaut mit Teebaum- und Zitrusöl hinzu. In die Boutique zieht es nicht nur Erwachsene, denn es gibt auch einige Produkte für junge Mädchen: Little Miss Mani führt in die Kunst der Handpflege ein.

FRISEURE

Ist Ihnen nach einer neuen Frisur oder wollen Sie lediglich den aktuellen Schnitt auffrischen lassen, sollten Sie einen der vielen innovativen Friseursalons aufsuchen.

Die Stylisten des **Arrojo Studio** bringen Ihre Haare wieder in Form – wenn Sie den Laden verlassen, sehen Sie genauso schick aus wie sie. Machen Sie es wie die Promis und die Stars, und lassen Sie Ihre Haare im schicken **Frederic Fekkai Beaute de Provence** von Stylist Frederic Fekkai persönlich oder von einem seiner Assistenten waschen, schneiden und tönen. Der koreanische Stylist Younghee Kim arbeitete früher bei Vidal Sassoon. Seine ausgeflippten Schnitte und Farben sind ab 110 Dollar bei **Younghee Salon** in TriBeCa zu haben.

Die Stylisten des **Rumor Salon** gelten gemeinhin als Meister der Schere. Ihre Frisuren sind einfach, aber schick und schmeichelhaft. Das **Aveda Institute** ist in einem lichtdurchfluteten Loft untergebracht und bietet erstklassige Haarschnitte und Kopfmassagen. Nehmen Sie eines der herrlichen Produkte auf Pflanzenbasis mit. Man kann sich auch als Haarmodell einem der Nachwuchstalente des Instituts zu Verfügung stellen und so Geld sparen.

An die Herren der Schöpfung richtet sich **La Boite a Coupe**. Der französischmarokkanische Haarstylist Laurent De Louya schneidet

hier seit 1972. Der exklusive **Salon Chinois** macht aus jedem Haarschopf ein Kunstwerk, außerdem werden Kopfhautbehandlungen, eine Haar-Aromatherapie und Haarverlängerung angeboten.

Inmitten frischer Blumengestecke und moderner Gemälde lokaler Künstler bietet der **TwoDo Salon** professionelle Schnitte und Farben. Der Vorreiter der Haarstylisten, **Vidal Sassoon**, läuft noch immer bestens. Im eleganten Salon in der Innenstadt erwarten Sie erstklassige Stylisten, die alle das rigorose Training

der Firma erfolgreich durchlaufen haben. **Toni & Guy** hat seine Ursprünge in Großbritannien und ist heute weltweit erfolgreich. Der Salon in New York ist zugleich das Ausbildungszentrum für den hauseigenen amerikanischen Stylistennachwuchs. Die Coloristen von Toni & Guy sind für ihren kreativen Umgang mit Farben bekannt.

Weitere gute Friseure und Coloristen arbeiten bei **Antonio Prieto** und **Bumble & Bumble**, im eleganten **John Masters Organics** sowie im teuren **Oscar Blandi**.

AUF EINEN BLICK

KOSMETIK

Erbe
196 Prince St.
Stadtplan 4 D3.
((212) 966-1445.

FACE Stockholm
10 Columbus Circle.
Stadtplan 12 D3.
((212) 823-9415.

110 Prince St, SoHo.
((212) 966-9110.

Fresh
57 Spring St/Lafayette St.
Stadtplan 4 F4.
((212) 925-0099.

John Masters Organics
77 Sullivan St, in der Nähe der Broome St.
Stadtplan 4 D4.
((212) 343-9590.

Kiehl's
109 3rd Ave.
Stadtplan 9 B5.
((212) 677-3171.

MAC Cosmetics
113 Spring St.
Stadtplan 4 E4.
((212) 334-4641.

Make Up for Ever
409 W Broadway/Spring St.
Stadtplan 4 E4.
((212) 941-9337.

Origins
175 5th Ave/23rd St.
Stadtplan 8 F4.
((212) 677-9100.

Sephora
555 Broadway.
Stadtplan 4 E3.
((212) 625-1309.
Mehrere Filialen.

Shiseido Studio
155 Spring St.
Stadtplan 4 E4.
((212) 625-8821.

Shu Uemura
121 Greene St, bei der Prince St.
Stadtplan 4 E3.
((212) 979-5500.

MANIKÜRE UND PEDIKÜRE

Barney's New York
660 Madison Ave.
Stadtplan 13 A3.
((212) 826-8900.

Bloomingdale's
1000 3rd Ave.
Stadtplan 13 B3.
((212) 705-2000.

Bloomingdale's SoHo
504 Broadway.
Stadtplan 4 E4.
((212) 729-5900.

Dashing Diva Nail Spa & Boutique
41 E 8th St.
Stadtplan 4 E2.
((212) 673-9000.

Eve
400 Bleecker St.
Stadtplan 3 C2.
((212) 807-8054.

Lush Essential Hand & Foot Spa
98 Thompson St.
Stadtplan 4 D4.
((212) 625-1839.

Lord & Taylor
424 5th Ave.
Stadtplan 8 F1.
((212) 391-3344.

Macy's
151 W 34th St.
Stadtplan 8 E2.
((212) 695-4400.

Saks Fifth Avenue
611 5th Ave.
Stadtplan 12 F4.
((212) 753-4000.

Sweet Lily Natural Nail Spa & Boutique
222 W Broadway (zwischen N Moore St und Franklin St).
Stadtplan 4 E5.
((212) 925-5441.

FRISEURE

Antonio Prieto
25 19th St (zw. 5th und 6th Ave). **Stadtplan** 8 F5.
((212) 255-3741.

Arrojo Studio
180 Varick St.
Stadtplan 4 D3.
((212) 242-7786.

Aveda Institute
233 Spring St.
Stadtplan 4 D4.
((212) 691-2332.

La Boite a Coupe
18 W 55th St.
Stadtplan 12 F4.
((212) 246-2097.

Bumble & Bumble
415 13th St, bei 9th Ave.
Stadtplan 3-B1.
((212) 521-6500.

Frederic Fekkai Beaute de Provence
15 E 57th St.
Stadtplan 12 F3.
((212) 753-9500.

Oscar Blandi
768 5th Ave, bei 57th St.
Stadtplan 12 F3.
((212) 593-7930.

Le Salon Chinois
44 W 55th St, 4. Stock (zw. 5th und 6th Ave).
Stadtplan 12 F4.
((212) 956-1200.

Rumor Salon
15 E 12th St, 2. Stock.
Stadtplan 4 E1.
((212) 414-0195.

Toni & Guy
673 Madison Ave, Suite 2, bei 61st St.
Stadtplan 13 A3.
((212) 702-9771.

TwoDo Salon
210 W 82nd St (zw. Broadway u. Amsterdam Ave).
Stadtplan 15 C4 .
((212) 787-1277.

Vidal Sassoon
90 5th Ave, Suite 90 (zw.14th St und 15th St).
Stadtplan 8 F5.
((212) 229-2200.

Younghee Salon
64 N Moore St.
Stadtplan 4 D5.
((212) 334-3770.

Stadtplan *siehe Seiten 394–425*

Bücher und Musik

Als Verlagszentrum der USA ist New York auch landesweit die Stadt mit den meisten Buchläden. Neben großen Sortimentsbuchhandlungen gibt es Hunderte von kleinen Läden, die sich auf alle nur erdenklichen Fachgebiete spezialisiert haben, und zahlreiche Antiquariate. Auch für Musikliebhaber finden sich Klänge jeder Stilrichtung zu erschwinglichen Preisen.

SORTIMENTSBUCHHANDEL

Ganz oben auf der Liste der Buchläden für günstige Preise wie auch Auswahl steht bei den meisten New Yorkern **Barnes & Noble** in der Fifth Avenue – die größte Buchhandlung der Welt mit über drei Millionen Bänden zu jedem Thema. Es gibt mehrere Filialen, etwa den »Sales Annex« auf der anderen Straßenseite mit Sonderangeboten.

Einige Blocks weiter liegt das Hauptgeschäft des berühmten New Yorker **Strand Book Store** mit zwei Millionen antiquarischen Büchern zu günstigen Preisen. Im Obergeschoss befindet sich eine Abteilung für Erstausgaben. **Gryphon Bookshop** bietet eine umfassende Auswahl neuer Bücher und ein riesiges Angebot an alten, zudem noch eine große Anzahl von Country- und Bluegrass-LPs.

12th Street Books hat eine gute Auswahl gebrauchter und neuer Bücher und ist bekannt für Kunstbände.

Borders Books & Music bietet CDs aller Genres und Bücher zu jedem Thema an.

Das allseits geschätzte **Coliseum**, New Yorks größter unabhängiger Buchladen, hat gerade wiedereröffnet.

Rizzoli hat eine erstaunliche Auswahl an Büchern über Fotografie, Musik und Kunst.

Gotham Book Mart, eine New Yorker Institution, ist ein kleiner Laden, in dem man längst vergriffene Bücher findet.

Shakespeare & Co bietet eine sensationelle Titelauswahl und ist bis spätabends offen.

FACHBUCHHANDLUNGEN

Eine exzellente Auswahl an Kunstbüchern findet man bei **Hacker-Strand Art Books**. **Urban Center Books** hat sich auf das Thema Stadtplanung und -erhaltung spezialisiert. Die größte Auswahl an Theaterliteratur führt der **Drama Book Shop**. Jüdische Bücher und Musik gibt's bei **J. Levine Judaica**. Seltene, vergriffene Bücher über New York sind die Domäne von **JN Bartfield Books**. Der **Biography Bookshop** hat sich als einzige Buchhandlung in Midtown auf Tagebücher, Briefe, Biografien und Autobiografien spezialisiert.

Theaterfans finden, was sie begehren, bei **Applause Theater & Cinema Books**. Hunderte von Titeln aus Wissenschaft und Wirtschaft gibt es im **McGraw-Hill Bookstore**. Beide Läden führen auch ein gutes allgemeines Sortiment.

Kriminalromane sind das Spezialgebiet von **Murder Ink** und **Mysterious Bookshop**. Der richtige Laden für alte und brandneue Sciencefiction und Comics ist **Forbidden Planet**. Sciencefiction- bzw. Comic-Fans sollten auch einen Besuch im **Village Comics** nicht versäumen.

Bank Street Book Store hat die weitaus beste Auswahl an Kinderbüchern. **Books of Wonder** verkauft seltene Kinderbücher.

Im **Traveler's Choice** gibt es Reiseführer, Videos und Reiseutensilien. Im **The Complete Traveler** findet man neuer auch alte Reiseliteratur.

Eine ausgezeichnete Auswahl an Landkarten hält der **Hagstrom Map & Travel Store** bereit.

Kochbücher gibt es bei **Kitchen Arts & Letters**, die auch viele vergriffene und Originalausgaben führen.

Radikale Geister sollten **Revolution Books** oder **St. Mark's Bookshop** einen Besuch abstatten. **Oscar Wilde Memorial Bookshop** ist der größte Schwulen-Buchladen.

SCHALLPLATTEN, KASSETTEN UND CDS

Der beste Plattenladen in Manhattan ist **Tower Records**; er führt jede Musikrichtung von Bebop bis Hip-Hop. Ähnlich breit ist das Angebot von **HMV** und von **Virgin**. Ein Warenhaus für Unterhaltungselektronik ist **J&R Music World**.

Wer auf der Suche nach längst vergriffenen Schallplatten ist, sollte zu **Gryphon Records** gehen, einer Fundgrube für Sammler von Klassik-, Jazz- und Opernaufnahmen. Der **Academy Book Store** bietet eine gute Auswahl an Klassik und Jazz. **Footlight Records** hat Broadway-Musicals und Film-Soundtracks im Sortiment.

House of Oldies erstaunt mit einem Riesenangebot an alten Schallplatten jeder Stilrichtung. **Bleecker Bob's Golden Oldies** führt alles – von Importen, Rock und Punk bis zu seltenen Jazzaufnahmen. »American Garage Rock« und psychedelische Musik bekommt man bei **Midnight Records**.

Einer der ältesten Plattenläden New Yorks ist **Vinylmania**, ein Muss für jeden, der House Music und Vinylscheiben oder CDs sucht.

Echte Musikenthusiasten wissen auch **Other Music** (gegenüber von Tower Records) mit rarer elektronischer Musik und Free Jazz aus seiner Hochzeit in den 1970er Jahren zu schätzen. Die CD-Preise von **Disc-O-Rama** sind nahezu unschlagbar niedrig.

NOTEN

Direkt hinter der Carnegie Hall bietet **Joseph Patelson Music House Ltd.** klassische Partituren an. Ein vergleichbares Sortiment an erstklassigem Notenmaterial findet sich bei **Frank Music Company**. **Charles Colin Publications** ist auf die notierten Fassungen von Jazzmusik spezialisiert. Noten zu aktuellen Hits und Popsongs gibt es im **Colony Record and Music Center** im Brill Building.

AUF EINEN BLICK

SORTIMENTS-BUCHHANDEL

Barnes & Noble
105 5th Ave.
Stadtplan 8 F5.
[*(212) 807-0099.*
Mehrere Filialen.

Borders Books & Music
461 Park Ave.
Stadtplan 17 A3.
[*(212) 980-6785.*
Mehrere Filialen.

Coliseum Books
11 W 42nd St.
Stadtplan 8 F1.
[*(212) 803-5892.*

Gotham Book Mart
16 E 46th St.
Stadtplan 12 F5.
[*(212) 719-4448.*

Gryphon Bookshop
2246 Broadway.
Stadtplan 15 C4.
[*(212) 362-0706.*

Rizzoli
31 W 57th St.
Stadtplan 12 F3.
[*(212) 759-2424.*

Shakespeare & Co
716 Broadway.
Stadtplan 4 E2.
[*(212) 529-1330.*
Mehrere Filialen.

Strand Book Store
828 Broadway.
Stadtplan 4 E1.
[*(212) 473-1452.*

12th Street Books
11 East 12th St.
Stadtplan 4 F1.
[*(212) 645-4340.*

FACHBUCH-HANDLUNGEN

Applause Theater & Cinema Books
211 W 71st St.
Stadtplan 11 C1.
[*(212) 496-7511.*

Drama Book Store
250 W 40th St.
Stadtplan 8 E1.
[*(212) 944-0595.*

Bank Street Book Store
610 W 112th St.
Stadtplan 21 A4.
[*(212) 678-1654.*

Biography Bookshop
400 Bleecker St.
Stadtplan 3 C2.
[*(212) 807-8655.*

Books of Wonder
16 W 18th St.
Stadtplan 8 E5.
[*(212) 989-3270.*

The Complete Traveler
199 Madison Ave.
Stadtplan 9 A2.
[*(212) 685-9007*

Forbidden Planet
840 Broadway.
Stadtplan 4 E1.
[*(212) 473-1576.*

Hacker-Strand Art Books
45 W 57th St.
Stadtplan 12 F3.
[*(212) 688-7600.*

Hagstrom Map & Travel Store
57 W 43rd St.
Stadtplan 8 F1.
[*(212) 398-1222.*
Zwei Filialen.

J. Levine Judaica
5 W 30th St.
Stadtplan 8 F3.
[*(212) 695-6888.*

JN Bartfield Books
30 W 57th St.
Stadtplan 12 F3.
[*(212) 245-8890.*

Kitchen Arts & Letters
1435 Lexington Ave.
Stadtplan 17 A2.
[*(212) 876-5550.*

McGraw-Hill Bookstore
1221 6th Ave.
Stadtplan 12 E4.
[*(212) 512-4100.*

Murder Ink
2486 Broadway.
Stadtplan 15 C2.
[*(212) 362-8905.*

Mysterious Bookshop
129 W 56th St.
Stadtplan 12 E3.
[*(212) 765-0900.*

Oscar Wilde Memorial Bookshop
15 Christopher St.
Stadtplan 3 C2.
[*(212) 255-8097.*

Revolution Books
9 W 19th St.
Stadtplan 7 C5.
[*(212) 691-3345.*

St. Mark's Bookshop
31 3rd Ave.
Stadtplan 5 A2.
[*(212) 260-7853.*

Travelers' Choice
2 Wooster St.
Stadtplan 4 E4.
[*(212) 941-1535.*

Urban Center Books
457 Madison Ave.
Stadtplan 13 A4.
[*(212) 935-3592.*

Village Comics
214 Sullivan St.
Stadtplan 4 D2.
[*(212) 777-2770.*

SCHALLPLATTEN, KASSETTEN UND CDs

Bleecker Bob's Golden Oldies
118 W 3rd St.
Stadtplan 4 D2.
[*(212) 475-9677.*

Disc-O-Rama
186 W 4th St.
Stadtplan 4 D2.
[*(212) 206 8417.*

Footlight Records
113 E 12th St.
Stadtplan 4 F1.
[*(212) 533-1572.*

Gryphon Records
233 W 72nd St.
Stadtplan 11 D1.
[*(212) 874-1588.*

House of Oldies
35 Carmine St.
Stadtplan 4 D3.
[*(212) 243-0500.*

J&R Music World
31 Park Row.
Stadtplan 1 C2.
[*(212) 238-9100.*

Midnight Records
263 W 23rd St.
Stadtplan 8 D4.
[*(212) 675-2768.*

Other Music
15 E 4th St.
Stadtplan 4 F2.
[*(212) 477-8150.*

Tower Records
1961 Broadway.
Stadtplan 11 C1.
[*(212) 799-2500.*
Drei Filialen.

Vinylmania
60 Carmine St.
Stadtplan 4 D3.
[*(212) 924-7223.*

Virgin Megastore
45th & Broadway.
Stadtplan 12 E5.
[*(212) 921-1020.*
Mehrere Filialen.

NOTEN

Charles Colin Publications
315 W 53rd St.
Stadtplan 12 D4.
[*(212) 581-1480.*

Colony Record and Music Center
1619 Broadway.
Stadtplan 12 E4.
[*(212) 265-2050.*

Frank Music Company
244 W 54th St.
Stadtplan 12 D4.
[*(212) 582-1999.*

Joseph Patelson Music House Ltd.
160 W 56th St.
Stadtplan 12 E4.
[*(212) 757-5587.*

Stadtplan *siehe Seiten 394–425*

Kunst und Antiquitäten

Kunstliebhaber finden in New York Hunderte von Galerien, die einen Besuch lohnen. Für Antiquitätensammler gibt es zahlreiche Flohmärkte, die zum Herumstöbern einladen, sowie Antik-Center mit erlesenen Stücken aus Europa und den USA. Freunde amerikanischer Volkskunst erwartet ebenfalls ein reichhaltiges Angebot. Einen guten Überblick über das aktuelle Geschehen liefert der *Art Now Gallery Guide*, der jeden Monat erscheint und kostenlos in vielen Galerien und Buchläden ausliegt.

KUNSTGALERIEN

Zu den großen Namen in SoHo zählt **Leo Castelli**, der in den frühen 1960er Jahren ein Fan der Pop-Art war und heute junge Künstler präsentiert. Die **Mary Boone Gallery** zeigt erfolgreiche Neo-Expressionisten wie Julian Schnabel. Die **Pace Gallery** stellt vorwiegend bekannte Fotokünstler aus, während in der schicken Galerie **Gorney, Bravin & Lee** zeitgenössische Kunst und Plastik zu sehen ist. **Postmasters** ist eine Fundgrube für Konzeptkunst. Die **Marian Goodman Gallery** zeigt vorwiegend europäische Avantgardisten.

In Chelsea findet man viele Galerien, und **Mathew Marks Gallery** sowie **Marianne Boesky Gallery** lohnen sicherlich einen Besuch. **Paula Cooper** tritt regelmäßig mit kontrovers diskutierten Ausstellungen hervor. Die **Gagosian Gallery** präsentiert moderne Meister wie Roy Lichtenstein und Jasper Johns. Sie hat eine Filiale in der Upper East Side, wo auch **Knoedler & Company** sowie **Hirschl & Adler Galleries** mit europäischer und amerikanischer Kunst zu finden sind.

AMERIKANISCHE VOLKSKUNST

Wer sich für amerikanische Volkskunst interessiert, sollte zu **Susan Parrish Antiques** gehen, die eine große Auswahl an bestickten Teppichen und anderer amerikanischer Handwerkskunst hat. Eine ähnlich gute Auswahl bietet **Laura Fisher Quilts** im Manhattan Art & Antiques Center.

ANTIK-CENTER UND RAMSCHLÄDEN

Neben Hunderten von kleinen Läden mit Angeboten vom Tigerzahn bis zum mehrere Millionen Dollar teuren Gemälde beheimatet Manhattan das **Manhattan Art & Antiques Center** mit Dutzenden von Antiquitätenhändlern unter einem Dach.

Das **Chelsea Antiques Building** beherbergt mehr als 100 Antiquitätenläden auf zwölf Etagen; hier gibt es u.a. Hollywood-Memorabilien, etwa persönliche Gegenstände von Greta Garbo oder Humphrey Bogart. Bei **Irving Barber Shop Antiques** bekommt man Secondhand-Stücke zu erstaunlich günstigen Preisen.

AMERIKANISCHE MÖBEL

Möbel des 17., 18. und 19. Jahrhunderts führen **Bernard & S. Dean Levy** und **Leigh Keno American Furniture**. **Judith & James Milne** verkaufen alte Landhausmöbel und schöne Quilts. Eine fantastische Auswahl an Shaker-Möbeln gibt es bei **Woodard & Greenstein American Antiques & Quilts**. **Gallery 532** führt vor allem Stickley-Möbel.

Sammler von Art-déco- und Jugendstil-Möbeln sollten **Alan Moss** aufsuchen. Auch die **Macklowe Gallery** hat eine riesige Auswahl dieser beliebten Stücke. **Lillian Nassau** führt Tiffany-Leuchten sowie Jugendstil- und Art-déco-Stücke. Bei **Depression Modern**, **Mood Indigo** und einigen anderen Nostalgieläden findet man Schätze aus den 1930er und 1940er Jahren.

INTERNATIONALE ANTIQUITÄTEN

Englische Antiquitäten bieten **Florian Papp** und **Kentshire Galleries** an. Antike Stücke aus Europa führen **Betty Jane Bart Antiques**, **Kurt Gluckselig Antiques**, **The Little Antique Shop**, **Linda Horn Antiques** und **Les Pierres**. La Belle Epoque führt alte Plakate.

Antiquitäten aus Fernost findet man u.a. bei **Doris Leslie Blau**, **E & J Frankel** und **Flying Cranes Antiques**.

FLOHMÄRKTE

New York hat eine Reihe von Flohmärkten, die am Wochenende stattfinden. Beginn ist um 9 oder 10 Uhr, doch der Handel beginnt schon um 6 Uhr. Wenn Sie früh da sind, finden Sie vielleicht eine kostbare Barbie-Lunchbox oder einen Soupy-Sales-Rekorder. Auf dem **Annex/Hell's Kitchen Antiques Flea Market** bieten bis zu 170 Stände fast alles an; auch auf dem **Canal Street Flea Market** gibt es Trödel aller Art. Auf dem **Columbus Avenue Flea Market** findet man neue und gebrauchte Kleidung. Einzelheiten stehen freitags in der *New York Times*.

AUKTIONSHÄUSER

Die beiden berühmtesten Auktionshäuser Manhattans, **Christie's** und **Sotheby's**, versteigern Sammlerstücke wie Münzen, Schmuck, Jahrgangsweine und Kunstwerke. **Doyle New York** und **Phillips de Pury & Co.** sind ebenso geachtete Auktionhäuser für Kunst, Juwelen, Schmuck und Antiquitäten. Die ehrwürdigen **Swann Galleries** versteigern Drucke, seltene Bücher, Plakate, Handschriften und Fotografien.

Die Gegenstände können in den meisten Fällen einige Tage vor der Auktion besichtigt werden. Über Besichtigungszeiten und anstehende Auktionen informieren die Freitags- und die Sonntagsausgabe der *New York Times*.

AUF EINEN BLICK

KUNSTGALERIEN

Gagosian Gallery
555 W 24th St.
Stadtplan 7 C4.
((212) 741-1111.
Zwei Filialen.

Gorney, Bravin & Lee
534 W 26th St.
Stadtplan 7 C4.
((212) 352-8372.

Hirschl & Adler Galleries
21 E 70th St.
Stadtplan 12 F1.
((212) 535-8810.

Knoedler & Company
19 E 70th St.
Stadtplan 13 A1.
((212) 794-0550.

Leo Castelli
18 E 77th St.
Stadtplan 17 A5.
((212) 249-4470.

Marian Goodman Gallery
24 W 57th St.
Stadtplan 12 F3.
((212) 977-7160.

Marianne Boesky Gallery
535 W 22nd St.
Stadtplan 7 C4.
((212) 680-9889.

Mary Boone Gallery
745 5th Ave.
Stadtplan 12 F3.
((212) 752-2929.
Zwei Filialen.

Mathew Marks Gallery
523 W 24th St.
Stadtplan 7 C4.
((212) 243-0200.

Pace Wildenstein Gallery
534 W 25th St.
Stadtplan 7 C4.
((212) 929-7000.
Zwei Filialen.

Paula Cooper
534 W 21st St.
Stadtplan 7 C4.
((212) 255-1105.

Postmasters
459 W 19th St.
Stadtplan 7 C5.
((212) 727-3323.

AMERIKANISCHE VOLKSKUNST

Laura Fisher Quilts
Manhattan Art & Antiques Center, 1050 2nd Ave.
Stadtplan 13 B4.
((212) 838-2596.

Susan Parrish Antiques
390 Bleecker St.
Stadtplan 3 C2.
((212) 645-5020

ANTIK-CENTER UND RAMSCHLÄDEN

Chelsea Antiques Building
110 W 25th St.
Stadtplan 8 F4.
((212) 929-0909.

Irving Barber Shop Antiques
210 E 21st St.
Stadtplan 9 A4.

The Manhattan Art & Antiques Center
1050 2nd Ave.
Stadtplan 13 A3.
((212) 355-4400.

AMERIKANISCHE MÖBEL

Alan Moss
436 Lafayette St.
Stadtplan 4 F2.
((212) 473-1310.

Bernard & S. Dean Levy
24 E 84th St.
Stadtplan 16 F4.
((212) 628-7088.

Depression Modern
150 Sullivan St.
Stadtplan 4 D3.
((212) 982-5699.

Gallery 532
142 Duane St.
Stadtplan 1 B1.
((212) 964-1282.

Judith & James Milne
506 E 74th St.
Stadtplan 17 C5.
((212) 472-0107.
Zwei Filialen.

Leigh Keno American Furniture
127 E 69th St.
Stadtplan 17 A5.
((212) 734-2381.

Lillian Nassau
220 E 57th St.
Stadtplan 13 B3.
((212) 759-6062.

Macklowe Gallery
667 Madison Ave.
Stadtplan 13 A3.
((212) 644-6400.

Mood Indigo
181 Prince St.
Stadtplan 4 E3.
((212) 254-1176.

Woodard & Greenstein American Antiques
506 E 74th St.
Stadtplan 17 A5.
((212) 988-2906.

INTERNATIONALE ANTIQUITÄTEN

La Belle Epoque
280 Columbus Ave.
Stadtplan 12 D1.
((212) 362-1770.

Betty Jane Bart Antiques
1225 Madison Ave.
Stadtplan 17 A3.
((212) 410-2702.

Doris Leslie Blau
724 5th Ave.
Stadtplan 12 F3.
((212) 586-5511.
Nur nach Voranmeldung.

E. & J. Frankel
1040 Madison Ave.
Stadtplan 17 A5.
((212) 879-5733.

Florian Papp
962 Madison Ave.
Stadtplan 17 A5.
((212) 288-6770.

Flying Cranes Antiques
1050 2nd Ave. **Stadtplan** 13 B4. ((212) 223-4600.

Kentshire Galleries
37 E 12th St. **Stadtplan** 4 E1. ((212) 673-6644.

Kurt Glückselig Antiques
200 E 58th St. **Stadtplan** 13 B3. ((212) 758-1805.

Linda Horn Antiques
1015 Madison Ave.
Stadtplan 17 A5.
((212) 772-1122.

The Little Antique Shop
44 E 11th St.
Stadtplan 4 E1.
((212) 673-5173.

Les Pierres
369 Bleecker St.
Stadtplan 3 C2.
((212) 243-7740.

FLOHMÄRKTE

Annex/Hells Kitchen Flea Market
West 39th St, zwischen 9th und 10th Ave.
Stadtplan 7 C1.
((212) 243-5343.
Sa, So geöffnet.

Canal Street Flea Market
335 Canal St.
Stadtplan 4 E5.
März–Dez Sa, So.

Columbus Avenue Flea Market
Columbus Ave (zwischen 76th St und 77th St).
Stadtplan 16 D5.
((212) 877-7371.
So geöffnet.

AUKTIONSHÄUSER

Christie's
20 Rockefeller Plaza.
Stadtplan 12 F5.
((212) 636-2000.

Doyle New York
175 E 87th St.
Stadtplan 17 A3.
((212) 427-2730.

Phillips de Pury & Co.
450 W 15th St.
Stadtplan 7 C5.
((212) 940-1200.

Sotheby's
1334 York Ave.
Stadtplan 13 C1.
((212) 606-7000.

Swann Galleries
104 E 25th St.
Stadtplan 9 A4.
((212) 254-4710.

Stadtplan *siehe Seiten 394–425*

Feinkostläden, Fachgeschäfte und Weinhandlungen

New Yorks kulturelle und ethnische Vielfalt spiegelt sich auch im Essen wider – die Lebensmittelläden der Stadt bieten eine internationale Auswahl über alle kontinentalen Grenzen hinweg. Kaffeegeschäfte und Weinhändler bieten höchste Qualität und beraten gern.

FEINKOSTLÄDEN

Es gibt in New York einige Feinkostläden, die als Touristenattraktionen gelten. Beim Einkauf von Delikatessen sollten Sie die großen Warenhäuser nicht vergessen, die den Spezialgeschäften in nichts nachstehen.

Bei **Dean & DeLuca** am Broadway ist Essen zu einer Kunst geworden – versäumen Sie auf keinen Fall das riesige Angebot an Snacks und Speisen zum Mitnehmen. **Russ & Daughters** zählt zu den führenden Gourmet-Tempeln und ist berühmt für geräucherten Fisch, Schokolade und seine Bagels. Die **Gourmet Garage** in der Broome Street bietet alle möglichen frischen Lebensmittel, vor allem ökologische Produkte, an. Der vielleicht beste Delikatessenladen der Welt ist **Zabar's** am Broadway, in dem die Kunden geduldig für vorzüglichen Räucherlachs, Bagels, Kaviar, Käse und Kaffee anstehen.

William Poll in der Lexington Avenue hat eine gute Auswahl an Picknickkörben und fertigen Speisen. Gänseleberpastete, Räucherlachs, Kaviar und Konfekt aus eigener Herstellung bekommt man bei **Caviarteria**.

Whole Foods steht für eine hervorragende Auswahl an gesunden natürlichen Lebensmitteln, die Stammkunden kommen aus allen Stadtteilen hierher. Die neue Filiale am Columbus Circle ist zugleich der größte Supermarkt in Manhattan. In den schier endlosen Regalreihen findet man ausschließlich hochwertige Lebensmittel ohne irgendwelche Zusatzstoffe. **Fairway Market** verkauft seit mehr als 55 Jahren allerbeste Feinkost von frischem Räucherlachs bis zu knusprigen Backwaren.

FACHGESCHÄFTE

Erstklassige Bäckereien gibt es viele, doch die **Poseidon Greek Bakery**, bekannt für ihren Strudelteig, gehört zweifellos zu den besten. **H & H Bagels** bäckt täglich 60000 der besten Bagels in Manhattan. **Vesuvio** hat italienisches Brot und exquisite Gewürzkuchen. Köstliches chinesisches Gebäck gibt es bei **Fung Wong**, Laugencroissants und köstliche *tartes* bei **City Bakery**. Schon von weitem erkennt man die **Magnolia Bakery** an der Schlange von erwartungsfrohen Kunden vor dem Eingang, um eine der wohlschmeckenden kleinen Torten zu ergattern.

Zu den besten Konfiserien gehören **Li-Lac** mit seinen selbstgemachten Schokoladen sowie **Mondel Chocolates** mit seinen köstlichen Schokoladentieren. **Economy Candy** bietet eine riesige Auswahl an getrockneten Früchten. **Teuscher Chocolates** lässt seinen frischen Champagnertrüffel direkt aus der Schweiz einfliegen.

Myers of Keswick importiert englische Lebensmittel. Exotischere Zutaten bietet der asiatische **Kam Man Market**. Im **Italian Food Center** bekommt man allerbestes Olivenöl, Pasta und Würste. Fleisch und Fisch kauft man am **Jefferson Market**. Auch **Citarella** hat ein fantastisches Angebot an Meeresfrüchten und Fisch. **Angelica's Herbs and Spices** führt annähernd 2000 Kräuter und Gewürze.

Für Käse, Oliven und Wurstwaren empfiehlt sich **Murray's Cheese Shop**. Unwiderstehlich ist der Duft an der Eingangstür. Für viele ist es der beste Käseladen von New York. Mehr als 250 Käsesorten aus aller Welt sind im Angebot. Sie können gerne ein Stückchen probieren, bevor Sie kaufen, das Personal ist überaus freundlich und reicht Ihnen eine kleine Probe. Zusammen mit dem frischen Brot und einer Auswahl von schmackhaften Oliven ist ein Käseteller ein kaum zu übertreffendes Essen.

Suchen Sie nach unverfälschten Rezepten für Eingelegtes aus dem alten Osteuropa, schauen Sie unbedingt bei **The Pickle Guys** vorbei. Neben Essiggurken gibt es auch eingelegte sonnengetrocknete Tomaten, Pilze, Oliven, Peperoni, Sauerkraut, Heringe und vieles mehr.

Obst und Gemüse kauft man am besten am frühen Morgen auf einem Bauernmarkt, etwa in der Upper West Side, bei St. Mark's in-the-Bowery oder am Union Square. Einzelheiten über Öffnungszeiten erfährt man unter der Telefonnummer (212) 788-7476.

KAFFEEGESCHÄFTE

New York hat auch viele erstklassige Kaffeegeschäfte. **Oren's Daily Roast**, **The Sensuous Bean** und **Porto Rico Importing Company** halten feinste Bohnen bereit. Die gemütliche **McNulty's Tea & Coffee Company** ist eines der ältesten Kaffeegeschäfte des Landes und verkauft erstklassige Ware.

WEINHANDLUNGEN

Für erstklassige Burgunderweine steht seit 1820 der Name **Aker, Merrall & Condit**. Weine und Champagner zu Discountpreisen bekommt man bei **Garnet Liquors**. **SoHo Wines and Spirits** hat eine große Auswahl an schottischem Malt-Whisky. **Sherry-Lehmann** ist New Yorks führender Weinhändler. **Astor Wines & Spirits** wiederum bietet die größte Weinauswahl der Stadt. Jeden Monat präsentiert das Geschäft seine Rangliste mit Weinen unter zehn Dollar. Auch **Union Square Wines and Spirits** hat einige exzellente Tropfen im Angebot.

AUF EINEN BLICK

FEINKOSTLÄDEN

Caviarteria
502 Park Ave.
Stadtplan 13 A3.
(212) 759-7410.

Dean & DeLuca
560 Broadway.
Stadtplan 4 E3.
(212) 226-6800.
Mehrere Filialen.

Fairway Market
2127 Broadway.
Stadtplan 15 C5.
(212) 595-1888.

Gourmet Garage
453 Broome St.
Stadtplan 4 E4.
(212) 941-5850.
Mehrere Filialen.

Russ & Daughters
179 E Houston St.
Stadtplan 5 A3.
(212) 475-4880.

Whole Foods
10 Columbus Circle.
Stadtplan 12 D3.
(212) 823-9600.
Mehrere Filialen.

William Poll
1051 Lexington Ave.
Stadtplan 17 A5.
(212) 288-0501.

Zabar's
2245 Broadway.
Stadtplan 15 C4.
(212) 787-2000.

FACHGESCHÄFTE

Angelica's Herbs and Spices
147 1st Ave.
Stadtplan 5 A1.
(212) 677-1549.

Citarella
2135 Broadway.
Stadtplan 15 C5.
(212) 874-0383.

City Bakery
3 W 18th St.
Stadtplan 8 F5.
(212) 366-1414.

Economy Candy
108 Rivington St.
Stadtplan 5 A3.
(212) 254-1531.

Fung Wong
41 Mott St.
Stadtplan 4 F3.
(212) 267-4037.

H & H Bagels
2239 Broadway.
Stadtplan 15 C4.
(212) 595-8003.
Zwei Filialen.

Italian Food Center
186 Grand St.
Stadtplan 15 C4.
(212) 925-2954.

Jefferson Market
450 Ave of the Americas.
Stadtplan 12 E5.
(212) 533-3377.

Kam Man Market
200 Canal St.
Stadtplan 4 F5.
(212) 571-0330.

Li-Lac
120 Christopher St.
Stadtplan 3 C2.
(212) 242-7374.

Magnolia Bakery
401 Bleecker St.
Stadtplan 3 C2.
(212) 462-2572.

Mondel Chocolates
2913 Broadway.
Stadtplan 20 E3.
(212) 864-2111.

Murray's Cheese Shop
257 Bleecker St.
Stadtplan 4 D2.
(212) 243-3289.
Zwei Filialen.

Myers of Keswick
634 Hudson St.
Stadtplan 3 C2.
(212) 691-4194.

The Pickle Guys
49 Essex St.
Stadtplan 5 B4.
(212) 656-9739.

Poseidon Greek Bakery
629 9th Ave.
Stadtplan 12 D5.
(212) 757-6173.

St. Mark's in-the-Bowery Greenmarket
E 10th St at 2nd Ave.
Stadtplan 4 F1.
Di geöffnet.

The Sensuous Bean
66 W 70th St.
Stadtplan 12 D1.
1-800-238-6845.

Teuscher Chocolates
25 E 61st St.
Stadtplan 12 F3.
(212) 751-8482.

620 5th Ave.
Stadtplan 12 F4.
(212) 246-4416.

Union Square Greenmarket
E 17th St & Broadway.
Stadtplan 8 F5.
Mo, Mi, Fr, Sa geöffnet.

Upper West Side Greenmarket
Columbus Ave/77th St.
Stadtplan 16 D5.
So geöffnet.

Vesuvio Bakery
160 Prince St.
Stadtplan 4 E3.
(212) 925-8248.

KAFFEE-GESCHÄFTE

McNulty's Tea & Coffee Company
109 Christopher St.
Stadtplan 3 C2.
(212) 242-5351.

Oren's Daily Roast
1144 Lexington Ave.
Stadtplan 17 A4.
(212) 472-6830.
Mehrere Filialen.

Porto Rico Importing Company
201 Bleecker St.
Stadtplan 3 C2.
(212) 477-5421.
Mehrere Filialen.

WEIN-HANDLUNGEN

Acker, Merrall & Condit
160 W 72nd St.
Stadtplan 11 C1.
(212) 787-1700.

Astor Wines & Spirits
12 Astor Place.
Stadtplan 4 F2.
(212) 674-7500.

Garnet Liquors
929 Lexington Ave.
Stadtplan 13 A1.
(212) 772-3211.

SoHo Wines and Spirits
461 W Broadway.
Stadtplan 4 E4.
(212) 777-4332.

Sherry-Lehmann
679 Madison Ave.
Stadtplan 13 A3.
(212) 838-7500.

Union Square Wines and Spirits
33 Union Square West.
Stadtplan 9 A5.
(212) 675-8100.

Stadtplan *siehe Seiten 394–425*

Hightech und Houseware

Vom Flachbildfernseher über hochwertige Sound-systeme bis hin zu eleganten Designermöbeln fürs Heim – die Elektroniktempel und Möbelläden New Yorks lassen keine Wünsche offen. Den härtesten Preis-kampf unter den Einzelhändlern der Stadt liefern sich die Großmärkte für Elektronikgeräte, als Käufer ist man der lachende Dritte. Vorsichtig sollten Sie in den Geschäften in der Nähe von Sehenswürdigkeiten sein, etwa in der Fifth Avenue beim Empire State Building: Viele der hier angebotenen Produkte sind veraltet und überteuert. Wer beabsichtigt, Elektrogeräte mit nach Europa zu nehmen, sollte darauf achten, ob sie hin-sichtlich Netzspannung und Stecker für das Stromnetz in Europa ausgerichtet sind.

MUSIKANLAGEN

Die neuesten HiFi-Geräte bekommt man bei **Sound by Singer**. **J&R Music World** verkauft Musikzubehör zu Kampfpreisen und führt zudem die beste Jazz-CD-Abteilung der Stadt. Die däni-sche Firma **Bang & Olufsen** zeigt in ihrer Filiale extrem flache, minimalistische Klang-geräte mit unglaublichem Klang. **Harvey Electronics** führt erstklassige Stereo-anlagen und Elektronika und ist für den am Kunden orientierten Service bekannt. Begutachten Sie auch die Sound-Systeme bei **Lyric Hi-Fi**, seit 1959 ein Spezialist auf diesem Gebiet. Ganzjährig voll ist **Sony Style** mit seinem breit gefächerten Sortiment elektronischer Gerätschaften.

Der Name ist Programm bei der Kette **Best Buy**: Unter dem enormen Angebot von Stereo-anlagen und Home-Entertain-ment-Produkten findet man immer wieder unglaubliche Angebote. Stereoanlagen und -komponenten der Extraklas-se findet man bei **Innovative Audio Video Showrooms**. Einen Besuch wert ist **Stereo Exchange**, wo man aus einem großen Angebot von neuen wie gebrauchten Anlagen wählen kann.

FOTOGRAFIE

Amateur- wie Profifotogra-fen finden bei **B&H Photo** die passende Ausrüstung. **Willoughby's** ist ein weiterer bekannter Name, wenn es um Fotoausrüstungen geht. Einen vielsagenden Namen trägt **Olden Camera** am Broadway, das auf bewährte analoge Qualität in der Fotografie setzt. **Foto Care** in Chelsea hat ein großes Angebot an Kame-ras und Ausrüstungen.

Auch die Produktpalette von **Alkit Pro Camera** mit Kameras, Zubehör und Licht-Equipment sowie Kameraver-leih und Filmentwicklung ist nicht zu verachten. **Adorama** im Flatiron District lockt die Kundschaft mit neuesten Digitalkameras und Zubehör. Hier sind auch die Preise für die Filmentwicklung sehr attraktiv. High-End-Kameras und hochwertiges Zubehör bietet das elegante **Photo Village**.

COMPUTER

Der riesige **Apple Store** in SoHo in der Prince Street ist zweifelsohne das Mekka für Mac-Fans in Manhattan. Hier kann man jedes Produkt genauestens prüfen, bevor man sich für den Kauf ent-scheidet, ob Desktop-Rechner oder den neuesten iPod. Seminare für Laien wie für Profis führen ins Apple-eige-ne Betriebssystem und in unterschiedlichste Anwendun-gen ein. **CompUSA** bietet eine riesige Auswahl an PCs, vom Laptop bis zum Desktop-Rechner und den entspre-chenden Peripherie-Geräten. Wer während seines New-York-Aufenthalts seinen Rech-ner reparieren lassen muss, findet bei **Amnet PC Solutions** mit seinen kompetenten Technikern Hilfe. Für

95 Dollar kommen sie auch zu Ihnen nach Hause bzw. ins Hotel. **Tekserve** hat sich auf die Reparatur von Mac-Rechnern spezialisiert.

KÜCHENAUSSTATTUNG

Fast alle Kaufhäuser haben eine Vielzahl von Haus-haltsgeräten und Küchen-utensilien im Angebot. Auf die Bedürfnisse von Hobby-wie Profiköchen hat sich **Broadway Panhandlers** in der Broome Street spezialisiert. Hier bekommt man alles, was man zum Backen, Braten, Dünsten und Kneten braucht.

Bei **Bridge Kitchenware** deckt sich auch die Gastro-nomie mit Gerätschaften ein. **Williams-Sonoma** bietet alles von Geschirr über Küchen-messer bis zu Kochbüchern. Im East Village, vor allem in der Gegend rund um die Bowery Street, sind seit lan-gem die Küchenausstatter für Restaurants ansässig. Die Pro-dukte sind erstklassig, die Preise eher niedrig. **Leader Restaurant Equipment & Supplies** verkauft alle erdenk-lichen Küchengerätschaften.

HAUSHALTSWAREN UND INNENAUSSTATTUNG

Edelstes Kristall, Porzellan und Stücke aus Silber fin-det man bei **Baccarat**, **Lalique** und **Villeroy & Boch**. Auch bei **Orrefors Kosta Boda** und **Tiffany & Co.** gibt es zahlrei-che schöne Stücke fürs Heim. Produkte aus Kristall und Por-zellan bietet **Avventura** an. Preiswertes Porzellan für den Alltagsgebrauch findet man bei **Fishs Eddy**.

Ceramica verkauft hübsche handgemachte italienische Töpferware. Handbemalte Keramik kauft man bei **La Terrine** und **Stuben Glass**. In der schicken Filiale des Designers **Jonathan Adler** in SoHo fallen Porzellan- und Keramikartikel in natürlichen Formen und Farben ins Auge Von der Fischplatte bis zum Dekanter reicht das schier unerschöpfliche Angebot höchst kunstvoller Töpferei-erzeugnisse.

ABC Carpet & Home am Broadway ist weithin bekannt für seine Ausstattungsgegenstände. Haushaltswaren zu günstigen Preisen findet man in der Grand Street der Lower East Side.

Elegante Möbel, von weichen Ledersofas über luxuriöse Betten bis hin zu schlanken Tischen, bietet Giorgio Armani's edle **Armani Casa**. **Dune** in der Franklin Street in TriBeCa führt schicke Möbel

und Accessoires von zeitgenössischen Designern. Schauen Sie sich um zwischen den fast schon klassischen Möbeln von Designern wie Philippe Starck und Paola Navone bei **M at Mercer** in SoHo. Mögen Sie Retro-Schick, dann sind Sie bei **Restoration Hardware** am Broadway richtig: restaurierte Art-déco-Stücke, Lichtspiele und vieles mehr werten jede Wohnung auf.

STOFFE

Hochwertige Stoffe verkauft jedes bessere Kaufhaus. Seidentücher und andere edle Stoffkreationen findet man bei **Porthault** und **Pratesi**. **Frette** in der Madison Avenue führt dicke Handtücher und wunderbar weiches Bettzeug aus Baumwolle. **Bed, Bath & Beyond** hält Stoffe für jeden Zweck und in jeder Qualität bereit.

AUF EINEN BLICK

MUSIKANLAGEN

Bang & Olufsen
952 Madison Ave.
Stadtplan 17 A5.
(212) 879-6161.

Best Buy
60 W 23rd St. **Stadtplan**
8 E4. (212) 366-1373.

Harvey Electronics
2 W 45th St. **Stadtplan**
12 F5. (212) 575-5000.

Innovative Audio Video Showrooms
150 58th St.
Stadtplan 13 A4.
(212) 634-4444.

J & R Music World
31 Park Row. **Stadtplan** 1
C2. (212) 238-9100.

Lyric Hi-Fi
1221 Lexington Ave.
Stadtplan 17 A4.
(212) 439-1900.

Sony Style
550 Madison Ave.
Stadtplan 13 A4.
(212) 833-5336.

Sound by Singer
18 16th St. **Stadtplan** 8 F5.
(212) 924-8600.

Stereo Exchange
627 Broadway.
Stadtplan 4 E3.
(212) 505-1111.

FOTOGRAFIE

Adorama
42 18th St. **Stadtplan** 8
F5. (212) 741-0052.

Alkit Pro Camera
222 Park Ave S.
Stadtplan 9 A5.
(212) 674-1515.

B & H Photography
420 9th Ave. **Stadtplan**
8 D2. (212) 444-6615.

Foto Care
136 W 21st St. **Stadtplan**
8 E4. (212) 741-2990.

Olden Camera
1263 Broadway, 4. Stock.
Stadtplan 8 F3.
(212) 725-1234.

The Photo Village
1133 Broadway, Suite 824.
Stadtplan 8 F4.
(212) 989-1252.

Willoughby's
298 5th Ave.
Stadtplan 8 F3.
(800) 378-1898.

COMPUTER

Amnet PC Solutions
229 E 53rd St.
Stadtplan 13 B4.
(212) 593-2425.

Apple Store SoHo
103 Prince St. **Stadtplan** 4
E3. (212) 226-3126.

CompUSA
420 5th Ave. **Stadtplan**
8 F1. (212) 764-6224.

Tekserve
119 W 23rd St. **Stadtplan**
8 E4. (212) 929-3645.

KÜCHEN-AUSSTATTUNG

Bridge Kitchenware
214 E 52nd St.
Stadtplan 13 B4.
(212) 688-4220.

Broadway Panhandlers
477 Broome St. **Stadtplan**
4 E4. (212) 966-3434.

Leader Restaurant Equipment & Supplies
191 Bowery. **Stadtplan**
4 F4. (212) 677-1982.

Williams-Sonoma
10 Columbus Circle.
Stadtplan 12 D3.
(212) 823-9750.
Mehrere Filialen.

HAUSHALTS-WAREN & INNEN-AUSSTATTUNG

ABC Carpet & Home
888 Broadway. **Stadtplan**
8 F5. (212) 473-3000.

Armani Casa
97 Greene St. **Stadtplan**
4 E3. (212) 334-1271.

Avventura
463 Amsterdam Ave.
Stadtplan 15 C4
(212) 769-2510.

Baccarat
625 Madison Ave.
Stadtplan 13 A3.
(212) 862-4100.

Ceramica
59 Thompson St. **Stadtplan**
4 D4. (212) 941-1307.

Dune
88 Franklin St. **Stadtplan**
4 E5. (212) 925-6171.

Fishs Eddy
2176 Broadway. **Stadtplan**
15 C5. (212) 873-8819.
Mehrere Filialen.

Grand Street
Lower East Side.
Stadtplan 4 E5.

Jonathan Adler
47 Greene St. **Stadtplan**
4 E4. (212) 941-8950.

Lalique
712 Madison Ave.
Stadtplan 13 A3.
(212) 355-6550.

M at Mercer
47 Mercer St. **Stadtplan**
4 E4. (212) 966-2830.

Orrefors Kosta Boda
200 Lexington Ave.
Stadtplan 13 A5.
(212) 684-5444.

Restoration Hardware
935 Broadway. **Stadtplan**
8 F4. (212) 260-9479.

Stuben Glass
667 Madison Ave.
Stadtplan 13 A3.

La Terrine
1024 Lexington Ave.
Stadtplan 13 A1.
(212) 988-3366.

Tiffany & Co.
Siehe S. 329.

Villeroy & Boch
41 Madison Ave.
Stadtplan 9 A4.
(212) 988-7011.

STOFFE

Bed, Bath & Beyond
620 Ave of the Americas.
Stadtplan 8 F5.
(212) 255-3550.

Frette
799 Madison Ave.
Stadtplan 13 A1.
(212) 988-5221.

Porthault
18 E 69th St. **Stadtplan**
12 F1. (212) 688-1660.

Pratesi
829 Madison Ave.
Stadtplan 13 A2.
(212) 288-2315.

Stadtplan siehe Seiten 394–425

UNTERHALTUNG

New York bedeutet Entertainment der Spitzenklasse – tagtäglich. Das kulturelle Programm der Metropole hält für jeden Geschmack etwas Passendes bereit. Für Theaterliebhaber gibt es auf großen wie auf kleinen Bühnen ein schier unerschöpfliches Angebot: Kassenerfolge am Broadway oder aber experimentelles Theater in entlegenen Kellergewölben oder in den Lofts alter Lagerhäuser. In der »Met«

Aufführung des New York City Ballet

kann man glanzvolle Opern genießen, in den Village-Klubs Jazz. Man kann sich avantgardistische Ballettaufführungen in Cafés ansehen oder die eigene Tanzbegabung in den Diskos und Klubs der Lagerhäuser ausprobieren. Zahllose Kinos machen New York zur »Filmstadt«. Doch das Beste: durch die Straßen zu gehen und die riesige Show zu erleben, die ganz einfach New York heißt.

INFORMATIONEN

Einen guten Überblick über das aktuelle Kulturangebot geben die »Arts and Leisure«-Beilagen der *New York Times* und der *Village Voice* sowie die Magazine *Time Out New*

Am TKTS-Kartenschalter sind Last-Minute-Tickets erhältlich

York und *The New Yorker*. Sie liefern Kurzbeschreibungen der Veranstaltungen und führen auf, welche Kreditkarten akzeptiert werden. In den meisten Hotels liegt *Where* aus, ein kostenloses Veranstaltungsmagazin.

Auch im Hotel wird man Ihnen mit Infos weiterhelfen; gute Häuser besorgen Eintrittskarten. Manche Hotels haben einen TV-Info-Kanal.

NYC & Company ist die offizielle Fremdenverkehrsinformation der Stadt New York. Kioske bieten auf Anzeigentafeln Veranstaltungskalender, Broschüren und Informationen für Besucher an; auch Gratistickets und verbilligte Eintrittskarten, Telefonkarten und vieles mehr sind erhältlich.
NYC On Stage ist eine Telefonauskunft für

Theater-, Tanz- und Musikveranstaltungen. Auf der Website von **Broadway Inner Circle** können Sie ausführliche Beschreibungen zu laufenden Produktionen lesen. **ClubFone** informiert telefonisch und im Internet über das Nachtleben.

KARTENVORVERKAUF

Beliebte Shows können Wochen im Voraus ausverkauft sein; buchen Sie also so früh wie möglich. Theaterkassen haben täglich – außer sonntags – von 10 Uhr bis eine Stunde nach Vorstellungsbeginn geöffnet. Man kann auch bei der Theaterkasse oder einer anderen Vorverkaufsstelle anrufen und die gewünschten Tickets per Kreditkarte ordern.

Die größten Ticketagenturen sind **Telecharge**, **Ticketmaster** und **Ticket Central**;

alle berechnen eine Gebühr. Ein unabhängiges Vermittlungsbüro ist **Prestige Entertainment**; andere Anbieter finden Sie in den Gelben Seiten des Telefonbuchs. Die Bearbeitungsgebühren hängen vom Preis des Tickets ab.

Auch das **Broadway Ticket Center** im Times Square Information Center verkauft Tickets für viele Events.

REDUZIERTE TICKETS

Eine gute Anlaufstelle für verbilligte Eintrittskarten für Theaterstücke und Musicals sind die nicht kommerziellen **TKTS**-Verkaufsstellen, bei denen man am Tag der Aufführung Karten mit Preisnachlässen von 25 bis 50 Prozent erhält (geringe Bearbeitungsgebühr). Die Tickets können allerdings nur in bar oder mit Reisescheck bezahlt werden, Kreditkarten werden nicht akzeptiert.

Der TKTS-Schalter am Duffy Square verkauft mittwochs und samstags von 10 bis 14 Uhr, sonntags von 11 bis 15 Uhr Tickets für Matineen; Tickets für Abendveranstaltungen erhält man zwischen 15 und 20 Uhr, Karten für Sonntagsvorstellungen von 11 Uhr bis Schalterschluss. Die Schalter in der Front und in der John Street verkaufen Tickets für Abendvorstellungen montags bis freitags von 10 bis 18 Uhr, samstags von 11 bis 19 Uhr. Karten für Matineen werden am Tag zuvor verkauft.

Bobby Short singt im Café Carlyle

Das Booth Theater am Broadway *(siehe S. 345)*

Ticketmaster verkauft Eintrittskarten für Vorstellungen desselben Tages mit Preisnachlässen von zehn bis 25 Prozent (mit Kommissionsgebühr) per Telefon. Der **Hit Show Club** verkauft Vouchers, die an der Abendkasse gegen reduzierte Karten eingetauscht werden können.

Einige Shows bieten am Tag der Aufführung auch Karten für Stehplätze an. Für kurz Entschlossene ist das eine Möglichkeit, eine ausverkaufte Show zu besuchen – wenn auch bisweilen mit schlechter Sicht auf die Bühne. Verbilligte Tickets für diese Shows verkauft auch **Broadway Bucks**.

SCHWARZHÄNDLER

Auf dem Schwarzmarkt erstandene Tickets sind sehr teuer und obendrein oft noch gefälscht. Polizeibekannte Treffpunkte von Schwarzhändlern und Kunden werden häufig überwacht.

FREIKARTEN

Kostenlose Tickets für TV-Shows, Konzerte und Sonderveranstaltungen bekommt man bei **NYC & Co.**, das montags bis freitags von 8.30 bis 18 Uhr, samstags und sonntags von 9 bis 17 Uhr geöffnet hat. In der *Village Voice* findet man unter »Cheap Thrills« Veranstaltungen, die (fast) umsonst sind. Gratiskarten für das Shakespeare

Festival werden am **Delacorte Theater** im Central Park an Aufführungstagen ausgegeben und sind auf ein Ticket pro Person begrenzt (stellen Sie sich auf Warteschlangen ein). Gratistickets für TV-Aufzeichnungen gibt es bei den Sendeanstalten oder im **Rockefeller Center**.

Das Royale Theater am Broadway *(siehe S. 345)*

BEHINDERTE BESUCHER

Theater am Broadway verfügen über Plätze und verbilligte Tickets für Rollstuhlfahrer und Begleitpersonen. Anfragen und Bestellungen nehmen **Ticketmaster** und **Telecharge**, für Off-Broadway-Produktionen die Theaterkassen entgegen. Manche Theater bieten Hörhilfen an. **TAP** organisiert Gebärdensprachendolmetscher für Broadway-Theater.

NÜTZLICHE ADRESSEN

Broadway Bucks
226 W 47th St.
Stadtplan 12 E5.
[1-800-223-7565, ext. 214.
www.bestofbroadway.com

Broadway Inner Circle
[(212) 563-2929.
www.broadwayinnercircle.com

ClubFone
[(212) 777-2582.
www.clubfone.com

Delacorte Theater
Eingang 81st St, Ecke Central Park W. **Stadtplan** 16 E4.
[(212) 539-8750.
www.publictheater.org

Hit Show Club
8. Stock, 630 9th Ave.
Stadtplan 12 D5.
[(212) 581-4211.
www.hitshowclub.com

Kinokarten per Internet
www.movietickets.com
www.fandango.com
www.moviefone.com

Network Tickets
Siehe S. 349.

NYC & Co. (New York Convention Center & Visitors Bureau)
810 7th Ave. **Stadtplan** 12 E4.
[(212) 484-1222.
www.nycvisit.com

NYC On Stage
1501 Broadway. **Stadtplan** 12 D2. [(212) 768-1818.

Prestige Entertainment
[1-800-243-8849.

**Tap
(Theatre Access Project)**
[(212) 221-1103 (Band).
www.tdf.org/tap

Telecharge
[(212) 239-6200, 1-800-432-7250. www.telecharge.com

Ticket Central
[(212) 279-4200.
www.ticketcentral.org

Ticketmaster
[(212) 307-4100, 1-800-755-4000. www.ticketmaster.com

TKTS
[(212) 221-0013.
Duffy Square. **Stadtplan** 12 E5;
Front & John Sts. **Stadtplan** 2 D2;
Times Square. 47th St/Broadway.
Stadtplan 12 E5.
[(212) 221-0885, ext. 446.

Highlights: Unterhaltung

Jazzklub in Greenwich Village

New York ist eine Metropole des Entertainments. Spitzenstars aller Sparten geben hier Gastspiele. Das Angebot an sportlichen Ereignissen ist ebenfalls breit gefächert, und was das Nachtleben betrifft, so wird New York seinem Ruf als »die Stadt, die niemals schläft« vollauf gerecht. Ausgehend von der Zusammenstellung auf den *Seiten 344–363* sind hier einige herausragende Locations und Veranstaltungen aufgeführt, die Sie nicht versäumen sollten. Selbst wenn Sie nur eine davon besuchen, erleben Sie ein Stück New York, das genauso zur Stadt gehört wie das Empire State Building.

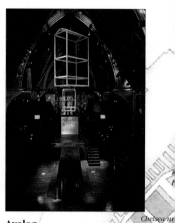

Avalon
Unter den Diskotheken New Yorks ist die ehemalige Kirche zu einer festen Institution für Nachtschwärmer geworden (siehe S. 354).

Madison Square Garden
Der »Garden« bietet Sportveranstaltungen der Spitzenklasse, z.B. Basketball mit den New York Knicks, Eishockey mit den New York Rangers und das Boxturnier um die »Golden Gloves« (siehe S. 360).

Film Forum
Im elegantesten Programmkino New Yorks sind die neuesten Independents aus den USA und dem Ausland zu sehen; zudem gibt es Retrospektiven mit Filmklassikern (siehe S. 349).

Village Vanguard
In den Jazzklubs von Greenwich Village gastierten bereits alle Größen der Jazzszene. Im berühmten Village Vanguard und im Blue Note kann man die Stars von heute und morgen hören (siehe S. 352).

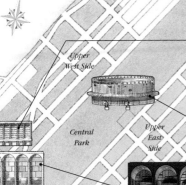

Proben des New York Philharmonic Orchestra
Am Donnerstagmorgen sind die Proben in der Avery Fisher Hall öffentlich und kosten deutlich weniger als ein Konzert (siehe S. 350).

Metropolitan Opera House
Um die Operngrößen hören zu können, muss man rechtzeitig vorbestellen und tief in die Tasche greifen (siehe S. 350).

Shakespeare im Central Park
Wer New York im Sommer besucht, sollte sich eine Gratiskarte fürs Shakespeare-Festival des Delacorte Theater verschaffen, bei dem Schauspieler ersten Ranges auftreten (siehe S. 344).

Der Nussknacker
Das Weihnachtsereignis für Kinder jeden Alters wird jedes Jahr im Lincoln Center vom New York City Ballet aufgeführt (siehe S. 346).

0 Kilometer 2
0 Meilen 1

Public Theater
Das 1954 eröffnete Public hat den Auftrag, Theater für alle New Yorker zu machen. Sein Shakespeare-Festival steht für die Liebe zu den Klassikern. Doch es werden auch neue Stücke inszeniert (siehe S. 120).

Carnegie Hall
Die im Theater District gelegene Carnegie Hall ist weltberühmt als Auftrittsort der besten Musiker und Sänger. Eine Backstage-Tour vermittelt einen Blick hinter die Kulissen dieses legendären Gebäudes (siehe S. 350).

Theater und Tanz

New York ist bekannt für seine extravaganten Musicals und seine schonungslosen Kritiker. Die Stadt ist eine der Metropolen von Theater und Ballett und bietet Produktionen jeglicher Art. Ob Sie nun Glanz und Glamour eines Broadway-Kassenschlagers oder etwas Experimentelles suchen – hier finden Sie es.

BROADWAY

Der Broadway ist seit langem ein Synonym für New Yorks Theaterviertel, auch wenn sich die meisten Broadway-Theater zwischen 41st und 53rd Street, Sixth und Ninth Avenue sowie am Times Square befinden. Fast alle von ihnen wurden zwischen 1910 und 1930 gebaut, in der Blütezeit des Vaudeville und der berühmten »Ziegfeld Follies«. Das **Lyceum** *(siehe S. 144)* ist das älteste (1903) noch genutzte Theater, das neueste ist das **American Airlines Theater**, Sitz der Roundabout Theater Co. Das **Biltmore Theater**, 1987 bis 2003 geschlossen, steht nun dem Publikum wieder offen.

Nach dem Theatersterben der 1980er Jahre erleben die Broadway-Bühnen heute wieder einen Aufschwung, wobei die großen Namen der Hollywood-Stars einiges dazu beigetragen haben. Hier finden die »Mammutproduktionen« von großen Theaterstücken und Musicals sowie Wiederaufführungen mit Starbesetzung statt. Zu Broadway-Erfolgen gehören ausländische Produktionen wie *Les Misérables*, New Yorker Originale wie *Cats* und *The Producers* sowie Klassiker wie *Lion King* und *42nd Street*, die heute wieder groß im Kommen sind. Aufwendige Adaptionen bekannter Kinofilme wie *Hairspray* oder von Kultserien wie Monty Pythons *Spamalot* sind ebenfalls höchst erfolgreich.

OFF-BROADWAY UND OFF-OFF-BROADWAY

Es gibt ca. 20 Off-Broadway- und 300 Off-Off-Broadway-Bühnen, wobei für ihre Unterscheidung die Größe ausschlaggebend ist: Off-Broadway-Bühnen haben 100 bis 499 Sitzplätze, Off-Off-Broadway-Theater weniger als 100. Das Spektrum reicht von gut ausgestatteten Theatern bis zu improvisierten Spielstätten wie Lofts, Kirchen oder Garagen. Off-Broadway-Theater wurden in den 1950er Jahren als Reaktion auf den kommerziellen Theaterbetrieb populär. Produzenten konnten mit geringeren Kosten Stücke aufführen, die für den Broadway unpassend waren. Das Off-Off-Broadway-Theater ist in den letzten zwei Jahrzehnten zum Domizil des experimentellen Theaters geworden.

Off-Broadway-Theater gibt es überall in Manhattan, vom **Douglas Fairbanks Theater**, wo das respektlose *Forbidden Broadway* läuft, bis zum **Delacorte Theater**, der Open-Air-Bühne im Central Park. Einige liegen sogar im traditionellen Broadway-Viertel wie der **Manhattan Theater Club**. Etwas abseits haben sich die **Brooklyn Academy of Music** (BAM) *(siehe S. 248)* und **92nd Street Y** etabliert, die Foren für junge Talente und experimentelle Produktionen darstellen.

Die Off-Broadway-Theater waren die ersten Aufführungsorte von Sean O'Casey, Tennessee Williams, Eugene O'Neill, Jean Genet, Eugene Ionesco und David Mamet. Samuel Becketts Stück *Glückliche Tage* wurde 1961 im **Cherry Lane Theatre** uraufgeführt. Das Theater ist bis heute eine Bühne für Avantgarde-Stücke.

Mitunter eignet sich eine kleinere Off-Broadway-Bühne besser für eine Produktion als ein großes etabliertes Theater, was Dauererfolge wie *The Fantasticks* und die *Dreigroschenoper* belegen; letztere wird seit 1955 immer wieder im **Lucille Lortel Theater** gezeigt.

PERFORMANCE-THEATER

Diese extrem avantgardistische Kunstform kann man an verschiedenen Off- und Off-Off-Broadway-Theatern verfolgen. Besucher sollten auf Bizarres und Ausgefallenes gefasst sein. Auf Performances trifft man am ehesten in **La MaMa**, **PS 122**, **HERE**, **Actors' Playhouse**, **92nd Street Y**, **Symphony Space** und im **Joseph Papp Public Theater** *(siehe S. 120)*. Letztgenanntes übt vermutlich den größten Einfluss auf die New Yorker Theaterszene aus. Es wurde in den 1950er Jahren von Joseph Papp gegründet, der Aufführungen in den Stadtvierteln organisierte, um damit Menschen zu erreichen, die niemals zuvor ein Theater besucht hatten.

Das Public Theater feierte Erfolge mit *Hair* und *A Chorus Line*, hat sich aber mit den kostenlosen Shakespeare-Aufführungen einen Namen gemacht, die im Sommer im Delacorte Theater im Central Park *(siehe S. 208)* stattfinden. Am Tag der Vorstellung bekommt man ab 18 Uhr an der Kasse des Delacorte Theater (pro Person maximal zwei) »Quiktix« genannte Karten.

SCHAUSPIELSCHULEN

Wer das Handwerk eines Schauspielers erlernen will, hat in New York beste Gelegenheit dazu. Führend unter den Schauspielschulen ist **The Actors' Studio**. Sein Mentor war Lee Strasberg, der das Konzept einer vollständigen Identifizierung mit der Rolle vertrat. Zu seinen Schülern gehörten u. a. Marilyn Monroe, Dustin Hoffman und Al Pacino. An der **Neighborhood Playhouse School of the Theater** hat Sandy Meisner viele Schauspieler ausgebildet, darunter auch Lee Remick. Die Aufführungen von »Arbeitsstücken« sind nicht öffentlich. Die **New Dramatists** tragen seit 1949 zur Ausbildung junger Stückeschreiber bei. Den öffentlichen Textlesungen kann man kostenlos beiwohnen.

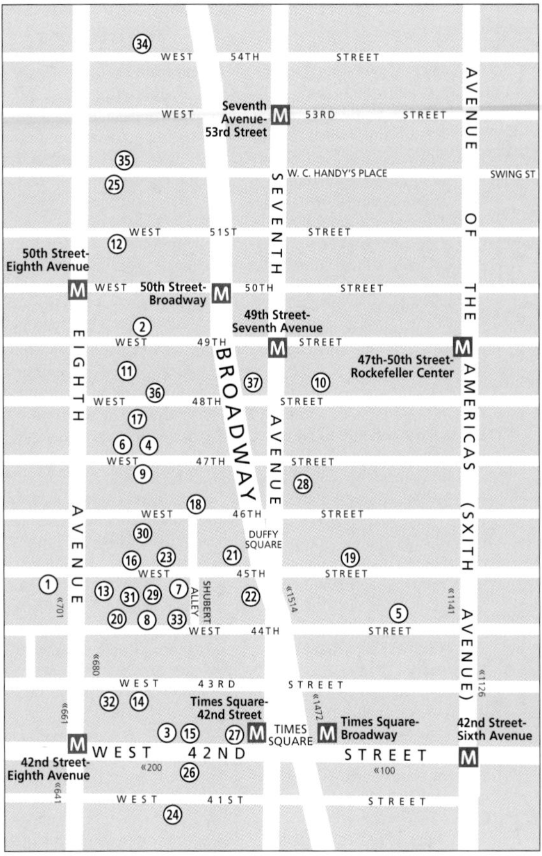

Broadway-Theater

① **Al Hirschfield**
302 W 45th St.
☎ *(212) 239-6200.*

② **Ambassador**
219 W 49th St.
☎ *(212) 239-6200.*

③ **American Airlines Theater**
227 W 42nd St.
☎ (212) 719-1300.

④ **Barrymore**
243 W 47th St.
☎ *(212) 239-6200.*

⑤ **Belasco**
111 W 44th St.
☎ *(212) 239-6200.*

⑥ **Biltmore**
261 W 47th St.
☎ *(212) 239 6200.*

⑦ **Booth**
222 W 45th St.
☎ *(212) 239-6200.*

⑧ **Broadhurst**
235 W 44th St.
☎ *(212) 239-6200.*

⑨ **Brooks Atkinson**
256 W 47th St.
☎ *(212) 307-4100.*

⑩ **Cort**
138 W 48th St.
☎ *(212) 239-6200.*

⑪ **Eugene O'Neill**
230 W 49th St.
☎ *(212) 239-6200.*

⑫ **Gershwin**
222 W 51st St.
☎ *(212) 307-4100.*

⑬ **John Golden**
252 W 45th St.
☎ *(212) 239-6200.*

⑭ **Helen Hayes**
240 W 44th St.
☎ *(212) 239-6200.*

⑮ **Hilton**
213 W 42nd St.
☎ *(212) 307 4100.*

⑯ **Imperial**
249 W 45th St.
☎ *(212) 239-6200.*

⑰ **Longacre**
220 W 48th St.
☎ *(212) 239-6200.*

⑱ **Lunt–Fontanne**
205 W 46th St.
☎ *(212) 307-4747.*

⑲ **Lyceum**
149 W 45th St.
☎ *(212) 239-6200.*

⑳ **Majestic**
247 W 44th St.
☎ *(212) 239-6200.*

㉑ **Marquis**
211 W 45th St.
☎ *(212) 307-4100.*

㉒ **Minskoff**
200 W 45th St.
☎ *(212) 307-4100.*

㉓ **Music Box**
239 W 45th St.
☎ *(212) 239-6200.*

㉔ **Nederlander**
208 W 41st St.
☎ *(212) 307-4100.*

㉕ **Neil Simon**
250 W 52nd St.
☎ *(212) 307-4100.*

㉖ **New Amsterdam**
214 W 42nd St.
☎ *(212) 307 4100.*

㉗ **New Victory**
209 W 42nd St.
☎ *(212) 239-6200.*

㉘ **Palace**
1564 Broadway.
☎ *(212) 307-4100.*

㉙ **Plymouth**
236 W 45th St.
☎ *(212) 239-6200.*

㉚ **Richard Rodgers**
226 W 46th St.
☎ *(212) 307-4100.*

㉛ **Royale**
242 W 45th St.
☎ *(212) 239-6200.*

㉜ **St. James**
246 W 44th St.
☎ *(212) 239-6200.*

㉝ **Shubert**
225 W 44th St.
☎ *(212) 239-6200.*

㉞ **Studio 54**
254 W 54th St.
☎ *(212) 719 3100.*

㉟ **Virginia**
245 W 52nd St.
☎ *(212) 239-6200.*

㊱ **Walter Kerr**
219 W 48th St.
☎ *(212) 239-6200.*

㊲ **Winter Garden**
1634 Broadway.
☎ *(212) 239-6200.*

Weitere Theater *siehe S. 347.*

BALLETT

Mittelpunkt der Ballett-
szene ist das **Lincoln
Center** *(siehe S. 214)*, wo von
November bis Februar und
von Ende April bis Anfang
Juni das New York City Ballet
im **New York State Theater**
auftritt. Es wurde von George
Balanchine, dem legendären
Choreografen *(siehe S. 49)*, ins
Leben gerufen und ist vermutlich noch immer das beste
klassische Ballett der Welt.
Der jetzige Leiter, Peter Mar-
tins, gehörte zu Balanchines
besten Tänzern und folgt wie
dieser dem Konzept einer
homogenen Kompanie. Die
Ballettschule des **Juilliard
Dance Theater** veranstaltet
jedes Frühjahr einen Workshop, dessen Aufführungen
öffentlich zugänglich sind.

Das American Ballet Thea-
ter tritt im **Metropolitan
Opera House** auf, in dem
auch ausländische Ensembles
gastieren, etwa das Royal
Ballet, das Kirow- und das
Bolschoi-Ballett. Das Reper-
toire umfasst Klassiker des
19. Jahrhunderts, aber ebenso
Produktionen moderner
Choreografen wie Twyla
Tharp und Paul Taylor.

ZEITGENÖSSISCHER TANZ

New York ist das Zentrum
der wichtigsten Richtun-
gen im Modern Dance. Das
Dance Theater of Harlem
ist weltberühmt für seine
Inszenierungen. Auch **92nd
Street Y** und das **Merce Cunningham Studio** in Greenwich
Village bieten erstklassigen
experimentellen Tanz. Der
ungewöhnliche **Dance Theater Workshop** verfügt über
ein umfangreiches Programm
plus eine Kunstgalerie. **The
Kitchen**, La MaMa, **Symphony
Space** und PS 122 bringen das
Neueste in den Bereichen
zeitgenössischer Tanz, Performance und Avantgarde-Musik
zur Aufführung. Die Truppe
des Choreografen Mark Morris tritt im **Mark Morris Dance
Center** in Brooklyn auf. Das
City Center *(siehe S. 148)* ist
eine beliebte Adresse in der
Tanzszene und war früher das
Stammhaus des New York
City Ballet und des American

Ballet Theater. Neben dem
Joffrey Ballet sind im City
Center schon alle großen
Künstler aufgetreten, darunter
Alvin Ailey und auch die Ensembles der Modern-Dance-
Choreografen Merce Cunningham und Paul Taylor. (Wählen Sie nach Möglichkeit
keinen Mezzaninplatz in diesem Theater, da der Blick
hier eingeschränkt ist.)

Die aktivste Einzelbühne für
Tanzaufführungen ist das
Joyce Theater, in dem etablierte Ensembles, aber auch
mutige Neulinge und Gast-
truppen auftreten.

Jedes Frühjahr zeigt das
Festival of Black Dance in der
Brooklyn Academy of Music
(BAM) *(siehe S. 248)* alles von
»Ethnic Dance« bis »Hip-Hop«.
Im Herbst präsentiert das
»Next Wave«-Festival nationale
und internationale avantgar-
distische Tanz- und Musik-
inszenierungen. Im Winter
wird das American Ballet
Festival ausgerichtet.

Im Juni hält die **New York
University** *(siehe S. 115)* ein
Summer Residency Festival
ab, wo es Tanzübungen, Proben und Aufführungen zu
sehen gibt. **Dancing in the
Streets** organisiert in der
ganzen Stadt sommerliche
Tanzvorführungen.

Im August präsentiert das
Lincoln Center Out of Doors
auf der Plaza ein Freedance-
Programm mit experimen-
tellen Gruppen wie beispielsweise dem American Tap
Dance Orchestra.

Im neuen **Duke Theater**
treten zeitgenössische Tanz-
gruppen auf; außerdem finden hier auch Veranstaltungen im Rahmen des New
York Tap Festivals statt.

Die **Radio City Music Hall**
bringt im Lauf des Jahres
mehrere erstklassige Shows
mit internationalen Tanztrup-
pen. Zu Weihnachten und
Ostern tritt hier das berühmte
Rockettes-Ensemble auf.

Bisweilen kann man öffentlichen Tanzproben beiwoh-
nen. Die interessantesten
Vorführungen dieser Art bietet
wohl das schwarze **Alvin
Ailey's Repertory Ensemble**,
das 2004 die größte Tanz-
schule des Landes eröffnet
hat. Die **Hunter College Dance

Company** zeigt neue Arbeiten
ihrer Choreografieschüler.
Die **Isadora Duncan Dance
Foundation** lässt die Tänze
ihrer legendären Namens-
geberin neu erstehen. Zeitgenössische Choreografien
kann man sich im **Juilliard
Dance Theater** ansehen.

EINTRITTSPREISE

Theaterproduktionen sind
sehr aufwendig, was sich
natürlich auf die Eintrittspreise niederschlägt. Selbst Off-
und Off-Off-Broadway-Büh-
nen sind heute kein billiges
Vergnügen mehr. Karten für
Generalproben, sogenannte
Previews, kosten genauso
viel, sind allerdings erheblich
leichter zu bekommen.

Broadway-Theater verlan-
gen 80 Dollar und mehr als
Eintritt; bei Musicals muss
man mit bis zu 100 Dollar
rechnen. Off-Broadway-Bühnen verlangen 25 bis 40 Dollar. Tanzaufführungen kosten
zwischen 20 und 50 Dollar;
für das American Ballet
Theatre zahlt man allerdings
bis zu 115 Dollar.

VORSTELLUNGSBEGINN

Theater bleiben in der
Regel montags geschlos-
sen (mit Ausnahme der meisten Musical-Bühnen). Mittwochs, samstags und auch
sonntags gibt es Matineen,
die meist um 14 Uhr anfan-
gen. Abendvorstellungen
beginnen üblicherweise um
20 Uhr. Informieren Sie sich
rechtzeitig über Anfangs-
zeiten, Ort und Tag der
Aufführung.

HINTER DEN KULISSEN

Wer sich für Bühnentech-
nik und Star-Anekdoten
interessiert, sollte an einer der
beliebten Backstage-Touren
der Theater teilnehmen. Das
92nd Street Y organisiert
interessante Diskussionen
mit bekannten Regisseuren,
Schauspielern und Choreo-
grafen. Auch Autoren werden
zu Lesungen oder Diskus-
sionen eingeladen. In der
Radio City Music Hall werden
ebenfalls spannende Führungen angeboten.

AUF EINEN BLICK

OFF-BROADWAY

92nd Street Y
1395 Lexington Ave.
Stadtplan 17 A2.
C *(212) 415-5500.*

Actors' Playhouse
100 Seventh Ave S.
Stadtplan 3 C1.
C *(212) 463-0060.*

Brooklyn Academy of Music
30 Lafayette Ave.,
Brooklyn.
C *(718) 636-4100.*

Cherry Lane Theatre
38 Commerce St.
Stadtplan 3 C2.
C *(212) 239-6200*

HERE Art Center
145 6th Ave.
Stadtplan 4 D4.
C *(212) 647-0202.*

Circle in the Square
1633 Broadway.
Stadtplan 12 E4.
C *(212) 307-0388.*

Delacorte Theater
Central Park (81st St.).
Stadtplan 16 E4.
C *(212) 539-8750.*
Nur im Sommer.

Douglas Fairbanks Theater
432 W 42nd St.
Stadtplan 7 C1.
C *(212) 239-6200.*

John Houseman
450 W 42nd St.
Stadtplan 7 C1.
C *(212) 967-9077.*

Lambs Theater
130 W 44th St.
Stadtplan 12 E5.
C *(212) 997-1780.*

Lucille Lortel Theater
121 Christopher St.
Stadtplan 3 C2.
C *(212) 924-2817.*

Manhattan Theater Club
311 W 43rd St.
Stadtplan 8 D1.
C *(212) 399-3000.*

New York Theater Workshop
79 E 4th St. **Stadtplan** 4 F2.
C *(212) 460-5475.*

Public Theater
425 Lafayette St.
Stadtplan 4 F2.
C *(212) 539-8500.*

Symphony Space
2537 Broadway.
Stadtplan 15 C2.
C *(212) 864-5400.*

Vivian Beaumont
Lincoln Center.
Stadtplan 11 C2.
C *(212) 362-7600.*

OFF-OFF-BROADWAY

Bouwerie Lane Theater
330 Bowery.
Stadtplan 4 F2.
C *(212) 677-0060.*

The Kitchen
512 W 19th St.
Stadtplan 7 C5.
C *(212) 255-5793.*

Performing Garage
33 Wooster St.
Stadtplan 4 E4.
C *(212) 966-3651.*

York Theater at St. Peter's Church
Citigroup Center, 619 Lexington Ave.
Stadtplan 13 A4.
C *(212) 935-5820.*

PERFORMANCE-THEATER

La MaMa
74a E 4th St.
Stadtplan 4 F2.
C *(212) 475-7710.*

P.S. 122
150 First Ave.
Stadtplan 5 A1.
C *(212) 477-5288.*

Public Theater
Siehe Off-Broadway.

SCHAUSPIEL-SCHULEN

The Actors' Studio
432 W 44th St.
Stadtplan 11 B5.
C *(212) 757-0870.*

New Dramatists
424 W 44th.
Stadtplan 11 C5.
C *(212) 757-6960.*

BALLETT

92nd Street Y
Siehe Off-Broadway.

Alvin Ailey American Dance Center
211 W 61st St.
Stadtplan 11 C3.
C *(212) 767-0590.*

Brooklyn Academy of Music
Siehe Off-Broadway.

City Center
130 W 56th St.
Stadtplan 12 E4.
C *(212) 581-1212.*

Dance Theater of Harlem
466 W 152nd St.
C *(212) 690-2800.*

Dance Theater Workshop
219 W 19th St.
Stadtplan 8 E5.
C *(212) 924-0077.*

Dancing in the Streets
55 6th Ave. (Büros)
C *(212) 625-3505.*

Hunter College Dance Company
695 Park Ave.
Stadtplan 13 A1.
C *(212) 772-4490.*

Isadora Duncan Dance Foundation
141 W 26th St.
Stadtplan 20 D2.
C *(212) 691-5040.*

Joyce Theater
175 Eighth Ave/19th St.
Stadtplan 8 D5.
C *(212) 242-0800.*

Juilliard Dance Theater
60 Lincoln Center Plaza, W 65th St.
Stadtplan 11 C2.
C *(212) 769-7406.*

VERANSTALTUNGS-ORTE

Duke Theater
229 W 42nd St.
Stadtplan 8 E1.
C *(646) 223-3000.*

The Kitchen
Siehe Off-Off Broadway.

La MaMa
Siehe Performance-Theater.

Lincoln Center Out of Doors
Lincoln Center, Broadway at 64th St. **Stadtplan** 11 C2. **C** *(212) 362-6000.*

Manhattan Center
311 W 34th St. **Stadtplan** 8 D2. **C** *(212) 279-7740.*

Mark Morris
3 Lafayette Ave. (Brooklyn)
C *(718) 624-8400.*

Merce Cunningham Studio
55 Bethune St. **Stadtplan** 3 B2. **C** *(212) 691-9751.*

Metropolitan Opera House
Lincoln Center,
Broadway at 65th St.
Stadtplan 11 C2.
C *(212) 362-6000.*

New York State Theater
Lincoln Center, Broadway at 65th St. **Stadtplan** 11 C2. **C** *(212) 870-5570.*

New York University
Tisch School of the Arts (TSOA), 111 2nd Ave.
Stadtplan 4 F1.
C *(212) 998-1920.*

P.S. 122
Siehe Performance-Theater.

Radio City Music Hall
50th St/Ave of the Americas. **Stadtplan** 12 F4.
C *(212) 307-7171.*

HINTER DEN KULISSEN

92nd Street Y
Siehe Off-Broadway.

Radio City Music Hall
C *(212) 307-7171.*

INTERNET-SEITEN

www.broadway.org
www.playbill.com
www.newyork.
citysearch.com

Stadtplan *siehe Seiten 394 – 425*

Kino und TV-Shows

New York ist ein Paradies für Cineasten. In den Kinos sind neben brandneuen US-Filmen auch viele Klassiker und ausländische Filme zu sehen. Die Stadt ist von jeher das Versuchsgelände für neue Entwicklungen im Film und die Wiege junger Talente. Regisseure wie Spike Lee, Martin Scorsese und Woody Allen sind in New York aufgewachsen, der Einfluss der Stadt wird in ihren Filmen deutlich. Filmemacher kann man häufig bei Außenaufnahmen in der Stadt sehen; zahlreiche New Yorker Örtlichkeiten sind durch das Kino bekannt geworden. Viele der New Yorker Fernsehstationen bieten Eintrittskarten für die Aufzeichnungen von TV-Shows an. Ein solches Studio-Erlebnis, etwa die *David Letterman Show*, ist bei New Yorkern und Besuchern gleichermaßen beliebt.

PREMIERENKINOS

Die New Yorker Kritiken und Einspielergebnisse sind so wichtig für den Erfolg eines Kinofilms, dass die Uraufführungen der meisten großen US-Filme in den Kinos von Manhattan stattfinden. Premierenkinos sind u.a. die Filmtheater von City Cinema, United Artists, Loews, Guild und Cineplex Odeon. Einige Kinos haben eine Telefonansage, die Programmhinweise, Spieldauer und Eintrittspreise bekannt gibt.

Die Vorstellungen beginnen um 10 oder 11 Uhr und werden dann bis Mitternacht alle zwei bis drei Stunden wiederholt. Abends und an Wochenenden muss man für Karten meistens anstehen. Kartenreservierungen per Kreditkarte sind bei einigen Kinos für einen Aufschlag von etwa

einem Dollar pro Ticket möglich. Karten für Matineen (gewöhnlich vor 16 Uhr) sind leichter erhältlich. Je nach Kino zahlen Senioren über 60, 62 oder 65 Jahre ermäßigte Eintrittspreise.

NEW YORK FILM FESTIVALS

Alljährliches Film-Highlight ist das New York Film Festival, das seit über 20 Jahren stattfindet. Es wird von der **Film Society of Lincoln Center** organisiert, beginnt Ende September und läuft zwei Wochen in den Kinos des Lincoln Center. Gezeigt und ausgezeichnet werden Filme aus den USA und dem Ausland; es gibt jedoch keine Preisverleihung. Die erfolgreichsten Filme laufen anschließend in einigen New Yorker Kulturinstituten.

Das **TriBeCa Film Festival** wurde 2002 gegründet, einer seiner Initiatoren war Robert De Niro. Mit dem Festival sollte die Filmstadt New York gefeiert, aber auch die Wiederbelebung von Lower Manhattan unterstützt werden. Gezeigt werden sowohl neue Produktionen als auch Klassiker und Dokumentarfilme. Das Festival findet Ende April, Anfang Mai statt.

An fünf Tagen im Frühjahr zeigt das New York International Documentary Festival **DocFest** Film- und Videodokumentationen aus aller Welt. Die Filmemacher stellen sich anschließend den Fragen des Publikums.

EINSTUFUNGEN

Filme werden in den USA folgendermaßen bewertet:
G Für alle Altersstufen geeignet.
PG Einige Szenen für Kinder ungeeignet; Begleitung Erwachsener ratsam.
PG-13 Einige Szenen für Kinder unter 13 Jahren ungeeignet; Begleitung von Erwachsenen dringend empfohlen.
R Kinder unter 17 Jahren nur in Begleitung eines Erwachsenen zugelassen.
NC-17 Für Kinder unter 17 Jahren verboten.

NEW YORK IM FILM

Viele New Yorker Örtlichkeiten spielen in Filmen eine bedeutende Rolle. Hier einige Beispiele: Auf dem **Brill Building** (1141 Broadway) steht Burt Lancasters Penthouse in *Dein Schicksal in meiner Hand*. Die **Brooklyn Bridge** wird in Spike Lees *Mo' Better Blues* gezeigt. **Brooklyn Heights** und die **Metropolitan Opera** sind in *Mondsüchtig* zu sehen. Der **Central Park** ist in unzähligen Filmen präsent, darunter *Love Story* und *Der Marathon-Mann*. **55 Central Park West** wird als Sigourney Weavers Haus in *Ghostbusters* in Erinnerung bleiben. **Chinatown** spielt eine bedeutende Rolle *Im Jahr des Drachen*. Im **Dakota** wohnt Mia Farrow in dem Filmklassiker *Rosemaries Baby*. Auch nach *King Kong* war das **Empire State Building** Filmschauplatz: Cary Grant wartete dort vergebens in *Die Liebe meines Lebens*; Meg Ryan traf hier endlich Tom Hanks in *Schlaflos in Seattle*. Die **Grand Central Station** ist der Ort, wo sich Robert Walker und Judy Garland in *Die Uhr* treffen und wo die Ballsaalszene in *König der Fischer* spielt. **Harlem** ist der Schauplatz für die Jazzmusiker und Tänzer in *Cotton Club*. **Katz's Deli** bildet die Kulisse der denkwürdigen Café-Szene in *Harry und Sally*. **Little Italy** wird in *Der Pate I* und *II* gezeigt. Der **Madison Square Garden** ist Schauplatz des dramatischen Höhepunkts von *Botschafter der Angst*. **Tiffany & Co.** ist Audrey Hepburns bevorzugtes Geschäft in *Frühstück bei Tiffany*. Das **United Nations Building** ist in dem Hitchcock-Thriller *Der unsichtbare Dritte* zu sehen. Im **Washington Square Park** laufen Robert Redford und Jane Fonda *Barfuß im Park*.

AUSLÄNDISCHE FILME UND KULTURINSTITUTE

Die neuesten ausländischen und nicht kommerziellen Filme zeigt das **Angelika Film Center**. Andere gute Filmtheater sind **Rose Cinemas**, **Film Forum** und **Lincoln Plaza Cinema**. Das Plaza zeigt ein Programm an ausländischen und Kunstfilmen. Produktionen aus Indien, China und anderen asiatischen Ländern sind bei der **Asia Society** zu sehen. Das **French Institute** bringt meist dienstags französische Filme mit Untertiteln. Das **Quad Cinema** zeigt eine große Auswahl ausländischer, oft seltener Filme. **Cinema Village** führt Sonderveranstaltungen durch, etwa das Festival of Animation.

Das **Walter Reade Theater** beherbergt die Film Society of the Lincoln Center, die Retrospektiven des internationalen Films sowie Festivals der Gegenwartskunst, z. B. das alljährliche Spanish Cinema Now Festival, veranstaltet.

FILMKLASSIKER UND UND FILMMUSEEN

Retrospektiven mit Filmen bestimmter Regisseure oder Schauspieler zeigen das **Public Theater** und das **Whitney Museum of American Art** (siehe S. 200f).

Im **American Museum of the Moving Image** (siehe S. 246f) sind alte Filme und zahlreiche historische Memorabilien der Filmindustrie zu sehen. Das **Museum of Television & Radio** (siehe S. 171) präsentiert regelmäßig Filmklassiker und bietet spezielle Fernseh- und Radioprogramme. Wer sich für klassisches und experimentelles Kino interessiert, findet in den **Anthology Film Archives** eine reiche Materialsammlung.

Die Vorführungen des **Rose Center for Earth and Space** im American Museum of Natural History sind sehr sehenswert.

Im Bryant Park können Sie an Sommerabenden Open-Air-Vorführungen von Filmklassikern sehen, und am Samstagvormittag gibt es bei der **Film Society of Lincoln Center** Kino für Kinder.

FERNSEH-SHOWS

In New York werden diverse Fernsehsendungen produziert. Tickets für die *David Letterman Show* oder *Saturday Night Live* sind so gut wie gar nicht zu bekommen. Aber auch andere Sendungen sind sehenswert. Um Freikarten für Sendungen von **NBC**, **ABC** und **CBS** zu ergattern, sollten Sie sich telefonisch an den jeweiligen Sender wenden. Eine gute Quelle für kostenlose Eintrittskarten ist auch das Times Square Information Bureau (siehe S. 368). Unter der Woche werden auf der Fifth Avenue im Bereich der **Rockefeller Plaza** vom jeweiligen Produktionsteam Freikarten für Fernsehsendungen verteilt. Ob man ein solches Ticket erhält, ist allerdings reine Glückssache und hängt allein davon ab, zur richtigen Zeit am richtigen Ort zu sein.

Für alle, die einmal einen Blick hinter die Kulissen eines TV-Senders werfen wollen, organisiert NBC Studioführungen (in der Regel von Montag bis Samstag zwischen 9 und 16 Uhr).

PRAKTISCHE HINWEISE

Einen guten Überblick über das aktuelle Kinogeschehen bieten das Magazin *New York*, die *New York Times*, *Village Voice* und *The New Yorker* sowie diese Internet-Seiten, über die man auch Karten bestellen kann:
www.moviefone.com
www.movietickets.com

AUF EINEN BLICK

ABC
[C] (212) 580-5176.
www.abc.com

American Museum of Natural History
Central Park W at 79th St.
Stadtplan 16 D5.
[C] (212) 769-5650.

Angelika Film Center
18 W Houston St.
Stadtplan 4 E3.
[C] (212) 995-2000.

Anthology Film Archives
32 2nd Ave/2nd St.
Stadtplan 5 C2.
[C] (212) 505-5181.

Asia Society
725 Park Ave. **Stadtplan** 13 A1.[C] (212) 517-2742.

CBS
[C] (212) 247-6497.
www.cbs.com

Cinema Village
22 E 12th St. **Stadtplan** 4 F1. [C] (212) 924-3363.

Docfest
[C] (212) 668-1100.
www.docfest.org

Film Forum
209 W Houston St.
Stadtplan 3 C3.
[C] (212) 727-8110.

French Institute
55 E 59th St. **Stadtplan** 12 F3. [C] (212) 355-6160.

Lincoln Plaza Cinema
1886 Broadway.
Stadtplan 12 D2.
[C] (212) 757-2280.

Museum of Modern Art
11 W 53rd St. **Stadtplan** 12 F4. [C] (212) 708-9480.

Museum of the Moving Image
35th Ave & 36th St. Astoria, Queens.
[C] (718) 784-0077.

Museum of Television & Radio
25 W 52nd St. **Stadtplan** 12 F4. [C] (212) 621-6600.

NBC
Eingang: 30 Rockefeller Plaza/49th St (vor 21 Uhr).
[C] (212) 664-3056.
www.nbc.com

Public Theater
425 Lafayette St.
Stadtplan 4 F4.
[C] (212) 539-8500.

Quad Cinema
34 W 13th St.
Stadtplan 4 D1.
[C] (212) 255-8800.

Rockefeller Plaza
47th–50th St, 5th Ave.
Stadtplan 12 F5.

Rose Cinemas
Brooklyn Academy of Music (BAM), 30 Lafayette Ave, Brooklyn.
[C] (718) 623-2770.

TriBeCa Film Festival
[C] (212) 941-2400.
www.tribecafilmfestival.org

Walter Reade Theater
70 Lincoln Center Plaza.
Stadtplan 12 D2.
[C] (212) 875-5600.

Whitney Museum of American Art
945 Madison Ave.
Stadtplan 13 A1.
[C] 1-800-WHITNEY.

Stadtplan siehe Seiten 394–425

Klassische und zeitgenössische Musik

New Yorker sind in Bezug auf Musik unersättlich. Das ganze Jahr hindurch gastieren weltbekannte Musiker in den berühmten Konzertsälen, und junge, unbekannte Künstler aus dem In- und Ausland finden hier ein interessiertes Publikum.

INFORMATIONEN

Aktuelle Veranstaltungstipps findet man in der *New York Times*, der *Village Voice* sowie in den Magazinen *New York*, *Time Out New York* und *The New Yorker*.

KLASSISCHE MUSIK

Das Stammhaus der New York Philharmonic ist die **Avery Fisher Hall** im Lincoln Center *(siehe S. 215)*. Dort finden jedes Jahr die beliebten Konzertreihen »Mostly Mozart« und »Young People's Concerts« statt. Ein Meisterwerk der Akustik und Sitz der Chamber Music Society ist die Alice Tully Hall, ebenfalls im Lincoln Center.

Zu den führenden Konzertsälen der Welt zählt die **Carnegie Hall** *(siehe S. 148)*. In der Weill Recital Hall finden erstklassige Konzerte zu erschwinglichen Preisen statt.

Die **Brooklyn Academy of Music** (BAM) *(siehe S. 248)* ist das Stammhaus der Brooklyn Philharmonic. Der neueste Stern am Musikhimmel ist das **New Jersey Performance Arts Center**.

In der **Merkin Concert Hall** gastieren Kammerorchester und Solisten der Spitzenklasse. Eine ausgezeichnete Akustik hat die **Town Hall**. Die Kaufmann Concert Hall im **92nd Street Y** hat ebenfalls ein interessantes Musik- und Ballettangebot. Beliebte Veranstaltungsorte in Museen sind der Skulpturengarten im **Museum of Modern Art**, in

dem Kammermusik und zeitgenössische Musik zu hören sind, sowie die **Frick Collection** und **Symphony Space**, die beide ein breit gefächertes Programm bieten, das von Gospel bis Gershwin und von Klassik bis Ethno-Musik reicht. Im schönen **Grace Rainey Rogers Auditorium** im Metropolitan Museum of Art spielen Kammerorchester und Solisten, während die **Florence Gould Hall** in der Alliance Française ein vielfältiges Angebot an Klassik, u.a. auch Kammermusik, bietet.

Die **Juilliard School of Music** und das **Mannes College of Music** haben einen hervorragenden Ruf. Hier gibt es kostenlose Proben und Gastspiele führender (Kammermusik-)Orchester und Opernensembles. Die **Manhattan School of Music** bietet ein Spitzenprogramm mit 400 Veranstaltungen im Jahr.

Für die Konzerte der New York Philharmonic am Donnerstagabend findet am selben Tag um 9.45 Uhr in der **Avery Fisher Hall** im Lincoln Center eine öffentliche Probe statt, für die es preiswerte Tickets gibt.

Kammermusik-Fans kommen in der **Kosciuszko Foundation** auf ihre Kosten, wo auch der jährliche Chopin-Wettbewerb stattfindet. Die **Corpus Christi Church** bietet viele Konzerte, z.B. mit den Tallis Scholars.

OPER

Mittelpunkt des Operngeschehens ist das **Lincoln Center** *(siehe S. 214)*, Sitz der New York City Opera und des **Metropolitan Opera House**. Die Met ist das musikalische Juwel der Stadt, wird aber häufig als zu bieder kritisiert. Innovativer ist die **New York City Opera**. Ihre Aufführungen reichen von *Madame Butterfly* bis *South Pacific*.

Untertitel helfen, die Handlung zu verstehen. Erstklassige Aufführungen zu niedrigeren Eintrittspreisen bieten die **Village Light Opera Group**, das **Amato Opera Theater**, das **Kaye Playhouse** und die Studenten am **Juilliard Opera Center** im Lincoln Center.

ZEITGENÖSSISCHE MUSIK

New York gehört zu den wichtigsten Zentren zeitgenössischer Musik. Exotische, ethnische und experimentelle Musik wird auf vielen erstklassigen Bühnen gespielt. Die **Brooklyn Academy of Music** (BAM) setzt die Maßstäbe für das avantgardistische Musikgeschehen. Jeden Herbst veranstaltet die Akademie das Musik- und Tanzfestival »Next Wave«, dem zahlreiche Musiker, darunter auch Philip Glass, ihre Karriere zu verdanken haben.

Das jährliche Festival moderner Musik »Bang on a Can« findet in der **Ethical Culture Society Hall** statt und bringt Werke von Komponisten wie Pierre Boulez und John Cage zur Aufführung.

Der **Dance Theater Workshop** ist ein Forum für Experimentierer, etwa für David Weinstein mit seiner »Audio-visual acid test«-Musik, einer Mischung aus CD-Spielern, verstärkten Instrumenten, Keyboards und Klangeffekten.

Weitere Veranstaltungsorte sind die **Asia Society** *(siehe S. 187)*, in deren prachtvollem Theater viele Künstler aus Asien gastieren, und die **St. Peter's Church**.

FÜHRUNGEN

Führungen hinter die Kulissen bieten das **Lincoln Center** und die **Carnegie Hall**.

SAKRALE MUSIK

Wenige Erlebnisse sind so beeindruckend wie ein Osterkonzert in der **Cathedral of St. John the Divine** *(siehe S. 226f)*. Um Ostern und Weihnachten kann man auch an anderen

---

KLASSIK IM RADIO

In New York empfängt man drei FM-Rundfunksender, die klassische Musik bringen: WQXR auf 96,3, den landesweiten Sender WNYC auf 93,9 und WKCR auf 89,9 kHz.

Orten, in Museen, im Grand Central Terminal *(siehe S.156f)*, in Foyers von Banken und Hotels geistliche Musik hören. Jazzmessen finden in der **St. Peter's Church** *(siehe S.177)* statt.

OPEN-AIR-KONZERTE

Im Sommer gibt es kostenlose Konzerte im **Bryant Park**, auf dem **Washington Square** und im **Damrosch Park** (Lincoln Center). Im Central Park und im Prospect Park (Brooklyn) gastieren jedes Jahr die New York Philharmonic und die Metropolitan Opera. Bei schönem Wetter trifft man vor dem **Metropolitan Museum of Art** *(siehe S. 190–197)* häufig auf Straßenmusiker.

GRATISKONZERTE

Kostenlose Musikevents bieten das ganze Jahr über **The Cloisters** *(siehe S. 236–239)* und das **Philip Morris Building** des Whitney Museum *(siehe S. 152)*. Am Sonntagnachmittag finden Konzerte am Rumsey Playfield und am Naumburg Bandshell im Central Park *(siehe S. 208)* statt. Fragen Sie telefonisch bei The Diary nach. Musik gibt es auch in der **Federal Hall** *(siehe S. 68)*

zu hören. Im **Lincoln Center** begeistern Aufführungen der **Juilliard School of Music**. Weitere Orte sind die **Greenwich House Music School** (für Studenten kostenlos) und der **Winter Garden** des World Financial Center *(siehe S. 69)*. Zahlreiche kostenlose Konzerte und Lesungen finden in den vielen Gotteshäusern der Metropole statt, u. a. in der **St. Paul's Chapel** und der **Trinity Church** *(siehe S. 68)*.

INTERNET-ADRESSEN

www.newyorkmetro.com
www.nytoday.com
www.newyork.citysearch.com

AUF EINEN BLICK

92nd Street Y
1395 Lexington Ave.
Stadtplan 17 A2.
℃ *(212) 415-5500.*

Amato Opera Theater
319 Bowery at 2nd St.
Stadtplan 4 F2.
℃ *(212) 228-8200.*

Asia Society
725 Park Ave.
Stadtplan 13 A1.
℃ *(212) 517-2742.*

Brooklyn Academy of Music
30 Lafayette Ave, Brooklyn.
℃ *(718) 636-4100.*

Bryant Park
Stadtplan 8 F1.
℃ *(212) 768-4242.*

Carnegie Hall
881 7th Ave. **Stadtplan**
12 E3. ℃ *(212) 247-7800.*

Cathedral of St. John the Divine
1047 Amsterdam Ave/
112th St. **Stadtplan** 20 E4.
℃ *(212) 316-7540.*

The Cloisters
Fort Tryon Park.
℃ *(212) 923-3700.*

Corpus Christi Church
529 W 121st St.
Stadtplan 20 E2.
℃ *(212) 666-9350.*

The Dairy
Central Park/65th St.
Stadtplan 12 F2.
℃ *(212) 794-6564.*

Dance Theater Workshop
Siehe Ballett S. 347.

Ethical Culture Society Hall
2 W 64th St.
Stadtplan 12 D2.
℃ *(212) 874-5210.*

Federal Hall
26 Wall St.
Stadtplan 1 C3.
℃ *(212) 825-6888.*

Florence Gould Hall (in der Alliance Française)
55 E 59th St.
Stadtplan 13 A3.
℃ *(212) 355-6160.*

Frick Collection
1 E 70th St. **Stadtplan** 12
F1. ℃ *(212) 288-0700.*

Greenwich House Music School
46 Barrow St. **Stadtplan**
3 C2. ℃ *(212) 242-4770.*

Kaye Playhouse (Hunter College)
695 Park Ave. **Stadtplan**
13 A1. ℃ *(212) 772-4448.*

Kosciuszko Foundation
15 E 65th St. **Stadtplan**
12 F2. ℃ *(212) 734-2130.*

Lincoln Center
155 W 65th St.
Stadtplan 11 C2.
℃ *(212) 546-2656.*
Führungen durch einige Säle des Lincoln Center sind zu buchen über:
℃ *(212) 875-5350.*

Alice Tully Hall
℃ *(212) 875-5050.*

Avery Fisher Hall
℃ *(212) 875-5030.*

Damrosch Park
℃ *(212) 875-5000.*

Juilliard Opera Center
℃ *(212) 769-7406.*

Juilliard School of Music
℃ *(212) 799-5000.*

Metropolitan Opera House
℃ *(212) 362-6000.*

Manhattan School of Music
120 Claremont Ave.
Stadtplan 20 E2.
℃ *(212) 749-2802.*

Mannes College of Music
150 W 85th St.
Stadtplan 15 D3.
℃ *(917) 493-4428.*

Merkin Hall
129 W 67th St.
Stadtplan 11 D2.
℃ *(212) 501-3330.*

Metropolitan Museum of Art
1000 5th Ave/82nd St.
Stadtplan 16 F4.
℃ *(212) 535-7710.*

New Jersey Performance Arts Center
1 Center St, Newark, NJ.
℃ *1-888-466-5722.*

St. Paul's Chapel
Broadway/Fulton St.
Stadtplan 1 C2.
℃ *(212) 233-4164.*

St. Peter's Church
619 Lexington Ave.
Stadtplan 13 A4.
℃ *(212) 935-2200.*

Symphony Space
2537 Broadway.
Stadtplan 15 C2.
℃ *(212) 864-5400.*

Town Hall
123 W 43rd St.
Stadtplan 8 E1.
℃ *(212) 997-1003.*

Trinity Church
Broadway at Wall St.
Stadtplan 1 C3.
℃ *(212) 602-0800.*

Village Light Opera Group
Aufführungen: Haft Auditorium, Fashion Institute of Technology, 227 W 27th St.
Stadtplan 8 E3.
℃ *(212) 352-3101.*

Washington Square
Stadtplan 4 D2.

Whitney Museum
Philip Morris Building, 120 Park Ave/42nd St.
Stadtplan 9 A1.
℃ *1-800-944-8639.*

Winter Garden
World Financial Center, West St.
Stadtplan 1 A2.
℃ *(212) 945-2600.*

Stadtplan *siehe Seiten 394–425*

Rock, Jazz und World Music

Von Mainstream Rock bis zum Sound der Sixties, von Dixiland bis zu Country-Blues, von Soul und World Music bis zu talentierten Straßenmusikern – in New York ist jede erdenkliche Musikrichtung vertreten. Die Musikszene verändert sich ständig – fast täglich gibt es Neueinsteiger (und Absteiger). Schwer zu sagen, was los sein wird, wenn Sie in New York sind – doch auf jeden Fall wird es vibrierend sein.

PREISE UND BÜHNEN

In den meisten Klubs muss man »cover charge« – also das Gedeck – bezahlen und möglicherweise mindestens einen oder zwei Drinks (à 7 Dollar oder mehr) bestellen. Die Eintrittspreise für Konzerte liegen zwischen 50 und 150 Dollar in den größeren Häusern. Die kleineren Häuser haben oft getrennte Sitz- und Tanzbereiche – häufig zu unterschiedlichen Preisen.

Stars wie Robbie Williams, Bruce Springsteen und David Bowie treten gewöhnlich im **Meadowlands** oder im **Madison Square Garden** *(siehe S. 135)* auf. Solche Veranstaltungen sind schnell ausverkauft, sodass man sich früh um Tickets bemühen sollte – es sei denn, man ist bereit, sie für teures Geld bei einem Agenten oder Schwarzhändler zu kaufen. Im Sommer finden Open-Air-Konzerte am Jones Beach *(siehe S. 255)* und auf der **Central Park Summer Stage** statt.

Spielstätten mittlerer Größe sind u. a. die **Radio City Music Hall**, der **Hammerstein Ballroom** und das **Beacon Theater**. Eine der neuesten Locations mit spannenden Konzerten und überragender Akustik ist das **Nokia Theatre**, das 2005 am Times Square eröffnete und in seinem 2100 Zuschauer fassenden Saal auch andere Events veranstaltet. Insgesamt konzentrieren sich die beliebtesten Konzertbühnen vor allem in der Upper West Side.

Bekannte Treffpunkte von Rockfans sind vielfach Bars. Meist treten dort an jedem Abend andere Gruppen auf; man kann sich in der *New York Times*, der *Village Voice*, in *Time Out New York* oder telefonisch informieren, welche Band jeweils spielt.

ROCK

Die Rock-Szene umfasst eine ganze Reihe von Stilrichtungen: Gothic, Industrial, Techno und Psychedelic Rock, Post-Punk, Funk und Indie. Wer mehr von einer Band sehen will als eine riesige Videowand, findet in den folgenden Lokalitäten eine intime Atmosphäre.

Die **Knitting Factory** hat Jazz und neue Musik auf dem Programm. Die **Mercury Lounge** ist einer der Hot Spots, die brandneue Bands mit Zukunft präsentieren. **Irving Plaza** ist eine Bühne für relativ unbekannte, bisweilen aber auch bekannte Rockgruppen, gelegentlich auch für großartige Country- und Bluesmusiker.

Mit der Eröffnung des **Bowery Ballroom** im Jahr 1998 erwachte die Lower East Side zu neuem Leben. Hier treten international bekannte Gruppen ebenso wie lokale Musiker auf.

Das umgebaute Weinlokal **Arlene's Grocery** hat seit 1995 ein treues Publikum, das Musik von Rock bis Country schätzt und auch regelmäßig Komiker bejubelt. **Joe's Pub** bietet ein buntes Programm aus Rock, Jazz, Hip-Hop und Lounge-Musik. Im **Crash Mansion** treten Talente aller Musikrichtungen auf, aber auch bereits etablierte Künstler wie Norah Jones.

JAZZ

Den ursprünglichen Cotton Club und Connie's Inn, die einstigen Brennpunkte der Jazzszene, gibt es schon lange nicht mehr, ebenso wenig gibt es noch die *Speakeasies* der Prohibitionszeit in der West 52nd Street. Doch ein paar lebende Legenden machen noch immer Musik, und andere Jazzer halten die Erinnerung an Duke Ellington, Count Basie und andere berühmte Big Bands wach.

Die stilvolle, gleichwohl legere **Lennox Lounge** in Harlem holt am Wochenende Vertreter des zeitgenössischen Jazz auf die Bühne.

In Greenwich Village haben die Jazzkneipen aus den 1930er Jahren überlebt. Führend ist **Village Vanguard**, wo alle großen Namen des Jazz aufgetreten sind. Klassiker wie McCoy Tyner und Branford Marsalis setzen auch heute noch Maßstäbe. Im **Blue Note**, das zwar hohe Preise, aber eine ausgezeichnete Atmosphäre hat, treten nach wie vor die bedeutendsten Jazzsolisten unserer Tage auf.

Die **Knitting Factory** bringt zeitgenössischen Avantgarde-Jazz auf die Bühne. Das **Smoke** ist ein anziehender Ort für Nachtschwärmer, in dem die ganze Bandbreite des modernen Jazz zu hören ist.

Das **Birdland** präsentiert Mingus-Schüler und Musiker wie Bud Shank. Dixieland-Jazz oder unbekannte Gruppen erwarten Sie im **Cajun**, einem freundlichen Restaurant im New-Orleans-Stil.

Das **Café Carlyle** in der East Side, bekannt wegen des Jazzpianisten und Sängers Bobby Short, präsentiert auch Woody Allen, der mit Eddy Davis und seiner New Orleans Jazz Band spielt.

Auf der geräumigen Bühne des **Jazz Standard** treten fast täglich bekannte Jazz-Interpreten auf. Ein Treffpunkt für Jazzfreunde ist auch der Klub und das Restaurant **Iridium**.

Wer im Juni nach New York reist, sollte sich keinesfalls das **JVC Jazz Festival** entgehen lassen, auf dem Stars wie Oscar Peterson und B. B. King auftreten.

Ganzjährige Veranstaltungen bietet **Jazz at Lincoln Center**, darunter auch Konzerte des Lincoln Jazz Orchestra unter der Leitung von Wynton Marsalis. Die Musik reicht von Duke Ellingtons New-York-Sound bis zu Johnny Dodds traditionellem New-Orleans-Jazz. Das Lincoln hat ein eigenes Jazz-Zentrum im neuen Time Warner Center am Columbus Circle. Die Örtlichkeiten liegen zum Central Park hin; es gibt eine Tanzfläche unter freiem Himmel.

Immer freitagabends bietet das **Rose Center** (im AMNH) Jazz live.

FOLK UND COUNTRY

Folk, Rock und R&B (Rhythm & Blues) findet man im berühmten, heute aber eher farblosen **Bitter End**, das einst James Taylor und Joni Mitchell auf die Bühne brachte und sich nun auf junge Talente spezialisiert hat. Gleiches gilt für **Kenny's Castaways**, eine Bar, die

Nachwuchsmusikern eine Chance gibt. Auch im **Sidewalk Café** wird Folk gespielt.

BLUES, SOUL UND WORLD MUSIC

Blues, Soul und World Music stehen u. a. auf dem Programm des **Apollo Theater** in Harlem *(siehe S. 230)*. Bei den legendären »Amateur Nights« am Mittwoch werden hier seit 60 Jahren Stars entdeckt, darunter James Brown und Dionne Warwick.

Der **Cotton Club** ist leider nicht mehr am Originalschauplatz untergebracht, bietet aber immer noch Blues und Jazz der Spitzenklasse; sonntags findet hier, an der Hauptstraße von Harlem, ein Gospel-Brunch statt.

Der **B. B. King's Blues Club** lockt immer wieder Legenden des Jazz und Blues auf seine Bühne. Nicht versäumen sollte man die »Mambo Mondays« im **SOB's** (Sounds of Brazil), das sich auf Weltmusik und auf lateinamerikanische Rhythmen spezialisiert hat.

Das **Terra Blues** hat sich zu einem interessanten Veranstaltungsort mit bestem Chicago-Blues und moderneren Varianten entwickelt. Wachsender Beliebtheit erfreut sich das **C-Note**. Schließlich gibt es noch das **Tonic** mit einem Mix aus Improvisationen, Jazz und Blues unterschiedlicher Musiker.

The Stone (Leitung: John Zorn) widmet sich dagegen vor allem der experimentellen und der Avantgarde-Musik.

AUF EINEN BLICK

BÜHNEN

Beacon Theater
2124 Broadway.
Stadtplan 15 C5.
(212) 496-7070.

Central Park SummerStage
Rumsey Playfield.
Stadtplan 12 F1.
(212) 360-2777.

Continental Arena Meadowlands
50 Route 120 E
Rutherford, NJ.
(201) 935-3900.

Hammerstein Ballroom
311 W 34th St. **Stadtplan** 8 D2. (212) 279-7740.

Madison Square Garden
7th Ave/33rd St.
Stadtplan 8 E2.
(212) 465-6741.

Nokia Theatre
1515 Broadway. **Stadtplan** 12 E5. (212) 930-1959.

Radio City Music Hall
Siehe S. 347.

ROCK

Arlene's Grocery
95 Stanton St. **Stadtplan** 5 A3. (212) 995-1652.

Bowery Ballroom
6 Delancey St. **Stadtplan** 4 F3. (212) 533-2111.

Crash Mansion
199 Bowery. **Stadtplan** 4 F3. (212) 982-7767.

Joe's Pub
Public Theater, 425 Lafayette St. **Stadtplan** 4 F2. (212) 539-8770.

Knitting Factory
74 Leonard St. **Stadtplan** 4 E5. (212) 219-3132.

Mercury Lounge
217 E Houston St.
Stadtplan 5 A3.
(212) 260-4700.

Irving Plaza
17 Irving Pl. **Stadtplan** 9 A5. (212) 777-6800.

JAZZ

Birdland
315 W 44th St. **Stadtplan** 12 D5. (212) 581-3080.

Blue Note
131 W 3rd St. **Stadtplan** 4 D2. (212) 475-8592.

Café Carlyle
95 E 76th St.
Stadtplan 17 A5.
(212) 744-1600.

Cajun
129 8th Ave. **Stadtplan** 8 D5. (212) 691-6174.

Iridium
1650 Broadway.
Stadtplan 12 D2.
(212) 582-2121.

Jazz at Lincoln Center
(212) 258-9800.

Jazz Standard
116 E 27th St. **Stadtplan** 9 A3. (212) 576-2232.

Lenox Lounge
288 Malcolm X Boulevard.
Stadtplan 21 B2.
(212) 427-0253.

Rose Center
79th St. **Stadtplan** 16 D5.
(212) 769-5100.

Smoke
2751 Broadway.
Stadtplan 20 E5.
(212) 864-6662.

Village Vanguard
178 7th Ave S. **Stadtplan** 3 C1. (212) 255-4037.

FOLK UND COUNTRY

Bitter End
147 Bleecker St.
Stadtplan 4 E3.
(212) 673-7030.

Kenny's Castaways
157 Bleecker St.
Stadtplan 4 E3.
(212) 979-9762.

Sidewalk Café
94 Ave A. **Stadtplan** 5 B2. (212) 473-7373.

BLUES, SOUL UND WORLD MUSIC

Apollo Theater
253 W 125 St.
Stadtplan 19 A1.
(212) 531-5305.

B.B. King's Blues Club
237 W 42nd St.
Stadtplan 8 E1.
(212) 997-4144.

C–Note
157 Ave C. **Stadtplan** 5 C2. (212) 677-8142.

Cotton Club
656 W 125th St.
Stadtplan 22 F2.
(212) 663-7980.

SOB's
204 Varick St. **Stadtplan** 4 D3. (212) 243-4940.

The Stone
Ecke Ave C und 2nd St.
Stadtplan 5 C2.
(212) 431 0066.

Terra Blues
149 Bleecker St.
Stadtplan 4 E3.
(212) 777-7776.

Tonic
107 Norfolk St. **Stadtplan** 5 B4. (212) 358-7503.

Stadtplan siehe Seiten 394 – 425

Nachtklubs, Diskotheken und Klubs für Schwule und Lesben

New York ist für sein Nachtleben berühmt. Das Angebot ist breit gefächert: Sie können in einer Disko abtanzen, eine Stand-up-Comedy-Show besuchen oder in einer Pianobar zu Melodien von Harry Connick Jr. abhängen. In den 1980er Jahren gab es einen Boom an Groß-Diskos, von denen allerdings wenige den Trend zu stilvollen Supper Clubs (Musikklubs, in denen auch gegessen werden kann) überlebt haben.

INFORMATIONEN

Die beste Zeit, um durch die Klubs zu ziehen, ist unter der Woche – dann ist es auch erheblich billiger. Dennoch sollte man Ausweis und genügend Geld einstecken, denn Drinks sind sehr teuer (Alkohol ab 21 Jahre).

Klubs, die gerade »in« sind, haben bis 4 Uhr oder länger geöffnet. Da sich die Klubszene ständig verändert, holt man sich am besten bei Tower Records die neuesten Informationen, liest die *Village Voice* oder die Hinweise in anderen Veranstaltungsblättern *(siehe S. 340)*. Die interessantesten Orte werden meist durch Mund-zu-Mund-Propaganda publik. Diese Infos erhält man am ehesten in einem Szenetreffpunkt wie dem **Avalon**, wo häufig auch Handzettel anderer Klubs verteilt werden.

DISKOS UND TANZLOKALE

Die New Yorker lieben Musik und Tanz. Die Tanzlokale reichen von Klassikern wie den **SOB's** – wo Jungle, Reggae, Soul, Jazz und Salsa vom Feinsten geboten wird – bis zu riesigen Tanzpalästen wie dem **Roseland**. Hier steht an jedem Donnerstag und Sonntag Gesellschaftstanz auf dem Programm, und als klassischer Broadway-Ballsaal bietet das Roseland einen faszinierenden Einblick in die Broadway-Kultur vergangener Zeiten. Es verfügt über ein akzeptables Restaurant mit Bar für 700 Gäste.

Wer etwas grundsätzlich anderes sucht, sollte zu **Barbetta** gehen, wo Boris und Yvgeny eine Mischung aus Zigeunermusik und Wiener Walzer spielen. Das **Copacabana**, in dem früher Stars wie Dean Martin und Frank Sinatra auftraten, ist heute eine Diskothek, in der Live-Bands spielen. Am jeweils letzten Donnerstag im Monat finden dort wilde Parties mit Go-Go-Boys, Transvestiten und Disko-Schönheiten statt.

Das **Avalon** präsentiert sich nach seiner Renovierung 1998 mit einem gemischten Programm. Von den Balkonen überblickt man die Tanzfläche im Erdgeschoss.

Ganz im Trend liegt die **Crobar** mit ihrer tollen Bar und der riesigen Tanzfläche; hier drängen sich nachts die Massen zu aktuellen Hits. Die legendäre Klubkette **Pacha**, die auf Ibiza begann und mittlerweile Klubs in 25 Städten hat, eröffnete am Times Square eine mondäne Filiale über vier Stockwerke. Um das Hightech-Soundsystem zum Klingen zu bringen, werden die besten internationalen DJ-Stars engagiert.

Eine fantastische Unterwasserwelt ist der **Coral Room**. In einem weitläufigen Aquarium schwimmt eine überaus lebendige Seejungfrau, die Tanzfläche umgeben Korallenwände. Kaum verwunderlich, dass der Klub immer wieder für Foto-Sessions genutzt wird. Das elegante **NA** ist nach seinem Besitzer, dem Partyveranstalter Noel Ashman, benannt. Nacht für Nacht füllt sich der Klub mit schicken Klubgängern und auch Prominenten. Die Türsteher sind sehr wählerisch, der Dresscode ist unbarmherzig. Im geräumigen **Mannahatta** trifft sich eine schicke, ungezwungene Szene, die an der einladenden Bar gepflegt trinkt, bevor es hinunter geht auf die Tanzfläche, um zu Musikstilen zwischen Hip-Hop und Pop-Klassikern zu tanzen.

NACHTKLUBS

In den Nachtklubs finden regelmäßig Shows statt, die heutzutage zwar weniger aufwendig als in den 1940er und 1950er Jahren sind, aber immer noch eine interessante Programmmischung bieten. Zumeist muss man für das Gedeck bezahlen und wenigstens zwei Drinks bestellen.

Der **Rainbow Grill** im 64. Stock des RCA-Gebäudes ist eine exklusive Pianobar. Im Untergeschoss des smarten **Supper Club** herrschen Bigband-Klänge vor. Cabaret-Sänger treten im Obergeschoss in dem gemütlichen Blue Room auf. In **Joe's Pub** im Public Theater kann man gepflegt essen gehen. Hier treten Musiker wie John Hammond und Mo Tucker auf. Im Central Park befindet sich der viel beachtete Klub des **Tavern on the Green**, wo im Chestnut Room Jazz geboten wird; außerdem findet sich hier das **Feinstein's at the Regency**, eine klassische Kabarettbühne.

FÜR SCHWULE UND LESBEN

In den letzten beiden Jahrzehnten wurden zahlreiche Klubs und Restaurants für Schwule und Lesben mit unterschiedlichem Unterhaltungsprogramm eröffnet. Travestie-Shows sind dominierend. Obwohl die Klubs auch Heterosexuellen offenstehen, fühlt man sich in einigen doch eher als »Eindringling«, wenn man nicht zur Szene gehört. Zu den beliebtesten Schwulen-Cabarets gehört derzeit das **Duplex** mit einer Mischung aus Comedy-Nummern und Sketchen. Treffpunkte für schwule Männer sind zudem das exklusive **Town House**, eine Pianobar mit Restaurant, und die **XL Lounge** in Chelsea mit einer eindrucksvollen Farbgestaltung. **Don't Tell Mama** ist eine seit langem etablierte Schwulenbar, die Klamauknummern bietet.

Henrietta Hudson, **Crazy Nanny's** und **Grolier** werden ausschließlich von Lesben besucht. Die Pianobar **Marie's Crisis** hat ein gemischtes Publikum. Die *Village Voice*, *HX*, *Next* und die *Gay Yellow Pages* bieten einen Überblick über die aktuelle Szene. Weitere Informationen kann man telefonisch beim **Gay and Lesbian Switchboard** erfragen.

In Chelsea ist vor allem die geschäftige Gegend um die Eighth Avenue das Herz der Schwulenszene. Auch in der Gegend von Hell's Kitchen, zwischen Eighth und 10th Avenue trifft sich die Schwulengemeinde. In der stilvollen **G Lounge** werden köstliche Cocktails und aromatisierter Kaffee serviert – ein idealer Ort, um sich vor dem Klubbesuch zu treffen.

Das **Barracuda** zeigt tolle Drag-Shows, hier finden auch Neulinge ein Plätzchen. Im **Rawhide** ist den ganzen

Abend einiges los, bis 22 Uhr ist Happy Hour. Die Bar **Stonewall** war Ursprung der Stonewall-Unruhen und ein Geburtsort der Schwulenbewegung. Eher behaglich ist die Lounge **Posh**, wo man sich gern während der Happy Hour von 16 bis 20 Uhr trifft.

Entspannung suchen Frauen im **Rubyfruit Bar and Grill** bei gepflegten Cocktails und Gesprächen. Die entspannte Lesbenbar **Cubby Hole** ist fantasievoll eingerichtet und animiert viele Stammgäste, zur Jukebox mitzusingen.

AUF EINEN BLICK

DISKOS UND TANZLOKALE

Avalon
660 6th Ave.
Stadtplan 8 E5.
((212) 807-7780.

Barbetta
321 W 46th St.
Stadtplan 12 D5.
((212) 246-9171.

Copacabana
560 W 34th St.
Stadtplan 8 E2.
((212) 582-2672.

Coral Room
512 W 29th St.
Stadtplan 7 C3.
((212) 244-1965.

Crobar
530 W 28th St.
Stadtplan 7 C3.
((212) 629-9000.

Knitting Factory
74 Leonard St.
Stadtplan 4 E5.
((212) 219-3132.

Mannahatta
316 Bowery St.
Stadtplan 4 E3.
((212) 253-8644.

NA
246 W 14th St.
Stadtplan 3 C1.
((212) 675-1567.

Pacha NYC
618 W 46th St.
Stadtplan 12 E5.
((212) 209-7500.

Roseland
239 W 52nd St.
Stadtplan 12 E4.
((212) 247-0200.

SOB's
204 Varick St.
Stadtplan 4 D3.
((212) 243-4940.

NACHTKLUBS

Feinstein's at the Regency
540 Park Ave.
Stadtplan 13 A3.
((212) 339-4095.

Joe's Pub
425 Lafayette St
(Public Theater).
Stadtplan 4 F2.
((212) 539-8777.

Rainbow Grill
30 Rockefeller Plaza.
Stadtplan 12 F4.
((212) 632-5000.

Tavern on the Green
Central Park, West side,
Höhe 67th St.
Stadtplan 12 D2.
((212) 873-3200.

The Supper Club
240 W 47th St.
Stadtplan 12 D5.
((212) 921-1940.

FÜR SCHWULE UND LESBEN

Barracuda
275 W 22nd St.
Stadtplan 8 D4.
((212) 645-8613.

The Cubby Hole
281 W 12th St.
Stadtplan 3 C1.
((212) 243-9041.

Crazy Nanny's
21 7th Ave S.
Stadtplan 3 C1.
((212) 366-6312.

Don't Tell Mama
343 W 46th St.
Stadtplan 12 D5.
((212) 757-0788.

Duplex
61 Christopher St.
Stadtplan 3 C2.
((212) 255-5438.

G Lounge
223 W 19th St.
Stadtplan 8 E5.
((212) 929-1085.

Gay and Lesbian Switchboard
((212) 989-0999.

Henrietta Hudson
438 Hudson St.
Stadtplan 3 C3.
((212) 924-3347.

Marie's Crisis Café
59 Grove St.
Stadtplan 3 C2.
((212) 243-9323.

Posh
405 W 51st St.
Stadtplan 11 C4.
((212) 957-2222.

Rawhide
212 8th Ave.
Stadtplan 8 D4.
((212) 242-9332.

Rubyfruit Bar and Grill
531 Hudson St.
Stadtplan 3 C2.
((212) 929-3343.

Stonewall
53 Christopher St.
Stadtplan 3 C2.
((212) 463-0950.

Town House
236 E 58th St.
Stadtplan 13 B4.
((212) 754-4649.

XL Lounge
357 W 16th St.
Stadtplan 8 5D.
((646) 336-5574.

Stadtplan *siehe Seiten* 394–425

Comedy, Varieté und Literaturlesungen

New York hat mindestens so viele namhafte Komiker hervorgebracht wie es Witze über die Stadt gibt. Die Namen lesen sich wie ein Who is Who des Komödienfachs: von Jack Benny und Rodney Dangerfield bis Woody Allen und Jerry Seinfeld. Comedy ist zu einer regelrechten Industrie geworden. Tatsächlich ist der Konkurrenzkampf unbarmherzig. Für uns, die Zuschauer, hat das wesentliche Vorteile: Gleichgültig welchen Comedy-Klub man besucht, spätestens nach einer halben Stunde kann man sich vor Lachen nicht mehr halten. In New York werden tagtäglich hunderte Alltagsgeschichten geschrieben. Kabarettisten, Liedermacher und Dichter nehmen sie auf und weben daraus ihre kunstvollen Werke, die man in einem der unzähligen Klubs der Stadt hören kann.

COMEDY-BÜHNEN

Viele der derzeit besten Comedy-Klubs der Stadt haben sich aus Improvisationsbühnen entwickelt. Der Reiz dieser Klubs besteht darin, dass man nie genau weiß, wer als nächster die Bühne betritt. Jeder, von Dennis Miller und Roseanne Barr bis zu Robin Williams, könnte es sein. Aber seien Sie gewarnt: Wollen Sie nicht zum Opfer der Späßchen des Komödianten gemacht werden, sollten Sie sich nicht direkt vor die Bühne setzen. In vielen der größeren Klubs kann man auch essen. Eine Reservierung ist gerade bei den bekannteren Häusern empfehlenswert.

Am **Boston Comedy Club** in Greenwich Village kommt derzeit niemand vorbei, hier geben sich die bekanntesten Komiker die Klinke in die Hand. Bei **Caroline's** produzieren sich die großen Namen in elegantem Ambiente. Der berühmte Satz des Komikers Rodney Dangerfield war »Ich werde einfach nicht respektiert«. Der andauernde Erfolg des **Dangerfields Comedy Club**, in den die bedeutendsten Komiker des Landes kommen, strafen ihn Lügen.

Das **Upright Citizens Brigade Theatre** präsentiert seine Improvisationen im Chicago-Stil sonntags um 19.30 und 21.30 Uhr. Der Eintritt zu vielen Late Shows des UCB ist kostenlos.

Der **Gotham Comedy Club** im Flatiron District bringt Künstler jeder Richtung auf die Bühne. **Comic Strip Live** in der East Side hat schon viele Spitzenkomiker erlebt, darunter Eddie Murphy, bemüht sich aber auch um den Nachwuchs. Im **Chicago City Limits** kann man exzellente Improvisationen und Comedy sehen. Das Kellerlokal **Comedy Cellar** zeigt ein Nachtprogramm mit jungen wie etablierten Künstlern. Außerdem empfehlenswert sind **Stand-Up New York**, **NY Comedy Club**, **Rose's Turn**, **The Underground**, **The Laugh Factory** und **NY Improv**.

CABARETS UND PIANO-BARS

Cabarets, in denen man einem Künstler zuhört, sind eine New Yorker Institution. Sie werden auch *rooms* genannt und sind oft in Hotels zu finden. Vorstellungen gibt es meistens von Dienstag bis Samstag. In der Regel kosten sie Eintritt, oder man muss wenigstens einen Drink bestellen.

Der **Oak Room** des Algonquin hat Spitzen-Entertainer. Eine klassische Piano-Lounge mit Blick über Manhattan findet man im **Beekman Tower**. Der Preis für »Größte Beständigkeit« geht an Bobby Short, der seit mehr als 25 Jahren im Café Carlyle des **Carlyle Hotel** spielt. Woody Allen spielt hier montags mit der Eddy Davis New Orleans Jazz Band.

Im Carlyle Hotel ist auch die **Bemelman's Bar** mit ihren seltsamen Wänden beheimatet; hier hört ein entspanntes Publikum erstklassigen Schlagersängern zu. Wenn Sie (als Mann) die **5757 Bar** des Hotels Four Seasons besuchen wollen, sollten Sie ein Sakko tragen – Sie werden den Besuch nicht bereuen.

Dezente Klaviermusik und schöne Lieder hört man in der Lounge des **Drake Swissôtel** in der Park Avenue. Ein Pianist spielt auch in der **Lobby Lounge** des Hilton. Kathleen Landis begleitet sich selbst am Flügel des **Cafe Pierre** im Hotel Pierre. Klaviermusik kann man in der **Ambassador Lounge** im Hotel Regal UN Plaza lauschen. Im humorvollen Varieté **Don't Tell Mama** tragen neue Talente und etablierte Künstler ihre Songs und Sketche vor. **Ars Nova** in Hell's Kitchen ist ein ungezwungenes Varieté mit Showprogramm und gewagter Comedy, in dem bereits Liza Minnelli und Tony Kushner auftraten. Manhattans ältestes Varieté ist das **Duplex**, in dem eigentlich jede Show sehenswert ist. Im Keller lauscht man entspannt der Klaviermusik, während darüber erstklassige Künstler über die Bühne des großen Saals wirbeln. Hervorragendes Varieté kann man an jedem Abend der Woche in der eleganten **Danny's Skylight Room Cabaret** genießen.

Einen unvergesslichen Abend mit Songs und Musik erlebt man in **Feinstein's at the Regency Hotel**, wo von Dienstag bis Samstag Top-Entertainer auftreten. Varieté, Theater und Musikgruppen sieht man auf der Bühne des **Dillon's Restaurant and Lounge** im Herzen des Theater District.

LESUNGEN UND POETRY SLAMS

Als Geburtsort von einigen der größten amerikanischen Autoren wie Herman Melville und Henry James, aber auch als Wahlheimat unzähliger Schriftsteller hat

New York eine große literarische Tradition. Das ganze Jahr über finden in Buchläden, Büchereien, Cafés und öffentlichen Räumen der Stadt Lesungen und Literaturgespräche statt. In der Regel sind sie kostenlos, nur bei Veranstaltungen mit bekannten Autoren muss man mitunter Eintritt zahlen. Im **92nd Street Y** gastieren die größten Autoren auf ihren Lesereisen, darunter viele Nobelpreis-Inhaber und Pulitzer-Preisträger. Die meisten Buchläden haben einen dicht gedrängten Kalender mit Lesungen und Autorengesprächen, so auch **Barnes & Noble** (in die Filialen am Astor Place und Union Square kommen die profiliertesten Autoren), **Coliseum Books** und **Borders Books and Music**. Die **Mid-Manhattan Library** präsentiert ebenfalls Lesungen. Im **Drama Book Shop** werden höchst unterhaltsam Stücke gelesen. Das Magazin *The New Yorker*, das in Buchläden und an Zeitungsständen erhältlich ist, informiert über Orte und Zeiten.

Poetry Slams (auch »Spoken Word« genannt) sind das, was der Name impliziert: Frei vorgetragene, großteils improvisierte Wort-Wettbewerbe in Form von Lyrik, Rap und Erzählung, ungeschönt, unzensiert und laut, aber niemals langweilig. Das **Nuyorican Poets Café** in Alphabet City gilt vielen als Vorreiter des »Spoken Word« in New York. Hier ist jede Nacht einiges geboten. Der **Bowery Poetry Club** entstand als Bühne für jede Art von »Spoken Word« und ermöglicht Künstlern aus allen Bereichen, ihre Performance vor einem kritischen, aber wohlwollenden Publikum zu zeigen.

AUF EINEN BLICK

COMEDY-BÜHNEN

Boston Comedy Club
82 W 3rd St. Stadtplan
4 D2. (212) 477-1000.

Caroline's
1626 Broadway.
Stadtplan 12 E5.
(212) 757-4100.

Chicago City Limits
1105 1st Ave.
Stadtplan 13 C3.
(212) 888-5233.

Comedy Cellar
117 MacDougal St.
Stadtplan 4 D2.
(212) 254-3480.

Comic Strip Live
1568 2nd Ave.
Stadtplan 17 B4.
(212) 861-9386.

Dangerfield's
1118 1st Ave.
Stadtplan 13 C3.
(212) 593-1650.

Gotham Comedy Club
34 W 22nd St.
Stadtplan 8 F4.
(212) 367-9000.

The Laugh Factory
303 W 42nd St.
Stadtplan 8 D1.
(212) 586-7829.

NY Comedy Club
241 E 24th St. Stadtplan
9 B4. (212) 696-5233.

NY Improv
318 W 53rd St. Stadtplan
12 E4. (212) 757-2323.

Stand-up New York
236 W 78th St.
Stadtplan 15 C5.
(212) 595-0850.

Rose's Turn
55 Grove St. Stadtplan
3 C2. (212) 366-5438.

The Underground
955 W End Ave.
Stadtplan 20 E5.
(212) 531-4759.

Upright Citizens Brigade Theatre
307 W 26th St.
Stadtplan 8 D4.
(212) 366-9176.

CABARETS UND PIANO-BARS

5757 Bar
Four Seasons Hotel,
57 E 57th St.
Stadtplan 12 F3.
(212) 758-5700.

Ambassador Lounge
Regal UN Plaza Hotel,
1 UN Plaza at 44th St.
Stadtplan 13 C5.
(212) 758-1234.

Ars Nova
511 W 54th St.
Stadtplan 12 E4.
(212) 489-9800.

Beekam Tower
3 Mitchell Pl. Stadtplan
13 C5. (212) 980-4796.

Café Pierre
Pierre Hotel, 2 E 61st St.
Stadtplan 12 F3.
(212) 940-8195.

Carlyle Hotel
35 E 76th St.
Stadtplan 17 A5.
(212) 744-1600.

Danny's Skylight Room Cabaret
346 W 46th St.
Stadtplan 12 D5.
(212) 265-8133.

Dillon's Restaurant and Lounge
245 W 54th St.
Stadtplan 12 D4.
(212) 307-9797.

Don't Tell Mama
343 W 46th St.
Stadtplan 12 D5.
(212) 757-0788.

Drake Swissôtel
440 Park Ave.
Stadtplan 13 A3.
(212) 421-0900.

Duplex
61 Christopher St.
Stadtplan 3 C2.
(212) 255-5438.

Feinstein's at the Regency Hotel
540 Park Ave.
Stadtplan 13 A3.
(212) 759-4100.

Lobby Lounge
Hilton Hotel, 53 Ave
of the Americas.
Stadtplan 12 E4.
(212) 586-7000.

Oak Room
Algonquin Hotel,
59 W 44th St.
Stadtplan 12 F5.
(212) 840-6800.

LESUNGEN UND POETRY SLAMS

92nd Street Y
1395 Lexington Ave.
Stadtplan 17 A2.
(212) 415-5729.

Barnes & Noble
4 Astor Place.
Stadtplan 4 F2.
(212) 420-1322.

33 E 17th St.
Stadtplan 9 A5.
(212) 253-0810.

Borders Books and Music
461 Park Ave.
Stadtplan 17 A3.
(212) 980-6785.

Bowery Poetry Club
308 Bowery.
Stadtplan 4 F3.
(212) 614-0505.

Coliseum Books
11 W 42nd St.
Stadtplan 8 F1.
(212) 803-5890.

Drama Book Shop
250 W 40th St.
Stadtplan 8 E1.
(212) 944-0595.

Mid-Manhattan Library
455 Fifth Ave/40th St.
Stadtplan 8 F1.
(212) 340-0833.

Nuyorican Poets Café
236 E 3rd St.
Stadtplan 5 B2.
(212) 505-8183.

Stadtplan *siehe Seiten 394–425*

New York spätnachts

New York ist in der Tat die Stadt, die niemals schläft. Wer mitten in der Nacht Appetit auf frisches Brot bekommt, Unterhaltung sucht oder den Sonnenaufgang über der Skyline von Manhattan erleben will, für den hält New York ein vielfältiges Angebot bereit.

BARS UND KLUBS

Die besten Bars sind meist irisch. Typisch sind **O'Flanagan's** oder **Scuffy Duffy's** – dort kann man die Nacht durchtanzen. Für einen trockenen Martini zu später Stunde ist die **Temple Bar** geeignet. Die besten Pianobars gibt es in den Hotels, z. B. das Café Carlyle im **Carlyle Hotel**, das Feinstein's im **Regency** oder der Oak Room im **Algonquin Hotel**.

Heißer Jazz erklingt bis 4 Uhr früh in **Joe's Pub** oder im **Blue Note**. Im **Rainbow Grill** wird am Wochenende Jazz und Swing gespielt. Das **Cornelia Street Café** ist eine gemütliche Literatenkneipe. Lyrik, Theater und lateinamerikanische Musik stehen auf dem Programm des **Nuyorican Poets Café**.

Im Village lohnt sich spätnachts ein Besuch bei **Rose's Turn**; geboten wird Karaoke, Pianomusik und Nachtklub-Atmosphäre.

MITTERNACHTSFILME

Mitternachts-Kino für ein junges Publikum veranstalten das **Angelika Film Center** und das **Film Forum** *(siehe S. 349)*. Die großen Multiplex-Kinos haben auch unter der Woche Mitternachtsvorstellungen.

LÄDEN

Shakespeare & Company am Broadway und der St. Mark's Bookshop haben lange geöffnet. Die beiden Filialen von Tower Records schließen erst um 24 Uhr; Gleiches gilt für Gryphon Records. Bleecker Bob's Golden Oldies Record Shop *(siehe S. 332f)* hat am Wochenende bis 3 Uhr nachts offen. Wenn Sie noch ein Video ausleihen möchten, gehen Sie zu **TLA Video** an der Eighth Street, das täglich bis 23 Uhr geöffnet hat. Zu den Village-Modeläden, die am Wochenende lang öffnen, gehört **Trash and Vaudeville** (Mo bis Sa bis 20 Uhr). Apotheken mit 24-Stunden-Dienst sind **Duane Reade Drugstores** und **Rite Aid Pharmacy**.

ESSEN ZUM MITNEHMEN/ LEBENSMITTELLÄDEN

Einige Supermärkte haben 24 Stunden am Tag geöffnet, etwa **Delmonico Gourmet Food Market** und der **West Side Supermarket**. Viele koreanische Lebensmittelhändler haben die Nacht hindurch auf. Die Supermarktkette **Food Emporium** schließt erst um Mitternacht. Spirituosenläden sind meist bis 22 Uhr offen; viele liefern ins Haus.

Die besten Bagels gibt es bei **H&H Bagels**, **Bagels On The Square** und **Jumbo Bagels and Bialys**. Zahlreiche Pizzerias und China-Restaurants haben bis in die späte Nacht offen und liefern ins Haus.

SPEISELOKALE

Nachtschwärmer gehen zu **Balthazar**, **Florent** und **Les Halles**, wo es gute französische Küche gibt. Im **Coffee Shop** trifft sich die Jugend zu brasilianischen Spezialitäten. Köstliche Sandwiches bekommt man im **Carnegie Deli**. Das **Caffè Reggio** in Greenwich Village ist seit 1927 ein beliebtes Nachtcafé. Weitere gute Lokale zu fortgeschrittener Stunde sind **Blue Ribbon** und **Diner 24**.

The Dead Poet ist ein alteingesessener Treffpunkt in der Upper West Side mit einer Jukebox, einer quirligen Bar und Essen spätabends. In magische Atmosphäre taucht man im **Rainbow Room** und im **Rainbow Grill**, die gute Musik bieten und ihr treues Stammpublikum haben.

SPORT

Billard bis 4 Uhr morgens gibt es bei **Slate Billiards**. Bis 5 Uhr morgens kann man am Wochenende im **Billiard Club** spielen. Bier und Burger – in Gesellschaft von New Yorker Studenten – gibt es auf der Bowling-Bahn von **Bowlmore Lanes**. Das Montagabend-Bowling ist sehr beliebt. Im **24-7 Fitness Club** kann man rund um die Uhr seine Muskeln stählen.

DIENSTLEISTUNGEN

In Manhattan holen die **Midnight Express Cleaners** bis Mitternacht Kleidung zum Reinigen ab. Am nächsten Tag ist alles fertig und wird – ebenfalls bis Mitternacht – ausgeliefert (keine Hotels). Donnerstags hat Friseur **George Michael of Madison Avenue/Madora Inc.** bis 21 Uhr offen; auch Hausbesuche sind möglich.

TOUREN UND AUSSICHTSPLÄTZE

Einer der schönsten Spaziergänge führt am Hudson River entlang durch die **Battery Park City** beim World Financial Center; er ist zu jeder Tages- und Nachtzeit ungefährlich. Pier 16 und 17 im Hafenviertel South Street Seaport sind ein Treffpunkt für Nachtschwärmer; das Restaurant **Harbour Lights** am Pier 17 hat nicht selten bis 2 Uhr geöffnet. Die Zeit bis zum Morgen kann man auch mit einer zweistündigen Schiffsrundfahrt mit der **Circle Line** herumbringen.

Die Riverview Terrace am **Sutton Place** ist ein gutes Plätzchen, um die Sonne aufgehen zu sehen. Einen herrlichen Blick auf Manhattan hat man nach Westen vom **River Café** und nach Osten vom Restaurant **Arthur's Landing**.

Bei einer Fahrt mit der **Staten Island Ferry** *(siehe S. 76f)* kann man die Statue of Liberty und die Skyline von Manhattan in der Morgendämmerung sehen. Wer mit dem

Taxi über die **Brooklyn Bridge** *(siehe S. 86–91)* fährt, kann den Sonnenaufgang über dem Hafen beobachten. Bis 1 Uhr nachts genießt man von der Aussichtsterrasse des **Beekman Tower Hotel** die Aussicht auf die East Side. Den besten Blick auf das nächtliche New York bietet das **Empire State**

Building *(siehe S. 136f)* bis 24 Uhr. Vom **Rise**, der Bar im 14. Stock des Ritz-Carlton in Battery Park, blickt man auf Hafen und Freiheitsstatue.

Kutschfahrten bieten **Château Stables** an; bei **Liberty Helicopters** gibt es Helicopterflüge über die Stadt. Ein besonderes Erlebnis ist die

Marvelous Manhattan Tour – eine fachkundige Kneipentour. Oder Sie erkunden das nächtliche New York mit **Happy Apple Tours**. Wenn Sie dann noch immer nicht schlafen wollen, gehen Sie die Upper West Side entlang und genehmigen sich einen Hot Dog bei **Gray's Papaya**.

AUF EINEN BLICK

BARS UND KLUBS

Algonquin Hotel
Siehe S. 357.

Blue Note
Siehe S. 353.

Carlyle Hotel
Siehe S. 357.

Cornelia Street Café
29 Cornelia St.
Stadtplan 4 D2.
[*(212) 989-9318.*

Joe's Pub
Siehe S. 353.

Nuyorican Poets Café
236 E 3rd St.
Stadtplan 5 A2.
[*(212) 505-8183.*

O'Flanagan's
1215 1st Ave. **Stadtplan**
13 C2. [*(212) 439-0660.*

Rainbow Grill
Siehe S. 355.

Rose's Turn
Siehe S. 357.

Scruffy Duffy's
743 8th Ave. **Stadtplan**
12 D5. [*(212) 245-9126.*

Temple Bar
332 Lafayette St.
Stadtplan 4 F4.
[*(212) 925-4242.*

LÄDEN

Duane Reade Drugstores
224 W 57th (Broadway).
Stadtplan 12 D3.
[*(212) 541-9708.*

1279 3rd Ave/E 74th St.
Stadtplan 17 B5.
[*(212) 744-2668.*

TLA Video
52 W 8th St.
Stadtplan 4 D2.
[*(212) 228-8282.*

RiteAid Pharmacy
Siehe S. 373.

Trash and Vaudeville
4 St. Mark's Pl. **Stadtplan**
5 A2. [*(212) 982-3590.*

ESSEN ZUM MITNEHMEN/LEBENSMITTELLÄDEN

Bagels On The Square
7 Carmine St. **Stadtplan** 4
D3. [*(212) 691-3041.*

Delmonico Gourmet Food Market
55 E 59th St. **Stadtplan**
12 F3. [*(212) 751-5559.*

Food Emporium
Siehe Gelbe Seiten.

H & H Bagels
Broadway/80th St.
Stadtplan 15 C4.
[*(212) 595-8003.*

H & H Midtown Bagels East
1551 2nd Ave.
Stadtplan 17 B4.
[*(212) 734-7441.*

Jumbo Bagels and Bialys
1070 2nd Ave.
Stadtplan 13 B3.
[*(212) 355-6185.*

West Side Market
2171 Broadway.
Stadtplan 15 C5.
[*(212) 595-2536.*

SPEISELOKALE

Balthazar
80 Spring St.
Stadtplan 4 E4.
[*(212) 965-1414.*

Blue Ribbon
97 Sullivan St.
Stadtplan 4 D3.
[*(212) 274-0404.*

Caffè Reggio
119 MacDougal St.
Stadtplan 4 D2.
[*(212) 475-9557.*

Carnegie Deli
Siehe S. 314.

Coffee Shop
Siehe S. 314.

The Dead Poet
450 Amsterdam Ave.
Stadtplan 15 C4.
[*(212) 595-5670.*

Diner 24
102 8th Ave. **Stadtplan**
8 D5. [*(212) 242-7773.*

Florent
Siehe S. 314.

Gray's Papaya
Broadway/72nd St.
Stadtplan 11 C1.
[*(212) 260-3532.*

Les Halles
Siehe S. 314.

SPORT

24–7 Fitness Club
47 W 14th St.
Stadtplan 4 D1.
[*(212) 206-1504.*

Billiard Club
220 W 19th St.
Stadtplan 8 E5.
[*(212) 206-POOL.*

Bowlmor Lanes
110 University Pl.
Stadtplan 4 E1.
[*(212) 255-8188.*

Slate Billiards
Siehe S. 361.

DIENSTLEISTUNGEN

George Michael of MadisonAvenue/ Madora Inc
422 Madison Ave.
Stadtplan 13 A5.
[*(212) 752-1177.*

Midnight Express Cleaners
[*(718) 392-9200.*

TOUREN UND AUSSICHTSPLÄTZE

Arthur's Landing
Port Imperial Marina, Pershing Circle, Weehawken, NJ.
[*(201) 867-0777.*

Battery Park City
West St. **Stadtplan** 1 A3.

Beekman Tower Hotel
1st Ave 49th St.
Stadtplan 13 C5.
[*(212) 355-7300.*

Château Stables
608 W 48th St.
Stadtplan 15 B3.
[*(212) 246-0520.*

Circle Line
W 42nd St.
Stadtplan 15 B3.
[*(212) 563-3200.*

Marvelous Manhattan Tours
[*(718) 846-9308.*

Empire State Building
Siehe S. 136f.

Harbour Lights
89 South St Seaport.
Pier 17.
Stadtplan 2 D2.
[*(212) 227-2800.*

Liberty Helicopters
[*(212) 487-4777.*

Rise
Ritz-Carlton,
Battery Park.
Stadtplan 1 B4.
[*(212) 344-0800.*

River Café
Siehe S. 311.

Staten Island Ferry
Siehe S. 76f.

Stadtplan *siehe Seiten 394–425*

Sport und Aktivurlaub

Die New Yorker sind sportbegeistert, dementsprechend viele Angebote gibt es in der Stadt. Sie reichen von Fitness-Training, Reiten und Gewichtheben bis zu Schwimmen, Tennis oder Joggen. Wer lieber zuschaut, kann zwischen zwei Baseball-Teams, zwei Eishockey-Mannschaften, einem Basketball-Team und zwei Football-Mannschaften wählen. Der Madison Square Garden ist der wichtigste Austragungsort. Für Tennis-Fans gibt es die US Open und die Virginia-Slims-Turniere. Freunde der Leichtathletik strömen zu den Millrose Games, wo man Spitzensportler aus nächster Nähe bei ihren Rekordversuchen beobachten kann.

TICKETS

Eintrittskarten bekommt man am einfachsten über **Ticketron** oder **Ticketmaster**. Bei Top-Wettbewerben muss man sie unter Umständen über eine Agentur beziehen. Tickets kann man auch direkt am Kartenschalter des jeweiligen Stadions kaufen, obwohl sie schnell vergriffen sind. Rufen Sie am besten vorher an.

AMERICAN FOOTBALL

Die beiden Profi-Teams sind die New York Giants und die New York Jets. Beide tragen ihre Spiele im **Giants Stadium** in New Jersey aus. Allerdings gibt es Pläne für den Bau eines neuen Giants-Stadions in Manhattans West Side. Karten für die Giants, einem der besten Teams der NFL und Super Bowl Champions, zu bekommen, ist fast aussichtslos; bei den Jets kann man schon eher Glück haben.

BASEBALL

Um das Wesen dieses US-Volkssports zu erfassen, sollten Zuschauer, die Baseball noch nicht kennen, ins **Yankee Stadium** in der Bronx gehen, um dort die New York Yankees zu erleben. Die großartigen Siege des Teams sind legendär, dazu gehören die meisten Titel in den World Series mit so einmaligen Spielern wie Joe DiMaggio und Jackie Robinson. Die New York Mets, das andere bekannte Baseball-Team der Stadt, spielt im **Shea Stadium**

in Queens. Wer einmal einem Spiel an einem warmen Sommertag im heiligen Yankee Stadium beiwohnen durfte, wird dieses Erlebnis kaum wieder vergessen. Das Krachen der Schläger, die den Ball gen Himmel treiben, und das Raunen der Menschenmenge ist einmalig. Wenn Sie besonderes Glück haben, können Sie ein Spiel der Yankees gegen die Boston Red Sox erleben. Die Baseball-Saison dauert von April bis Oktober.

BASKETBALL

Die New York Knicks spielen von Oktober bis April im **Madison Square Garden**. Tickets sind teuer und schwer zu bekommen, reservierungen müssen lange im Voraus über Ticketron oder Ticketmaster gemacht werden. Mit etwas Glück kann man dort auch die beliebten Harlem Globetrotters sehen.

BOXEN

Profi-Boxkämpfe sieht man öfter im Fernsehen als live im Madison Square Garden. Hier finden Mitte April auch die Daily News Golden Gloves statt, das größte und zugleich älteste Boxkampf-Turnier der Amateure in den USA, zu dem Boxer aus New Yorks fünf Bezirken antreten. Von den einstigen Gewinnern des Golden Glove traten viele später auch erfolgreich bei den Olympischen Spielen an. Auch spätere Weltmeister waren unter ihnen, wie die legendäre Sugar Ray Robinson und Floyd Patterson.

PFERDEPSORT

Ein Tag auf der Rennbahn ist heute nicht mehr ganz so teuer und exklusiv wie in früheren Zeiten, doch Rennen mit hohen Wetteinsätzen sind nach wie vor ein gesellschaftliches Ereignis. Auf den Rängen fiebern die Spieler mit den Pferden, auf die sie gesetzt haben. Trabrennen, bei denen die Pferde einen Sulky ziehen, finden ganzjährig auf dem **Yonkers Raceway** statt. Galopprennen werden von Oktober bis Mai täglich außer Dienstag auf dem **Aqueduct Race Track** in Queens sowie von Mai bis Oktober auf dem **Belmont Park Race Track** in Long Island veranstaltet.

EISHOCKEY

Das Eis fliegt ebenso wie die Fäuste der Spieler, wenn die New York Rangers im **Madison Square Garden** antreten. Die New York Islanders sind ein weiteres Stadtteam, das seine Spiele im **Nassau Coliseum** in Long Island bestreitet. Die Saison dauert von Oktober bis April.

EISLAUFEN

Drei gute Bahnen zum Eislaufen gibt es im Winter. Der **Rockefeller Plaza Rink** wirkt vor allem zu Weihnachten zauberhaft. Die beiden anderen, **Wollman Memorial Rink** und **Lasker Ice Rink**, liegen im Central Park. Als Halle ist **Sky Rink** bei den Chelsea Piers empfehlenswert.

MARATHON

Wer zu den 30 000 Teilnehmern des New Yorker Marathons gehören will, muss sich sechs Monate zuvor anmelden. Der Lauf findet am ersten Novembersonntag statt. Infos bekommt man telefonisch unter (212) 423-2249.

TENNIS

Das wichtigste Tennisereignis in New York sind die US Open, die im August im **National Tennis Center** stattfinden. Interessant sind auch die Virginia Slims Championships im November im **Madison Square Garden** *(siehe S. 135)*.

Wer selbst spielen möchte, sollte in der Telefonliste unter »Tennis Courts: Public and Private« nachsehen. Auf privaten Plätzen kostet die Stunde 50 bis 70 Dollar. Der **Manhattan Plaza Racquet Club** bietet Plätze und Stunden an. Für öffentliche Plätze benötigt man eine Spielerlaubnis, die 50 Dollar kostet. Sie ist beim NY City Parks & Recreation Department erhältlich. Außerdem ist ein Personalausweis und der Reservierungsbeleg mitzuführen.

LEICHTATHLETIK

Die Millrose Games, zu denen internationale Spitzensportler erwartet werden, finden gewöhnlich im Februar im **Madison Square Garden** statt. Die Wettkämpfe der Amateur Athletic Union (AAU) mit bekannten Nachwuchssportlern werden im Februar im Garden ausgetragen. An den Chelsea Piers gibt es einen Leichtathletikbereich.

SPORT-BARS

In New York gibt es unzählige Sport-Bars. Die Wände zieren meist die unvermeidbaren Großleinwände und Sportwimpel, davor stehen die sportbegeisterten Kneipenbesucher brüllend und Bier trinkend. Besuchen Sie eine Sport-Bar anlässlich eines wichtigen Spiels, und Sie werden sehen, wie schnell Sie mitschreien. **Time Out** und **Mickey Mantle's** haben riesige Anzeigetafeln und Bildschirme. **ESPN Zone** am Times

Square bietet ebenfalls Großbildschirme, damit man dem Spiel folgen kann, gleichgültig wo man steht. **Bar None** und die nette irische **Pioneer Bar** sind Football-begeistert. Liebenswert sind die Gäste des **Nevada Smith's** in East Village, die für ihre Mannschaft alles geben.

WEITERE AKTIVITÄTEN

Im Central Park kann man beim **Loeb Boathouse** Boote mieten. Zum Schachspielen holt man die Figuren bei der Dairy *(siehe S. 208)*. Rollerblades können Sie bei **Blades Board & Skate** ausleihen, dazu bekommt man noch eine kostenlose Unterrichtsstunde. Bowling-Bahnen gibt es u. a. an den **Chelsea Piers**. Poolbillard kann man in vielen Billardhallen, z.B. bei Slate Billiards, spielen.

AUF EINEN BLICK

Aqueduct Race Track
Ozone Park, Queens.
[*(718) 641-4700.*

Bar None
98 3rd Ave.
Stadtplan 4 F1.
[*(212) 777-6663.*

Belmont Park Race Track
Hempstead Turnpike,
Long Island.
[*(718) 641-4700.*

Blades Board & Skate
120 W 72nd St.
Stadtplan 12 D1.
[*(212) 787-3911.*

Chelsea Piers Sports & Entertainment Complex
Piers 59–62, nahe 23rd St
u. 11th Ave (Hudson River).
Stadtplan 7 B4–5.
[*(212) 336-6000.*
www.chelseapiers.com

ESPN Zone
1472 Broadway/
W 42nd St.
Stadtplan 8 E1.
[*(212) 921-3776.*

Giants Stadium
Meadowlands,
E Rutherford, NJ.
[*(201) 935-8111.*
www.giants.com

[*(516) 560-8200.*
www.newyorkjets.com

Lasker Ice Rink
Central Park Drive East/
108th St.
Stadtplan 21 B4.
[*(212) 534-7639.*

Loeb Boathouse
Central Park.
Stadtplan 16 F5.
[*(212) 517-2233.*

Madison Square Garden
7th Ave/33rd St.
Stadtplan 8 E2.
[*(212) 465-6741.*
www.thegarden.com

Manhattan Plaza Racquet Club
450 W 43rd St.
Stadtplan 7 C1.
[*(212) 594-0554.*

Mickey Mantle's
42 Central Park South.
Stadtplan 12 E3.
[*(212) 688-7777.*

Nassau Coliseum
1255 Hempstead Turnpike.
[*(516) 794-9303*
www.nassaucoliseum.com

National Tennis Center
Flushing Meadow Park,
Queens.
[*(718) 595-2420.*
www.usta.com

Nevada Smith's
74 3rd Ave.
Stadtplan 4 F1.
[*(212) 982-2591.*

NY City Parks & Recreation Department
Arsenal Building,
64th St & 5th Ave.
Stadtplan 12 F2.
[*(212) 408-0100.*

Pioneer Bar
218 Bowery.
Stadtplan 4 F3.
[*(212) 334-0484.*

Plaza Rink
1 Rockefeller Plaza,
5th Ave.
Stadtplan 12 F5.
[*(212) 332-7654.*

Shea Stadium
126th St/Roosevelt Ave,
Flushing, Queens.
[*(718) 507-8499.*

Slate Billiards
54 W 21st St.
Stadtplan 8 E4.
[*(212) 989-0096.*

Ticketmaster
[*(212) 307-4100.*
www.ticketmaster.com

Ticketron
[*(212) 239-6200,*
1-800-432-7250.
www.ticketron.com

Time Out
349 Amsterdam Ave.
Stadtplan 15 C5.
[*(212) 362-5400.*

Wollman Memorial Rink
Central Park,
5th Ave/59th St.
Stadtplan 12 F2.
[*(212) 439-6900.*

Yankee Stadium
River Ave/161st St,
The Bronx.
[*(718) 293-4300.*

Yonkers Raceway
Yonkers,
Westchester County.
[*(914) 968-4200.*

Stadtplan *siehe Seiten 394–425*

Fitness und Wellness

New York bringt man vor allem mit Hochhäusern, Menschenmengen und Großstadtlärm in Verbindung, Besucher überrascht deshalb die Sport- und Fitness-Begeisterung der Einheimischen. Tatsächlich ist das Angebot überwältigend: Radfahren am Flussufer, Joggen im Schatten der Wolkenkratzer und Klettern in einer der vielen gut ausgestatteten Turnhallen der Stadt. Lassen Sie sich in einem nach Rosen duftenden Heilbad massieren oder finden Sie im Yoga-Sitz Ihre innere Mitte – in New York ist (fast) alles möglich.

RADFAHREN

Wer mit seinem Auto ständig in der Innenstadt im Stau steckt, sehnt sich nach einem Fahrrad und freier Fahrt. Manhattan, das eine der am dichtesten bevölkerten Inseln der Welt ist, bietet nicht weniger als 120 Kilometer Fahrradwege. Nach der letzten Zählung fahren täglich mehr als 110 000 Fahrradfahrer durch Manhattan. Einer der schönsten Orte zum Fahrradfahren ist der Central Park am Wochenende, wenn er für Autos gesperrt ist. Räder kann man bei **Central Park Bike Rentals** am Columbus Circle mieten. Der Radweg entlang dem West Side Highway verläuft parallel zum Hudson River und ist gut in Schuss. Die Radwege im Riverside Park sind ebenfalls ein lohnenswertes Ziel. An den Wochenenden im Sommer kann es hier ziemlich voll werden, aber am frühen Morgen und spätnachmittags sowie im Winter fährt man mitunter völlig allein.

Das freundliche Personal von **Bicycle Habitat** in der Lafayette Street vermietet Räder und gibt auch Tipps, wie man am besten durch New York kommt.

FITNESS-CENTER

Selbst für die extremsten Workaholics von New York ist das wöchentliche Training unerlässlich. Fitness-Center gibt es in jedem Winkel der Stadt, um der großen Nachfrage gerecht zu werden. Geschwitzt wird überall rund um die Uhr. Die Möglichkeiten sind schier unendlich: Ob Sie Ihre Aggressionen am Punchingball abreagieren oder Ihre Herzfrequenz am Stairmaster verbessern oder schlicht Gewichte stemmen wollen – für alles ist gesorgt. Die größeren Hotels verfügen meist über einen eigenen Fitnessraum. Die meisten Fitness-Center stehen nur Mitgliedern offen, Tagespässe bieten aber immer mehr Klubs an. Fragen Sie beim **Chelsea Piers Sports & Entertainment Complex** an den Piers 59–62, Nähe Hudson River, nach; die riesige Anlage hat für jeden etwas. Auch im mehrstöckigen **May Center for Health, Fitness and Sport** im 92nd Street Y gibt es Workout-Studios, Gewichtstraining, Squash-Hallen und einen Box-Trainingsraum. Der Tagespass kostet 30 Dollar. Mit seinem umfangreichen Gymnastikangebot mit persönlichem Trainer und vielen Übungseinheiten lockt das **Casa Spa & Fitness** im Regency Hotel an der Park Avenue.

Eine große Bandbreite an sportlichen Aktivitäten bieten die Sport-Center des **YMCA** (eines in der West Side, das andere in der 47th Street). Das moderne Equipment, mehrere Sporthallen sowie Swimmingpools, Aerobic-Studios, Laufstrecken und Spielplätze bieten ausreichend Anreiz, sich zu verausgaben. Das Center bietet auch speziell zusammengestellte Fitness- und Gesundheitsprogramme für ältere Menschen an.

GOLF

Der persönliche Abschlag lässt sich im **Randalls Island Golf Center** auf Randalls Island und im **Chelsea Golf Club** verbessern. Mini-golf-Anlagen findet man am **Wollman Memorial Rink** im Central Park. Die Stadtverwaltung unterhält selbst einige Plätze, z. B. im **Pelham Bay Park** in der Bronx und in **Silver Lake** auf Staten Island.

JOGGEN

Einige Parks sind sicher genug für Jogger, andere weniger. Am besten erkundigen Sie sich beim Portier. Nachts sollten Sie ohnehin alle Parks meiden. Die beliebteste und schönste Jogging-Strecke führt um den See im Central Park. Die **NY Road Runners** in der 89th Street kommen allwöchentlich zu Läufern zusammen. Joggen kann man auch im **Chelsea Piers Sports & Entertainment Complex**.

PILATES-TRAINING

Hanteln können Sie hier getrost vergessen. Die Bauch- und Rückenmuskeln werden bei der Pilates-Methode auf andere Weise trainiert. Das ganzheitliche Training spricht vor allem die tiefliegenden, kleinen und meist schwächeren Muskelgruppen an. Stärken Sie Ihre Muskeln bei **Grasshopper Pilates**, Franklin Street (20 Dollar pro Einheit), wo Sie ein professioneller Trainer in einem TriBeCa-Loft einweist. **Power Pilates** hat mehrere Filialen.

YOGA

In angemessener Umgebung findet man wesentlich leichter zum universellen Selbst. Ein solcher Ort ist zum Beispiel das weitläufige **Exhale Mind Body Spa** in der Madison Avenue mit seinen hohen Räumen und massiven Holzböden. Mit seinen fantasievoll benannten, vielfältigen Yoga-Kursen bietet das Zentrum einen willkommenen Ausgleich zur Großstadthektik. Wer glaubt, Yoga beansprucht den Körper zu wenig, sollte sich im Rahmen eines Kurses eines Besseren belehren lassen. **YogaMoves** heißt auch Anfänger willkommen.

HEILBÄDER

Lassen Sie sich in einem der vielen Wellness-Center der Stadt verwöhnen, um dann erholt die Stadtbesichtigung fortsetzen zu können. Die meisten Center bieten ein Kombi-Paket an, das mehrere Behandlungen zu einem günstigeren Preis beinhaltet. Sind Sie mit Ihrem Partner unterwegs, können Sie sich beide massieren lassen.

Der berauschende Duft von Weihrauch empfängt Sie am Eingang zum dezent beleuchteten **Carapan**, das aufwendige, überaus entspannende Massagen anbietet.

Im behaglichen und ungezwungenen **Oasis Day Spa** am Union Square kann man zwischen sechs Aromatherapie-Massagen (je 100 Dollar) wählen – für Besserung, Erholung, Balance, Leidenschaft, Ruhe oder Befreiung. Für Männer gibt es spezielle Abreibungen mit Salz vom Toten Meer, Algen-Gesichtsmasken und Muskelmassagen (100 Dollar pro Stunde).

Ein Stück Himmel balinesischer Art kann man in der **Acqua Beauty Bar** in der 14th Street finden. Geboten werden Gesichtsbehandlungen (115 Dollar), Pediküre (45 Dollar) und ein komplettes indonesisches Schönheitsritual (170 Dollar).

Bei **Bliss** in der 57th Street erfährt man, dass man mit einer Körperpackung aus Karotten und Sesam (195 Dollar) so gut wie alles heilen kann. Gekrönt wird das Ganze von einer Schokoladen-Pediküre, zu der ein Becher heißer Kakao gereicht wird.

Prominente wie Antonio Banderas und Kate Moss schwören auf **Mario Badescu** (52nd Street) und seine Gesichtsbehandlungen. Seine Schönheitsprodukte sind zugleich ein wunderbares Mitbringsel.

SCHWIMMEN

Viele Hotels in Manhattan verfügen über ein Schwimmbad, zu dem man als Gast freien Zugang hat.

Schwimmen und sogar surfen kann man auch im **Surfside 3 Maritime Center** an den Chelsea Piers. Ein Tagesausflug führt in den **Jones Beach State Park** *(siehe S. 255)* an der Küste von Long Island.

HALLENSPORT

Rollschuh- und Bowlingbahnen, Hallenfußball, Basketball, Kletterwände, Fitness-Center, Golf, Wellness-Center und natürlich Swimmingpools – die **Chelsea Piers** bieten all dies. Das riesige Areal erstreckt sich über vier alte West-Side-Piers und steht allen offen.

Neben Fitness- und Gymnastik-Einrichtungen sowie Hallensportanlagen verfügt das **YMCA** auch über Unterrichtsgruppen für Bewegung, Dehnung und Balance. Man organisiert Ausflüge und Sportveranstaltungen. Für Kinder gibt es spezielle Abenteuer-Tagesausflüge, bei denen auch reichlich körperliche Ertüchtigung auf dem Programm steht.

AUF EINEN BLICK

Acqua Beauty Bar
7 E 14th St.
Stadtplan 8 F5.
(*(212) 620-4329.*

Bicycle Habitat
244 Lafayette St.
Stadtplan 4 F3.
(*(212) 431-3315.*

Bliss
19 E 57th St.
Stadtplan 12 F3.
(*(212) 219-8970.*
Filiale auch in SoHo.

Carapan
5 W 16th St.
Stadtplan 8 F5.
(*(212) 633-6220.*

Casa Spa & Fitness at the Regency Hotel
540 Park Ave.
Stadtplan 13 A3.
(*(212) 223-9280.*

Central Park Bike Rental
2 Columbus Circle.
Stadtplan 12 D3.
(*(212) 541-8759.*

Chelsea Piers Sports & Entertainment Complex
Piers 59–62, nahe 23rd St u. 11th Ave (Hudson River).
Stadtplan 7 B4–5.
(*(212) 336-6000.*
www.chelseapiers.com

Exhale Mind Body Spa
980 Madison Ave.
Stadtplan 17 A5.
(*(212) 561-6400.*

Grasshopper Pilates
116 Franklin St.
Stadtplan 4 E5.
(*(212) 431-5225.*

NY Road Runners
9 E 89th St.
Stadtplan 17 A3.
(*(212) 860-4455.*

Mario Badescu
320 E 52nd St.
Stadtplan 13 B4.
(*(212) 758-1065.*

May Center for Health, Fitness and Sport at the 92nd Street Y
1395 Lexington Ave.
Stadtplan 17 A2.
(*(212) 415-5729.*

Oasis Day Spa
108 E 16th St.
Stadtplan 9 A5.
(*(212) 254-7722.*
Mehrere Filialen.

Pelham Bay Park
The Bronx,
870 Shore Rd.
(*(718) 885-1461.*

Power Pilates
49 W 23rd St,
10. Stock.
Stadtplan 8 F4.
(*(212) 627-5852.*

Randalls Island Golf Center
Randalls Island.
Stadtplan 22 F2.
(*(212) 427-5689.*

YMCA West Side
1395 Lexington Ave.
Stadtplan 17 A2.
(*(212) 415-5500.*

Silver Lake
915 Victory Blvd.
Staten Island.
(*(718) 447-5686,*
(718) 225-4653

Wollman Memorial Rink
Central Park, 5th Ave/
59th St. **Stadtplan** 12 F2.
(*(212) 439-6900.*

YMCA 47th St
224 E 47th St.
Stadtplan 13 B5.
(*(212) 756-9600.*

YogaMoves
1026 6th Ave.
Stadtplan 8 E1.
(*(212) 278-8330.*

Stadtplan *siehe Seiten 394–425*

NEW YORK MIT KINDERN

Kinder werden von dieser Stadt schnell in den Bann gezogen. Neben unzähligen Attraktionen für Besucher aller Altersgruppen bietet New York vieles, was speziell für Kinder gedacht ist: mehr als ein Dutzend Kindertheater, zwei Zoos, drei einfallsreiche Museen sowie eine bunte Palette von Veranstaltungen in Museen und Parks. Auch der Besuch eines Fernsehstudios bereitet Kindern großes Vergnügen; Gleiches gilt für den New Yorker Big Apple Circus. Auch ohne viel Geld könnte man mehr unternehmen, als die Zeit erlaubt – und kein Kind wird über Langeweile klagen.

Ein kleiner Besucher, der sich in New York bestens amüsiert

PRAKTISCHE TIPPS

New York ist familienfreundlich. In vielen Hotels können Kinder umsonst im Zimmer der Eltern schlafen. Museumseintritte sind für Kinder billiger oder kostenlos. Kinder unter 1,12 Meter Größe können in Begleitung eines Erwachsenen gratis Subway und Bus fahren.

Windeln und dergleichen bekommt man überall. Die **Kaufman Pharmacy** in 557 Lexington Avenue, Ecke 50th Street hat 24 Stunden geöffnet. In öffentlichen Toiletten gibt es selten Wickeltische, doch stört sich niemand daran, wenn man einen anderen Tisch umfunktioniert. Die meisten Hotels organisieren Babysitter; ansonsten kann man sich an die zuverlässige **Baby Sitters' Guild** wenden.

Das aktuelle Angebot für Kinder liefert ein Veranstaltungskalender, den man kostenlos beim New York Convention and Visitors Bureau (*siehe S. 368*) bekommt. Einen Wochenüberblick findet man im Magazin *New York* und in *Time Out New York*.

ABENTEUER IN NEW YORK

Für Kinder ist die Stadt ein riesiger Vergnügungspark. Fahrstühle bringen einen in Windeseile auf die höchsten Gebäude der Welt, und man erlebt New York aus der Vogelperspektive. Oder man fährt mit einem Schiff der **Circle Line** rund um die Insel Manhattan, oder geht an Bord des Segelboots *Pioneer* (*siehe S. 84*). Man kann auch an der Marina in der East 23rd Street einen Schaufelraddampfer chartern, oder man nimmt die kostenlose Staten Island Ferry für eine Schiffsfahrt (*siehe S. 76f*). Die Roosevelt Island Tram (*siehe S. 181*) ist eine Seilbahn, die in luftiger Höhe über den East River fährt. Im Central Park (*siehe S. 204–209*) kann man Karussell fahren, auf Pferden und auf Ponys

Eislaufen im Rockefeller Center

reiten. Kinder können hier Rollschuh laufen, wenn der Park am Wochenende für den Autoverkehr gesperrt ist.

Kleine Abkühlung an einem Brunnen im Central Park

MUSEEN

Neben den vielen Museen für alle Altersgruppen gibt es Museen speziell für Kinder. Ganz oben auf der Liste stehen das **Children's Museum of the Arts** (*siehe S. 107*), das Kids Kunst nahebringt, und das **Children's Museum of Manhattan** (*siehe S. 219*), eine Multi-Media-Welt, in der Kinder Videos produzieren können. Etwas außerhalb liegen das **Brooklyn Children's Museum** (*siehe S. 247*) und das **Staten Island Children's Museum**. Der Flugzeugträger **Intrepid** beherbergt das **Sea-Air-Space Museum** (*siehe S. 149*) mit vielen Flugzeugen. Begeistert sind fast alle Kids von der Dino-Ausstellung im **American Museum of Natural History** (*siehe S. 216f*).

SPASS IM FREIEN

Im Sommer zieht es die New Yorker ins Freie. Der Central Park ist ein Paradies für Kinder, das zum Rollschuhlaufen, Minigolfspielen, Boot- und Radfahren einlädt. Gratis-Veranstaltungen gibt es viele: von Parkaufsehern geleitete Führungen (samstags), Wettfahrten mit Spielzeug-Segelbooten u.a. Der Zoo ist recht klein und daher genau das Richtige für kleine Kinder.

Kinder jeden Alters werden vom **Bronx Zoo/Wildlife Conservation Park** *(siehe S. 244f)* begeistert sein, in dem mehr als 500 Tierarten zu Hause sind. **Coney Island** *(siehe S. 249)* ist leicht mit der Subway zu erreichen. Im Winter kann man im Rockefeller Center *(siehe S. 144)* oder im Central Park Schlittschuh laufen. Die Chelsea Piers bieten ein riesiges Angebot an Hallensportarten *(siehe S. 363)*.

THEATER UND ZIRKUS

Das New Yorker Theaterangebot ist für Kinder ebenso vielseitig wie für Erwachsene. Beliebte Bühnen sind u.a. **Paper Bag Players** und **Theatreworks USA**, deren Vorstellungen schnell ausverkauft sind (möglichst frühzeitig Karten vorbestellen). Das **Swedish Marionette Theater** im Central Park begeistert Jung und Alt (Di–Fr 10.30 und 12 Uhr, Sa 13 Uhr). Zur Weihnachtszeit tanzt das New York City Ballet im Lincoln Center *(siehe S. 214)* den *Nussknacker*, nahebei schlägt der **Big Apple Circus** sein Zelt auf. **Ringling Brothers and Barnum & Bailey Circus** gastiert jedes Frühjahr einige Wochen im Madison Square Garden *(siehe S. 135)*. Im Winter können Kinder bei ganz verschiedenen Aktivitäten überschüssige Energie abbauen, vom Eislaufen über Bowling bis Minigolfen bei den Chelsea Piers.

Die große Uhr im Spielzeugladen F.A.O. Schwarz

LÄDEN

Kinder haben wohl nichts gegen einen Einkaufsbummel, wenn Spielwarengeschäfte wie **F.A.O. Schwarz** oder **Toys 'R' Us** auf dem Programm stehen. Weitere Informationen zu Spielzeugläden finden Sie auf den Seiten 322–324. Bei **Books of Wonder** unterhalten Geschichtenerzähler ihr junges Publikum.

ESSEN GEHEN

Die Hamburger-Pasta-Kombination von **Ottomanelli's Café** ist bei Kindern sehr beliebt; auch Erwachsene haben Mühe, die riesigen Burger aufzuessen. Das **Hard Rock Café** ist ein Hit, und die meisten Kinder mögen das Essen in Chinatown und Little Italy. Wegen der wundervollen Auswahl sollten Sie die **Chinatown Icecream Factory** besuchen. Für einen Imbiss bieten sich die zahlreichen *Pretzel-* und Pizza-Stände in den Straßenschluchten an. Falls dies nicht das Richtige ist: Bekannte Fastfood-Lokale sind allgegenwärtig.

AUF EINEN BLICK

PRAKTISCHE TIPPS

Baby Sitters' Guild
☎ *(212) 682-0227.*

Pinch Sitters
☎ *(212) 260-6005.*

ABENTEUER

Circle Line
Pier 83, W 42nd St.
Stadtplan 7 A1.
☎ *(212) 563-3200.*

MUSEEN

Staten Island Children's Museum
1000 Richmond Terr, Staten Is.
☎ *(718) 273-2060.*

SPASS IM FREIEN

Big Apple Circus
☎ *(212) 268-2500.*

Chelsea Piers
☎ *(212) 336-6800.*
www.chelseapiers.com

Paper Bag Players
☎ *(212) 663-0390.*

Sony Wonder Technology Lab
550 Madison Ave. **Stadtplan** 13 A3. ☎ *(212) 833-8100.*

Swedish Cottage Marionette Theater
☎ *(212) 988-9093.*

Theatreworks USA
787 7th Ave. **Stadtplan** 12 E4.
☎ *(212) 627-7373.*

LÄDEN

Books of Wonder
16 W 18th St. **Stadtplan** 8 C5.
☎ *(212) 989-3270.*

F.A.O. Schwarz
767 5th Ave. **Stadtplan** 12 F3.
☎ *(212) 644-9400.*

Toys 'R' Us
Siehe S. 324.

ESSEN GEHEN

Chinatown Ice Cream Factory
65 Bayard St. **Stadtplan** 4 F5.
☎ *(212) 608-4170.*

Hard Rock Café
1501 Broadway. **Stadtplan** 8 E1.
☎ *(212) 459-9320.*

Ottomanelli's Café
1626 York Ave. **Stadtplan** 17 C3.
☎ *(212) 772-7722.*

Geschichtenerzähler auf dem Areal des South Street Seaport

Stadtplan *siehe Seiten 394–425*

GRUND-INFORMATIONEN

Praktische Hinweise

New York liefert Gästen keine Sonderbehandlung, aber macht es ihnen einfach, sich wohlzufühlen. Wenn Sie ein paar Vorsichtsmaßnahmen befolgen *(siehe S. 372f)*, können Sie die Stadt ebenso unbeschwert

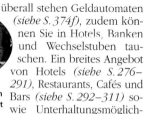

Rast auf den Stufen vor dem Metropolitan Museum of Art

genießen, wie es die New Yorker tun. Busse und Subways *(siehe S. 388f)* sind zuverlässig und preiswert; nahezu überall stehen Geldautomaten *(siehe S. 374f)*, zudem können Sie in Hotels, Banken und Wechselstuben tauschen. Ein breites Angebot von Hotels *(siehe S. 276–291)*, Restaurants, Cafés und Bars *(siehe S. 292–311)* sowie Unterhaltungsmöglichkeiten *(siehe S. 340–365)* in allen Preisklassen sorgt dafür, dass der Aufenthalt erschwinglich wird.

ALLGEMEINE TIPPS

Hauptverkehrszeiten in New York sind Montag bis Freitag 8 bis 10, 11.30 bis 13.30 und 16.30 bis 18.30 Uhr. Während dieser Zeiten ist die Stadt voller Menschen, Busse und Autos, auch die Subway ist überfüllt. Planen Sie Ihren Tag entsprechend.

Um nicht ständig große Distanzen zurücklegen zu müssen, empfiehlt es sich, die jeweils innerhalb eines Viertels befindlichen Sehenswürdigkeiten nacheinander zu besichtigen *(siehe Detailkarten der einzelnen Stadtbezirke)*. Busse sind zuverlässig und bequem und eine gute Möglichkeit, gleichzeitig etwas von der Stadt zu sehen. Einige Ecken von New York sollten Sie, vor allem zu bestimmten Zeiten, meiden *(siehe S. 372f)*. Öffentliche Toiletten in Bahnhöfen, Bus- oder Subway-Stationen sollten tabu sein; sie sind Treffpunkte für Drogensüchtige und Obdachlose. Am besten sucht man die Toilette in einem Hotel, Café oder in einem Warenhaus auf.

Falls Sie Rat oder Hilfe brauchen, wenden Sie sich an einen Polizisten oder einen Hotelportier, den man in fast allen Hotels der Stadt rund um die Uhr vorfindet.

ÖFFNUNGSZEITEN

Bürozeiten sind durchgehend von 9 bis 17 Uhr, einige Banken haben nur bis 15 Uhr, viele auch von 8 bis 18 Uhr sowie am Samstagvormittag geöffnet. Viele Museen sind montags und an Feiertagen geschlossen; einige haben am Dienstag- oder Donnerstagabend länger geöffnet (rufen Sie vorher an).

MUSEEN

Einen Überblick über die besten Museen New Yorks bekommen Sie auf den Seiten 36–39. Der Eintritt kostet mindestens zwei Dollar; wird kein Eintritt verlangt, so erwartet man eine »Spende« (oft 6 bis 12 Dollar). Für Senioren, Studenten und Kinder gibt es meist Ermäßigungen; große Museen veranstalten kostenlose Führungen. In der Museumsmeile *(siehe S. 184f)* an oder nahe der Fifth Avenue liegen eine ganze Reihe von Museen fast nebeneinander.

Hotelportier

VERHALTENSKODEX

Rauchen ist in allen öffentlichen Gebäuden und Räumen gesetzlich verboten. Nur manche Restaurants oder Bars haben Raucherzimmer. Falls Ihnen dies wichtig ist, sollten Sie sich vorher telefonisch erkundigen.

Übliche Trinkgelder sind: Taxifahrer 10 bis 15 Prozent, Kellner 20 Prozent, Barkeeper 15 Prozent, Zimmerkellner 10 Prozent, Garderobiere ein Dollar, Zimmermädchen ein bis zwei Dollar pro Tag, Gepäckträger ein Dollar pro Gepäckstück, Friseure 15 bis 20 Prozent.

INTERNETCAFÉS

Manche Internetcafés sind riesig, so die Filialen von **easyInternetcafé**, andere wie das **Cyber Café** verstehen sich in erster Linie auch als Café und servieren auch Snacks. Die Gebühren liegen bei rund sechs Dollar für 30 Minuten. In Zeiten, wo weniger los ist, bietet **Web2Zone** günstige Tarife an.

Cyber Café
250 W 49th St. **Stadtplan** 11 B5.
C *(212) 333-4109.*

easyInternetcafé
234 W 42nd St. **Stadtplan** 8 D1.

Web2Zone
54 Cooper Square. **Stadtplan** 4 F2.
C *(212) 614-7300.*

INFORMATIONEN

Das New York Convention and Visitors Bureau, bekannt als **NYC & Co.** *(siehe S. 340f)*, erteilt Auskunft über fast alles. Sein Telefonservice ist rund um die Uhr erreichbar. Broschüren über die Stadt, Veranstaltungen und Ausstellungen sind im **Times Square Information Bureau** erhältlich.

Nützliche Informationen
• NYC & Co, 810 7th Ave. **Stadtplan** 12 E4. **C** *(212) 484-1222.* **www**.nycvisit.com
• Times Square Information Center, 1560 Broadway. **Stadtplan** 12 E5. ◯ tägl. 8–20 Uhr. **www**. timessquarenyc.org
• New York City Information: **www**.nyc.gov
• Online-Infos über New York: **www**.jimsdeli.com
• New York State Information: **www**.state.ny.us

VERANSTALTUNGS-KALENDER

Mehrere, zum Teil kostenlose Publikationen informieren über Aktuelles; sie sind überall an Zeitungskiosken, in Hotels, Museen und Galerien erhältlich. Am bekanntesten sind das Magazin *New York* und der Veranstaltungskalender »Goings On About Town« der Zeitschrift *The New Yorker*. Beide liefern Infos über Museen, Klubs, Theater, Galerien, Restaurants, Kinos, Colleges und Bibliotheken und auch über Auktionen.

Das kostenlose Heft *Village Voice* informiert über Veranstaltungen in SoHo, TriBeCa und Greenwich Village sowie über die wichtigeren Ausstellungen in der Stadt. In der *New York Times* kann man sich freitags und sonntags unter den Rubriken »Weekend« und »Arts and Leisure« über Ausstellungen und Veranstaltungen informieren.

Art News, ein Monatsmagazin, kündigt Wichtiges aus der Welt der Kunst, Ausstellungen und Auktionen an. Kostenlos informiert *Where* (an Hotelrezeptionen erhältlich) über die wichtigsten aktuellen Ausstellungen und deren Öffnungszeiten. *Art Now/New York Gallery Guide* berichtet über aktuelle Ausstellungen der Kunstgalerien und liegt jeden Monat neu aus.

Das wöchentlich erscheinende Magazin *New York* informiert über das aktuelle Unterhaltungsangebot der Stadt

FÜHRUNGEN

Wie auch immer Sie New York besichtigen wollen – zu Fuß, mit dem Bus, vom Schiff oder vom Helikopter aus, mit dem Fahrrad oder als besonderes Erlebnis mit einer Pferdekutsche – von Ortskundigen organisierte Stadtbesichtigungen sparen meist Zeit, Energie und oft auch Geld. Zudem erhalten Sie im Rahmen einer Führung viele interessante Informationen.

BOOTSTOUREN

Circle Line Sightseeing Yachts, Pier 83, W 42nd St. **Stadtplan** 7 A1.
[*(212) 563-3200. Dreistündige Rundfahrt um Manhattan.*

Circle Line Statue of Liberty Ferry. South Ferry, Battery Park. **Stadtplan** 1 C4.
[*(212) 269-5755.*

Spirit of New York. Ecke W 23rd/8th Ave. **Stadtplan** 8 D4.
[*(866) 211-3805. Rundfahrten inklusive Mittag- oder Abendessen.*

World Yacht, Inc. Pier 81, W 41st St. **Stadtplan** 7 A1.
[*(212) 630-8100. Rundfahrten inklusive Mittag- und Abendessen sowie Unterhaltung.*

KUTSCHENFAHRTEN

Ecke 59th St/5th Ave und entlang Central Park S.

Die Pferdekutschen warten vor dem Plaza Hotel, Fifth Avenue/Ecke Central Park (**Stadtplan** 12 F3). *Gewöhnlich geht die Fahrt durch den Central Park.*

BUSTOUREN

Gray Line of New York. 42nd St Ecke 8th Ave. **Stadtplan** 8 D1.
[*(212) 397-2620.*

Short Line Tours/ American Sightseeing NY. 166 W 46th St. **Stadtplan** 12 F5.
[*(800) 631-8405.*

FAHRRADTOUREN

Bite of the Apple Tours. 2 Columbus Circle, 59th St/ Broadway. **Stadtplan** 12 D3. [*(212) 541-8759. Zweistündige Fahrt durch den Central Park (35 US-$ mit Leihrad). Tägl. 10, 13 und 16 Uhr.*

HELIKOPTER-TOUREN

Liberty. W 30th St/12th Ave. South Ferry **Stadtplan** 7 B3. [*(212) 967-6464.*

ZU FUSS

Adventures on a Shoestring. 300 W 53rd St. **Stadtplan** 12 E4.
[*(212) 265-2663. Themen- und Stadtteil-Touren.*

Big Apple Greaters. 1 Centre St, Suite 2035. **Stadtplan** 4 F4.
[*(212) 669-8159. Kostenlose Führungen von New Yorkern.*

Big Onion Walking Tours. Columbia University. **Stadtplan** 20 E3.
[*(212) 439-1090. Geschichte und Ethnien.*

Harlem Spirituals, Inc. 690 8th Ave. **Stadtplan** 8 D1.
[*(212) 391-0900. Geschichte und Kultur Harlems. Apr–Okt.*

Heritage Trails. *Vier historische Tourenvorschläge, beginnend an der Federal Hall (Broschüren dort).* **Stadtplan** 1 C3.

Museum of the City of New York. Ecke 103rd St/5th Ave. **Stadtplan** 21 C5.
[*(212) 534-1672. Architektur und Geschichte.*

NBC Studio Tour. 30 Rockefeller Plaza. **Stadtplan** 12 F5.
[*(212) 664-7174.*

92nd Street Y. 1395 Lexington Ave. **Stadtplan** 17 A2.
[*(212) 415-5500. Kultur und Geschichte.*

Talk-a-Walk. 30 Waterside Plaza. **Stadtplan** 9 C4.
[*(212) 686-0356. Rundgänge mit Walkman.*

Walkin' Broadway. 1619 Broadway. **Stadtplan** 12 E5.
[*(212) 997-5004. Broadway mit Walkman.*

Fahrt mit der Kutsche im Central Park

Stadtplan siehe Seiten 394–425

BEHINDERTE REISENDE

Nabla ew York ist behinderten-gerechter als viele andere Städte. Alle Stadtbusse können für Rollstuhlfahrer abgesenkt werden. Allerdings sind nur 21 Subway-Stationen in Manhattan barrierefrei ausgebaut. Viele Hotels, Kaufhäuser und Bürogebäude sind für Rollstuhlfahrer geeignet. Einige Museen organisieren Führungen für Hör-, Seh- und Gehbehinderte; alle Broadway-Theater bieten Hörhilfen für Schwerhörige. Eine ausgezeichnete Informationsquelle ist *Access Guide to New York*, gratis im **Major's Office for People with Disabilities** erhältlich.

Informationen

Mayor's Office for People with
Disabilities. **☎** *(212) 788-2830.*
www.nyc.gov/mopd
Hospital Audiences Inc. **☎** *(212)
575-7660.* **www**.hospaud.org

**Ein Bus »geht in die Knie«, um
den Einstieg zu erleichtern**

EINREISE UND ZOLL

S eit dem 30. September 2004 gelten neue Einreisebestimmungen für die USA. Von allen Besuchern werden am Flughafen (oder Seehafen) digital Fingerabdrücke genommen und ein digitales Porträtfoto erstellt. Europäische Fluglinien müssen Reservierungslisten vorlegen, Passagiere Reisedaten (Übernachtungsadresse) bekanntgeben (Formulare unter www.barig.org oder www.drv.de).

Deutsche, Österreicher und Schweizer benötigen zur Einreise (Aufenthalt bis zu 90 Ta-

gen) einen maschinenlesbaren Reisepass, der mindestens für die Dauer des Aufenthalts gültig ist. Nach dem 25. Oktober 2005 ausgestellte Pässe müssen ein digitales Foto haben, ab dem 25. Oktober 2006 ausgestellte Pässe zusätzlich biometrische Daten. Alle Reisenden, auch Kinder jeglichen Alters, benötigen einen eigenen maschinenlesbaren Pass. Besucher müssen ein Rück- oder Weiterreiseticket vorweisen können.

Aufgrund der Durchleuchtung und manuellen Durchsuchung von Gepäck empfiehlt es sich, Koffer nicht abzuschließen, Geschenke nicht einzupacken und Bücher einzeln nebeneinander zu legen.

Erlaubt sind bei der Einreise 200 Zigaretten (pro Person über 18 Jahre), ein Liter Alkohol (pro Person über 21 Jahre) sowie Geschenke im Wert von bis zu 100 Dollar. Verboten ist die Einfuhr von Fleisch (auch keine Konserven) sowie von Pflanzen, Samen und Obst.

Nach Ihrer Ankunft am New Yorker Flughafen und der Gepäckausgabe folgen Sie den Hinweisschildern *»Other than American passports«*. An den Schaltern der Einreisebehörde wird Ihr Pass kontrolliert und Sie erhalten einen Einreisestempel. Danach erwartet Sie ein Zollbeamter, der Ihre Zollerklärung (die Sie vorher ausgefüllt haben) kontrolliert.

Falls Sie in den USA eine bezahlte oder unbezahlte Beschäftigung aufnehmen oder länger als 90 Tage bleiben wollen, brauchen Sie ein Visum.

STUDENTEN

V iele Museen und Theater, aber auch private Unternehmen gewähren Studenten Ermäßigungen – aber nur gegen Vorlage eines internationalen Studentenausweises (International Student ID Card, ISIC), den man via Internet (www.isic.de) oder bei **STA Travel** erhält.

Fragen Sie nach einem Exemplar des *ISIC Student Handbook*. Es informiert Sie über alle Stellen, die Studenten Ermäßigungen bieten.

Normalerweise ist es äußerst schwierig, in den USA eine Arbeitserlaubnis zu bekommen, für Studenten gelten jedoch Ausnahmeregelungen. Damit haben Sie die Möglichkeit, in New York einem Ferienjob nachzugehen. Informieren Sie sich aktuell über Visafragen, Aufenthaltsdauer etc.

INFORMATIONEN
FÜR STUDENTEN

Bunac Summer Camps USA

P.O. Box 430, Southbery, CT 06488.
☎ *(203) 264-0901.*
Nur im Sommer.

Council on International
Educational Exchange

633 3rd Ave. **Stadtplan** 9 B1.
☎ *(212) 822-2700.*

STA Travel

10 Downling St. **Stadtplan** 4 D3.
205 E 42nd St. **Stadtplan** 9 B1.
☎ *(212) 627-3111 oder
(800) 781-4040.*

UMRECHNUNGSTABELLEN

US-Maße

1 Inch = 2,5 Zentimeter
1 Foot = 30 Zentimeter
1 Mile = 1,6 Kilometer
1 Ounce = 28 Gramm
1 Pound = 454 Gramm
1 US Pint = 0,47 Liter
1 US Gallon = 4,6 Liter

Metrische Maße

1 Zentimeter = 0,4 Inch
1 Meter = 3 Feet 3 Inches
1 Kilometer = 0,6 Mile
1 Gramm = 0,04 Ounce
1 Kilogramm = 2,2 Pounds
1 Liter = ca. 2 US Pints

Internationaler Studentenausweis

New Yorker Tageszeitungen

Zeitungskasten in New York

ZEITUNGEN, FERNSEHEN UND RADIO

Ausländische Zeitungen und Zeitschriften erhalten Sie – in der Regel einen Tag nach dem Erscheinen – bei **Universal News**, in großen Hotels, an Flughäfen und Zeitungskiosken sowie in der Nähe von Finanzplätzen, etwa in der Wall Street.

Die vielen Fernsehprogramme können Sie dem Wochenmagazin *TV Guide* entnehmen. Auch die Sonntagsausgabe der *New York Times* enthält das Fernsehprogramm.

Das TV-Angebot ist riesig und breit gefächert. CBS sendet auf Kanal 2, NBC auf Kanal 4, WNYW (Fox) auf Kanal 5 und ABC auf Kanal 7. PBS bietet auf Kanal 13 Kultur- und Bildungsprogramme und ausländische Produktionen. Kabelfernsehen bietet Ihnen nahezu alles – von Kultur über Unterhaltung (Kanal 16) bis hin zu mehreren Disney-Kanälen.

Im Radio empfangen Sie Nachrichten u.a. auf folgenden Wellenlängen: WCBS News (880AM) und WFAN Sports (660AM). Unterhaltung bieten u.a. die Sender WNEW (Rock, 102,7FM), WBGO (Jazz, 88,3FM) und WQXR (Klassik, 96,3FM).

Informationen
Universal News, 234 W 42 St.
Stadtplan 8 D1. ☎ (212) 221-1809.

ELEKTRIZITÄT

In den USA sind alle Stromanschlüsse standardisiert auf 115 bis 120 Volt Wechselstrom. Stecker und Steckdosen in den USA sind zudem anders konstruiert als in Europa. Sie brauchen also einen Adapter und einen Spannungskonverter.

In den meisten großen Hotels in New York gibt es fest installierte Haartrockner, einige bieten auch Stromanschlüsse für 230-Volt-Rasierapparate, nicht aber beispielsweise für Radios. Es kann gefährlich sein, Geräte, die mehr Volt benötigen, hier anzuschließen. Nehmen Sie möglichst nur batteriebetriebene Geräte mit. Für Aufladegeräte benötigen Sie ebenfalls einen Adapter. In einigen Hotels sind die Zimmer mit Bügeleisen, **Standard-** teils auch mit Kaffee-**stecker** maschinen ausgestattet.

US-BOTSCHAFTEN

In Deutschland
Neustädtische Kirchstraße 4–5, 10117 Berlin.
☎ (030) 238 5174.
Konsularabteilung
Clayallee 170, 14197 Berlin.
☎ 0900-185 0055 (Visa-Fragen).
www.usembassy.de

US-Generalkonsulate gibt es in Frankfurt am Main, Hamburg, Leipzig und München.

In Österreich
Boltzmanngasse 16, 1090 Wien.
☎ (01) 31339-0.
Konsularabteilung
Parkring 12, 1010 Wien.
☎ (01) 512 58 35.
www.usembassy.at

In der Schweiz
Jubiläumstrasse 93, 3005 Bern.
☎ (031) 357 7011.
Konsularabteilung
Jubiläumstrasse 95, 3005 Bern.
http//:bern.usembassy.gov

GOTTESDIENSTE

In New York gibt es ungefähr 4000 Andachtsstätten für nahezu alle Religionen der Welt. Viele Hotels bieten entsprechende Informationen. Hier nur einige der wichtigsten Gotteshäuser:

Baptisten
Riverside Church
122nd St/Riverside Dr.
Stadtplan 20 D2.
☎ (212) 870-6700.

Katholisch
St. Patrick's Cathedral
Fifth Ave/50th St.
Stadtplan 12 F4.
☎ (212) 753-2261.

Episkopalkirche
St. Bartholomew's
109 E 50th St. **Stadtplan** 13 A4.
☎ (212) 378-0200.

Jüdisch
Reformiert
Temple Emanu-El
Fifth Ave/65th St.
Stadtplan 12 F2.
☎ (212) 744-1400.

Orthodox
Fifth Avenue Synagogue
5 E 62nd St. **Stadtplan** 12 F2.
☎ (212) 838-2122.

Lutheraner
St. Peter's
619 Lexington Ave. **Stadtplan** 17 A4. ☎ (212) 935-2200.

Methodisten
Christ Church United Methodist
520 Park Ave. **Stadtplan** 13 A3.
☎ (212) 838-3036.

Riverside Church

Stadtplan *siehe Seiten 394 – 425*

Sicherheit und Gesundheit

Polizei-abzeichen

Laut Kriminalstatistik war New York 1998 die sicherste Millionenstadt der USA. Im Vergleich zu anderen Städten mit mehr als 100 000 Einwohnern steht New York an 166. Stelle. Vor allem in Gegenden, wo viele Urlauber unterwegs sind, patrouillieren Polizisten zu Fuß und auf Zweirädern. Hier sowie in öffentlichen Verkehrsmitteln und am Flughafen ist Ihre Sicherheit weitgehend gewährleistet. Natürlich gibt es auch in New York Gegenden, die man vor allem nachts meiden sollte. Doch wenn Sie ein paar wenige Grundsätze beachten, können Sie sich in New York gefahrlos bewegen.

Die New Yorker Polizei bedient sich vieler Verkehrsmittel

SICHERHEITSKRÄFTE

Rund um die Uhr sind New Yorks Polizisten und Polizistinnen zu Fuß, zu Pferd, mit Motor- oder Fahrrädern oder mit dem Auto unterwegs – verstärkt zu bestimmten Zeiten in Gegenden, die als kritisch für die öffentliche Sicherheit gelten, so z.B. im Theater District während der Aufführungen. Auch in der Subway und in Bahnhöfen trifft man ziemlich häufig auf Polizeistreifen.

In Midtown oder in der Subway stoßen Sie manchmal auf Jugendliche mit roten Baretts. Dabei handelt es sich um Guardian Angels. Sie sind unbewaffnet und ohne offizielle Vollmachten, werden von der Polizei jedoch wohlwollend akzeptiert.

GRUNDREGELN

Unter dem früheren Bürgermeister Rudolph Giuliani wurde New York ein recht sicherer Ort. Setzen Sie Ihren Menschenverstand ein, vermeiden Sie Blickkontakt oder gar Konfrontationen mit all jenen, die auf der Straße leben und betteln. Lassen Sie sich von ihnen nicht in Unterhaltungen verwickeln.

Gehen Sie nicht durch verlassene Gegenden, fahren Sie nachts möglichst mit dem Taxi, oder schließen Sie sich in öffentlichen Verkehrsmitteln anderen Fahrgästen an. Meiden Sie nachts die Lower East Side, Chinatown, Gegenden westlich des Broadway (ausgenommen Lincoln Center und Times Square) und generell einsame und abgelegene Ecken. Der Financial District (ausgenommen das World Financial Center) ist nach Büroschluss wie ausgestorben. Einige Straßen TriBeCas und SoHos sind nachts durchaus riskant.

Parks sind beliebte Treffpunkte für Drogensüchtige und Dealer; am sichersten sind Sie, wenn viele Menschen dort sind, z.B. bei einem Konzert oder einer Sportveranstaltung. Dann jedoch sollten Sie sich vor Taschendieben in Acht

nehmen. Wollen Sie joggen, fragen Sie im Hotel nach sicheren Wegen. Verstauen Sie alles, was Sie bei sich haben, unauffällig, halten Sie ein paar Münzen zum Telefonieren oder für den Bus griffbereit. So müssen Sie nicht Ihre Brieftasche öffnen und danach suchen, wenn Sie in einer Schlange stehen. Zählen Sie nie größere Summen auf offener Straße, achten Sie auf Herumlungerer an Geldautomaten. Tragen Sie Wichtiges eng am Körper; der Verschluss Ihrer Tasche sollte zum Körper zeigen. Wertsachen gehören in den Hotelsafe. Lassen Sie Gepäck nur von Hotel- oder Flughafenpersonal transportieren.

Berittene Polizei

VERLUST VON WERTSACHEN

Wenn Sie etwas in New York verlieren, sind die Chancen, es zurückzubekommen, gering; es gibt kein Fundbüro für ganz New York. Das Personal der Büros von Grand Central und Penn Station ist jedoch sehr hilfsbereit. Auch die meisten Taxi- und Verkehrsunternehmen haben Fundbüros.

Wenn Sie etwas vermissen, sollten Sie es bei der Polizei melden und sich eine Kopie

Als Grundregel beim Bummeln gilt: Vorsicht walten lassen!

Polizeimütze mit Abzeichen

des Berichts für Ihre Versicherung geben lassen. Schreiben Sie sich die Seriennummern wertvoller Güter auf.

GENERALKONSULATE

Deutschland
871 United Nations Plaza.
Stadtplan 13 C5.
(212) 610-9700.
FAX (212) 610-9702.
www.germanconsulate.org/newyork

Österreich
31 East 69th St.
Stadtplan 13 B1.
(212) 737-6400.
FAX (212) 585-1992.
www.austria-ny.org

Schweiz
30. Stock, 633 Third Ave.
Stadtplan 9 B1.
(212) 599-5700.
FAX (212) 599-4266.
www.eda.admin.ch/newyork/consulate

REISEVERSICHERUNG

Es empfiehlt sich, eine Reise-Krankenversicherung abzuschließen, denn die Kosten für medizinische Versorgung in den USA sind hoch. Es gibt eine Vielzahl von Versicherungsangeboten; das Auswärtige Amt empfiehlt, eine Versicherung mit Rückholservice abzuschließen. Zudem kann man Reisegepäck-, Diebstahl- und Unfallversicherungen abschließen. Die meisten Agenturen bieten Versicherungspakete an; informieren Sie sich bei Ihrer Versicherung oder im Reisebüro.

MEDIZINISCHE VERSORGUNG

Krank sein kann teuer werden: Viele Ärzte und einige Kliniken in New York zählen zu den besten, die das

Land zu bieten hat. Die Kosten für die medizinische Versorgung sind in den USA nicht einheitlich geregelt. Einige Ärzte akzeptieren Kreditkarten; meist jedoch müssen Sie bar oder mit Reiseschecks zahlen. Die meisten Krankenhäuser akzeptieren Kreditkarten *(siehe S. 374)*.

Eine der zahlreichen 24-Stunden-Apotheken in New York

NOTFÄLLE

Wenn Sie bei einem medizinischen Notfall einen Krankenwagen benötigen, der Sie in ein **Krankenhaus mit Notaufnahme** bringt, so rufen Sie die Nummer 911 an.

Haben Sie eine gute Versicherung abgeschlossen oder genügend Geld, so empfiehlt es sich, nicht in ein überfülltes städtisches, sondern in ein privates Krankenhaus zu gehen. Städtische Krankenhäuser finden Sie in den Blauen, private in den Gelben Seiten des Telefonbuchs.

Sie können auch die Nummer 411 wählen und dort nach dem nächstgelegenen privaten oder öffentlichen Krankenhaus fragen oder in Ihrem Hotel darum bitten, dass ein Arzt oder Zahnarzt zu Ihnen kommt.

Darüber hinaus können Sie sich auc bei **NY Hotel Urgent Medical Services**, **Dial-A-Doctor** oder **NYU Dental Care** telefonisch informieren. Informationen erteilt auch **Travelers' Aid**, eine US-Hilfsorganisation für Besucher aus aller Herren Länder.

New Yorker Krankenwagen

Währung und Geldwechsel

New York ist das Bankenzentrum der Nation. Viele lokale, regionale und die wichtigsten nationalen Banken sowie die großen internationalen Bankhäuser haben hier ihren Sitz bzw. Vertretungen. Nahezu alle bedeutenden europäischen Bankinstitute haben Niederlassungen oder zumindest Büros in der Stadt.

BANKEN

New Yorker Banken haben generell werktags von 9 bis 15 Uhr geöffnet, jedoch gibt es auch einige, die früher öffnen und später schließen. Ihr Geld können Sie dort am Schalter wechseln; die meisten Banken akzeptieren Reiseschecks, tauschen aber auch fremde Währungen in Dollar um.

Geldautomat (ATM)

GELDAUTOMATEN

Geldautomaten (ATM, *automated teller machine*) bieten in fast allen Banken rund um die Uhr die Möglichkeit, Geld in US-Währung vom eigenen Konto abzuheben. Gewöhnlich erhält man die Summe in 20-Dollar-Noten.

Klären Sie vor Ihrer Abreise in die USA bei Ihrem Geldinstitut, welche Banken in New York bzw. welche ATM-Systeme Ihre Bankkarte akzeptieren und wie hoch die Gebühren sind. Die meisten Geldautomaten arbeiten sowohl mit dem Cirrus- als auch mit dem Plus-System. Sie akzeptieren meist Maestro-/ EC-Karten, Kreditkarten wie MasterCard oder Visa sowie

einige andere. Einer der vielen Vorteile von Geldautomaten ist, dass sie schnell und sicher arbeiten und Sie denselben Wechselkurs bekommen, den auch die Banken bei ihren Millionengeschäften zugrunde legen.

Überfälle auf ATM-Kunden in New York haben zugenommen. Nutzen Sie die Automaten bei Tag und in belebten Gegenden.

KREDITKARTEN

Mit **American Express**, **MasterCard**, **Visa** oder **Diners Club** können Sie in den USA fast alles bezahlen – von Einkäufen im Supermarkt über Hotel- und Restaurantrechnungen bis hin zu telefonischen Kartenvorbestellungen für Kinos oder Theater. Für Hotels und Autovermietungen ist eine Kreditkarte sogar unabdingbar. Bar bezahlen müssen Sie Taxis, Busse sowie an Straßenständen und Märkten in Chinatown. Vermeiden Sie es nach Möglichkeit, größere Geldsummen mit sich herumzutragen.

REISESCHECKS

Reiseschecks in Dollar von American Express oder Thomas Cook werden überall in den USA gebührenfrei angenommen, auch in den meisten New Yorker Kaufhäusern, Läden, Hotels und Restaurants. Reiseschecks in anderen Währungen können Sie in größeren Hotels gegen Bargeld eintauschen, wahrscheinlich müssen Sie damit jedoch eine Bank aufsuchen. Bewahren Sie Schecks unbedingt immer getrennt von den Seriennummern auf.

Die offiziellen Wechselkurse werden täglich in der *New York Times* und im

American-Express-Kreditkarten

Wall Street Journal veröffentlicht; zudem hängen sie in Banken aus.

Die bekanntesten Einrichtungen für den Geldwechsel sind **Travelex Currency Services Inc.** und **American Express**. Die **Chase Manhattan Bank** besitzt über 400 Filialen.

Manche kleineren Wechselstuben akzeptieren keine Reiseschecks, besonders nicht, wenn Sie in ausländischer Währung ausgestellt sind. Die Adressen der Wechselstuben mit längeren Öffnungszeiten finden Sie im Kasten rechts. Weitere Wechselstuben sind in den Gelben Seiten unter der Rubrik »Foreign Exchange Brokers« aufgelistet.

VERLUST VON KREDITKARTEN

Im Fall eines Kartenverlusts sollten Sie sich so schnell wie möglich an eine der folgenden Nummern wenden und Ihre Karte(n) sperren lassen:

Allgemeine Notrufnummer
📞 011-49-116 116 *(gebührenpflichtig)*. **www**.sperrnotruf.de

American Express
📞 1-800-528-4800.
www.americanexpress.com

Diners Club
📞 800-234-6377.
www.dinersclub.com

MasterCard
📞 1-636 722 7111.
www.mastercard.com

Visa
📞 1-800-847-2911.
www.visa.com

Maestro-/EC-Karten
📞 011-49-69-740 987.

Münzen

Währungseinheit der USA sind Dollar und Cent. 100 Cent sind ein Dollar. US-amerikanische Münzen gibt es im Wert von 50, 25, 10, 5 und 1 Cent. Neue goldfarbene 1-Dollar-Münzen sind im Umlauf, ebenso die ›State quarters‹, die auf einer Seite eine historische Szene zeigen. Jede Münze hat eine allgemein gebräuchliche Bezeichnung: buck, quarter, dime, nickel *und* penny.

25-Cent-Münze
(quarter)

10-Cent-Münze
(dime)

5-Cent-Münze
(nickel)

1-Cent-Münze
(penny)

1-Dollar-Münze
(buck)

Banknoten

Banknoten, bills *genannt, gibt es im Wert von 1 US-$, 5 US-$, 10 US-$, 20 US-$, 50 US-$ und 100 US-$. Achtung: Alle Banknoten haben fast die identische Farbe. Inzwischen sind neue 10-, 20- und 50-Dollar-Noten im Umlauf. Sie weisen neue Sicherheitsmerkmale auf und haben leicht veränderte Farben.*

1-Dollar-Schein

5-Dollar-Schein

10-Dollar-Schein

20-Dollar-Schein

50-Dollar-Schein

100-Dollar-Schein

Telefonieren in New York

Symbol für öffentliche Telefone

Telefonzellen findet man an jeder Straßenecke, in Hotels und Bürohäusern, Restaurants, Theatern und Kaufhäusern. Nur wenige funktionieren mit Kreditkarte; es gibt jedoch eine steigende Anzahl von Kartentelefonen. Für Münztelefone braucht man 5-, 10- und 25-Cent-Münzen. 2003 wurden Neptune-800-Internet-Telefone mit Farbmonitor, Tastatur und Webcam installiert. Sie bieten für 25 Cent pro Minute einen Internetzugang.

ÖFFENTLICHE TELEFONE

Die öffentlichen Telefone in New York City sind an der Wand oder auf einem Pfosten installiert und haben zwölf Wähltasten. Es gibt auch Telefone von unabhängigen Telefongesellschaften, die jedoch deutlich teurer sein können. Alle öffentlichen Telefone müssen den Benutzer über die Handhabung des Apparats, die Tarife und die gebührenfreien Telefonate informieren. Bei Apparaten

Münztelefon einer Telefongesellschaft

mit Verizon-Logo erreichen Sie alle Nummern zum Standardtarif. Weitere Infos über das Telefonieren erteilt die **Public Service Commission**.

Informationen
Public Service Commission [(800) 342-3355 (gebührenfrei)].
E-Mails checken:
Times Square Information Center, 1560 Broadway.
Stadtplan 12 E5.
NY Computer Cafe, 247 E 57th St.
Stadtplan 13 B3. [(212) 872-1704.
Viele öffentliche Bibliotheken bieten (meist mit Zeitlimit) Internet-Zugang.

NEW YORKER ZEIT

In New York gilt Eastern Standard Time (EST). Die Mitteleuropäische Zeit ist der EST um sechs Stunden voraus. Die Sommerzeit beginnt in den USA am ersten Sonntag im April. Beachten Sie den Zeitunterschied bei Telefonaten.

TELEFONGEBÜHREN

Ein Ortsgespräch innerhalb New Yorks kostet 25 Cent für drei Minuten Gesprächsdauer. Telefonieren Sie länger, werden Sie aufgefordert, weitere Münzen einzuwerfen.

An den meisten Kiosken gibt es Telefonkarten zu 5, 10 und 25 Dollar zu kaufen. Damit können Sie im Vergleich zu den Normaltarifen viel Geld sparen. Allerdings ist die technische Qualität dieser über Internet vermittelten Gespräche nicht immer optimal. Ferngespräche ins Ausland kosten unterschiedlich viel – ja nach Telefongesellschaft und Land.

MÜNZTELEFON

1 Nehmen Sie den Hörer ab.

3 Wählen Sie die Nummer.

Münzen
Sammeln Sie genügend Kleingeld, bevor Sie telefonieren.

5 Cent

10 Cent

25 Cent

2 Werfen Sie so viele Münzen ein, wie Sie für Ihr Telefonat vermutlich brauchen.

4 Bekommen Sie keine Verbindung oder haben Sie nicht alle Münzen vertelefoniert, betätigen Sie den Münz-Rückgabehebel *(coin release* oder *coin return)*.

5 Telefonieren Sie länger als die für 25 Cent möglichen drei Minuten Ortsgespräch, so wird Ihr Telefonat unterbrochen. Sie werden dann aufgefordert, weitere Münzen einzuwerfen. Bei Überbezahlung wird das Wechselgeld einbehalten.

Typisches öffentliches Telefon

MOBILTELEFONE

Ein europäisches Handy (in den USA *cell phone* oder *mobile phone* genannt) funktioniert nur, wenn es sich um ein Mehrband-Mobiltelefon handelt. Falls Sie damit in den USA 1-800-Nummern kostenlos anwählen können (erkundigen Sie sich bei Ihrem Provider), können Sie in Verbindung mit einer US-Telefonkarte (die immer eine kostenlose Zugangsnummer hat) kostengünstig mit dem Handy telefonieren.

NÜTZLICHE NUMMERN

Ortsauskunft
(411; 10-10-9000.

Internationale Auskunft
(00.

Operator (Vermittlung)
(0 (national).
(01 (international).

Hauptpostamt
((800) ASK USPS.

TELEFONNUMMERN

• Die Ländervorwahl der **USA** lautet **001**.
• New York hat fünf Vorwahlen: 212, 917 und 646 für Manhattan und 718 und 347 für die anderen Bezirke; Anrufe bei 800-, 888- und 877-Nummern sind gebührenfrei.
• Für Telefonate in einen anderen Bezirk wählen Sie zunächst die 1, dann 718 bzw. 212, dann die Rufnummer. Innerhalb des Bezirks lassen Sie nur die 1 weg.
• Bei Ferngesprächen wählen Sie zuerst die 0, dann die Ortsnetznummer und die Nummer des Teilnehmers. Die Vermittlung sagt Ihnen, wie viel Geld Sie einzuwerfen haben.
• Bei Direktgesprächen ins **Ausland** wählen Sie **011**, dann die Landesvorwahl (Deutschland: 49, Österreich: 43, Schweiz: 41), dann die Ortsvorwahl (ohne die erste 0) und die Rufnummer.
• Deutschland Direkt: 1-800-292-0049.

Briefe und Postkarten

Logo der
US-Post

Briefe und Karten können Sie in Postämtern und an der Rezeption Ihres Hotels abgeben, wo Sie meist auch Briefmarken bekommen. Briefkästen – blau (für Priority- und Auslandspost) oder rot-weißblau – finden Sie in Eingangshallen von Bürogebäuden, in Flughäfen, Bahnhöfen und gelegentlich auf den Straßen. Postämter sind im Stadtplan *(siehe S. 394–425)* eingetragen.

POSTDIENSTE

Das Hauptpostamt der Stadt, das **General Post Office**, hat 24 Stunden am Tag geöffnet. Briefmarken können Sie hier kaufen oder an Automaten in Apotheken, Kaufhäusern, Bus- und Zugbahnhöfen.

Es gibt drei Sonderbeförderungsarten der Post: **Express Mail** heißt Zustellung innerhalb der USA am nächsten Tag, **Priority Mail** wird am übernächsten Tag ausgeliefert, und **International Express Mail** steht für Post nach Übersee. Eine Postkarte nach Europa kostet 0,75 Dollar, ein Airmail-Brief 0,84 Dollar. Post können Sie auch an der Rezeption Ihres Hotels aufgeben bzw. bei einem der Zustelldienste, die

Amerikanische
Briefmarken

Sie im Telefonbuch finden, beispielsweise bei **DHL**, **Federal Express** oder **UPS**.

Informationen
General Post Office, 421 8th Ave.
Stadtplan 8 D2. (*(212) 967-8585.*
(*(800) 222-1811 (für Priority und Express Mail).*
(*(800) 463-3339* FedEx.
(*(800) 225-5345* DHL.
(*(800) 782-7892* UPS.
www.bigyellow.com
www.usps.com

POSTLAGERNDE SENDUNGEN

Postlagernde Sendungen werden beim General Post Office 30 Tage lang aufbewahrt. Generell gilt als Adresse: Name des Empfängers; Poste Restante, c/o General Delivery, US Post Office, New York, NY 10001.

Express Mail   Priority Mail

Briefkästen
In New Yorks Straßen findet man nur wenige Briefkästen, und so ist es oft einfacher, zu einem Postamt zu gehen. Wenn Sie für Express- oder Priority-Mail-Briefe zusätzliches Porto nach Gewicht zahlen müssen, geben Sie diese sowieso am besten bei einem Postamt auf.

Standard-Briefkasten

ANREISE

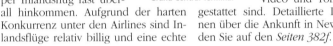

Direktflüge werden von vielen internationalen Fluglinien angeboten. Auch Charterflieger steuern New York an. Von den Flughäfen der Stadt aus kann man per Inlandsflug fast überall hinkommen. Aufgrund der harten Konkurrenz unter den Airlines sind Inlandsflüge relativ billig und eine echte

Grand Central Terminal

Alternative zu Bus oder Zug. Schiffe aus aller Welt legen im Hafen von New York an. Die Fernzüge sind bequem und sauber, ebenso die Überlandbusse, die mit Klimaanlage, Video und Toiletten ausgestattet sind. Detaillierte Informationen über die Ankunft in New York finden Sie auf den *Seiten 382f.*

MIT DEM FLUGZEUG

Von mehreren deutschen und vielen europäischen Städten aus gibt es Direktflüge nach New York. Ab Frankfurt dauert der Flug ca. sieben Stunden, etwas länger fliegen Sie von München, Wien oder Zürich aus. Neben amerikanischen Fluggesellschaften fliegen u.a. **Lufthansa**, **Austrian** oder **Swiss** direkt nach New York. Alle internationalen Flüge kommen am John F. Kennedy Airport *(siehe S. 380f)* oder am Flughafen Newark an.

APEX-Tickets (Advance Purchase Excursion) für Linienflüge sind meist am preisgünstigsten. Sie müssen relativ früh gebucht werden und sind nur gültig für einen Aufenthalt von mehr als sieben und maximal 30 Tagen. Einige Fluglinien bieten Sondertarife, teils auch für Senioren, sofern sie zu bestimmten, festgelegten Zeiten fliegen. Auch im Internet gibt es günstige Angebote. (Zu Einreisebestimmungen und Zoll *siehe S. 370*.)

FLUGGESELLSCHAFTEN

American Airlines
📞 800-433-7300.
www.aa.com
Austrian
📞 1-800-843-0002.
www.aua.com
Delta Airlines
📞 800-241-4141.
www.delta.com
Lufthansa
📞 800-399-5838.
www.lufthansa.com
Swiss
📞 1-877-FLYSWISS.
www.swiss.com
United Airlines
📞 800-241-6522.
www.united.com

MIT DEM SCHIFF

Den Hafen von New York laufen Schiffe aus vielen Ländern der Welt an, begrüßt vom Wahrzeichen der Vereinigten Staaten, der Statue of Liberty. Die Schiffe legen mitten in Manhattan an den Piers am Hudson River an; von dort sind viele Hotels der Stadt schnell mit Taxi oder Bus zu erreichen.

Greyhound-Überlandbus

MIT DEM BUS

Alle Langstreckenbusse, z.B. die **Greyhound-Linien**, fahren in die Stadt zum **Port Authority Bus Terminal**. Von hier fahren Busse zu den drei Flughäfen der Stadt ab, auch viele Hotels in Midtown sind von hier mit Bussen schnell erreichbar. Etwa 172 000 Passagiere steigen an diesem Bahnhof täglich ein und aus, kein Wunder, dass bisweilen etwas Chaos herrscht.

Informationen

- Greyhound 📞 *(800) 231-2222 (24 Std.)*. www.greyhound.com
- Port Authority Bus Terminal. Ecke W 40th St/Eighth Ave. **Stadtplan** 8 D1. 📞 *(212) 564-8484 (24 Std.)*. www.panynj.gov

MIT DEM ZUG

Alle Amtrak-Züge aus Kanada, dem Staat New York, aus dem Süden, Nordosten und Westen der USA kommen in der Penn Station *(siehe S. 392)* an, die Regionalzüge aus dem Norden des Staates New York und Züge aus Connecticut am Grand Central Terminal *(siehe S. 392)*.

Ozeanriese im Hafen von Manhattan

New Yorks Flughäfen

Die drei grossen Flughäfen New Yorks (JFK, Newark und LaGuardia) haben gute Verkehrsverbindungen nach Manhattan. Halten Sie Ausschau nach einem der uniformierten »Skycaps« – Gepäckträger mit scharlachroten Kappen. Vertrauen Sie niemandem sonst Ihre Koffer an. »Taxi dispatchers« (Ordner) helfen Ihnen, am Taxistand ein lizenziertes Taxi zu bekommen.

FAHRT NACH MANHATTAN

Das Ground Transportation Center der New Yorker Flughäfen informiert über alle Möglichkeiten, wie Sie vom Flughafen in die Stadt bzw. nach Manhattan gelangen.

Von den Flughäfen LaGuardia und JFK fahren **New York Airport Service** und **Super Shuttle** nach Manhattan. Ersterer hält bei Grand Central, Port Authority und Penn Station, letzterer lässt Sie überall in Manhattan aussteigen. Der Shuttle-Bus ist zwar teurer als normale Busse, doch fährt er wie ein Taxi von Tür zu Tür. Zahlreiche New-Jersey-Transit-Busse und **Olympia Airport Express** bieten ebenfalls Fahrten direkt nach Manhattan.

Classic Limousine und **Connecticut Limo** bieten an den Flughäfen JFK und LaGuardia eine Art Gruppentaxi an. Manche Reisende teilen sich einfach ein normales Taxi. Auch die Subway-Linie A und

ein Shuttle-Bus bringen Sie zum JFK, der Bus M60 fährt nach LaGuardia. Viele Leihwagenfirmen haben spezielle Kundentelefone. Die Nummern der wichtigsten Autoverleiher finden Sie auf *Seite 386*. Aktuelle Transportinfos erhalten Sie unter (800) AIR RIDE.

Taxi-Ordner

BUSUNTERNEHMEN

New York Airport Service
((718) 875-8200.

Classic Limousine
((800) 666-4949.
www.classictrans.com

Super Shuttle
(212-BLUE VAN.
www.supershuttle.com

Olympia Airport Express
((212) 964-6233.
www.olympiabus.com

Connecticut Limo
((800) 472-5466.
www.ctlimo.com

LAGUARDIA (LGA)

LaGuardia wird vor allem von Geschäftsleuten genutzt und liegt 13 Kilometer östlich von Manhattan in Queens, im Norden von Long Island. Sie können Ihr Gepäck einem der offiziellen Gepäckträger anvertrauen oder Ihre Koffer im Tele-Trip-Geschäftszentrum in der Abflughalle deponieren. Rund um den Central Terminal finden Sie Banken, bei denen Sie Geld wechseln können.

Ein »Taxi dispatcher«, ein uniformierter Ordner, hilft Ihnen, eines der gelben, von der Stadt lizenzierten Taxis zu bekommen. Zusätzlich zum Fahrgeld (ca. 20 bis 30 Dollar bis Midtown) werden eine Grundgebühr und – nach 20 Uhr und an Sonntagen – ein Zuschlag fällig.

Informationen
Airport Information Service
((718) 533-3400.
www.laguardiaairport.com
www.panynj.gov

Transatlantik-Jet

LAGUARDIA AIRPORT
Ein kostenloser Bus pendelt zwischen den verschiedenen Terminals und den Parkplätzen alle 10 bis 15 Minuten von 5 bis 2 Uhr. Busse und Taxis in die Stadt fahren vor jedem Terminal-Gebäude ab.

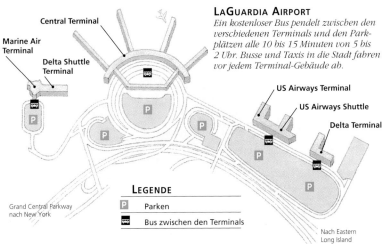

Central Terminal

Marine Air Terminal

Delta Shuttle Terminal

US Airways Terminal

US Airways Shuttle

Delta Terminal

Grand Central Parkway nach New York

Nach Eastern Long Island

LEGENDE
P Parken
Bus zwischen den Terminals

JFK AIRPORT

New Yorks größter Flughafen, JFK Airport, liegt in Queens, 24 Kilometer südöstlich von Manhattan. Die großen internationalen Airlines haben hier eigene Ankunftshallen. Andere internationale Fluglinien nutzen die Terminals 1, 5 und 6.

Gepäckwagen stehen im Ankunftsbereich für internationale Flüge kostenlos zur Verfügung. In allen Terminals gibt es Wechselstuben. Am Stand von Meegan Services

Informationsschilder im JFK

Ankunftshalle für internationale Flüge im JFK

im Ankunftsbereich von Terminal 3 können Sie ein Hotelzimmer buchen.

Nahe der Gepäckausgabe liegt das Ground Transportation Center, in dem man Ihnen rund um die Uhr den Transport nach Manhattan vermittelt. Leihwagenfirmen können Sie von deren Kundentelefonen aus erreichen; viele bieten einen kostenlosen Zubringerservice zu ihren Büros.

Vor den Terminals stehen Taxis; eine Fahrt nach Man-

hattan dauert etwa eine Stunde und kostet rund 45 Dollar und Mautgebühren. Die Busse des New York Airport Service fahren zu Grand Central, Port Authority und Penn Station; sie kosten 15 Dollar. Der Super Shuttle kostet 17 bis 19 Dollar. Das Bahnsystem von AirTrain JFK fährt nach Howard Beach (Anschluss zum A Train) und zur Station Jamaica (E, J, Z Train und Long Island Railroad zur Penn Station). Der Zug kostet fünf Dollar, die Subway zwei Dollar.

NÜTZLICHE ADRESSEN

Airport Information Service
📞 *(718) 244-4444.*

Best Western JFK Airport
138–10 135th Ave, Queens.
📞 *(718) 322-8700.*

Holiday Inn JFK
144–02 135th Ave, Queens.
📞 *(718) 659-0200.*

American Airlines (Internationale Flüge) (8)

American Airlines (Inlandsflüge) (9)

Parkhaus

Air Canada, British Airways, Qantas, United Airlines (7)

Terminal 6

Van Wyck Expressway nach New York

Terminal 1

Parkhaus

Continental (2)

Terminal 5

Parkhaus

Terminal 4

Terminal 3

LEGENDE

🚌 Allgemeine Bushaltestelle

🅿 Parken

JFK AIRPORT

Die kostenlosen AirTrain-Busse halten an Terminals, Parkhäusern und den Büros der Mietwagenfirmen. Sie verkehren alle zwei bis vier Minuten von 6 bis 23 Uhr, alle acht Minuten von 11 bis 18 Uhr. Schneller, aber teurer sind Taxis, die vor der Ankunftshalle des jeweiligen Terminals warten.

NEWARK AIRPORT

Bushaltestelle am Newark Airport

LEGENDE

P Parken

🚌 Bushaltestelle

— Newark-AirTrain

**Terminal B
(Ankunft internationaler
Flüge)**

NEWARK AIRPORT

*Die kostenlosen AirTrain-Züge
verkehren zwischen den Terminals und den Parkplätzen.
Züge fahren alle 3,5 Minuten
von 5 bis 24 Uhr und alle
10 bis 24 Minuten von 24 bis
5 Uhr. Die Fahrzeit zwischen
den Terminals beträgt sieben
bis elf Minuten. Taxis warten
vor den Ankunftshallen.*

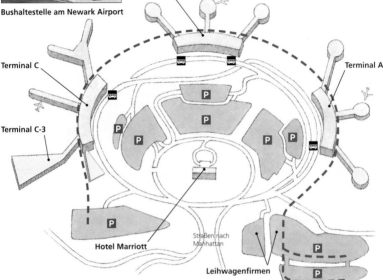

Terminal C

Terminal C-3

Terminal A

Hotel Marriott

Straßen nach Manhattan

Leihwagenfirmen

Newark, New Yorks zweitgrößter internationaler Flughafen, liegt in New Jersey, 26 Kilometer südwestlich von Manhattan. Fast alle internationalen Flüge kommen am Terminal B an. Gepäckwagen für Ihre Koffer können Sie bei der Gepäckausgabe mieten, doch gibt es keine Möglichkeit, Gepäck zu deponieren. Wechselstuben finden Sie in allen Terminals.

Nahe der Gepäckausgabe sind die Schalter der Ground Transportation Services, die 24 Stunden geöffnet haben. Leihwagenfirmen haben Kundentelefone im Flughafen und bieten zudem einen Zubringerservice zu ihren Büros.

Taxis stehen vor allen Terminals. Uniformierte Ordner («Taxi dispatchers») helfen Ihnen, ein Taxi zu bekommen. Fahren Sie niemals mit jemandem, der Ihnen am Flughafen eine Fahrt in die Stadt anbietet; es kann sein,

dass diese Autos nicht versichert sind. Die Fahrt nach Manhattan dauert 40 bis 60 Minuten und kostet bis zu 50 Dollar.

Busse nach Manhattan brauchen länger, kosten aber nur zwölf Dollar. Anzeigetafeln in den Terminals informieren über die Abfahrtszeiten. Der AirTrain Newark (www.airtrainnewark.com) verbindet mit den NJ Transit- und Amtrak-Zügen und fährt dann weiter zur Penn Station. Die 25-minütige Fahrt kostet 11,55 Dollar. Der Super Shuttle kostet 15 bis 19 Dollar.

Man kann in allen Terminals über Kundentelefone Hotels in Manhattan anrufen und buchen.

NÜTZLICHE ADRESSEN

**Port Authority im
Newark Airport**
📞 *(888) 397-4636.*
www.newarkairport.com

Holiday Inn International
1000 Spring St, Elizabeth, N J.
📞 *(800) 465-4329.*

Marriott Hotel
Newark-Airport-Gebäude.
📞 *(800) 228-9290.*

Informationen über Ankunft- und Abflugzeiten im Newark Airport

Ankunft in New York

D ie Karte zeigt die Verbindungen zwischen Manhattan und den drei großen Flughäfen. Zudem
sind die Zugverbindungen zwischen New York und
allen anderen Teilen der USA sowie Kanada aufgeführt. Reiseinformationen, inklusive Fahrzeiten
von U-Bahnen, Bussen, Fernbussen und Helikop-
tern, finden Sie in den Infoboxen. New Yorks Hafen
für Passagierschiffe, einst ersehntes Ziel von Immigranten, liegt unweit vom Zentrum Manhattans. Der
Port Authority Bus Terminal auf der West Side bietet
Busverbindungen durch die Stadt.

Hafen für Passagierschiffe

⚓ HAFEN FÜR PASSAGIERSCHIFFE
Piers 88–92 für QM2 und andere Kreuzfahrtschiffe.

LEGENDE

🛫	Flughafen *siehe S. 379–381*
⚓	Hafen *siehe S. 378*
🚉	Bahnverbindung *siehe S. 378*
🚌	Bushaltestelle *siehe S. 378*
🚁	Helikopter-Service *siehe S. 380*
▬	New York Airport Service und Super Shuttle *siehe S. 379*
▬	Hubschrauber *siehe S. 380*
▬	Long Island Rail Road *s. S. 392f*
▬	New Jersey Transit-Busse *s. S. 379*
▬	Olympia Airport Express *s. S. 379*
▬	Shuttle-Bus *siehe S. 380*
▬	Subway-Linie A *siehe S. 390*

🚌 PORT AUTHORITY BUS TERMINAL
Alle Langstreckenbusse; Busverbindungen zu den Flughäfen.

🚉 PENN STATION
Langstreckenzüge aus USA und Kanada; Pendlerzüge nach Long Island und New Jersey; AirTrain Newark zum Newark Airport.
🚉 *Amtrak, Long Island Rail Road und New Jersey Transit.*
Ⓜ *A, C, E, 1, 2, 3, 9.*

Hafen für Passagierschiffe

Port Authority Bus Terminal

Penn Station

Chelsea und Garment District

Greenwich Village

SoHo und TriBeCa

Seaport und Civic Center

Lower East Side

East Village

Super-Shuttle-Busse halten auf Wunsch überall zwischen Battery Park und der 227th Street.

Lower Manhattan

Pier 11

🛫 NEWARK
🚌 *Olympia Airport Express 4–23 Uhr alle 20–30 Min. zu Penn Station, Grand Central und Port Authority.*
🚌 *New Jersey Transit Busse alle 15–20 Min. zur Port Authority.*
🚉 *AirTrain zur Penn Station 5–24 Uhr alle 3½ Min.; 24–5 Uhr alle 15 Min.* 🚁 *Helikopter zum Helioport an der 34th Street.*

Die Port Authority of New York and New Jersey, Betreiberin von JFK, Newark und LaGuardia, investierte 2,7 Milliarden Dollar in das AirTrain-System, das die Flughäfen mit der Subway verbindet.

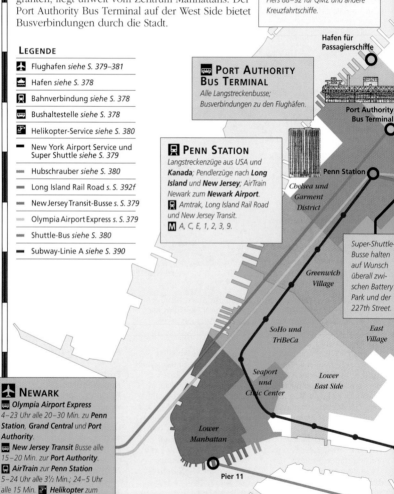

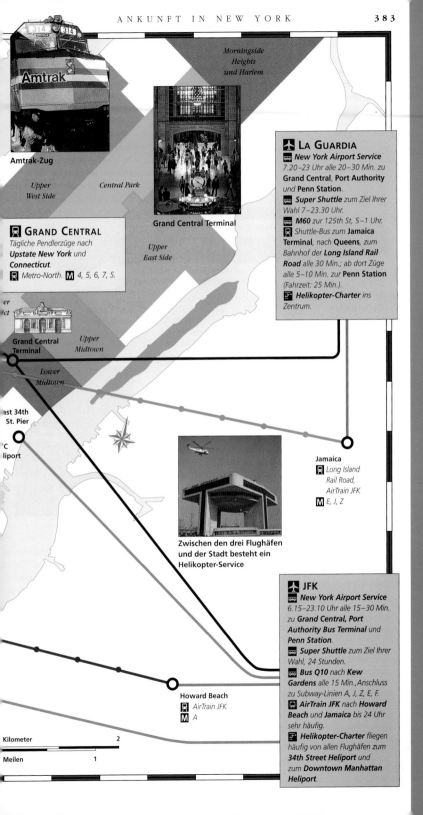

Amtrak-Zug

Upper West Side

Central Park

Grand Central Terminal

🚉 **GRAND CENTRAL**
Tägliche Pendlerzüge nach **Upstate New York** und **Connecticut**.
🚇 Metro-North. Ⓜ 4, 5, 6, 7, S.

Upper East Side

Morningside Heights und Harlem

✈ **LA GUARDIA**
🚌 *New York Airport Service* 7.20–23 Uhr alle 20–30 Min. zu **Grand Central**, **Port Authority** und **Penn Station**.
🚐 *Super Shuttle* zum Ziel Ihrer Wahl 7–23.30 Uhr.
🚌 *M60* zur 125th St, 5–1 Uhr.
🚉 Shuttle-Bus zum **Jamaica Terminal**, nach **Queens**, zum Bahnhof der **Long Island Rail Road** alle 30 Min.; ab dort Züge alle 5–10 Min. zur **Penn Station** (Fahrzeit: 25 Min.).
🚁 *Helikopter-Charter* ins Zentrum.

Upper Midtown

Lower Midtown

Grand Central Terminal

East 34th St. Pier

C liport

Jamaica
🚉 Long Island Rail Road, AirTrain JFK
Ⓜ E, J, Z

Zwischen den drei Flughäfen und der Stadt besteht ein Helikopter-Service

✈ **JFK**
🚌 *New York Airport Service* 6.15–23.10 Uhr alle 15–30 Min. zu **Grand Central**, **Port Authority Bus Terminal** und **Penn Station**.
🚐 *Super Shuttle* zum Ziel Ihrer Wahl, 24 Stunden.
🚌 *Bus Q10* nach **Kew Gardens** alle 15 Min., Anschluss zu Subway-Linien A, J, Z, E, F.
🚉 *AirTrain JFK* nach **Howard Beach** und **Jamaica** bis 24 Uhr sehr häufig.
🚁 *Helikopter-Charter* fliegen häufig von allen Flughäfen zum **34th Street Heliport** und zum **Downtown Manhattan Heliport**.

Howard Beach
🚉 AirTrain JFK
Ⓜ A

Kilometer   2
Meilen   1

IN NEW YORK UNTERWEGS

New York verfügt über ein Straßennetz von etwa 10 000 Kilometer Länge. Allerdings ist die Stadt übersichtlich in ein Netzwerk von Distrikten gegliedert. Die Sehenswürdigkeiten sind bequem – Distrikt nach Distrikt – zu besichtigen. Per Taxi kommen Sie am schnellsten ans Ziel – sofern Sie nicht im Stau stehen. Busse sind langsamer, aber bequem und billig. Die Subway dagegen ist schnell, billig und zuverlässig; sie hat in Manhattan viele Stationen. Für die öffentlichen Verkehrsmittel gibt es Tages- und Wochenkarten; dies dürfte die billigste Variante für Besichtigungen sein.

Stretch-Limousine, das präferierte Automobil wohlhabender New Yorker

NEW YORKS STRASSENNETZ

Manhattans *Avenues* führen von Nord nach Süd, die *Streets* (ausgenommen im alten Zentrum) von Ost nach West. Die Fifth Avenue teilt das Stadtgebiet in Ost und West: So liegt das Gebäude 5 West 40th Street nur wenige Schritte westlich, 5 East 40th Street nur wenige Schritte östlich der Fifth Avenue in der 40th Street.

Die meisten *Streets* in Midtown sind Einbahnstraßen; generell verläuft der Verkehr in Straßen mit geraden Nummern nach Osten, in Straßen mit ungeraden Nummern nach Westen. Auch *Avenues*

sind oft Einbahnstraßen: First, Third – oberhalb der 23th Street –, Madison, Eighth, Avenue of The Americas (6th Ave) und Tenth Avenue kann man nur nach Norden befahren; Second, Lexington, Fifth, Seventh, Ninth Avenue und Broadway unterhalb der 59th Street führen nach Süden. Verkehr in zwei Richtungen herrscht auf der York, Park, Eleventh, Twelfth Avenue und am Broadway oberhalb der 60th Street.

Die meisten Häuserblocks nördlich der Houston Street sind rechteckig angelegt; die Ost-West-Seitenlänge ist dabei jedoch drei- bis viermal so lang wie die Seitenlänge von Nord nach Süd.

Einige Straßen haben mehrere Namen: Die Avenue of the Americas ist eher als Sixth Avenue bekannt. Aber Achtung: Die Park Avenue South ist nicht mit der Park Avenue

Rushhour in Manhattan

ADRESSEN SUCHEN UND FINDEN

Eine Formel hilft, bei New Yorks *Avenues* die Adresse zu finden: Man lässt die letzte Ziffer der Hausnummer weg, teilt den Rest durch 2, addiert oder subtrahiert eine **Schlüsselzahl** *(siehe nebenstehende Tabelle)* und findet so die dem gesuchten Haus am nächsten gelegene Straßenkreuzung. Beispiel: 826 Lexington Avenue. 6 weglassen; 82 geteilt durch 2 ergibt 41. Addiert wird die Schlüsselzahl 22. Dies ergibt die nächstgelegene Querstraße: 63rd Street.

MADISON AVENUE

Schild der Madison Avenue an einer Straßenkreuzung

Adresse	Schlüssel-zahl	Adresse	Schlüssel-zahl
1st Ave	+3	9th Ave	+13
2nd Ave	+3	10th Ave	+14
3rd Ave	+10	Amsterdam Ave	+60
4th Ave	+8	Audubon Ave	+165
5th Ave, bis 200	+13	Broadway, oberhalb	
5th Ave, bis 400	+16	23rd St	–30
5th Ave, bis 600	+18	Central Park W, ganze	
5th Ave, bis 775	+20	Zahl durch 10	+60
5th Ave 775–1286,		Columbus Ave	+60
nicht durch 2 teilen	–18	Convent Ave	+127
5th Ave, bis 1500	+45	Lenox Ave	+110
5th Ave, bis 2000	+24	Lexington Ave	+22
(6th) Ave of the		Madison Ave	+26
Americas	–12	Park Ave	+35
7th Ave, unterhalb		Park Ave South	+08
110th St	+12	Riverside Drive, ganze	
7th Ave, oberhalb		Zahl durch 10	+72
110th St	+20	St Nicholas Ave	+110
8th Ave	+10	West End Ave	+60

zu verwechseln. Dieser Reiseführer benutzt für Straßen und Plätze die Namen, die in New York üblich sind.

HAUPTVERKEHRSZEITEN

Hauptverkehrszeiten in New York sind Montag bis Freitag zwischen 8 und 10 Uhr, zwischen 11.30 und 13.30 Uhr sowie zwischen 16.30 und 18.30 Uhr. Dann ist es oft besser, zu Fuß zu gehen, als Bus, Subway oder Taxi zu benutzen. Zu anderen Tageszeiten und in Ferienzeiten (*siehe S. 53*) kommen Sie in New York gut voran.

Natürlich gibt es Ausnahmen: Die Fifth Avenue sollte an Tagen wie St. Patrick's Day oder Thanksgiving Day gemieden werden. Regelmäßige Demonstrationen verstopfen z.B. oft die Gegend um die City Hall (*siehe S. 90*). Das Areal um die Seventh Avenue, südlich der 42nd Street, ist den ganzen Tag über voller Handwagen und Lastwagen der New Yorker Bekleidungsfabriken.

ZU FUSS

An den meisten Straßenkreuzungen gibt es beleuchtete Straßenschilder sowie Ampeln: »Rot« bedeutet anhalten, »Grün« heißt fahren; Fußgängerampeln zeigen ein grünes *Walk* für »Gehen« und ein rotes *Don't Walk* für »Stehen bleiben«. Die meisten New Yorker Fußgänger verlassen sich allerdings auf ihr eigenes Urteil

Fußgängerüberweg

Nicht über die Straße gehen

Sie dürfen jetzt gehen

Die Staten Island Ferry verlässt Battery Park

Schiff der Circle Line

und beachten die Ampeln kaum. Man sollte nicht vergessen, dass es in Manhattan trotz der vielen Einbahnstraßen auch einige Straßen mit Gegenverkehr gibt. Die meisten Straßenkreuzungen sind mit Fußgängerampeln versehen, einige mit Fußgängerunterführungen oder auch Zebrastreifen.

An einigen Kreuzungen (z.B. am Rockefeller Center) gibt es eigens ausgewiesene Fußgängerüberwege, die polizeilich überwacht werden. Im Central Park gibt es einige unterirdische Fußwege.

WASSERTAXIS

Seit 2002 gibt es in New York Wassertaxis, die zwischen den Piers an der East 90th Street und Pier 84 verkehren. Infos finden Sie unter **www**.nywatertaxi.com.

FÄHREN

Zwei Fährlinien sind für Besucher interessant (*siehe auch S. 369*): Die Circle Line fährt mehrmals täglich vom Battery Park an der Südspitze Manhattans zur Statue of Liberty und zur Ellis Island – **www**.circleline.com. Die kostenlose Staten Island Ferry (vom Battery Park aus) bietet rund um die Uhr imposante Blicke auf Manhattan und seine Brücken, die Statue of Liberty sowie Governors Island. Mit derselben Ringlinie kommen Sie von Staten Island wieder nach Manhattan zurück.

MIT DEM FAHRRAD

Rad fahren sollten Sie nur tagsüber und auf Parkwegen (im Central Park, an East und Hudson River). Leihräder gibt es am Columbus Circle oder beim Loeb Boathouse im Central Park.
Informationen
Central Park Bike Rental, 2 Columbus Circle. **Stadtplan** 12 D3. ☎ *(212) 541-8759*. **www**.centralparkbiketour.com

Radfahrerin im Central Park

New York mit dem Auto

Dichter Verkehr und hohe Mietwagenpreise lassen das Autofahren in New York zu einem frustrierenden Erlebnis werden. Es besteht Anschnallpflicht. Die Höchstgeschwindigkeit von 30 mph (48 km/h) zu überschreiten ist schon wegen der vielen Schlaglöcher und ampelgeregelten Kreuzungen eigentlich unmöglich.

Verkehrsstau auf der Sixth Avenue

LEIHWAGEN

Um einen Wagen zu mieten (in der Stadt günstiger als am Flughafen), müssen Sie mindestens 25 Jahre alt sein oder eine zusätzliche Gebühr entrichten, einen gültigen Führerschein besitzen (ein internationaler Führerschein ist für Ausländer nützlich), Ihren Pass zeigen und eine Kreditkarte vorlegen. Schließen Sie eine Schadens- und Diebstahlsicherung ab, denn Rechtsstreitigkeiten wegen Sachbeschädigung können langwierig und teuer sein. Tanken Sie den Wagen vor Rückgabe voll, sonst zahlen Sie mehr.

VERKEHRSSCHILDER

Mit Zebrastreifen markierte Fußgängerüberwege bedeuten, dass Fußgänger hier »Vorfahrt« haben. Als Autofahrer dürfen Sie bei einer roten Ampel – anders als im Staat New York – nicht rechts abbiegen, außer dies ist explizit angegeben.

Einbahnstraße

PARKEN

Parken in Manhattan ist schwierig und teuer; Parkplätze und -häuser zeigen ihre Tarife stets an der Einfahrt an. Die Preise einiger Hotels beinhalten auch Gebühren für den hauseigenen Parkplatz.

Es gibt Kurzzeit-Parkzonen (20–60 Min.); gelbe Straßen- und Bordsteinmarkierungen bedeuten Parkverbot; Verstöße werden geahndet.

»Alternate Side«-Parken ist in vielen Seitenstraßen möglich. Hier können Sie Ihr Auto zwar parken, müssen es aber bis zum nächsten Morgen um 8 Uhr auf der anderen Straßenseite abgestellt haben. Genauere Informationen erteilt das **Transportation Department**.

STRAFEN

Strafzettel müssen Sie innerhalb von sieben Tagen bezahlen oder Einspruch erheben. In Streitfällen wenden Sie sich an das **Parking Violations Bureau**, das täglich zwischen 8.30 und 19 Uhr geöffnet ist.

New Yorks Abschleppdienste sind äußerst aktiv; leider werden etwa 30 Prozent aller Autos beim Abschleppen beschädigt. Falls Sie Ihren Wagen nicht wiederfinden, rufen

Einfahrt verboten

Vorfahrt gewähren

An der Kreuzung anhalten

Sie im Transportation Department an, das außer sonntags 24 Stunden besetzt ist. Sie erhalten Ihren Wagen gegen 150 Dollar Strafe und eine Tagesgebühr von zehn Dollar für die Aufbewahrung zurück. Man kann mit Scheck, Reisescheck oder bar zahlen. Handelt es sich um einen Leihwagen, müssen Sie die entsprechenden Unterlagen vorweisen; nur derjenige, auf dessen Namen der Vertrag läuft, kann den Wagen auslösen. Falls Sie dort Ihr Auto nicht vorfinden, melden Sie es der Polizei.

Informationen

Polizei 📞 911; Parking Violations Bureau 📞 (718) 802-3636; Traffic Dept., Tow Pound (Abschleppdienst), Pier 76, W 38th St/12th Ave. **Stadtplan** 7 1B; Uptown 207th St. Pound 📞 (212) 788-7800; Transportation Dept. 📞 311.

BRÜCKENMAUT

Die meisten Straßen von und nach Manhattan sind gebührenpflichtig. Die Kosten betragen 1,50 Dollar bei den kleineren Brücken, auf der George Washington Bridge zwischen New York und New Jersey sechs Dollar. Die Brücken der Triborough Bridge Authority kosten 3,50 Dollar in jede Richtung. Die Gebühren sind in bar zu zahlen. Vermeiden Sie die violett markierten Spuren E–Z, die für Inhaber von Dauerkarten reserviert sind.

AUTOVERMIETUNGEN

Die Adressen und Telefonnummern der größten Leihwagenfirmen finden Sie im Telefonbuch unter *Automobile Renting*. Die größten Unternehmen sind:

Avis 📞 *1-800-230-4898.*
www.avis.com

Budget 📞 *(800) 527-0700.*
www.budget.com

Dollar 📞 *1-800-800-3665.*
www.dollar.com

Hertz 📞 *(800) 654-3131.*
www.hertz.com

National 📞 *1-800-CAR-RENT.*
www.nationalcar.com

New Yorker Taxis

Yellow Cab

Alle von der Stadt lizenzierten Taxis sind gelb; leuchtet die Nummer auf dem Dach, ist der Wagen frei, und Sie können ihn heranwinken. Bei Taxis, die nicht im Einsatz sind, ist das *Off Duty*-Schild beleuchtet. Nur Taxis, die eine Lizenz haben, dürfen Fahrgäste befördern. Steigen Sie nie in ein anderes Fahrzeug – dies kann teuer und gefährlich werden.

TAXI FAHREN

Es gibt in New York über 12 000 »Yellow Cabs«, die alle mit Taxameter ausgerüstet sind; viele können auf Wunsch eine Quittung ausdrucken. Es gibt nicht viele Taxi-Standplätze; am einfachsten finden Sie ein Taxi vor Hotels, an der Penn Station und am Grand Central Terminal. In einem Wagen dürfen maximal vier Fahrgäste mitfahren.

Lizenzierte Taxis werden regelmäßigen Inspektionen unterzogen und sind versichert. Auf nicht-lizenzierte Taxis, sogenannte *gipsy cabs*, trifft dies nicht zu; sie sind nicht zu empfehlen.

Sobald Sie ein Taxi besteigen, beginnt das Taxameter beim Stand von 2,50 Dollar zu laufen. Alle 267 Meter oder nach 120 Sekunden Wartezeit wird es um 40 Cent teurer. Zwischen 20 und 6 Uhr wird eine Zusatzgebühr von 50 Cent fällig; einen Dollar Gebühr bezahlt man zwischen 16 und 20 Uhr an Werktagen. Einige Taxifahrer akzeptieren inzwischen Kreditkarten, doch die meisten ziehen Bargeld vor. Geben Sie dem Taxifahrer etwa 15 Prozent Trinkgeld.

Taxifahrer ist ein typischer Beruf für neu angekommene Ein-

```
I ♥ NEW YORK
TRIP#    004653
09:11AM 11-15-92
MEDALLION# 6N64
DIST      2.30
FARE $    6.00
TLC:212-221-TAXI
```

Die meisten Taxameter drucken Quittungen aus

wanderer. Alle Taxifahrer müssen eine Englischprüfung absolvieren, dennoch kann es zu Sprachproblemen kommen. Vergewissern Sie sich, dass Ihr Chauffeur versteht, wo Sie hinwollen. Taxifahrer sind verpflichtet, Sie überall hinzufahren, es sei denn, das *Off-Duty*-Schild ist beleuchtet und weist somit darauf hin, dass der Fahrer Dienstschluss hat.

Der Taxifahrer darf Sie erst dann nach Ihrem Ziel fragen, wenn Sie eingestiegen sind; er darf nicht rauchen und muss – auf Ihren Wunsch – Fenster öffnen oder schließen, weitere Fahrgäste mitnehmen oder aussteigen lassen.

Bei Problemen können Sie sich mit Ihrer Beschwerde an die **Taxi & Limousine Commission** wenden. Neben dem Taxameter müssen ein Foto des Fahrers und dessen Lizenznummer angebracht sein. Notieren Sie sich unter Umständen diese Lizenznummer, und tragen Sie Ihre Beschwerde der Polizei vor.

Die gelben Taxis dominieren die New Yorker Avenues

NÜTZLICHE NUMMERN

Taxi & Limousine Commission
☎ 311.

Fundbüro
☎ 311.

Wenn Sie ein Taxi nicht an der Straße heranwinken wollen, können Sie unter folgenden Telefonnummern ein Funktaxi rufen:

Allstate Car & Limousine
☎ (800) 453-4099 (gebührenfrei).

Chris Limousines
☎ (718) 356-3232.

Tri-State and Limo Service
☎ (212) 777-7171.

Das Taxameter zeigt nur den Fahrpreis an; zusätzliche Gebühren werden extra ausgewiesen.

Das beleuchtete Schild zeigt die Taxinummer sowie eventuell den *Off-Duty*-Schriftzug an.

Mit dem Bus unterwegs

Auf mehr als 200 Linien verteilen sich über 4000 blau-weiße Busse; einige davon sind täglich rund um die Uhr im Einsatz. Die Busse sind modern, sauber und klimatisiert. Busfahren ist eine gute Gelegenheit, viele Sehenswürdigkeiten New Yorks kennenzulernen. Die Busse sind zudem sicher und meist nicht überfüllt. Rauchen ist verboten, ebenso die Mitnahme von Tieren, außer von Blindenhunden.

FAHRSCHEINE

Den Fahrpreis können Sie mit einer *MetroCard (siehe S. 390)* oder mit dem passenden Kleingeld bezahlen. Busfahrer haben kein Wechselgeld dabei, und die Automaten nehmen keine Dollar-Noten, keine 50-Cent-Münzen und Pennies an.

Wenn Sie mehr als einen Bus bis zu Ihrem Zielort benützen müssen, können Sie kostenlos umsteigen. Dazu wird auf Ihrer *MetroCard* eine Freifahrt *bus to subway, subway to local bus* oder *bus to local bus* elektronisch eingetragen. Wenn Sie mit den passenden Münzen zahlen, müssen Sie beim Fahrer beim Bezahlen nach einem Umsteigeticket *(transfer ticket)* fragen.

Für Senioren und behinderte Fahrgäste gibt es Ermäßigungen bei den Fahrpreisen. In allen Bussen kann der Einstieg abgesenkt werden *(siehe S. 370)*, um älteren Menschen und vor allem Rollstuhlfahrern das Ein- und Aussteigen zu erleichtern.

KENNZEICHNUNG DER BUSLINIEN
Jede Bushaltestelle wird von mehreren Buslinien angefahren. Achten Sie auf die Liniennummern an der Front- und der Türseite der Busse. Fragen Sie den Fahrer, ob er an Ihrem Ziel hält.

Der Ausstieg befindet sich an der hinteren Doppeltür.

BUSFAHREN

Busse halten nur an den dafür ausgewiesenen Haltestellen. Sie befahren die Nord-Süd-Routen der großen Avenues und halten alle zwei bis drei Häuserblocks. Die Busse der Ost-West-Routen halten etwa an jedem Häuserblock *(siehe S. 384)*. Einige Buslinien fahren rund um die Uhr, andere nur zwischen 7 und 22 Uhr.

Bushaltestellen sind mit roten, weißen und blauen Schildern versehen und zudem durch gelbe Linien entlang der Bordsteinkante markiert. Oft gibt es Wartehäuschen, an jeder Haltestelle finden Sie die Routen- und Fahrpläne der Buslinien. Steigen Sie immer vorn ein, werfen Sie das entsprechende Kleingeld in die Fahrgeldbox. Bitten Sie den Fahrer, die Haltestelle, an der Sie aussteigen wollen, rechtzeitig bekannt zu geben; die meisten New Yorker Busfahrer und -fahrerinnen sind freundlich und helfen gern.

Die Box fürs Fahrgeld befindet sich neben dem Fahrer.

Wartehäuschen haben meist drei Glaswände und Dach.

Dieser Fahrplan zeigt die Fahrtroute sowie die wichtigsten Haltestellen der Linie M15.

Wenn Sie aussteigen möchten, ziehen Sie an der gelben oder schwarzen vertikalen Schnur zwischen den Fenstern. Über dem Fahrer leuchtet dann das *»Stop Request«*-Schild auf. Ist der Bus überfüllt, sollte man sich am besten schon einige Blocks vor der gewünschten Ausstiegshaltestelle in Richtung Ausstiegstür begeben.

Verlassen Sie den Bus durch die hintere Tür. Zwar wird sie vom Busfahrer aktiviert, damit sie sich öffnen kann, Sie müssen jedoch kräftig auf den gelben Streifen an der Tür drücken, um diese tatsächlich zu öffnen.

Die Nummer der Buslinie steht an Front- und Türseite.

Der Einstieg erfolgt an der vorderen Bustür.

LANGSTRECKENBUSSE

Die Busse in alle Teile der USA und nach Kanada fahren vom Port Authority Bus Terminal ab, die Busse in das Umland von New York und nach New Jersey vom Busbahnhof an der George Washington Bridge in Manhattan. Die Fahrscheine können Sie am Hauptschalter der Ticket Plaza des Bahnhofs kaufen.

Die Langstrecken-Busunternehmen Greyhound, Peter Pan und Adirondeck sowie die Kurzstrecken-Unternehmen Short Line und NJ Transit haben ihre eigenen Fahrkartenschalter. Reservierungen werden bei keiner Buslinie entgegengenommen. An Busbahnhöfen gibt es saubere Toiletten, die von 6 Uhr morgens bis 22 Uhr geöffnet sind.

Greyhound-Bus

BUS-INFOS

Fahrpläne
Pläne gibt es bei MTA/NYCT, Customer Service Center, 3 Stone Street, Lower Manhattan.

MTA-Reiseinformation
📞 *(718) 330-1234 (24 Std.).*
www.mta.info

Port Authority Bus Terminal
Ecke W 40th St/8th Ave.
Stadtplan 8 D1. 📞 *(212) 564-8484.*
www.panynj.gov

George Washington Bridge Terminal
Ecke 178th St/Broadway. 📞 *(800) 221-9903.* www.panynj.gov

Fundbüro
📞 *(212) 712-4500.*

STADTBESICHTIGUNG MIT DEM LINIENBUS

Zusammen mit New Yorkern die Stadt entdecken: Die Buslinie M1 fährt von der 59th Street über die Fifth Avenue bis zum Battery Park und von dort zurück durch das Areal um die Wall Street und die Madison Avenue. Die Linie M5 bietet schöne Aussichten auf den Hudson River, da die Busse über den Riverside Drive nach Norden zur George Washington Bridge in der 178th Street fahren. Die Linie M104 führt von den Vereinten Nationen an der First Avenue über die 42nd Street und Times Square, Broadway und Lincoln Center nach Norden zur Columbia University in der 125th Street.

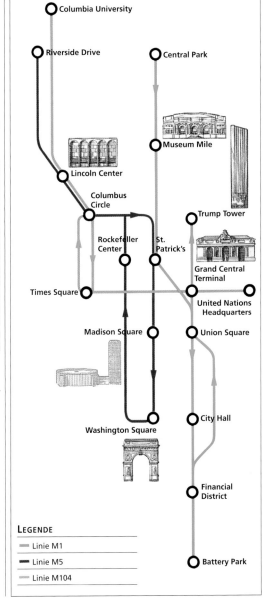

LEGENDE

— Linie M1
— Linie M5
— Linie M104

Mit der Subway unterwegs

New York City Subway

Logo der Subway

Die Subway ist die schnellste und bequemste Möglichkeit, sich in der Stadt zu bewegen. Das Subway-Netz umfasst eine Gesamtstrecke von 375 Kilometern mit 468 Stationen. Die meisten Linien fahren rund um die Uhr, wenn auch nachts und an Wochenenden in größeren Zeitabständen. In den letzten Jahren wurde das gesamte System modernisiert, die Waggons sind mittlerweile alle klimatisiert.

NEW YORKS SUBWAY

Viele Stationen der Subway sind durch verschiedene Beleuchtungen gekennzeichnet: Im Bereich mit grünem Licht können Sie rund um die Uhr Ihre Fahrscheine kaufen; der rot beleuchtete Bereich verweist auf eingeschränkten Zugang zu den Bahnsteigen. Stationen erkennen Sie am Schild mit dem Namen der Station und den Buchstaben bzw. Nummern der Linien, die hier verkehren.

Mit wenigen Ausnahmen fahren die Subways 24 Stunden lang, allerdings zwischen Mitternacht und 6 Uhr früh seltener. Es gibt zwei Zugarten: Lokalzüge *(local trains)*, die an allen Stationen halten, und Expresszüge *(express trains)*, die schneller sind und nicht überall halten. Auf den Subway-Fahrplänen sind beide Zugarten unterschiedlich ausgewiesen.

Die Sicherheitsvorkehrungen in der Subway wurden extrem verbessert. Während der Hauptverkehrszeiten (7–19 Uhr) sind Sie hier absolut sicher. Frauen sollten abends nicht allein fahren, nach 22 Uhr ist es für alle ratsam, nicht allein in Außenbezirke wie Bronx oder Harlem zu fahren.

Steigen Sie in der Mitte des Zuges ein, und vermeiden Sie Augenkontakt mit zwielichtigen Personen. Im Notfall wenden Sie sich an die Wache im Stationshäuschen oder an ein Mitglied der Bahn-Crew, die im ersten oder in einem mittigen Abteil des Zugs mitfährt.

FAHRPREISE

Eine Fahrt kostet zwei Dollar, egal wie weit Sie fahren. Die *tokens* wurden mittlerweile durch die *MetroCard* ersetzt. Eine gute Wahl für Besucher ist der einen Tag gültige *FunPass* für sieben Dollar. Weitere Optionen sind Fahrscheine für zehn Dollar (fünf Fahrten plus Gratisfahrt), 20 Dollar (zehn Fahrten plus zwei Gratisfahrten) oder 24 Dollar (für eine Woche auf allen Linien). *MetroCards* gelten auch in Bussen und können an über 3500 Stellen gekauft werden, auch in den Stationshäuschen, wo Sie mit Kreditkarte bezahlen können.

Informationen
MTA/NYCT 📞 *(718) 330-1234.* MetroCard-Kundenservice 📞 *(212) 638-7622.* www.mta.info

LINIENPLÄNE

Jede Subway-Linie ist auf den Plänen *(siehe hintere Umschlaginnenseite)* sowohl farblich als auch durch einen Buchstaben oder eine Nummer und mit den Namen der beiden Endbahnhöfe gekennzeichnet. Lokal- und Expresszüge sowie Umsteige-Stationen sind markiert. Unter den Stationsnamen stehen die Buchstaben bzw. Nummern der Linien, die dort verkehren. Fett gedruckte Nummern oder Buchstaben zeigen an, dass die Subway-Linie rund um die Uhr fährt (allerdings zwischen 24 und 6 Uhr seltener), dünn gedruckte Nummern oder Buchstaben bedeuten eingeschränkte Betriebszeiten. Eingerahmte Zeichen kennzeichnen die Station als Endstation einer Linie; Expresszüge haben einen Kreis. Subway-Pläne hängen in allen Stationen.

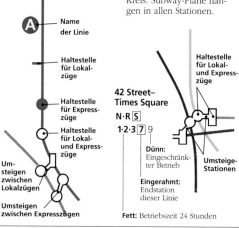

Grüne Lampen zeigen an, dass der Schalter unten ständig besetzt ist

BENUTZUNG DER SUBWAY

Subways fahren in Nord-Süd-Richtung unter der Lexington Avenue, 6th Avenue, 7th Avenue/Broadway und 8th Avenue. Die Linien N, R, E, F, W und V nach Queens verlaufen in Ost-West-Richtung.

Subway-Plan

1 Auf den hinteren Umschlaginnenseiten finden Sie einen Plan der New Yorker Subway. Große Detailpläne hängen außerdem unübersehbar in allen Subway-Stationen.

Verkaufsschalter

2 Kaufen Sie eine *MetroCard* am Schalter oder am Automaten. Die Automaten akzeptieren meist Kreditkarten und Scheine bis zu 50 Dollar, aber keine Pennies (1-Cent-Münzen).

3 Schieben Sie die Karte ein, damit sich das Drehkreuz bewegen lässt.

Drehkreuz am Eingang

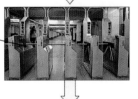

4 Folgen Sie den Wegweisern zur gewünschten Subway. Halten Sie sich sicherheitshalber in der Nähe der Schalter bzw. nachts in den gelb markierten Wartezonen auf.

Gelb markierte Wartezone

5 Jeder Zug zeigt die Nummer bzw. den Buchstaben der Linie und den Namen der Endstation an.

Anzeige der Linie

6 Einen Übersichtsplan finden Sie am Bahnsteig und in jedem Wagen nahe der Tür der Subway-Linie. Neuere Züge haben elektronische, aufleuchtende Anzeigen. Zudem werden alle Stationen ausgerufen, auch die Stationen selbst sind gut ausgeschildert. Die Türen werden vom Fahrer geöffnet. Steigen Sie möglichst nicht in leere Waggons ein.

7 Sind Sie an der gewünschten Station angekommen, folgen Sie dem Hinweis zum Ausgang *(exit)* oder, falls Sie umsteigen müssen, den Wegweisern zur Anschluss-Subway-Linie.

Mit dem Zug unterwegs

New York hat zwei große Bahnhöfe: Grand Central Terminal für Nahverkehrszüge in die nähere nördliche Umgebung und nach Connecticut sowie Pennsylvania (Penn) Station für den Nahverkehr in die östlichen Vorstädte, für Fernzüge in alle Teile der USA und nach Kanada. Nahverkehrszüge haben meist keine Speisewagen; es ist also empfehlenswert, sich vor der Fahrt mit Proviant zu versorgen. Platzreservierungen werden nur für Fernzüge entgegengenommen.

Amtrak-Zug

GRAND CENTRAL TERMINAL

Grand Central Terminal *(siehe S. 156f)* an der Park Avenue zwischen 41st und 42nd Street ist sozusagen der Hauptbahnhof für alle Metro-North-Züge, d. h. für Nahverkehrszüge (Hudson, New Haven und Harlem), die in den Norden und Osten, nach Connecticut und Westchester County fahren.

Vom Grand Central kommen Sie auch zum International Bronx Zoo *(siehe S. 244f)*, zum New York Botanical Gar-

Grand Central Terminal

den sowie zum Hyde Park, einem Besitz des ehemaligen amerikanischen Präsidenten Franklin D. Roosevelt.

Im Untergeschoss des Bahnhofs verkehren die Subways 4 und 5 der grünen Linie sowie Nummer 7 der roten Linie. Zwischen Grand Central und Times Square gibt es einen Pendelbus; auch viele Linienbusse halten am Grand Central Terminal.

PENN STATION

MTA
Long Island Rail Road
Logo der Long Island Rail Road

Penn Station, zwischen Seventh und Eighth Avenue sowie 31st und 33rd Street gelegen, ist ein moderner, 1963 umgebauter Bahnhof unterhalb des Madison Square Garden *(siehe S. 135)*. Nahverkehrszüge, Züge nach New Jersey sowie **Amtrak**-Züge in alle Teile der USA und nach Kanada fahren hier ab.

Taxis finden Sie auf der Straße; Busse fahren auf der Seventh Avenue downtown, auf der Eighth Avenue uptown. Die blauen Subway-Linien A, B und C verkehren an der zur Eighth Avenue hin gelegenen Seite des Bahnhofs, die roten Linien 1, 2, 3 und 9 an der zur Seventh Avenue hin gelegenen Seite. Fahrkartenschalter, Fahrscheinautomaten und Warteräume liegen auf Straßenebene, die Züge fahren jedoch vom Untergeschoss aus ab. Von hier aus können Sie nach New Jersey und Long Island fahren, mit den Amtrak-Zügen nach Kanada,

Philadelphia oder Washington. Neben dem Bahnhof befinden sich Schalter und Bahnsteige der **Long Island Rail Road** (LIRR), einem Nahverkehrszug zu den Ausflugszielen von Long Island, z.B. zu den Hamptons, nach Fire Island und Montauk Point.

PATH-ZÜGE

PATH Trains sind Bahnen, die rund um die Uhr zwischen New Jersey (Harrison, Hoboken, Jersey City und Newark) und der Penn Station verkehren. Sie halten auch in der Christopher Street, in der Ninth, 14th, 23rd, 33rd Street und in der Avenue of the Americas.

LIRR-Zug in der Penn Station

AMTRAK

Amtrak heißt die staatliche Eisenbahngesellschaft, die zwischen New York und den anderen Städten der USA sowie nach Kanada verkehrt. Amtrak-Züge sind sehr bequem und bieten oft Speise- sowie Gesellschaftswagen, auf längeren Strecken auch Schlafwagen. Einige Strecken werden von besonders schnellen Zügen befahren, etwa vom **Acela**, der Boston via New York mit Washington verbindet.

Fahrscheine kann man bei den Amtrak-Agenturen oder in der Penn Station kaufen; für Fahrscheine, die erst im Zug gelöst werden, muss man einen kräftigen Zuschlag zahlen. Senioren, nicht jedoch Studenten, erhalten eine Fahrpreisermäßigung von 15 Prozent; Reservierungen müssen bis spätestens zehn Tage vor der Abreise vorgenommen werden.

Amtrak bietet ein »Reisepaket«, das *Great American Vacations package*, und regelmäßig günstige Sondertarife an. Informationen hierzu gibt es in allen Amtrak-Agenturen.

Anzeigetafel in der Penn Station

FAHRSCHEINE UND -PLÄNE

Die Schalterhallen der New Yorker Bahnhöfe sind immer voller Menschen. Fahrscheine können Sie in der Regel auch mit Kreditkarte bezahlen; die angezeigten Preise beziehen sich meist auf eine einfache Fahrt; Rückfahrkarten kosten das Doppelte. Planen Sie verschiedene Fahrten oder Ausflüge, erkundigen Sie sich vorher bei LIRR oder Metro-North, die ständig Sonderangebote offerieren.

Große elektronische Anzeigetafeln informieren Sie über ankommende und abfahrende Züge (Uhrzeit, Herkunfts- bzw. Zielort, Bahnsteignummern). An den Bahnsteigzugängen finden Sie den Fahrplan des jeweiligen Zugs und die wichtigsten Halte- und Umsteigebahnhöfe. Um auf den Bahnsteig zu gelangen, müssen Sie durch eine Sperre, die sich automatisch öffnet, sobald der Zug einfährt. Ihre Fahrkarte wird erst im Zug kontrolliert.

Am Grand Central und in der Penn Station gibt es Toiletten, Banken, Geschäfte, Bars und Restaurants.

BAHNINFORMATIONEN

Amtrak Travel Centers
((800) USA-RAIL oder (800) 872-7245. **www**.amtrak.com

Acela
((800) 523-8720.
www.amtrak.com

Long Island Rail Road (LIRR)
((718) 217-LIRR (Info).
((212) 643 5228 (Fundbüro).
www.mta.info

Metro-North
((212) 532-4900 (Info).
((212) 340-2555 (Fundbüro).
www.mta.info

PATH-Züge
((800) 234-7284.
www.panynj.com

TAGESAUSFLÜGE

Es gibt wunderschöne Plätze außerhalb New Yorks, die Sie, sofern es Ihre Zeit erlaubt, besuchen sollten. Im Folgenden finden Sie einige Ausflugziele im Umkreis von 200 Kilometern. Genauere Informationen erhalten Sie beim New York Convention and Visitors Bureau *(siehe S. 368).*

Phillipsburg Manor, Tarrytown

Stony Brook
Kleiner reizender Ort an der Nordküste. Eingang zum historischen Three Villages District.
🚆 *93 Kilometer östlich. Long Island Rail Road ab Penn Station. 2 Stunden.*

The Hamptons
Das Beverly Hills von Long Island, mit schicken Bars und Boutiquen, schön gelegen.
🚆 *161 Kilometer östlich. Long Island Rail Road ab Penn Station. 2 Stunden 50 Minuten.*

Montauk Point
State Park an der östlichsten Ecke von Long Island mit Blick auf den Ozean.
🚆 *193 Kilometer. Long Island Rail Road ab Penn Station. 3 Stunden.*

Westbury House, Old Westbury
1906 von John Phipps im Stil einer englischen Villa gestaltet; wunderschöne englische Gartenanlagen.
🚆 *39 Kilometer östlich. Long Island Rail Road ab Penn Station. 40 Minuten.*

Tarrytown
Washington Irvings Wohnhaus »Sunnyside« und Jay Goulds Villa.
🚆 *40 Kilometer nördlich. Metro-North ab Grand Central Terminal, dann Taxi. 40–50 Minuten.*

Hyde Park
Besitz von Franklin D. Roosevelt (Springwood) und Vanderbilt-Villa.
🚆 *119 Kilometer nördlich. Metro-North ab Grand Central Terminal nach Poughkeepsie, dann Bus. 2 Stunden.*

New Haven, Connecticut
Sitz der Yale University.
🚆 *119 Kilometer. Metro-North ab Grand Central Terminal. 1 Stunde 46 Minuten.*

Hartford, Connecticut
Mark Twains Haus im Riverboat-Style, Atheneum Museum und Old State House.
🚆 *180 Kilometer nördlich. Amtrak ab Penn Station. 2 Stunden 45 Minuten.*

Winterthur, Delaware
Henry du Ponts Sammlung früher amerikanischer Kunst, Museum und Park.
🚆 *187 Kilometer südlich. Amtrak ab Penn Station bis Wilmington, dann Bus bis Winterthur. 2 Stunden.*

Die Yale University in New Haven, Connecticut

STADTPLAN

Kartenverweise bei Sehenswürdigkeiten, Läden, Restaurants, Bars etc. beziehen sich auf diesen Stadtplan (Erklärung der Kartenverweise *siehe rechts*). Die Karten decken den Hauptteil Manhattans ab. Die Übersichtskarte *(unten)* zeigt, welche Karte welchen Bereich umfasst. Ein Register der Straßennamen und der Sehenswürdigkeiten, die auf den Karten verzeichnet sind, finden Sie auf den folgenden Seiten. Der Stadtplan umfasst alle ausführlich beschriebenen Viertel (farbig markiert) einschließlich aller Straßenzüge, in denen sich Hotels, Restaurants und Bars, Theater, Läden etc. konzentrieren.

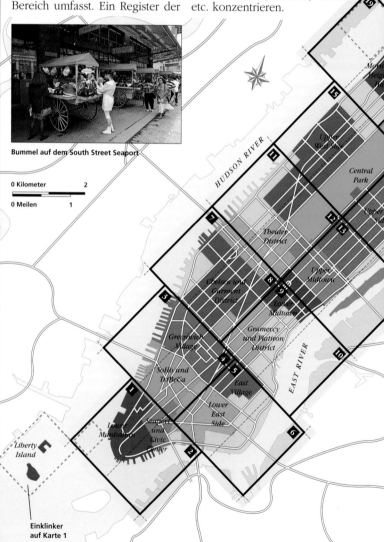

Bummel auf dem South Street Seaport

0 Kilometer 2

0 Meilen 1

Einklinker auf Karte 1

LEGENDE

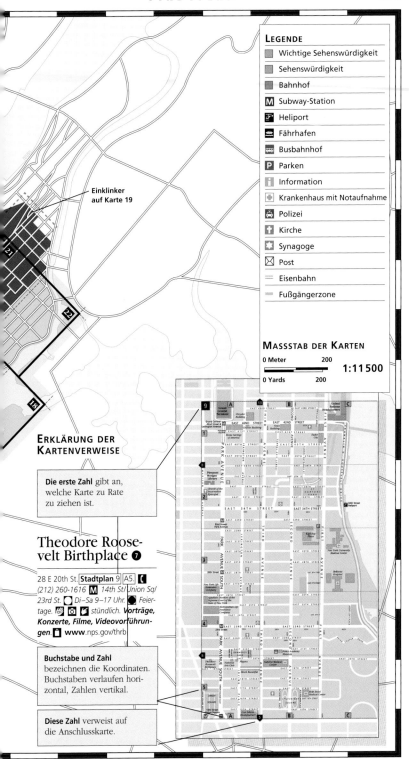	Wichtige Sehenswürdigkeit
	Sehenswürdigkeit
	Bahnhof
M	Subway-Station
	Heliport
	Fährhafen
	Busbahnhof
P	Parken
	Information
	Krankenhaus mit Notaufnahme
	Polizei
	Kirche
	Synagoge
	Post
=	Eisenbahn
	Fußgängerzone

MASSSTAB DER KARTEN

```
0 Meter        200
                        1:11500
0 Yards        200
```

Einklinker
auf Karte 19

ERKLÄRUNG DER KARTENVERWEISE

Die erste Zahl gibt an, welche Karte zu Rate zu ziehen ist.

Theodore Roose-velt Birthplace ❼

28 E 20th St. **Stadtplan** 9 A5.
(212) 260-1616 **M** 14th St/Union Sq/
23rd St. ◯ Di–Sa 9–17 Uhr. ● Feiertage. 📷 🎥 stündlich. **Vorträge,
Konzerte, Filme, Videovorführungen.** www.nps.gov/thrb

Buchstabe und Zahl bezeichnen die Koordinaten. Buchstaben verlaufen horizontal, Zahlen vertikal.

Diese Zahl verweist auf die Anschlusskarte.

Kartenregister

Hinter jedem Eigennamen steht der Name des Stadtteils (außer bei Manhattan) und der Kartenverweis

Hinter jedem Eigennamen steht der Name des Stadtteils (außer bei Manhattan) und der Kartenverweis

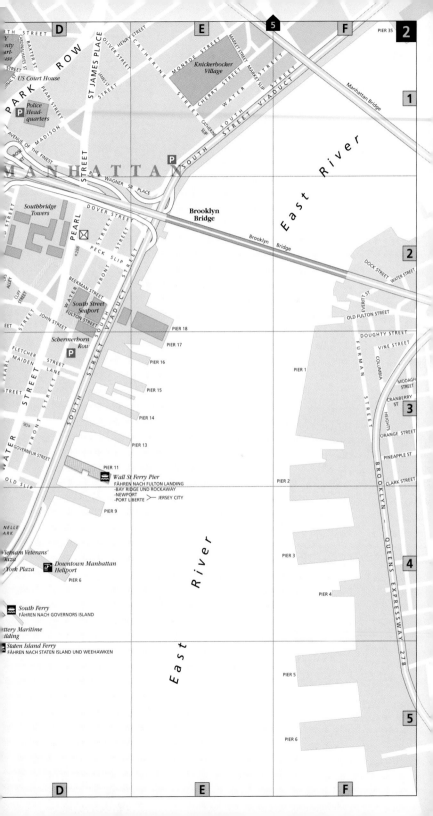

D   **E**   **5**   **F**   PIER 35   **2**

TH STREET
CARDINALHAYES ST

PARK ROW

ST JAMES PLACE

BAXTER ST

OLIVER STREET

HENRY STREET

CATHERINE

MONROE STREET

MARKET STREET

MARKET SLIP

WATER STREET

SOUTH STREET VIADUCT

Manhattan Bridge

1

US Court House

Knickerbocker Village

CHERRY STREET

Police Headquarters

PEARL STREET

JAMES STREET

CATHERINE Slip

AVENUE OF THE FINEST

MADISON

M A N H A T T A N

STREET

WAGNER SR PLACE

P

SOUTH STREET

East River

DOVER STREET

Southbridge Towers

PEARL STREET

FRONT STREET

Brooklyn Bridge

Brooklyn Bridge

2

DOCK STREET

WATER STREET

PECK SLIP

BEEKMAN STREET

WATER STREET

CLIFF STREET

JOHN STREET

FULTON STREET

South Street Seaport

PIER 18

ALLEY

EET

STREET

SOUTH STREET VIADUCT

EVERITT ST

OLD FULTON STREET

DOUGHTY STREET

VINE STREET

FURMAN STREET

COLUMBIA

FLETCHER STREET

MAIDEN LANE

Schermerhorn Row

P

PIER 17

PIER 16

PIER 1

MIDDAGH STREET

CRANBERRY ST

3

HEIGHTS

STREET

PEARL

PEARL

FRONT STREET

SOUTH STREET

PIER 15

PIER 14

ORANGE STREET

90b

PIER 13

PINEAPPLE ST

WATER STREET

GOVERNEUR STREET

PIER 11

Wall St Ferry Pier
FÄHREN NACH FULTON LANDING
-BAY RIDGE UND ROCKAWAY
-NEWPORT
-PORT LIBERTE ⟩ JERSEY CITY

CLARK STREET

BROOKLYN - QUEENS EXPRESSWAY

OLD SLIP

PIER 2

PIER 9

NELLE ARK

Vietnam Veterans' Plaza

York Plaza

Downtown Manhattan Heliport

PIER 6

East River

PIER 3

4

PIER 4

South Ferry
FÄHREN NACH GOVERNORS ISLAND

attery Maritime
ilding

Staten Island Ferry
FÄHREN NACH STATEN ISLAND UND WEEHAWKEN

278

PIER 5

East River

5

PIER 6

D   **E**   **F**

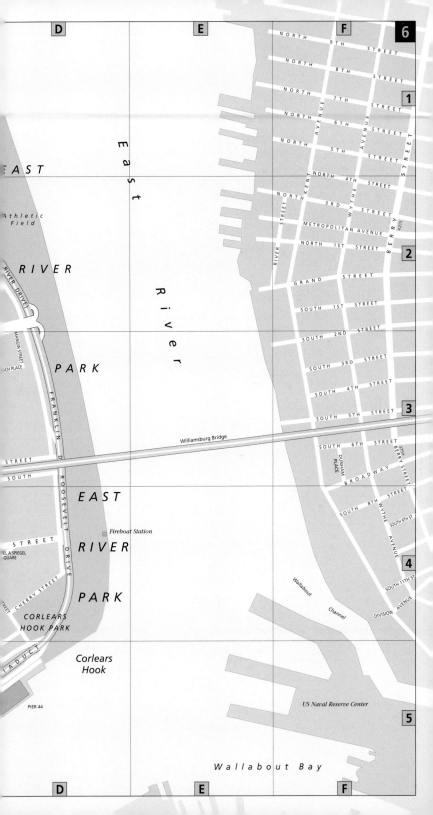

Belmont
Island

Pulaski Bridge

Queens - Midtown Tunnel 495

50TH AVENUE

51ST AVENUE

2ND (FRONT) STREET

50TH STREET

VERNON BLVD

JACKSON AVENUE

AVENUE

BORDEN AVENUE

M Vernon Jackson
Boulevard

1

Long Island City
Station

54TH (FLUSHING) AVENUE

55TH STREET

55TH AVENUE

56TH AVENUE

Newton Creek

MANHATTAN AVENUE

BOX #5111

STREET

2

E a s t

COMMERCIAL STREET

CLAY STREET

DUPONT STREET

FRANKLIN STREET

EAGLE STREET

WEST STREET

FREEMAN STREET

GREEN STREET

3

HURON STREET

STREET

R i v e r

INDIA

JAVA STREET

KENT STREET

GREENPOINT AVENUE

4

Manhattan
Marina

PIER 70

PIER 69

FRANKLIN D ROOSEVELT DRIVE (EAST RIVER DRIVE)

PIER 68

PIER 67

5

AVENUE C

EAST 16TH STREET

EAST 15TH STREET

11

A · B · C

WEST 72ND STREET «300 «200
VERDI SQUARE
M 72nd Street
«262
«1
The Doritt
SHERMAN SQUARE

WEST 71ST STREE

1

WEST 70TH STREE

WEST SIDE

BROADW

WEST 66TH STREET

The Juilliard School

AMSTERDAM

FREEDOM PLACE

WEST END AVENUE

CONRAIL PIERS
(AUSSER BETRIEB)

WEST 65TH STREET

Lincoln Center

2

WEST 64TH STREET

Metropolitan Opera House

DAMROSCH PARK

Guggenheim Bandshell

Hudson

WEST 61ST STREET

Fordham University

WEST 60TH STREET

WEST 59TH STREET

ELEVENTH AVENUE

TENTH AVENUE

Roosevel Hospita Cente

3

PIER 99

WEST 58TH STREET

PIER 98

PIER 97

WEST 57TH STREET «600 «500 «400

River

PIER 96 «823

WEST 56TH STREET

PIER 95

WEST 55TH STREET

WEST 54TH STREET

PIER 94

DE WITT CLINTON PARK

WEST 53RD STREET

P

4

PIER 92

WEST 52ND STREET

WEST 51ST STREET

N.Y.C. Passenger Ship Terminal (Port Authority)

PIER 90

WEST 50TH STREET

WEST 49TH STREET

TWELFTH AVENUE

ELEVENTH AVENUE

TENTH AVENUE

PIER 88

WEST 48TH STREET

WEST 47TH STREET

5

PIER 86

WEST 46TH STREET

Intrepid Sea-Air-Space Museum

WEST 45TH STREET

PIER 84

A

B WEST 44TH STREET «500 «589 «614 C STREET

P

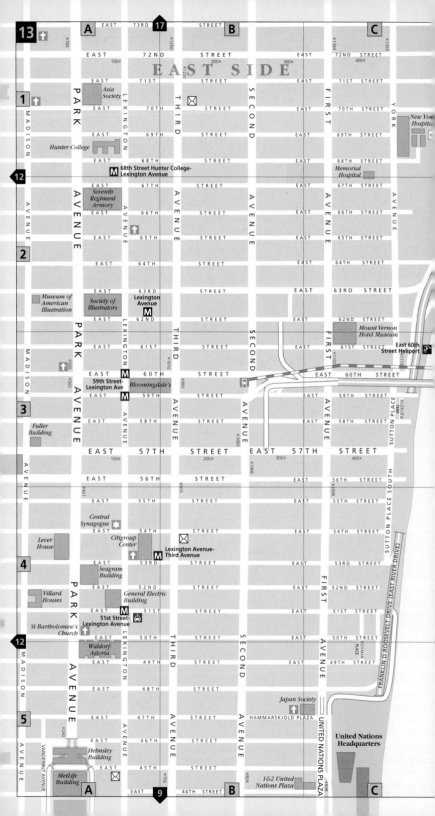

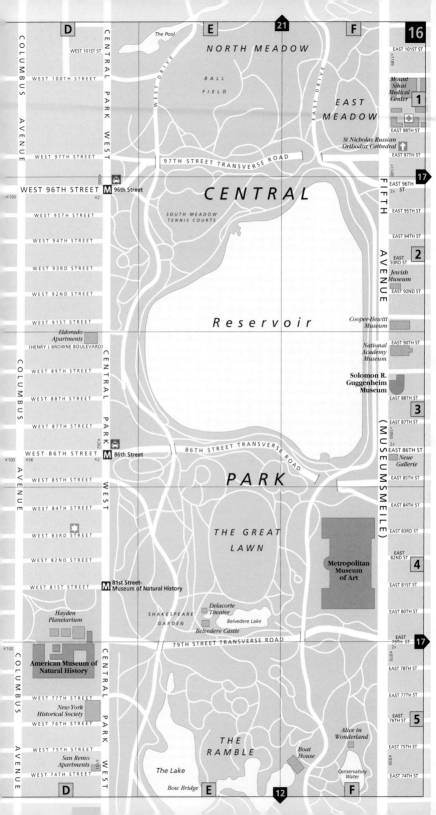

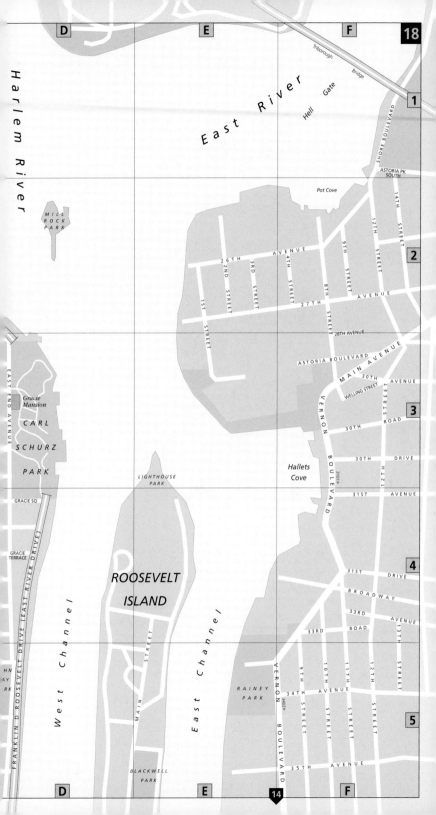

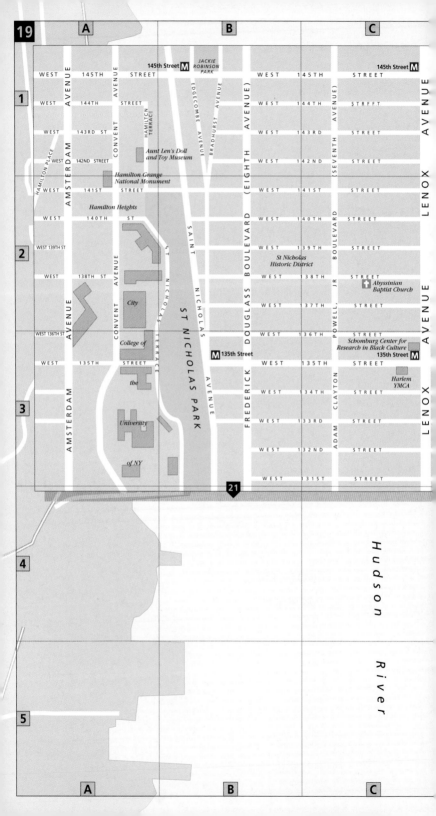

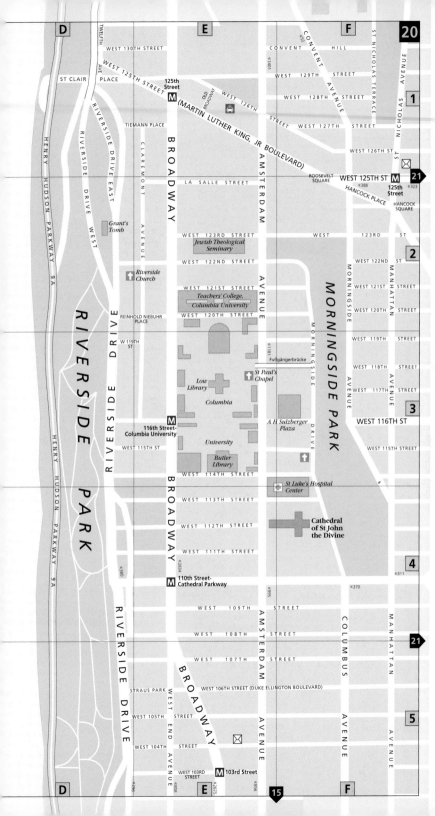

Textregister

Danksagung und Bildnachweis

Dorling Kindersley bedankt sich bei allen, die zur Herstellung dieses Buches beitrugen.

HAUPTAUTORIN
Eleanor Berman lebt seit 40 Jahren in New York und schreibt Reiseartikel und -bücher, u. a. *Away for the Weekend: New York*, seit 1982 ein Bestseller. Außerdem ist sie Autorin von *Away for the Weekend* u. a. über Neuengland und Nordkalifornien sowie von *Travelling on Your Own* und *Reflections of Washington, DC*.

WEITERE AUTOREN
Michelle Menendez, Lucy O'Brien, Heidi Rosenau, Elyse Topalian, Sally Williams.

ERGÄNZENDE FOTOGRAFIEN
Rachel Feierman, Andrew Holigan, Edward Hueber, Eliot Kaufman, Karen Kent, Dave King, Norman McGrath, Howard Millard, Ian O'Leary, Susannah Sayler, Paul Solomon, Chuck Spang, Chris Stevens.

ERGÄNZENDE ILLUSTRATIONEN
Steve Gyapay, Arshad Khan, Kevin Jones, Dinwiddie MacLaren, Janos Marffy, Chris D. Orr, Nick Shewring, John Woodcock.

KARTOGRAFIE
Andrew Heritage, James Mills-Hicks, Chez Picthall, John Plumer (DORLING KINDERSLEY). Advanced Illustration (Cheshire), Contour Publishing (Derby), Europmap Ltd (Berkshire). Detailkarten: ERA-Maptec Ltd (Dublin), Überarbeitung der Karten mit Erlaubnis von Shobunsha (Japan).

KARTOGRAFISCHE DOKUMENTATION
Roger Bullen, Tony Chambers, Ruth Duxbury, Ailsa Heritage, Jayne Parsons, Laura Porter, Donna Rispoli, Joan Russell, Jill Tinsley, Andrew Thompson.

LAYOUT UND REDAKTION
MANAGING EDITOR Douglas Amrine
MANAGING ART DIRECTORS Stephen Knowlden, Geoff Manders
SENIOR EDITOR Georgina Matthews
SERIES DESIGN CONSULTANT Peter Luff
EDITORIAL DIRECTOR David Lamb
ART DIRECTOR Anne-Marie Bulat
PRODUCTION CONTROLLER Hilary Stephens
PROJECT EDITOR Fay Franklin
ART EDITOR Tony Foo
REDAKTION Donna Dailey, Ellen Dupont, Esther Labi
DESIGN Steve Bere, Louise Parsons, Mark Stevens
MITARBEIT REDAKTION Fiona Morgan
BILDRECHERCHE Susan Mennell, Sarah Moule
DTP Andy Wilkinson

Keith Addison, Matthew Barrell, Eleanor Berman, Vandana Bhagra, Jon Paul Buchmeyer, Ron Boudreau, Linda Cabasin, Rebecca Carman, Sandy Carr, Michelle Clark, Sherry Collins, Carey Combe, Diana Craig, Maggie Crowley, Guy Dimond, Tom Fraser, Anna Freiberger, Jo Gardner, Alex Gray, Michelle Haimoff, Marcus Hardy, Sara Harper, Sasha Heseltine, Pippa Hurst, Kim Inglis, Jaqueline Jackson, Maite Lantaron, Miriam Lloyd, Shahid Mahmood, Susan Millership, Jane Middleton, Helen Partington, Leigh Priest, Nicki Rawson, Marisa Renzullo, Aniv Reuveni, Ellen Root, Liz Rowe, Anaïs Scott, AnneLise Sorensen, Anna Streiffert, Clare Sullivan, Andrew Szudek, Ava-Lee Tanner, Shawn Thomas, Ros Walford, Lucilla Watson, Celia Woolfrey.

MITHILFE
Beyer Blinder Belle, John Beatty im Cotton Club, Peter Casey bei der New York Public Library, Nicky Clifford, Linda Corcoran im Bronx Zoo, Audrey Manley bei der Morgan Library, Jane Fischer, Deborah Gaines beim New York Convention and Visitors Bureau, Dawn Geigerich vom Queens Museum of Art, Peggy Harrington von St. John the Divine, Pamela Herrick vom Van Cortlandt House, Marguerite Lavin vom Museum of the City of New York, Robert Makla von den Friends of Central Park, Gary Miller bei der New York Stock Exchange, Laura Mogil vom American Museum of Natural History, Fred Olsson von der Shubert Organization, Dominique Palermo vom Police Academy Museum, Royal Canadian Pancake House, Lydia Ruth und Laura I. Fries im Empire State Building, David Schwartz vom American Museum of the Moving Image, Joy Sienkiewicz vom South Street Seaport Museum, Barbara Orlando bei der Metropolitan Transit Authority, das Personal vom Lower East Side Tenement Museum, Msgr. Anthony Dalla Valla in der St. Patrick's Cathedral.

MITHILFE BEI DER RECHERCHE
Christa Griffin, Bogdan Kaczorowski, Steve McClure, Sabra Moore, Jeff Mulligan, Marc Svensson, Vicky Weiner, Steven Weinstein.

FOTONACHWEIS
Duncan Petersen Publishers Ltd.

GENEHMIGUNG FÜR FOTOGRAFEN
Dorling Kindersley dankt folgenden Institutionen für die freundliche Erlaubnis, bei ihnen zu fotografieren:
American Craft Museum, American Museum of Natural History, Aunt Len's Doll and Toy Museum, Balducci's, Home Savings of America, Brooklyn Children's Museum, The Cloisters, Columbia University, Eldridge Street Project, Federal Hall, Rockefeller Group, Trump Tower.'

BILDNACHWEIS

o = oben; om = oben Mitte; or = oben rechts; mlu = Mitte links unten; mo = Mitte oben; mro = Mitte rechts oben; ml = Mitte links; m = Mitte; mr = Mitte rechts; mlu = Mitte links unten; mu = Mitte unten; mru = Mitte rechts unten; ul = unten links; um = unten Mitte; ur = unten rechts.

Manhattan Subway

Benutzerhinweise

Die U-Bahn verkehrt 24 Stunden am Tag. Auf der Karte markieren **fett** gedruckte Buchstaben oder Ziffern die Stationen, die rund um die Uhr in Betrieb sind. Dünn gedruckte Buchstaben oder Ziffern weisen darauf hin, dass die Züge nicht immer fahren bzw. an dieser Station nicht immer halten. Weitere Informationen unter (718) 330-1234 oder www.mta.info.

Im Reiseführer wird bei Sehenswürdigkeiten immer die nächstgelegene Subway-Station genannt. Weitere Infos zur Subway *siehe S. 390f.*

Für Rollstuhlfahrer geeignete Stationen

Aktuelle Informationen über barrierefreien Zugang unter (718) 596-8585 (tägl. 6–21 Uhr). Infos über die Zugänglichkeit von Aufzügen und Rolltreppen unter (800) 734-6772 (24 Std.).

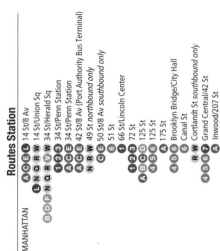

Routes Station

MANHATTAN

Routes	Station
Ⓐ Ⓒ Ⓔ Ⓛ	14 St/8 Av
Ⓛ Ⓝ Ⓠ Ⓡ Ⓦ	14 St/Union Sq
Ⓑ Ⓓ Ⓕ Ⓝ Ⓠ Ⓡ Ⓥ Ⓦ	34 St/Herald Sq
① ② ③	34 St/Penn Station
Ⓐ Ⓒ Ⓔ	34 St/Penn Station
Ⓐ Ⓒ Ⓔ	42 St/8 Av (Port Authority Bus Terminal)
Ⓝ Ⓡ Ⓦ	49 St *northbound only*
Ⓒ Ⓔ	50 St/8 Av *southbound only*
⑥	51 St
①	66 St/Lincoln Center
① ② ③	72 St
Ⓐ Ⓑ Ⓒ Ⓓ	125 St
④ ⑤ ⑥	125 St
Ⓐ	175 St
④ ⑤ ⑥	Brooklyn Bridge/City Hall
⑥	Canal St
Ⓡ Ⓦ	Cortlandt St *southbound only*
④ ⑤ ⑥ ⑦	Grand Central/42 St
Ⓐ	Inwood/207 St

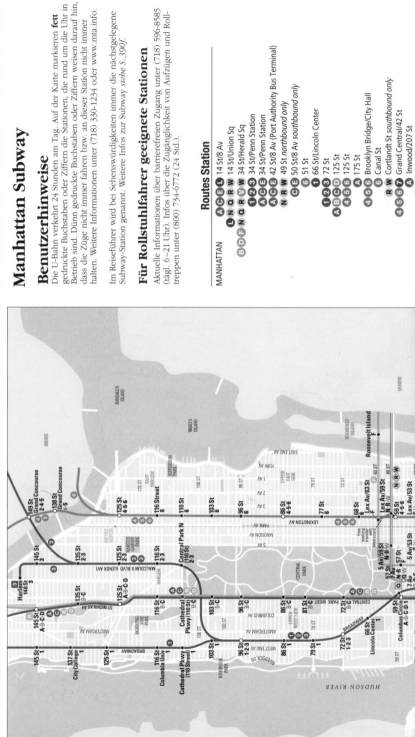